Ancien handballeur de haut niveau, Michel Robert est né en 1964. Écrivain, amateur de bons vins et de séries américaines, il a collaboré à l'écriture du cycle de *La Malerune* avec Pierre Grimbert, avant de débuter en 2004 sa saga *L'Agent des Ombres* (9 tomes déjà parus), donnant à la fantasy l'un de ses héros les plus sombres : Cellendhyll de Cortavar.
Il entame également une nouvelle série *La Fille des Clans* chez Fleuve dont deux tomes ont déjà paru : *Balafrée* (Fleuve, 2010 ; Pocket, 2012) et *Revanche de sang* (Fleuve, 2014 ; Pocket, 2019), avant de se lancer dans l'écriture d'un western fantastique : *Largo Callahan* (Fleuve, 2018 ; Pocket, 2019).

Rejoignez la communauté de fans sur :
http://angeduchaos.forumgratuit.org/
Retrouvez l'auteur sur sa page Facebook :
@MichelRobertOfficiel

L'ANGE DU CHAOS

DU MÊME AUTEUR
CHEZ POCKET

L'ANGE DU CHAOS

1. L'ANGE DU CHAOS
2. CŒUR DE LOKI
3. SANG-PITIÉ
4. HORS-DESTIN
5. BELLE DE MORT
6. GUERRIER DES LUNES
7. CHIENS DE GUERRE
8. ANGE ET LOKI
9. RUISSEAUX DE SANG

LA FILLE DES CLANS

1. BALAFRÉE
2. REVANCHE DE SANG

LARGO CALLAHAN

SIX PETITES GOUTTES DE SANG - PARTIE 1

GHERITARISH

IMAGINAIRE
Ouvrage publié sous la direction de Bénédicte Lombardo
Collection dirigée par Charlotte Volper

MICHEL ROBERT

L'Agent des Ombres 1

L'ANGE DU CHAOS

MNÉMOS

Pocket, une marque d'Univers Poche, est un éditeur qui s'engage pour la préservation de son environnement et qui utilise du papier fabriqué à partir de bois provenant de forêts gérées de manière responsable.

ISBN : 978-2-266-30909-7

PROLOGUE

Plan tertiaire, zone neutre

L'entrevue se déroula sur un Plan abandonné des Puissances, à mi-chemin des Ténèbres et du Chaos, au milieu d'une modeste vallée de la région de Bénarius. Cette rencontre, le marquis Leprín, Légat du royaume des Ténèbres, l'avait très minutieusement préparée. Il ne pouvait ni ne voulait commettre le moindre impair.

La sérénité bucolique des lieux convenait à merveille au projet du Légat. Le chant enjoué des oiseaux-lyres, la brise légère, les trois soleils rouges dardant leurs rayons pour offrir une chaleur presque engourdissante, l'encens allumé dans des coupoles de quartz diffusant une fragrance subtile, tout avait été étudié pour créer une atmosphère de paix et de détente sinon de confiance.

Deux tentes spacieuses se faisaient face sur les versants est et ouest de la vallée, situées à des points stratégiques et dépourvues toutes deux du moindre ornement : cette rencontre n'avait rien d'officiel.

Au centre de la vallée reposait un péristyle de pierre blanche, tel un navire échoué sur une mer d'herbe vivace d'un agréable vert tendre. Couvertes d'un lierre odoriférant, trois colonnes de pierre y pointaient encore leur fierté vers le ciel serein. Au pied de ces colonnes avait été dressée une longue table, recouverte d'une nappe de soie immaculée, de couverts d'argent, d'un triple jeu de verres à vin en cristalune, un service à liqueur, ainsi que d'une délicate vaisselle en porcelaine de Latill. Le marquis avait lui-même veillé au choix des deux lourds fauteuils de brocart or et rouge qui les recevraient lui-même et son interlocuteur ; les sièges offraient tout le confort nécessaire. Le Légat réfléchit un instant à ce qu'il aurait pu oublier dans ses préparatifs mais ne trouva rien. Aujourd'hui, tout particulièrement aujourd'hui, les choses se devaient d'être parfaites.

Leprín jouait en effet le tout premier mouvement d'un plan à long terme, soigneusement élaboré pour le hisser vers les plus hautes destinées.

Justement, un signal ténu, conçu et émis pour ses seules oreilles, l'avertit de l'arrivée de son invité. Le Légat vérifia l'ordre de sa tenue et se prépara pour le tournant de sa carrière.

Le boyau du cercle de téléportation se referma en crépitant sur les hauteurs de la vallée, tandis qu'Elvanthyell faisait son approche. Le duc Elvanthyell de la maison d'Eodh, archimage du Chaos.

Celui-ci prit d'abord soin de pénétrer dans sa tente pour vérifier que ses gardes du corps se trouvaient bien à leur poste, en pleine possession de leurs moyens. Il ressortit peu après sans avoir prononcé un mot et se mit à contempler le paysage, invoquant son mana pour sonder les lieux. Satisfait de son examen, il descendit vers son hôte, à pas mesurés, l'allure nonchalante.

Le Légat des Ténèbres en profita pour détailler ce

personnage dont la renommée n'avait d'égale que le mystère.

Grand, élancé, le duc du Chaos avait une figure ovale, bien dessinée, sans âge, rehaussée d'une peau claire et encadrée de cheveux de neige d'une finesse arachnéenne. Étincelants de clairvoyance, ses yeux gris aux reflets dorés surmontaient un nez aristocratique, à la narine droite percée d'une gemme aux reflets bleutés. D'un noir d'encre, sa barbe courte, impeccable, ajoutait une touche de personnalité supplémentaire à cet homme qui n'en avait nul besoin.

Dédaignant l'ostentatoire, Elvanthyell portait une robe longue aux couleurs de la maison d'Eodh : étoffe bleu nuit, manches gris clair, revers pourpres. Un pendentif carré en bois laqué, au milieu duquel figurait une unique rune de pouvoir, reposait sur la poitrine du duc. Il était pieds nus et marchait les mains jointes devant lui. Rompues à l'usage des arcanes, celles-ci étaient parées d'anneaux et de bagues, attirail qui constituait la part visible de son potentiel magique.

Leprín fut impressionné par l'aura de l'archimage. Le duc avait survécu à toutes les guerres, à toutes les rivalités, accumulant les victoires. Impossible de s'attaquer de face à Elvanthyell ! Avec ses capacités supérieures, même hors de sa sphère de pouvoir – dans laquelle les Puissances étaient presque invincibles – l'archimage du Chaos le soumettrait à sa volonté avant de le broyer, sans même transpirer.

Le Légat se reprit. Il était trop tard pour faire marche arrière.

— Ainsi, vous avez daigné accepter mon invitation ! entama-t-il, déterminé à produire le meilleur effet sur son invité. Quel honneur !

— Votre messagère a su éveiller mon attention, répondit l'archimage, dont le sourire traduisait clairement le vif plaisir qu'il avait tiré de cette esclave entièrement tatouée, aux manières foncièrement vicieuses.

— Ah, la douce Iseba ! Je suis ravi qu'elle vous ait plu. En vérité, mon cher, je n'osais vraiment croire à votre venue. Qu'une Puissance s'aventure hors de son domaine est assez rare pour être souligné ! Mais avant tout, veuillez vous installer... Prenez place à ma table. Nous allons prendre un rafraîchissement. Que diriez-vous d'un verre de liqueur ?

Tout en devisant, Leprín accompagna son invité à la place offrant le meilleur point de vue sur la vallée, tirant lui-même le siège en signe de respect. Il se comportait avec un enthousiasme mêlé de la pointe de déférence nécessaire. Une considération légitime.

Dans le plus petit des verres de cristal, il versa un élixir qui coula épais, tel un sirop translucide et légèrement fumant.

Saisissant le verre de liqueur, Elvanthyell éleva son verre dans la lumière, comme pour en admirer le contenu. La bague qu'il portait au médius de la main droite ne manifesta aucune réaction, signe que le breuvage se révélait inoffensif. Il but une gorgée. Une vague réfrigérante enveloppa sa gorge avant de se transformer en un feu doux qui se répandit dans ses membres pour les caresser de l'intérieur.

Tout en dégustant le liquide qu'il analysa comme un mélange de menthe blanche, de poivre-argent et de gingembre, agrémenté d'une pointe de sauge, le duc du Chaos se livra à son tour à l'examen de son hôte.

Natif des Ténèbres, le marquis Leprín était un être de taille moyenne, à l'ossature lourde, vêtu d'une ample chemise de soie écarlate ouverte sur une poitrine d'un acajou soutenu. Celle-ci se révélait imberbe, large et musclée, huilée d'un voile antimagie à l'odeur épicée. Leprín avait des cheveux brillants d'un noir profond, une barbiche de même teinte qui descendait au-delà d'un menton pointu, au centre de laquelle brillait l'éclat d'une petite perle de feu. Tout en vidant son verre à petites gorgées, appréciant son piquant puis sa suavité, Elvanthyell s'attarda l'air de rien sur les deux attributs qui trahissaient la nature de souche pure ténébreuse de son hôte. Ses yeux tout d'abord. Des globes jaunes très écartés, aux prunelles rouge sang, fendues de noir. Et sa queue, qui battait orgueilleusement dans son dos, terminée par une pointe en os, un aiguillon de forme triangulaire aussi tranchant qu'une dague.

Pour achever son examen, il contempla le visage de son interlocuteur, doté de traits puissants et volontaires, traduisant l'impatience et une propension certaine à la violence, estima l'archimage.

Elvanthyell prenait cette rencontre avec son habituel détachement. Malgré tout sur ses gardes, mais uniquement par principe. Il avait pris les précautions d'usage pour veiller à sa sécurité, parmi lesquelles cet antipoison de sa composition, très efficace. En renfort éventuel de sa magie, il disposait des deux guerriers d'élite postés dans la tente, sélectionnés par Morion, son fils. Le duc du Chaos ne craignait nulle attaque frontale. Même ici, hors de sa propre sphère de pouvoir. Il était Elvanthyell d'Eodh, archimage du Chaos, la Puissance incarnée. Au même titre que Priam, l'empereur de la Lumière, le Père de la Douleur et les quatre seigneurs de guerre ténébreux, Aïlaëen, maîtresse de la Sylve, et quelques autres du même acabit. Cette situation de quasi-omnipotence durant deux cent cinquante années d'existence faisait d'Elvanthyell un homme blasé, avide de nouvelles sensations.

Il n'envisageait nul piège, n'étant plus depuis longtemps ni en guerre, ni menacé d'aucun affront, d'aucune vendetta. Sauf lorsqu'il s'estimait intimement outragé, le duc évitait d'affronter ses ennemis de face, qu'ils servent les Ténèbres, la Lumière ou quelque autre allégeance. Bien sûr, il intervenait tout de même à ses heures, avec le doigté caractéristique des Ombres et le souci de ne jamais se compromettre.

Enfin installé, son verre à la main, le marquis but quelques gorgées et reprit la parole :

— Tenez, tout d'abord, pour vous remercier de votre ponctualité... Elle va vous permettre de découvrir ce spectacle. Il n'a lieu qu'une fois par saison !

Du doigt, Leprín désigna un endroit particulièrement fleuri de la prairie, à une cinquantaine de pas de leur position.

C'était une étendue de fleurs bombées, une symphonie de bleu, de pourpre, de jaune et de blanc. Des fleurs qui, en cette heure chaude de l'après-midi, restaient fermées, remarqua Elvanthyell. Un oiseau-lyre se détacha du ballet exécuté par ses congénères, virevoltant harmonieusement sous l'horizon. Le volatile allongé, au plumage brillant, plana fièrement jusqu'à l'éventail de fleurs en attente. Il le traversa en lançant un trille impérieux avant de retourner s'ébattre parmi ses frères.

Le champ de fleurs se mit alors à onduler, sans tenir compte des directives du vent moqueur. Une silencieuse explosion de lumière, et toutes les fleurs se mirent à s'ouvrir, rejetant chacune qui un papillon bleu, qui un pourpre, un jaune ou encore un blanc. L'essaim pacifique se hissa dans un parfait ensemble au-dessus des fleurs-hôtes avant de se disperser à tout va, inondant la vallée de serpentins colorés. À chaque couleur correspondait une bouffée différente de phéromones puissantes.

Elvanthyell dut augmenter le volume de ses protections pour éviter d'être délicieusement saoulé par ces fragrances. Il remarqua qu'au contraire, Leprín aspirait avidement. *Tiens, tiens*, songea le duc, notre aimable marquis serait-il gouverné par les drogues ? Intéressant. Très intéressant. Aussitôt analysée, l'information fut rangée dans l'extraordinaire bibliothèque que constituait son cerveau.

— Original, n'est-il pas vrai ? s'enquit Leprín.

— Un spectacle exquis ! Il ferait les délices d'Estrée, ma fille.

Le Légat retint *in extremis* un infime tressaillement. *Elvanthyell savait-il pour Estrée ? Impossible !*

— Alors, il faudra venir lui faire découvrir cette vallée, répondit-il en détournant le regard. Tout le reste de la zone a brûlé durant les Grandes Guerres. Comme vous pouvez le constater, c'est le seul endroit vivant de ce Plan, et pourtant, l'équilibre écologique a su s'adapter pour fonctionner en vase clos.

D'une main carrée aux ongles griffus, le marquis saisit une carafe remplie d'un liquide grenat où dansaient de petites étoiles orangées. Il versa le divin breuvage avec la délicatesse d'un connaisseur dans le plus grand des verres de cristalune.

— Je choisis toujours le vin moi-même, une habitude de célibataire. Ainsi, si le vin s'avère mauvais, je ne puis blâmer que moi-même. Goûtez ce Montdragon-Rubis, année de la Licorne. Remarquez cette robe qui se révèle dans le soleil... Et ce bouquet... D'une richesse à faire tourner la tête. Ah ! Je vois que vous l'appréciez. J'ai pris la liberté d'en faire déposer une caisse scellée à votre intention, dans votre tente. Et je vous le répète, il n'y a aucun piège à craindre. Nous savons tous deux que vous êtes trop fort, il serait suicidaire de ma part que de penser vous nuire !

— Vous me comblez d'attention, mon cher Leprín. Je vais finir par me sentir gêné.

Le ton d'Elvanthyell exprimait un amusement manifeste au cœur duquel pointait une étincelle d'intérêt. Il goûta le vin, le gardant en bouche pour en savourer toute la finesse. Il concéda au marquis un hochement de tête approbateur.

— Ce n'est qu'un modeste manifeste de mon admiration, seigneur, reprit le Légat. Un témoignage de la bonne entente que je désire instaurer entre nous.

— Il y a de quoi se sentir flatté ! rétorqua Elvanthyell. Mais, je suis déconcerté par cette invitation. Il est étrange qu'un membre des Ténèbres veuille frayer avec le Chaos...

— Je préfère le terme de « novateur ». Et pourquoi serait-ce si étrange ? Je ne conçois aucune raison de nous opposer. Les anciennes querelles ne nous concernent nullement, non ? Mon combat à moi, c'est de vaincre la Lumière ! ajouta Leprín, les yeux soudain embrasés d'une lueur fanatique.

— Quant à vos buts, seigneur, poursuivit-il, ils restent les vôtres et je ne prétendrai pas m'en mêler. Cependant, je crois sincèrement qu'une alliance serait profitable. Très profitable... Vous riez de mon ambition ? s'exclama-t-il avec une légère grimace d'autodérision. Je suis ambitieux, c'est vrai. Pourquoi le cacher ? C'est précisément la raison pour laquelle j'ai tenu à vous rencontrer.

Leprín fit une légère pause pour les resservir en Montdragon-Rubis. Avant de reprendre avec un débit plus maîtrisé :

— Inutile de prétendre que nous naviguons dans les mêmes sphères, Monseigneur, mais au sein des Ténèbres, mon pouvoir s'accroît. J'ai mérité la faveur du Père de la Douleur...

L'évocation du Roi-Sorcier suprême, le Père de la Douleur, être impénétrable même pour ses semblables, était destinée à impressionner son interlocuteur. Mais Elvanthyell ne sembla pas s'en émouvoir. Il rétorqua, le sourcil haussé :

— Et les Quatre, alors, qu'ont-ils à voir dans tout cela ? Ont-ils ordonné cette rencontre ?

Il faisait référence aux quatre seigneurs de guerre ténébreux. Les êtres les plus craints de l'univers connu.

— Nullement ! se défendit le Légat en se redressant sur son siège. C'est de mon initiative propre que vous êtes ici. Le secret le plus total a présidé les préparatifs de cette entrevue. Pour tout vous dire, le Père de la Douleur lui-même m'a mandaté pour résoudre un certain *problème*... Je suis ambitieux, je vous l'ai concédé, très ambitieux. Contrairement à leur réputation, les Quatre ne sont pas éternels. Ils usent à présent plus d'énergie à se quereller qu'à œuvrer pour le bien de notre race ! Le Père en est parfaitement conscient, c'est bien pour cela qu'il m'a confié les pleins pouvoirs. Non, seigneur, que ce soit Croc-de-Haine, Griffe-de-Sang ou les deux autres, les Quatre n'ont rien à voir dans ce qui nous occupe. Soyez-en convaincu ! Je tiens à faire mon chemin sans me lier à aucun d'eux... Je vous le certifie sur mon honneur ! Mais pour le moment, laissons tout cela de côté, si vous le voulez bien... Il y a priorité : réjouissons-nous d'un bon repas. Je rêvais depuis si longtemps de vous avoir à ma table que j'attends votre verdict avec impatience !

— Marquis, je dois avouer que votre invitation a taquiné mon intérêt... De même, votre si habile messagère. Ce fut un bien intéressant hors-d'œuvre, vraiment !

Elvanthyell avait semble-t-il décidé de traiter Leprín

en égal. Du moins le temps de cette rencontre. Le marquis avait su éveiller la curiosité du duc.

Un sourire d'autosatisfaction plaqué sur ses lèvres gourmandes, Leprín claqua des doigts pour annoncer le repas.

Deux jumelles benayim, les prêtresses de l'Amour, vinrent rejoindre les deux hommes de leur démarche ondulante. Natives de l'île des Plaisirs, placée sous la domination du Plan-maître des Ténèbres, elles disposaient d'un charme travaillé depuis l'enfance.

Tout en plaisantant d'une voix au timbre particulièrement sensuel, les deux rousses s'approchèrent du duc Elvanthyell pour lui laver les mains, l'agaçant délicieusement de multiples effleurements – tout en évitant soigneusement de toucher à ses anneaux de pouvoirs – avant de l'essuyer au moyen de caresses.

Elles répétèrent l'opération avec ses pieds, qu'elles enduirent ensuite d'essences de fleurs, terminant par un savant massage. Leur tâche était de le laisser dans un état idéal – un mélange de délassement et de douce euphorie, tous ses appétits réveillés. Une fois leur tâche achevée, elles passèrent à leur maître. Leprín les congédia d'un geste et claqua dans ses mains à deux reprises.

Décomposé en neuf services, le repas fut en tous points parfait. Digne d'un gourmet de la trempe d'Elvanthyell. Les deux seigneurs mangèrent presque en silence. Silence que rompit Leprín aussitôt le dessert achevé.

— Cher duc, je ne peux attendre plus longtemps votre verdict, reprit l'homme des Ténèbres en s'essuyant les mains. Qu'en dites-vous ? Soyez franc, surtout !

— Mon cher Leprín, je louerai la qualité de votre

table auprès des miens. Je vous l'assure. Et à l'occasion, il faudra que je vous rende la pareille...

— Seigneur, vous me comblez... Je n'aurais espéré une telle rencontre, sourit largement le marquis. Ah ! Voici le café... J'avoue ne plus pouvoir me passer de cette boisson.

Leprín capta le regard d'Elvanthyell, qui revenait sans cesse aux jeunes beautés assises à l'écart. Le Légat des Ténèbres avait été judicieusement informé des appétits charnels démesurés de l'archimage du Chaos.

— Avant de vous laisser à une petite et heureuse surprise que j'ai prévue en votre honneur, seigneur, si vous le voulez bien, venons-en à l'essentiel.

Sur un hochement de tête de l'archimage, Leprín versa le café des hauts plateaux Fennagas – le meilleur – dans la tasse en argent d'Elvanthyell.

Le fort arôme de cette boisson de plus en plus prisée s'échappa pour flatter l'odorat du duc. Il huma avec délice la suave odeur aux touches corsées, se disposant à analyser toutes les nuances du discours de Leprín.

— Voilà, entama celui-ci. J'ai – pardonnez-moi cette triviale expression – un *problème* à vous soumettre. Je veux faire éliminer quelqu'un. Pas l'un des vôtres, bien évidemment, précisa-t-il immédiatement afin d'éviter toute réaction offensée.

L'archimage tenta de masquer son étonnement en portant la main à son lobe d'oreille :

— Un contrat, donc... Mais pourquoi moi, mon cher ? Qu'ai-je à voir avec cette sorte de... problème ?

— Laissez-moi évoquer la question dans son ensemble, seigneur, vous allez comprendre...

Leprín claqua des doigts pour ordonner que l'on resserve Elvanthyell. Ce qui fut aussitôt exécuté par l'une des servantes au corps souple.

— Vous savez bien évidemment que notre lutte

contre les forces de la Lumière nous accapare énormément... L'empereur Priam, le Patriarche, comme ils l'appellent – Que les Ténèbres l'engloutissent ! – s'est enfin décidé, nos services de renseignement sont formels : il lance une phase d'expansion à grande échelle sur le Plan Primaire. À partir de la cité des Nuages : son Grand Conseil a été réuni pour la circonstance. Mes agents ont découvert la ligne principale de leur projet : l'Empire va déployer ses troupes. Sur les Territoires-Francs, donc. Avec pour objectif de prendre contrôle de tous les grands axes jusqu'à nos territoires fenaggas. J'ignore où et quand exactement ils agiront. Et les Ténèbres n'ont pas assez de troupes pour couvrir le front Fenagga dans son entier. Mais je sais par contre qu'une fois ses positions stratégiques fortifiées, la Lumière sera libre d'envoyer ses armées annexer région après région. Avec toutes les funestes conséquences que je vous laisse deviner. Ce sera la guerre, une nouvelle fois, et je peux vous assurer que si nous y sommes acculés, nous nous battrons jusqu'au bout. Nous sommes sans doute moins nombreux, je ne vous cacherai pas que les Grandes Guerres ont affaibli nos ressources militaires, mais il nous reste suffisamment de bataillons sanghs, de hordes ikshites et de Mantes pour résister dans les Landes Sauvages. Non, nous ne céderons à aucun prix !

— Une situation fâcheuse, j'en conviens. Tout à fait fâcheuse... Car la résultante en sera l'embrasement des Territoires-Francs ! Et si le Plan Primaire s'embrase, alors les autres Plans sombreront également.

L'archimage caressa la pointe de sa barbe, prenant toute la mesure de cette nouvelle capitale.

— Mais je ne vois toujours pas ce que je viens faire dans cette affaire...

— Il nous faut absolument éviter une nouvelle guerre des Plans. C'est pour cela que je veux faire éliminer un des membres du Conseil lumineux. Cet homme...

Le Légat fit apparaître une feuille de vélin pliée en deux, qu'il fit glisser vers Elvanthyell. Celui-ci tendit la main pour saisir la feuille, prit connaissance du nom marqué sur le document, et s'exclama :

— *Par le Chaos !*

Ce juron démontrait à quel point Elvanthyell était troublé. Quel projet audacieux ! Le marquis Leprín apparaissait sous un jour tout à fait surprenant...

— Le personnage dont vous venez de lire le nom nous a contrés en maintes occasions, nous causant des torts considérables, ajouta Leprín. Il a également déjoué plusieurs de nos tentatives pour l'abattre. Sa disparition est devenue une priorité pour le Père de la Douleur. Le Roi-Sorcier veut absolument éviter une guerre entre les Plans.

— Et les Quatre ? Quelle est leur position ?

— Empaleur-des-Âmes et Croc-de-Haine se sont clairement prononcés en faveur de la guerre, cela ne vous étonnera pas. Berger-du-Massacre n'a rien communiqué de ses opinions et Griffe-de-Sang a déclaré refuser la franchise brutale d'un conflit généralisé...

Leprín leva une main musclée :

— J'estime pour ma part que le désordre provoqué par cette disparition annulerait non seulement la vague d'invasion mais affaiblirait également l'influence du Conseil de la Lumière sur les Territoires-Francs pour plusieurs années. Un coup direct porté à l'empereur Priam. Un avertissement par effet de ricochet. Nous ne voulons plus des Grandes Guerres !

— Désolé, Marquis, mais je ne saisis toujours pas le rapport avec moi...

— J'y viens... Pourquoi vous, en effet ? Eh bien, en

vérité, c'est l'essence même de mon plan ! Parce que vous êtes un Puissant du Chaos. Parce que les très mystérieux agents des Ombres, que votre fils Morion dirige, sont peut-être les seuls capables de pouvoir relever ce genre de défi. Et je veux pouvoir compter sur les meilleurs pour régler cette affaire, avant qu'il ne soit trop tard. Sans avoir à quérir l'aide des Quatre... Comme je vous l'ai dit, je tiens à rester indépendant.

— Je ne vois pas de quoi vous voulez parler, rétorqua Elvanthyell. Je ne sais rien de ces *agents des Ombres*, comme vous les nommez.

— Voyons, mon cher duc, ne me prenez pas pour un imbécile. Il me suffira de citer ces trois exemples pour vous convaincre de ce que j'avance : l'affaire de l'ambassadeur de Rosières à Védyenne, le vol du traité de Kregar, dans le royaume des Nains de l'Est, et la mort funeste du prince Moréas...

Elvanthyell parvint à dissimuler sa stupéfaction. Ainsi Leprín subodorait – à juste titre – l'intervention du Chaos dans l'histoire des Territoires-Francs, plan Primaire du monde des Sphères ! Et pourtant, Morion lui avait assuré n'avoir laissé aucun signe qui permettrait d'incriminer la maison d'Eodh. Et son aîné ne se trompait jamais en la matière. *Voilà qui devient très intéressant*, estima l'archimage.

— Avez-vous des preuves de ces allégations ? J'en doute ! assura-t-il en se rencognant dans son fauteuil pour adopter une position plus détendue, les mains croisées devant le menton.

— Des preuves ? Non, vous n'en laissez jamais, mais des convictions, oui. Des convictions qui, je le souligne, ne regardent que moi. Je n'ai pas besoin d'avancer des preuves. Je ne suis pas là pour vous juger ou vous condamner. Vos affaires ne me concernent en rien, je vous l'ai dit. Je veux juste utiliser les services de votre fils. Songez que je n'ai aucun intérêt à dévoiler ce que je sais. Je suis prêt à en faire le serment sur mon sang. Rien de ce qui vous concerne ne sortira de ma bouche. Pas même devant le Père de la Douleur, je suis prêt à en faire le serment. De grâce, seigneur, laissez-moi au moins aller jusqu'au bout et vous pourrez alors décider de nous aider ou non !

— Soit. Pour le plaisir de la discussion, je vous écoute..., céda l'archimage.

Le Légat tenta de cacher son soulagement en tournant la tête pour réclamer que l'on remplisse leurs verres de vin. Le duc d'Eodh ne fut pas dupe mais n'en laissa rien paraître. Il se permit par contre de flatter la croupe de la Benayim penchée sur lui pour le resservir. Le Ténébreux sourit en voyant le geste lascif de son invité et but une large gorgée avant de reprendre :

— Je doute qu'une guerre comme celle qui se prépare serve vos intérêts, quels qu'ils soient. Sinon, je ne doute pas que vous auriez œuvré dans ce sens. Le chaos – pardonnez-moi l'expression ! – qui va s'ensuivre nuira à tout le monde, et aux Territoires-Francs en premier. Or, vous le savez comme moi, l'équilibre de nos Plans dépend des Territoires ! La Lumière se prépare à commettre une folie qui nous emportera tous, et vous seuls, membres du Chaos, pouvez intervenir... Oui, nos intérêts coïncident dans le cas présent. Ni vous ni moi, ni les Territoires ne pouvons risquer un échec, c'est pourquoi le Chaos est tout désigné pour régler la *chose*.

Leprín choisit le silence pour appuyer ses propos.

Elvanthyell caressait pensivement la pointe de la barbe.

De l'autre main, il saisit son verre de Montdragon-Rubis, s'accorda deux gorgées avant de répondre :

— Poursuivez, je vous prie.

Les yeux du Légat s'illuminèrent tels des lacs de

lave baignés par un éclat lunaire. Il paraissait comprendre qu'il avait ferré le duc.

— La tâche est ardue, voire impossible, soupira-t-il, la mine grave. J'en suis conscient... C'est bien pour cela que j'ai besoin de votre collaboration. Notre cible connaît la plupart de mes propres agents. Elle est constamment sur ses gardes. Infiltrer l'Empire à cet échelon est une affaire fort délicate. De surcroît, nous autres Ténébreux serions trop facilement repérables si nous tentions de nous approcher de l'un des seigneurs de la Lumière dans sa propre capitale. Même si nous parvenions à faire entrer une armée dans la capitale, nous ne parviendrions pas à nos fins. J'en suis persuadé. Oui, seigneur, j'ai bien réfléchi... Je ne vois pas d'autre moyen de faire échouer l'invasion projetée par l'Empire, sans déclencher un bain de sang et je ne vois qu'un agent des Ombres pour réussir... Et pourquoi je m'adresse à vous personnellement ? La réponse est simple : vous êtes le duc Elvanthyell de la maison d'Eodh – sans flatterie aucune –, le Puissant le plus subtil et le plus communicatif du Chaos. Le mieux placé pour laisser ses préjugés de côté, selon moi, et de véritablement juger de la valeur des informations que je vous ai livrées. Cette collaboration pourrait même ouvrir des horizons nouveaux à nos deux existences, me suis-je dit. Sans vous cacher que si je réussis cette mission, le Père de la Douleur sera des plus généreux...

— Je vois...

Elvanthyell continua de flatter la pointe de sa barbe d'encre durant de bonnes minutes, laissant son interlocuteur dans l'expectative. Si le Légat des Ténèbres disait vrai, il se devait d'intervenir. Il ne pouvait tolérer que les Territoires-Francs perdent leur indépendance sacrée. Oui, il devait s'en mêler.

— Vous avez bien fait, mon cher Leprín, de vous adresser à moi, reprit-il. Si vos informations sont exactes, et je saurai bientôt si c'est le cas, il est hors de question que la Lumière étende ses influences au-delà de ce que j'estime raisonnable. Malgré la difficulté présentée, votre plan me semble sensé. Je puis peut-être intervenir pour éviter une guerre. Encore que nous devions...

— Nous mettre d'accord sur les avantages que vous en retirerez ? le devança Leprín. Quel serait votre prix ? J'avais pensé à la restitution du sceptre de Quayle, dérobé le siècle dernier dans le musée de votre Citadelle... Je n'ai rien à voir avec ce méfait-là, mais je suis en mesure de récupérer le sceptre.

— Le sceptre a été volé à Melkhior de la maison Gamdrith. Son usage lui est réservé. Je n'en ai aucune utilité, lâcha Elvanthyell en balayant la proposition d'un revers de sa longue main. Non, je désire autre chose... Je pensais plutôt à la cession du Plan indépendant d'Ystarius.

Leprín manqua s'étrangler. Voilà qui n'était pas prévu. Le duc se montrait plus gourmand que prévu !

— Mais...

— Allons, mon cher Légat, je sais que vous en avez le pouvoir. Le Père de la Douleur vous tient déjà en haute estime, vous l'avez vous-même affirmé... Ystarius n'a aucun intérêt stratégique pour vous, ma demande ne présente donc aucune menace pour le royaume Ténébreux. Sans compter que le Chaos a pleinement démontré qu'il n'avait nul désir de conquête.

Irrésistible, Elvanthyell souriait de toutes ses dents. Il se savait en position de force. Une telle demande permettrait à Leprín de comprendre qu'effectivement, on jouait à présent dans la cour des Puissances.

— Mais...

Tandis que s'opéraient les tractations, un tout autre échange avait lieu sur l'un des versants de la vallée. Dans la tente dévolue au Chaos, deux solides guerriers conversaient, tous deux remarquables d'aspect. Aussi dissemblables que possible et pourtant presque frères.

À leur arrivée, un buffet les attendait, couvert d'une honorable variété de mets. Cellendhyll de Cortavar s'était immédiatement méfié d'une telle profusion mais après avoir humé le vin et la nourriture, Gheritarish certifia qu'ils ne contenaient ni poison ni drogues. Et s'avérait fort difficile à tromper. L'Adhan avait donc consenti à piocher quelques morceaux tandis que son compagnon engloutissait l'équivalent de trois repas.

Ils prenaient à présent leur café. Gheritarish en profitait pour fumer une pipe de Bleu-Vert n° 3, un mélange d'herbes fortement dosé. Peu attiré par les drogues, fussent-elles douces, Cellendhyll avait refusé. Une épée longue à double tranchant reposant à côté de lui, lame au clair, l'Adhan élancé surveillait l'échange dans la vallée.

Une discussion à bâtons rompus s'était élevée pour tromper l'attente. Les deux guerriers goûtaient fort peu à ce rôle limité de gardes du corps. Une injure à leurs talents d'Initiés.

Cependant, leurs maîtres respectifs, tous deux au service de la maison d'Eodh, avaient été très clairs : Gheritarish et Cellendhyll devaient à tout prix veiller sur la sécurité d'Elvanthyell. Cellendhyll avait froncé les sourcils en guise de protestation et Gheritarish, plus expansif, avait avancé le fait que si quelqu'un ou quelque chose pouvait menacer la vie d'un archimage, eux deux ne serviraient pas à grand-chose... Tout cela en pure perte.

— Je te dis qu'elle est là, dans les parages ! J'ai

reconnu son odeur en arrivant. Malgré la puanteur des Ténèbres ! Car cette affaire pue, je te le dis, Petit-Homme.

Sanglé dans la tenue de combat noire rayée de gris des Maraudeurs Fantômes, Cellendhyll de Cortavar ne répondit rien. Une grimace apparut toutefois sur son maigre et rude visage, éclairé par des yeux d'un vert intense, perçants et froids. C'était un Adhan, humain des marches du Nord, situées dans les contreforts du Plan-maître de la Lumière. Le guerrier passa une main halée dans sa courte chevelure gris-argent.

— Tu peux la situer ? demanda-t-il à son compagnon de bouclier.

Que pouvait signifier la présence de la sœur de Morion en ces lieux ?

— Sans sortir de la tente, non, répondit le Loki, originaire quant à lui des vastes forêts sauvages cernant la Forteresse d'Eodh, sur l'un des Plans principaux du Chaos.

S'il était moins grand que l'Adhan et moins svelte, il était deux fois plus dense que n'importe quel Humain. Son aura, mélange de gaieté brutale et d'énergie audacieuse, amenuisait les dimensions de leur tente. Façonnés à coups de serpe et empreints d'une fierté manifeste, ses traits étaient particulièrement expressifs. Son visage bleu indigo était rasé de près, à l'exception de deux fines lignes de barbe noire qui débutaient à ses oreilles jusqu'à surligner ses fortes mâchoires. Surmontant son grand nez légèrement busqué, se rejoignaient deux sourcils épais, extrêmement expressifs.

— Et c'est pour cette raison que je ne vais pas m'y risquer, affirma-t-il de sa voix de basse tout en jouant de ses griffes. Pas besoin de te rappeler nos instructions. Et puis, ce qu'elle fait la regarde. C'est la fille du duc d'Eodh, ne l'oublie pas...

Il rétracta ses courtes griffes et soupira :

— Ah, Estrée...

— Sacré Boule-de-Poils ! Tu as une de ces façons de murmurer son nom... Comme si...

Gheritarish perçut l'allusion. Il se redressa et passa la main dans la crinière à l'origine de son surnom. Une longue crête indisciplinée, extrêmement fournie et composée d'une gerbe d'épaisses mèches bleues et noires, s'effilant vers l'arrière. S'y ajoutaient deux longues nattes, de chaque côté des tempes, liées de fils d'argent pur qui chevauchaient deux grandes oreilles en pointe, chacune percée de trois gros anneaux d'or étincelant.

Habillé d'une ample chemise blanche ouverte sur sa poitrine velue, d'un pantalon moulant de cuir rouge et de cuissardes en peau de griffon, le Loki ne passait nulle part inaperçu. Gheritarish aimait attirer l'attention, et, en général, après l'attention, venaient les ennuis.

— ... Bien sûr que j'ai couché avec elle ! Gheritarish haussa ses larges épaules bosselées de muscles qui incitaient au respect. C'est à ça que tu penses, n'est-ce pas ? Et pourquoi aurais-je dû refuser ? Tu connais les mœurs en vigueur à la cour du Chaos... Oh, rassure-toi, Petit-Homme. En vérité, ça n'est arrivé qu'une fois et on était tous les deux un peu éméchés, avoua-t-il, manifestement déçu.

Il reprit, plus joyeux :

— Tu sais que nous autres Lokis sommes les meilleurs amants des Terres de l'Ouest ! Et de l'Est aussi d'ailleurs ! Avec nos gros...

— Gher' !

— Toujours aussi prude, compagnon d'infortune ! Dis donc, à propos d'Estrée, et toi alors ? Lors de la cérémonie des Muses, au palais ducal, la semaine dernière... Elle a passé la soirée à te tourner autour. J'ai bien vu que tu lui plaisais. Et Cellendhyll par-ci, et Cellendhyll par-là... Mais qu'est-ce qu'elle peut bien te trouver, je me le demande ? Entre ton air méchant, ton sale caractère et ton nez cassé...

— Dis-moi donc, mon gros, puisque tu évoques le sujet, il me semble que c'est bien toi qui me l'as cassé, ce nez...

— Tu te tenais trop près de moi ! s'exclama le Loki. Je ne t'avais pas vu. Et je te rappelle qu'à ce moment-là nous étions en train de subir une charge de Sanghs... À trois contre un !

Cellendhyll se contenta de fixer le guerrier loki de son inquiétant regard de jade, sa bouche mince marquée d'un pli sévère. Contrairement aux dires de son camarade, il était loin d'être laid. Mais son visage austère pouvait rebuter par la froideur, la rudesse qu'il affichait. La mine sombre et tourmentée de l'homme aux cheveux argent contrastait avec la bonhomie contagieuse, épanouie, que dégageait le Loki. Là où Gheritarish se montrait enjoué, Cellendhyll était désabusé, vindicatif. Et pourtant, malgré leur différence de tempérament, ils étaient ce que l'on aurait pu appeler des amis.

Gheritarish ne parut pas s'émouvoir pour autant de la réaction du guerrier humain. Il se contenta d'envoyer des ronds de fumée devant lui, avant de lâcher un rire grondant :

— Et puis d'abord, ne détourne pas la conversation. Nous parlions des femmes. Mais toi, bien sûr, avec tes principes ! Tes foutus principes... Dis-moi, compagnon, ça fait combien de temps qu'on se connaît ? Six ou sept ans ? Je ne me souviens pas de t'avoir jamais vu heureux. Hormis au combat... Je trouve ça bien triste, Petit-Homme. Profite, laisse-toi un peu aller, la vie peut être si joyeuse ! Estrée n'attend que cela. Elle t'a tourné autour toute la soirée. Et je crois qu'elle continuera, tant que tu ne lui auras pas cédé. Elle ne supporte pas qu'on lui résiste. Tu...

Cellendhyll balaya la tirade du Loki d'un geste irrité :

— Je m'en moque bien, des désirs de ta maîtresse. Et ce n'est pas qu'une question de principes. Je ne lui fais pas confiance, voilà tout...

Le Loki assena une grande claque, griffes rentrées, sur la table de chêne, manquant la fracasser :

— Voilà tout ! Et alors, quel rapport ? ricana-t-il encore. En quoi est-ce que cela t'empêche de partager sa couche ? Ah, vous, les Humains ! Vous compliquez toujours tout.

Le Loki aspira une énorme bouffée de fumée avant de changer de ton :

— Parlons plus sérieusement, ami. Tu fais toujours des cauchemars ?

Un instant, le regard si vert de l'Adhan se voila, comme s'il était hanté. Un pli amer barra sa bouche mince.

— Ça, ce n'est pas bon, reprit Gheritarish. Pas bon du tout. Tu devrais en parler à Morion ou...

— Tais-toi, ordonna Cellendhyll, soudain en alerte.

Dans la vallée, sur le péristyle, les deux silhouettes masculines s'agitaient.

— Le duc se lève, commenta le guerrier aux cheveux argentés. Le Ténébreux aussi. Ils se saluent... Le duc fait le signal. Tout va bien...

Toujours assis, le Loki vida son verre de vin pétillant d'un trait.

— C'est inespéré ! On va enfin pouvoir rentrer. J'ai rendez-vous avec une petite comtesse... C'est notre premier dîner. Elle est encore un peu timide. Mais tu me connais. Avec moi, elle ne va pas tarder à découvrir que...

— Silence, ils bougent ! Le Ténébreux se dirige vers sa tente. Que fait le duc ? Il revient ? Non, il va dans le pré... Rejoindre les Benayim. Il y a deux autres femmes... Une petite, tatouée des pieds à la tête, et une masseuse fenagga, je crois...

— Par les mamelles d'Evgrayden ! Pousse-toi, Petit-Homme. Je veux voir ça !

En bas, les marchandages venaient en effet de s'achever. Les deux partis étaient tombés d'accord et Leprín était tout sourire.

Elvanthyell leva la main droite, qu'il étendit devant lui, paume vers le ciel. Il resta ainsi quelques secondes et referma les doigts. L'air se troubla et sa main disparut quelques instants. Lorsqu'elle réapparut, le duc tenait un objet de forme ronde, une sorte de pierre plate d'un gris veiné de magenta, qu'il tendit nonchalamment au marquis des Ténèbres.

— Prenez cette pierre-de-contact, je ne vous ferai pas l'injure de vous demander si vous savez l'utiliser. La rune de déclenchement est *Chtall'hockt'*. Gardez-la près de vous. Je ne tarderai pas à vous donner de mes nouvelles.

La démonstration ne fut pas prise à la légère. Le Légat avait saisi. Seul un archi-magicien pouvait tordre ainsi la réalité pour la plier à ses propres désirs. Leprín en était incapable. Si un duel les opposait, le pouvoir magique du Ténébreux ne serait qu'une feuille ballottée dans le cyclone que représentait l'archimage. Il s'inclina tel un élève devant son maître.

— Seigneur-duc, je vous assure que vous ne regretterez pas notre association ! Et pour conclure mon invitation, je vous ai préparé une surprise qui sera, je l'espère, à votre goût... Mes petites protégées n'attendent que votre bon plaisir. Prenez toutes libertés avec elles. Elles sont désireuses de satisfaire jusqu'au moindre de vos désirs. Quant à moi, je suis attendu ! Je vais fêter l'événement à ma manière. Disons d'une manière plus *ténébreuse*... J'espère que vous ne le prendrez pas en mal ?

— Nullement, sourit à son tour le duc. Je comprends tout à fait le besoin de retrouver ses racines.

— Ses racines ! Leprín lança un gros rire gourmand qui jurait avec son élocution mesurée. Quelle jolie formule ! Décidément, nous sommes destinés à nous entendre. Avec votre permission, je vais donc prendre congé. Profitez à loisir de mes protégées, je vous en prie. À très bientôt, Seigneur duc, j'attends de vos nouvelles.

— Vous en aurez.

Puis, épié par ses deux gardes du corps, Elvanthyell se dirigea vers le petit bocage situé au bord d'un lac endormi, où, sur un grand drap de soie, l'attendaient quatre prêtresses de l'Amour. Il contempla les jeunes femmes plus désirables les unes que les autres. Le Puissant du Chaos avait des appétits charnels démesurés. Sa seule faiblesse, sans doute.

L'archimage avait véritablement décidé d'accéder à la demande de Leprín, du moins si ses révélations se révélaient justes. Celui-ci était à présent son débiteur. Évidemment, cette collaboration cachait quelque chose. Leprín avait certainement plus en tête que ce contrat. Le duc esquissa un sourire. Un peu de piment dans son existence n'était pas pour lui déplaire.

Il allait être plutôt occupé dans les jours à venir, à creuser l'histoire du marquis et à vérifier les projets de Priam, le Patriarche de la Lumière. Il devait songer à annuler ses rendez-vous. Plus tard. Pour l'heure, il allait se détendre. Leprín avait du goût en matière de plaisirs. Ça leur faisait au moins un point commun.

Après avoir vérifié que le duc d'Eodh s'éloignait bien dans la direction souhaitée, Leprín se retint de hurler sa satisfaction.

Il pénétra dans sa tente.

Une splendide et mince jeune femme aux abondants cheveux de jais l'y attendait. Encore plus troublante que ses courtisanes, vêtue en tout et pour tout de fines cuissardes de cuir noir gainant ses jambes fuselées, elle était liée debout, membres écartés, maintenue sur un chevalet composé d'un cadre matelassé de bois laqué. Cette vision enflamma les sens du Ténébreux.

La captive présentait une ressemblance certaine avec le duc Elvanthyell. Même richesse de traits, même élégance, même intelligence subtile et même fossette orgueilleuse à la pointe du menton. C'était somme toute parfaitement normal. Car cette jeune femme offerte était sa fille, Estrée d'Eodh.

Leprín commença par ignorer sa maîtresse. Il se dirigea vers un trépied surmonté d'un orbe noir. Après une inspiration, il plaqua ses mains sur l'objet qui devint iridescent. D'une pensée, il communiqua à l'artefact l'ordre de sceller l'entrée de sa tente et de la déplacer en bordure immédiate du Plan ténébreux. Le voyage se ferait sans désagrément aucun. Ils ne sentiraient même aucune sensation de déplacement. Presque indétectable, ce confortable moyen de locomotion était l'un des privilèges du rang d'ambassadeur.

Enfin, Leprín daigna prendre la jeune femme en compte. Il la rejoignit pour la saisir violemment sous le menton, se repaissant de la sensualité de son visage. La haute taille d'Estrée l'obligeait à la regarder par-dessous et il détestait cette sensation d'infériorité.

Une femme incomparable, se dit toutefois Leprín, électrisé comme toujours en sa compagnie. Incomparable et redoutable. Elle les éclipsait *toutes*. Toutes les femmes de sa connaissance.

Face au marquis, Estrée ne manifestait aucune inquiétude. Au contraire. Faisant tinter sa voix ensorcelante – dont elle pouvait user comme d'une arme – elle s'exprima posément :

— J'ai trop attendu. Tu me le paieras !

Une moue délicieusement perverse naquit sur ses lèvres si rouges, rehaussées à leur commissure d'un petit grain de beauté coquin.

— Voyons, ma tigresse... Tu connais les enjeux. Et ça m'étonnerait que tu apprécies que ton père vienne nous rejoindre. Quoique, telle que je te connais... tu as déjà dû te glisser dans sa couche !

— Chien ! Cela ne te concerne en rien. Viens plutôt t'occuper de moi. On parlera plus tard...

Une moue exquise venait d'apparaître sur ses traits, accentuant le désir du Légat. Il préféra pourtant prendre le temps de la détailler encore.

Ses narines parfaites, ornées d'un éclat de saphir, étaient dilatées. Signe d'un état provoqué par l'une des drogues que lui fournissait régulièrement Leprín. Ses cheveux soyeux, impeccablement coiffés, scintillaient sous la lumière des lampes. Ils tombaient jusqu'à ses omoplates, et soulignaient d'une frange deux sourcils fins, séparés par une ride de contrariété.

— Dépêche-toi ! cracha la jeune femme que la colère ne parvenait à enlaidir. Si tu crois que tu vas me laisser attendre !

L'intonation d'Estrée fit fléchir Leprín. Il se dévêtit, dévoilant une virilité noueuse déjà dressée, fit un court détour vers un coffret ouvragé posé sur un petit autel de quartz, et en sortit deux petites boules de verre emplies de fumée rosâtre.

— Dépêche-toi ! répéta la fille d'Elvanthyell d'Eodh.

Elle avançait son bassin en avant pour exposer son intimité rasée.

Leprín s'approcha de la jeune femme pour goûter goulûment ses lèvres d'une exquise fraîcheur. La queue du Ténébreux, dont l'aiguillon était rentré, s'étira de son fessier pour s'enrouler autour de l'une des jambes de son amante. Il étouffa un cri lorsqu'elle lui mordit férocement la lèvre.

Il la frappa aussitôt d'un revers brutal de la main, avant de cracher un sang de teinte ocre.

Le marquis fit un pas en arrière, murmurant d'une voix glaciale :

— Alors, c'est comme ça que tu veux jouer, hein ! D'accord, ma belle...

Estrée le défiait de son regard violet, l'excitant plus qu'elle ne l'aurait dû. Son visage aux traits aristocratiques arborait un très fort mélange d'innocence et de vice.

Leprín se rapprocha de sa maîtresse, les deux boules de verre toujours à la main. Il se positionna face à sa captive, lui agaça la pointe des seins de la langue, avant de susurrer :

— Tiens, respire... Et pense à ton père, en train de besogner mes courtisanes ! Ça t'excite, hein !

Les yeux brillants de désir, Estrée aspira avidement la fumée de Passion contenue dans la boule. Leprín fit de même. La drogue décupla leurs sens avec une intensité qui aurait pu tuer des non-initiés. Leurs regards révulsés ne se quittaient plus, aimantés par une même frénésie. La fumée caressait chacun de leurs nerfs. Un divertissement d'une jouissance exquise et lente les attendait.

Le Légat des Ténèbres saisit son fouet à pointes métalliques et leva le bras, avant de suspendre son geste.

Estrée se mit à fixer l'instrument. Le grain de beauté qu'elle avait au coin de sa bouche tressautait. Manifestation chez elle d'un intense embrasement des sens. Elle ne prononça qu'un mot, et il s'apparentait bien plus à un ordre qu'à une supplication.

— Frappe... !

— Ça va marcher... s'exclama le Légat des Ténèbres. Je n'y croyais pas vraiment, mais ça va marcher !

— Je te l'avais dit, pourtant ! Il suffisait de présenter les bons arguments... À présent, mon père va vérifier les informations que tu lui as livrées, et comme elles seront exactes, il ne pourra pas refuser d'intervenir.

— Tu l'avais prédit, ma tigresse...

Les deux amants se tenaient sur le lit. Laissant nonchalamment leur transpiration s'évaporer en rythme avec le retour au calme. Une odeur musquée planait dans la tente. Depuis longtemps descendue de son chevalet, Estrée avait mené les débats avec une rage et une inspiration renouvelées. Leprín se sentait vidé de toute son énergie.

Le Légat alla quérir une carafe d'alcool de fruits et un bol de figues vertes. Il servit Estrée, et relança :

— Dis-moi, connais-tu un certain Cellendhyll, un guerrier au service de ton frère ?

— Je ne crois pas, mentit la jeune femme.

— Tu es sûre ? C'est un Adhan. Et des Adhans, il ne doit pas y en avoir tant que cela au service du Chaos !

— Oui, je m'en souviens à présent. J'ai pu le voir une fois ou deux. Mais ce n'est qu'un guerrier comme les autres – encore un mensonge, Leprín ne devait surtout pas savoir qui il était en réalité – mais pourquoi me poser une telle question ? Que lui veux-tu ?

— Oh, rien qui t'intéresse, ma belle. Cela dit, tu penses que tu pourrais en apprendre plus sur lui ?

— Tu m'agaces avec tes questions. Tu oublies à qui tu parles, je ne suis pas l'une de tes servantes !

— Pardonne-moi, ma tigresse... Mais je me devais de t'interroger, le Père de la Douleur désire en savoir plus à son sujet.

Estrée étouffa un rire railleur. Alanguie, elle ne semblait pas souffrir des lacérations qui ponctuaient sa peau somptueuse de lignes sanguinolentes.

Que cachait cette demande au sujet de Cellendhyll ? La jeune femme avait d'autres projets pour lui que de le voir tomber aux mains des Ténébreux. Jusqu'ici, le marquis des Ténèbres ne lui avait posé aucune question sur le Chaos. Cet intérêt soudain méritait de plus amples réflexions. Curieux tout de même que le nom de l'Adhan soit évoqué en ces circonstances.

En chevauchant le Légat, Estrée s'était imaginée fermement contenue par les bras de l'Adhan, empalée par sa chaude virilité. Le fait d'invoquer ainsi l'image de Cellendhyll avait fait brûler son corps d'une frustration délicieuse.

Cellendhyll de Cortavar, tu es à moi ! jura silencieusement la jeune femme.

Le marquis interrompit ses pensées. Il se leva pour aller fouiller dans ses affaires et en sortit un sachet transparent contenant ce qui ressemblait à du sable bleu royal.

— Tiens, ma tigresse, le cadeau que je t'avais promis, dit-il en jetant le sachet sur le ventre nu de son amante. La dernière drogue à la mode, la bleue-songe ! Tu en as entendu parler, non ? Elle fait fureur en ce moment.

La jeune femme examina le sachet d'un air captivé.

La bleue-songe était une drogue douce, sans effets nocifs. Mais celle que Leprín avait décidé de fournir à la jeune femme était mélangée à de la salive de Sangh. Un procédé qui en démultipliait l'effet de dépendance, la transformant en un poison non mortel mais insidieux. Un poison dont, à terme, elle ne pourrait plus se passer.

Pour sa part, il consommait de la drogue de manière raisonnée, bien que régulière. Il prenait soin de choisir minutieusement des stupéfiants sans effets d'accoutumance. Jamais il n'en serait l'esclave, contrairement à la majorité de ses client(e)s. Les Ténèbres excellaient en effet dans la création et le commerce de stupéfiants, et Leprín entretenait un large réseau de consommateurs, qui le payaient en informations ou en faveurs plus qu'en espèces sonnantes et trébuchantes. Il était si facile de trouver des gens prêts à quitter la réalité, à l'oublier ou à la transcender. Des gens prêts à se damner pour le plaisir complexe et suave que proposait le Légat ; mais ce plaisir était somme toute évanescent, illusoire et corrosif.

Estrée, elle, finirait bien par succomber à l'attirance de la bleue-songe. Alors, lorsqu'elle en serait réduite à quémander ses doses, on verrait bien ce qu'il adviendrait de sa superbe !

Elle deviendrait sa complice. Il avait besoin d'elle – de son esprit encore plus que son corps. La faire succomber à l'emprise de la bleue-songe était avant tout une mesure de précaution. Ils se connaissaient depuis peu et déjà la fille du duc d'Eodh s'était montrée trop rusée pour que le Légat lui accorde sa confiance. Et puis, elle appartenait au Chaos, la mystérieuse puissance qu'un jour, lorsqu'il en aurait fini avec la Lumière, le Roi-Sorcier entreprendrait d'abattre.

Oui, la bleue-songe serait un excellent moyen de

contrôler sa belle amante. Comme les autres, elle tomberait en son pouvoir et deviendrait plus malléable. Il ne supportait pas qu'elle lui tienne tête, ce qu'elle s'évertuait à faire à sa manière. Malgré ses abandons lascifs – toujours consentante, elle ne lui refusait aucun plaisir de la chair, aucune perversion, aucun vice –, elle lui prouvait régulièrement à mots à peine couverts qu'elle se considérait bien supérieure à lui. Et cette idée le hantait. Oui, en vérité, il brûlait d'en faire sa *chose*.

Estrée reposa le sachet.

— Bon, j'essaierai ça ce soir. Il faut que j'y aille.

Ils se regardèrent, se sourirent. Nullement de tendres sourires – la tendresse, ni l'un ni l'autre n'en connaissait l'usage –, mais ceux de prédateurs qui se préparent à acculer leur proie.

Chapitre 1

Plan Primaire des Territoires-Francs
Trois semaines plus tard.

L'homme trapu écarta les pans de sa cape de cuir, dégrafa son ceinturon clouté pour le passer à l'épaule, avant de baisser son pantalon. Enfin prêt, il urina longuement sur l'herbe clairsemée en soupirant d'aise. Son besoin assouvi, il se rajusta prestement avant de retourner à son poste. Depuis la tombée de la nuit, il épiait le groupe venu s'installer en contrebas de sa position. Des Rhitans. Il avait reconnu ce ramassis de vermines, ces nomades puants à leur carré de roulottes bigarrées.

Voilà qui n'était pas prévu. Cependant, le guetteur n'avait plus la possibilité de contacter son maître afin de repousser la connexion. Qui aurait pu prévoir qu'un tel campement s'installerait, même pour la nuit, dans un coin aussi peu hospitalier, justement choisi pour son éloignement ? Toutefois, la situation ne présentait pour l'heure aucune gravité. Les quelques familles campant dans la cuvette herbue étaient notoirement pacifiques.

Les Rhitans ne montraient aucune velléité de gravir la pente poussiéreuse, de franchir le consistant et résineux rideau d'épicéas qui entourait la butte pour atteindre le haut du tertre, et le cercle de pierres dressées que gardait le guetteur. Du reste, ayant déballé leurs maigres affaires de leurs chariots branlants, les nomades se restauraient, tranquillement assis en cercle, les enfants déjà couchés. Ils devaient se rendre dans l'une des grandes foires du Sud-Est, non loin de la Cité des Nuages.

Le guetteur remonta vers le cercle de pierre et s'assit contre un rocher. Il était trop tard pour reporter la mission, mais pas pour se permettre une petite douceur.

Rosh Melfynn sortit donc de son pourpoint de velours à bandes vertes sa houka – une pipe cérémonielle taillée dans un os humain, décorée de runes complexes. Il bourra son objet fétiche de quelques herbes prélevées dans l'une de ses bourses, auxquelles il ajouta de petits cristaux jaunâtres.

La houka allumée, Rosh aspira profondément la fumée dégagée qui diffusait des arômes sucrés. La lueur émise par la pipe dévoila une chevelure rousse, taillée en brosse, une peau blafarde, un petit nez retroussé, une barbe courte d'un noir luisant. Un visage singulier, rehaussé d'un regard perçant aux yeux gris ardoise.

Rosh Melfynn chavira presque tant la drogue prenait possession de ses membres. Son corps fut secoué par une dizaine de convulsions puis s'apaisa tandis que la drogue fusait, inondant ses membres. C'était la deuxième pipe que s'octroyait le rouquin depuis la tombée du jour.

La tête vacillante et les sens malmenés, Rosh se mit à baver sur son pourpoint, sans s'en apercevoir. Il savourait avec indécence les réactions provoquées par les cristaux.

Il lui fallut retrouver une relative contenance. Un halo d'énergie pulsante prenait naissance au centre du cercle de pierre, éclairant un petit autel de pierre noirci, sur lequel une chèvre, sacrifiée par Rosh, dégoulinait de sang. Étape obligatoire pour l'invocation du portail des Ténèbres.

Étourdi par la morsure de sa drogue préférée, Rosh avait justement oublié de nettoyer ledit sang. Oublié également de surveiller le campement au-delà des arbres. Heureusement pour lui, les Rhitans dormaient déjà d'un sommeil confiant, ignorants de ce qui allait suivre.

Le rouquin secoua la tête pour s'éclaircir les idées. Il devait au moins se préparer à recevoir les démons-félidés ténébreux. Bien trop dangereux de les laisser en liberté, ceux-là ! Ils allaient flairer le sang et aussitôt se mettre en quête de proies.

Songeur, Rosh gratta distraitement le dos de sa main velue. Une expression mauvaise prit brusquement possession de son faciès. Au lieu de s'équiper des colliers de servage, il avança jusqu'à l'autel, saisit le cadavre de l'animal par une patte arrière et le traîna sans perdre de temps à travers le bosquet, jusqu'à la pente qui menait au campement gitan.

La chèvre fut patiemment tirée jusqu'au bas de la pente, avant de se retrouver projetée à une vingtaine de pas du cercle des roulottes, où régnait à présent un silence total. La démarche de Rosh, avec son grand torse et ses petites jambes, aurait pu paraître comique, n'était l'aura de malveillance qu'il dégageait.

Satisfait, Rosh remonta à toute vitesse vers le tertre où le portail n'allait plus tarder à s'ouvrir. Il se positionna un peu en retrait du cercle de pierre, à la lisière des traces de sang, au milieu du pentagramme de défense qu'il avait pris soin de tracer dès son arrivée sur la butte. Il lui restait une dernière précaution à prendre. Saisissant l'un des trois anneaux de gemellite – la pierre de mana – , exhibés à sa main droite, il le fit tourner à trois reprises autour de son doigt pour en activer le pouvoir. Il prononça les runes d'un sort. Un frémissement se fit entendre, et Rosh fut paré d'un manteau d'énergie protectrice. Il était prêt. Anticipant ce qui allait s'ensuivre, ses narines palpitaient d'un plaisir trouble encore contenu, rehaussé par les effets de la drogue.

Enfin ! Le portail s'ouvrit, formé d'un berceau d'énergie brute, crépitante, surmontant un voile opaque que n'allaient pas tarder à franchir ses nouveaux alliés. Le voile prit une teinte sombre, inquiétante, au contour incarnat. Une ouverture directe et momentanée sur le Plan des Ténèbres.

Les dés-dragons étaient jetés. Ici débutait la mission organisée par la main habile de Morion du Chaos, maître des Mystères et prince des Apparences, que Rosh haïssait. Ce qui ne s'avérait pas exceptionnel en soi. Le rouquin accordait à tout le monde le même flot de haine.

Chapitre 2

Le portail ouvert, les squazz exécutèrent leur entrée. Trois prédateurs issus du Plan ténébreux. Leurs formes disgracieuses tenant à la fois du sanglier, du chat et du scarabée s'accompagnaient d'une odeur corrosive, tellement puissante qu'elle arracha à Rosh un frisson de délectation. Sa conception toute personnelle de la beauté s'émerveillait de l'apparence des créatures.

Désorientés par la téléportation, les démons-félidés secouèrent leur tête triangulaire. Le moment était venu pour Rosh de leur enfiler leur collier de servage. Au lieu de cela, il se contenta de les contempler. Totalement fasciné qu'il était par leur apparence aussi menaçante qu'étrange.

À présent dressés sur leurs pattes arrière surmontées d'un ergot effilé, les squazz tendirent leur mufle camus vers les deux lunes, Yrénas la blanche et Felleyran la bleue, qu'ils ne paraissaient pas reconnaître, toujours perturbés par leur voyage.

À demi courbées sur le sol, les créatures humèrent les alentours. Si elles ne portèrent aucune attention à Rosh Melfynn, à l'abri derrière le pentagramme infranchissable, le sang frais de la chèvre les fit aussitôt réagir. Leurs courtes queues vrillées se mirent à crisser à l'unisson, annonçant la chasse.

Se redressant tant bien que mal, les squazz firent

entendre quelques éructations sifflantes. Mélange de peau écailleuse et de chitine laquée, leur carapace épineuse, à leur arrivée d'un rouge délavé, s'intensifia pour prendre une teinte prémonitoire. Celle du sang humain.

L'un des squazz plaqua sa truffe au ras du sol, lécha le sang de chèvre, crissa des mâchoires avant de quitter le tertre. Suivi de ses deux congénères, il s'engagea mi-courant mi-bondissant sur la piste sanglante.

Après un chuintement aigu, son office terminé, le portail des Ténèbres se résorba.

Les démons-félidés venaient à peine de quitter la butte qu'un nouveau halo d'énergie enfla au centre des pierres, laissant apparaître un voile de composition différente. Ce nouveau portail fut franchi par la silhouette élancée d'un guerrier.

La silhouette de Cellendhyll de Cortavar se découpa sur le portail. Un coffre de teck apparut peu après à ses côtés. L'Adhan s'étira, appréciant la fraîcheur nocturne. D'un air de défi, il fixa le ciel étoilé, traversé de nuages lourds, la clarté des deux lunes permettant à Rosh de l'examiner. Les deux hommes ne s'étaient pas vus depuis deux ans, au cours d'une mission où le guerrier avait failli le tuer.

Cellendhyll était revêtu de son uniforme de parade des Maraudeurs Fantômes. Pourpoint anthracite aux manches outremer, arborant les insignes argentées du grade de capitaine, pantalon bleu nuit à parement latéral pourpre, bottes de cavalier noires, parfaitement cirées. Ses cheveux argentés dépassaient à peine de son tricorne noir. Un poignard de cérémonie ouvragé, dans une gaine à la hanche, constituait sa seule arme apparente. Il venait directement de la forteresse chaotique et n'avait visiblement pas pris le temps de se changer.

Le guerrier était conforme aux souvenirs de Rosh. Toujours aussi détestablement sûr de lui, toujours aussi détestablement inquiétant. En face de cet homme, comme toujours, Rosh se sentait inévitablement amoindri, rabaissé, sur la défensive.

De tous les êtres abominés du rouquin, Cellendhyll de Cortavar, que Rosh connaissait sous le nom de Machallan – il ignorait sa véritable fonction d'Agent des Ombres – venait en tête de liste.

Plus vite rétabli que les créatures, il se tourna directement vers Rosh, bien que celui-ci se tînt immobile, dans l'ombre d'un épicéa. Son visage farouche n'annonçait aucun plaisir à ces retrouvailles.

Nul salut ne fut échangé entre les deux hommes liés par une antipathie mutuelle. Cellendhyll toisa Rosh de ses yeux si verts, dénués de toute chaleur. Affirmant d'entrée son autorité, il le questionna d'une voix aussi froide qu'un torrent de montagne battu par un vent d'hiver :

— Où sont les squazz, Rosh ? Tu les as asservis ? Où sont-ils ?

L'expression qui s'afficha sur le faciès trouble de Rosh lui déplut instantanément.

— Réponds, Rosh ! Tu leur as bien passé leur collier, n'est-ce pas ?

Son regard se fit plus glacé encore, transperçant le rouquin comme une lance ébarbée.

Remarquant un filet de bave jaunâtre à la commissure de ses lèvres, Cellendhyll enchaîna, sourcils froncés :

— Tu as recommencé, hein, sinistre imbécile... C'est plus fort que toi !

Rosh ne put s'empêcher de tressaillir. La haine qu'il portait à son interlocuteur ne l'amenait pas à le sous-estimer. Plus maintenant. Ce Cellendhyll de Cortavar était un homme dangereux, à considérer avec précautions. Il l'avait maintes fois prouvé.

Ce dernier reprit :

— Qu'as-tu fait des colliers ?

— Euh... On me les a volés à l'auberge...

— Quel pitoyable mensonge ! Rosh, ces colliers... Tu me les donnes, ou je viens les prendre. Tu as une préférence ? Moi, oui...

Maussade, Rosh Melfynn sortit les artefacts pour les lancer à Cellendhyll.

Celui-ci vérifia rapidement leur authenticité et reprit :

— Reste ici, pendant que je rattrape tes conneries. Et surtout, pas d'initiatives.

N'espérant aucune réaction sensée du rouquin, sachant que celui-ci avait trop peur de lui pour tenter une attaque directe, Cellendhyll passa les colliers à sa ceinture. Il dégaina son poignard de parade avant de le rejeter. Il ne lui servirait à rien contre les squazz.

D'un geste coulé, maintes fois répété, il étendit la main vers sa botte gauche. Une longue dague bondit presque dans sa main. Forgée d'un curieux métal qui passait du rouge sombre au noir absolu, mat, elle était ornée tout le long du tranchant de runes minuscules. La lame paraissait vivante, frémissant dans la nuit. Sa Belle de Mort, comme il l'avait surnommée. C'était sa possession la plus précieuse. Avec le zen de l'Initié qu'il était.

Prêt au combat, Cellendhyll s'élança d'une foulée alerte à la suite des squazz, sur la piste sanglante. Aux bruits qu'il commençait à percevoir de l'autre côté des épicéas, il comprit que le festin des démons-félidés avait déjà commencé.

En bas, dans le campement rhitan, la panique le disputait à l'horreur. Tous avaient été réveillés par un horrible cri d'agonie, poussé par le jeune Ineska lorsqu'un des squazz lui avait arraché le bras d'un coup sec.

Les squazz avaient envahi le campement. Ils bondissaient d'une victime à l'autre, usant de leurs griffes démesurées, de leurs dents ou de leurs ergots. Ils auraient tout le loisir de se restaurer à la fin de leur assaut. Les démons-félidés ne laissaient jamais de rescapés.

De sa position, Rosh admirait le spectacle en gloussant. Inspiré par cette sauvagerie, il descendit la pente et se posta derrière un bouquet de trois arbres. Une fois encore, le rouquin dégrafa son pantalon pour s'adonner à un autre de ses vices. Détaillant le massacre, il se mit à proférer de courts bredouillements de jouissance, sa main droite s'activant sans relâche sur sa virilité congestionnée. Savourant autant les supplications déchirantes poussées par les hommes, les femmes et les enfants que les sons macabres de chair tailladée, il ne tarda pas à cracher son émoi à jets redoublés.

Les squazz massacraient sans hésitation, protégés par leur carapace épaisse, insensible aux armes non magiques, alors que les Rhitans ne possédaient qu'une hache au fil ébréché et quelques dagues d'acier.

Tout proche du camp, Cellendhyll se mouvait avec l'aisance qui caractérisait un Initié. Tout en dévalant le chemin, il se concentrait. Pour le guerrier, aucune alternative : ne pas se laisser encercler, frapper sans s'arrêter, toujours en mouvement. Les Rhitans ne pourraient l'aider en rien. Inutile également de compter sur Rosh...

Affronter trois hommes armés ne lui faisait pas peur. Combattre trois squazz ayant goûté au sang représentait un tout autre défi.

Les démons-félidés en avaient déjà fini avec les

hommes. Ils prenaient le temps de s'occuper des femmes et des enfants, proies encore plus délectables. Les petits Rhitans, terrorisés, ne pensaient pas même à fuir. Pour aller où ? Un squazz pouvait humer une piste sur plusieurs jours.

Cellendhyll arriva sur les lieux du carnage. Le premier démon-félidé lui tournait le dos, trop occupé à se jouer d'une mère de famille émaciée, armée d'une fourche. Le deuxième, plus loin, s'acharnait à étriper un corps anonyme – enfin, ce qu'il en restait. Le dernier venait de sauter dans un chariot, provoquant des cris d'une insoutenable détresse. Cellendhyll n'y pouvait rien. Il rengaina sa dague et saisit l'un des colliers passés à sa ceinture. Pourvu que les squazz ne se retournent pas... Cellendhyll disposait d'un unique avantage. Perturbées par la frénésie du massacre, les créatures ne sauraient détecter son arrivée.

Le guerrier s'approcha.

Le squazz évita sans effort la fourche de la mère de famille dirigée vers son ventre et lacéra la Rhitan de ses ergots. Avant de pouvoir conclure d'un claquement de mâchoire, le démon fut surpris, bloqué par une formidable étreinte. Un collier de métal serti de gemmes se fixa autour de son cou. Une étincelle se produisit, alors que les pointes de l'artefact violaient sa chair et le squazz ensorcelé s'immobilisa, à présent soumis à la volonté de Cellendhyll.

Cependant, les deux autres étaient toujours libres. Dans le chariot, les gémissements affolés se transformèrent en gargouillis.

Celui-là est occupé. Et l'autre, où est-il ?

Un concentré de haine, de nerfs et de griffes le percuta au flanc, brisant trois de ses côtes sous l'impact. Cellendhyll chuta dans l'herbe, lourdement. Il parvint à brandir son bras devant lui en guise de protection.

Courbé sur lui, le squazz frappa d'un revers, ouvrant l'avant-bras du guerrier sur toute la longueur. Cellendhyll bloqua l'irruption de la douleur et se rejeta en arrière d'une roulade inversée.

Le démon cracha et se jeta sur le guerrier. Cellendhyll replia ses jambes pour recevoir le torse squameux de la créature et saisir ses pattes avant. Accompagnant le mouvement, il roula en arrière, profitant de l'élan pour projeter le squazz dans les airs. Le démon-félidé s'écrasa contre un chariot et se retrouva la tête coincée entre les rayons d'une des grosses roues du véhicule. Furieux, il battit des membres, frénétiquement, sans parvenir à les replier suffisamment pour entamer le bois.

Le troisième monstre choisit ce moment pour surgir de son perchoir, barbouillé de lambeaux humains. Dans le campement, aucun Rhitan ne donnait signe de vie. Huit minutes avaient suffi aux squazz pour abattre seize personnes.

Cellendhyll fut saisi d'une colère glacée. Un sourire très particulier prit possession de ses traits, exempt de toute humanité. L'Initié affirma sa prise sur la dague brandie dans sa main gauche et se plongea dans le zen. Il s'élança à la rencontre du squazz.

Dans la lumière bleutée engendrée par la transe du zen, la silhouette du démon se détachait, auréolée d'un éclat orangé. Autour de l'Adhan, la réalité s'était modifiée, comme ralentie.

Ramassé sur lui-même, le démon-félidé parut surpris par cet assaut agressif. Il marqua un temps de latence. Deux pas avant le contact, Cellendhyll feinta à gauche pour s'écarter d'un bond à l'opposé. Porté par le zen, il avait anticipé la réaction du démon-félidé. Déséquilibré par la manœuvre, le squazz vint s'empaler le bas-ventre sur la pointe de la dague sombre de l'Adhan. La lame favorite de Cellendhyll but avidement le sang jaune et liquoreux du démon, rougeoyant de plaisir. Cellendhyll remonta sa main armée, éventrant la créature des Ténèbres de bas en haut. Aucune protection ne pouvait résister à la morsure de l'arme magique.

À cet instant, le dernier démon-félidé réussit à s'extraire des traverses de bois. Sa carapace aspergée du sang rhitan gouttait sur le sol. Les deux doubles rangées de ses crocs appelaient la gorge de Cellendhyll, ses griffes suintantes crissaient d'avance à l'idée de déchiqueter sa chair.

L'Adhan attendit que le squazz amorce son attaque pour s'accroupir. Complètement pris au dépourvu par la manœuvre, le squazz frappa dans le vide. Pas Cellendhyll. Un changement de main, suivi d'une inversion de prise, et sa dague trancha goulûment le muscle fléchisseur du genou de son ennemi. Le squazz s'écroula lentement dans un crissement désespéré. Sur une seule jambe, la créature n'était plus de taille à résister. Porté par le zen, d'un enchaînement de trois estocades, Cellendhyll mit fin à ses jours.

Le combat était terminé. Sans attendre, le guerrier quitta la transe de l'Initié. Son environnement reprit son apparence normale. Cellendhyll resta quelques instants immobile, le temps de repousser la vague de lassitude consécutive à l'emploi du zen.

Le combat venait de s'achever. Après ce flot d'émotions perverses, l'ennui tomba soudainement sur Rosh. Profitant de l'absence de Cellendhyll, il remonta sur le tertre pour tenter d'ouvrir le coffre abandonné. Un éclair de feu argenté jaillit d'une rune gravée sur le couvercle, le dissuadant d'aller plus loin. Dépité, le rouquin revint au spectacle en soufflant sur sa main. À présent qu'il avait épongé son désir, il ne savait que faire. Il fut tenté de tirer quelques bouffées de sa houka.

Non. Rosh voyait maintenant l'Adhan remonter la pente dans sa direction, le bras droit en écharpe. Le gauche soutenant son flanc. Toujours ouvert, le portail du Chaos crépitait sourdement.

Rosh se demanda s'il n'allait pas l'emprunter pour s'esquiver. Il avait peut-être un peu exagéré avec les squazz. Mais se retrouver face à Morion, après ce qui venait de se passer... Le rouquin mourait d'envie de se rallumer une pipe. Soudain, il se demandait si son manteau de protection serait suffisant. Comment allait-il se protéger de la colère du guerrier adhan ? Avec le poignard sinueux qui reposait contre son flanc, évidemment empoisonné, ou en utilisant ses pouvoirs magiques ?

L'habileté de Rosh lame au poing était prouvée. Cependant, mieux valait encore se fier à son Art, plus approprié en la circonstance. Il venait de voir le Maraudeur éliminer trois squazz avec sa dague pour seule arme.

Si Cellendhyll esquissait le moindre geste hostile, Rosh lui balancerait une bonne décharge de mana. Ça devrait le calmer, le guerrier ! Et après, Rosh pourrait s'occuper sérieusement de lui... Il en rêvait depuis leur dernière mission commune, au terme de laquelle l'Adhan lui avait méchamment brisé la main droite.

Cellendhyll était à présent à moins de dix pas, suivi du dernier squazz rendu inoffensif, sautillant placidement sur ses traces. En voyant son expression, Rosh Melfynn glapit :

— N'avance plus, Cellendhyll ! s'écria le rouquin, en songeant qu'il aurait dû s'octroyer une autre pipe.

— Ne t'énerve pas, Rosh. Tu sais comme moi que je te méprise mais tu sais également que je ne peux pas te tuer. Mais cela ne change rien à notre affaire. Alors inutile de perdre notre temps à nous quereller. Morion nous a confié une mission, le temps nous est compté.

Rosh avait trop envie de le croire. Les paroles du guerrier sonnaient juste. Celui-ci avança encore de quelques pas, exposant son bras déchiré. Rosh vit que la blessure était grave.

— La moindre des choses est de me soigner. C'est le moins que tu puisses faire pour réparer tes fautes !

— Tu ne me feras rien ? s'étonna le rejeton de la maison Melfynn. Tu le jures sur le Chaos ?

Par le Cornu, il allait s'en sortir !

— Si cela peut t'agréer, répondit Cellendhyll en avançant toujours, le sourire aux lèvres. Je jure sur le Chaos... de te trancher la gorge si tu ne m'obéis pas !

Le guerrier adhan parcourut les derniers pas qui les séparaient d'un bond incroyablement rapide, se plaquant contre Rosh. Il appliqua sa dague noire contre le bouclier protecteur du rouquin, au niveau du nombril.

— Un mot... Tu prononces un mot et je t'embroche. Ton écran ne suffira pas. Tu vois, avec ma Belle de Mort, éprouvée contre n'importe quelle magie, si j'enfonce doucement, sans à-coup, comme cela... Tu sens cette pression ? Ton bouclier semble céder. Tiens, il se déchire. Voici quelque chose de mou. Ah, mais, serait-ce ta bedaine ? Rosh, quel volume ! Allez, annule ton sort de protection. Tu gaspilles ton mana.

Rosh sentait parfaitement la piqûre de la dague contre son ventre, à travers l'écran magique.

— Tu n'oseras pas... Morion ne le permettrait pas.

— Ah, Morion... ! Tu comprends, mon bon Rosh, ce qui importe à notre seigneur Morion, c'est de voir la mission réussir. Il se moque des incapables dans ton genre. Avec ta bourde de ce soir, je ne donne pas cher de ta peau à la cour du Chaos où tu prétends si souvent paraître. (La dague s'enfonça d'un demi-pouce dans sa chair alors que l'Adhan poursuivait :) Je n'ai pas besoin de ta misérable et puante carcasse pour accomplir ma tâche. Alors pour la dernière fois, écoute bien : Ou tu me soignes tout de suite, et après tu pourras toujours tenter de te racheter auprès de Morion, ou je t'éventre comme le squazz, tout à l'heure. J'avoue que ma dague et moi, on penche pour la deuxième option. Mais je m'en voudrais de t'influencer...

C'est en voyant le sourire de Cellendhyll que Rosh capitula. Il s'en souvenait de ce sourire, la fois où le guerrier lui avait cassé la main. Le rouquin supprima son bouclier, et, sans attendre, traça lentement les runes de soin adéquates.

Le sang cessa de s'écouler, la plaie ne tarda pas à se refermer, les côtes à se ressouder. Une raideur certaine demeurait, elle passerait dans la journée. Quelle ironie que le méprisable Rosh se montre, à son grand dam, plus capable d'user de magie curative, que de maîtriser celle qui lui permettrait de concrétiser ses penchants maudits !

Cellendhyll rengaina son arme, tapota gentiment l'épaule de Rosh et le récompensa d'un franc coup de tête au visage, agrémenté d'un coup de pied retourné. Projeté dans un buisson, Rosh s'effondra, le nez fracturé, un œuf de pigeon en train de bourgeonner sur la tempe.

Le guerrier jeta un rapide coup d'œil au squazz. La créature continuait de ronger un avant-bras bien entamé, prélevé dans le campement dévasté. Par des ordres précis, Cellendhyll l'envoya chercher les dépouilles de ses deux congénères. Le squazz hocha la tête et retourna au campement rhitan en agitant sa truffe baveuse.

Cellendhyll reporta ensuite son attention sur Rosh le

temps de le dépouiller de ses affaires, prenant un plaisir particulier à le dévêtir, à briser sa foutue pipe et à détruire sa drogue. Il traîna ensuite le corps inanimé du rouquin jusque devant le portail, et apposa sa paume sur le dessus du coffre. Invoquant l'image de Morion, il annula le sort de garde.

Du coffre ouvert, il préleva un rouleau de corde pour saucissonner Rosh bien serré. Toujours inconscient, le rouquin avait une vilaine mine avec son nez de travers. Un réveil difficile en perspective. Cellendhyll fit un ballot des possessions de Rosh, qu'il jeta dans le coffre avec les deux colliers d'asservissement désormais inutiles.

Il jugea que les morts ne seraient pas découverts avant plusieurs jours, le lieu de son arrivée ayant été choisi pour son côté isolé. Et pour ce qu'il en savait, les Rhitans étaient habituellement méprisés des autres races humaines. Leur disparition n'intéresserait pas grand-monde.

Le guerrier pouvait véritablement commencer sa mission, comme il aurait normalement pu le faire sans l'intervention de cette fiente de Rosh !

Il commença par les armes. Du coffre, il préleva une grande pochette de cuir gras roulée sur elle-même, l'étala devant lui, et se lança dans un choix minutieux parmi l'éventail proposé. Les lames sélectionnées furent posées sur une couverture à l'écart. Une série forgée en acier de bonne trempe, sans qualité magique particulière. La discrétion s'imposait et Cellendhyll n'avait aucun penchant pour la magie. Déjà, avec sa dague sombre sur lui... Toutefois, cette arme unique, il ne s'en séparerait pour rien au monde.

Vint le tour des vêtements. Cellendhyll troqua son uniforme sali et déchiré contre une tenue offrant protection contre les intempéries, confort et anonymat :

une tunique doublée, à manches longues vert sapin, un pantalon de cuir brun fermé par une grosse ceinture à boucle argent – sa seule coquetterie – , un épais gilet en peau de griffon ; un manteau de pluie à capuche, d'une couleur qui pouvait passer tour à tour pour du vert ou du brun, selon l'éclairage. Enfin, des bottes de cuir souple, montant au genou, et une écharpe sombre complétaient cette sobre tenue, portée par la plupart des mercenaires itinérants. Aucun des vêtements n'était neuf, ce qui lui éviterait de se faire remarquer sur le territoire qu'il allait fouler.

Alors qu'il fourrait le reste de son équipement dans un sac à dos, le squazz vint déposer à ses pieds la dépouille d'un de ses congénères. Quêtant l'approbation de son tout récent maître, il repartit chercher l'autre cadavre.

Cellendhyll s'arma consciencieusement, répartissant diverses lames à divers endroits de sa personne. Son épée droite à double tranchant dans un fourreau d'épaule, sa Belle de Mort dans sa botte. Il préférait se concentrer sur les préparatifs plutôt que sur le repas du squazz qui s'était attaqué à un reste de cuisse humaine. Au moins ne craignait-il pas de faire de mauvais rêves au sujet du massacre des Rhitans. Ses propres cauchemars étaient tout aussi horribles et bien plus personnels.

Il retourna au coffre pour y prendre une fine ceinture en peau garnie de cent licornes d'argent – son fonds de secours – qu'il laça sous sa tunique, ainsi qu'une bourse pour les frais courants, un étui renfermant diverses herbes curatives sélectionnées par Gheritarish, qu'il passa autour de son cou, sous son pourpoint.

Il ne lui restait plus qu'une formalité à régler. Il referma le coffre et le renvoya à travers le voile, vers son Plan d'origine. Pas question de laisser la moindre trace pouvant trahir le Chaos. Il fit de même avec la dépouille des deux squazz. Vint le tour de Rosh, précipité avec une violence toute particulière. Que le rouquin s'explique donc avec Morion !

Cellendhyll initia la fermeture du portail. Après un grand chuintement, le tertre retrouva son apparence normale. Le pentagramme fut bientôt effacé par les bottes de l'Adhan puis, comme l'autel, recouvert de sable. Plus une trace des événements violents de la nuit. Plus de Rosh. Une bonne chose, somme toute. Qu'avait-il besoin de s'encombrer du rouquin, après tout ? Malgré ses capacités magiques, Rosh Melfynn était aussi pervers qu'incapable. L'avoir à ses côtés ne ferait qu'augmenter ses chances de voir la mission échouer.

Aujourd'hui, Cellendhyll ne dépendait pas de son allié. La dernière fois, le rouquin menait leur équipe, et leur mission avait failli tourner au désastre. Seuls Cellendhyll et Rosh en avaient réchappé.

D'ailleurs, l'Adhan se demandait si Morion n'était pas fort capable de lui adjoindre Rosh, sachant que ce dernier ne pourrait s'empêcher de le provoquer, poussant le guerrier à s'en débarrasser une bonne fois pour toutes...

Quant au squazz vivant, il le gardait comme atout. Sa puissance lui permettait d'affronter une troupe entière, si nécessaire, tout en lui fournissant un moyen éventuel d'impliquer les Ténèbres. Encore fallait-il l'employer à bon escient.

Morion avait bien spécifié – à demi-mot, comme à son habitude – sa volonté de se démarquer... et des Ténèbres et de son père le duc. Rien d'étonnant à cela.

Le squazz. Difficile de s'habituer à sa répugnante présence. Mais Cellendhyll était un agent des Ombres, il avait appris à s'adapter. Et la mission d'un agent se déroulait rarement selon le plan établi.

Pour l'heure, l'Adhan allait devoir marcher pour

rejoindre la première étape de son périple. Une bourgade du nom de Gar-O-Gar. Et ensuite il aurait encore une distance conséquente à parcourir pour atteindre son but. Mais il n'avait pas le choix. Plus près des terres de la Lumière, l'activité d'un portail aurait été immanquablement repérée.

Avant de partir, il ordonna au démon-félidé de changer d'apparence. Autre avantage conféré par les pouvoirs du collier de servage. La silhouette du squazz se troubla, rapetissa, forcit pour prendre la forme d'un robuste gaillard au visage mat, aux traits peu marqués et au regard vide. Satisfait par le subterfuge, Cellendhyll s'engagea à travers les collines vers le sud-ouest. Accompagné du squazz docile et d'une pluie sournoise.

Tout en marchant dans la nuit, l'Adhan fixa le ciel étoilé. Il contempla les deux lunes d'un air de défi, comme si celles-ci allaient lui dénier le droit de fouler de nouveau la terre du Plan Primaire. Cellendhyll de Cortavar était de retour sur les Territoires-Francs. Ça faisait longtemps. Si longtemps. Il eut soudain envie de crier sa présence à la face de cet univers. Oui, il était de retour.

Ils allaient payer !

Chapitre 3

Plan Primaire, Territoires-Francs, Gar-O-Gar.

Après deux jours de marche effectués sans encombre, malgré une pluie quasi ininterrompue, Cellendhyll arriva en vue de Gar-O-Gar. Le guerrier avait laissé le squazz dans une caverne à flanc de rocher, cernée par les sapins, découverte durant le trajet. Le démon ténébreux avait trouvé suffisamment de nourriture en chemin pour rester tranquille, le temps que Cellendhyll passe le récupérer. Le prédateur des Ténèbres avait ordre de ne pas bouger de sa cachette. Le collier lui donnait l'assurance que le démon obéirait.

Cellendhyll se sentait plus léger, plus à l'aise sans la créature. Il avait voulu refuser de s'encombrer des squazz, mais Morion s'était montré inflexible. Leur présence avait été négociée par Elvanthyell pour se prémunir d'une éventuelle traîtrise de son commanditaire.

Au moins, n'avait-il plus à supporter Rosh. Cellendhyll espérait que le nez du Rouquin le ferait souffrir longtemps. Il n'était pas pressé de le revoir. Un jour ou l'autre, il sentait qu'il serait obligé de le tuer.

Allongé dans un massif de fougères, Cellendhyll utilisa sa longue-vue pour scruter le village de Gar-O-Gar. Le jour s'enfuyait et la lumière baissait rapidement.

L'hiver continuait à sévir même si ses assauts diminuaient peu à peu d'intensité.

La bourgade se composait d'une vingtaine de bicoques en bonne voie de délabrement, au bois piqueté et noirci par l'âge. Les bâtisses étaient entassées les unes sur les autres des deux côtés de la rue principale et par ailleurs unique, orientée est-ouest. Un endroit sinistre où les occupations ne devaient pas être bien variées.

Passant sa longue-vue d'un bout à l'autre du bourg, il avisa la seule habitation un tant soit peu entretenue. L'auberge de la Hache, probablement le seul intérêt de ce coin perdu. Sur la devanture, une éloquente effigie féminine en bois verni annonçait la présence de prostituées.

Un lieu de passage, une étape obligée dans ce coin perdu pour les voyageurs en transit en quête d'un semblant de confort.

En tout cas, rien d'alarmant à l'horizon. Cellendhyll sortit de sa cachette, récupéra son sac et s'engagea sur la pente ruisselante qui le mènerait sur la route poussiéreuse.

Le vent et la pluie l'accompagnèrent jusqu'à la porte de l'auberge. Sa première étape.

Ayant baissé sa capuche ruisselante, l'Adhan entra dans une salle enfumée. L'auberge était bâtie sur le modèle du genre, salle en bas, chambres au premier étage, prévues pour un défoulement temporaire plus que pour un repos durable.

L'huile qui brûlait dans les lampes diffusait une odeur rance parfaitement en accord avec les effluves de sueur et de graisse de cuisine. Un établissement de piètre catégorie, où chacun s'occupait de ses affaires. Au moins, il faisait bon être à l'abri des éléments.

Laissant son manteau s'égoutter sur le sol couvert de sciure, le guerrier entreprit de repérer les lieux et d'en jauger les occupants. En face de lui, un comptoir occupait toute la longueur d'un mur. À droite de l'entrée, une estrade. Une femme, jeune, était en train d'y achever une danse, sous l'œil blasé des consommateurs. Le reste de la pièce se révélait composé d'une cheminée centrale ouverte sur les quatre côtés, d'une série de tables branlantes, aux chaises dépareillées presque toutes occupées par des individus de sexe masculin... Des aventuriers, des bûcherons fermement engagés sur la route de l'ivresse, une dizaine d'autochtones aux traits mornes, un couple de voyageurs égarés.

Le regard perçant de Cellendhyll balaya la salle entière avant de se reporter sur l'estrade. À y regarder de plus près, cette danseuse se révélait pleine de talent. La jeune femme alliait dynamisme, grâce et précision. Mais seule une infime partie de l'assistance paraissait s'en rendre compte.

Toutefois, son joli visage reflétait un manque d'enthousiasme certain. Difficile de lui en vouloir, étant donné la qualité du lieu et des spectateurs.

Les conversations qui avaient baissé d'un ton à l'arrivée de Cellendhyll reprirent. L'air rude du guerrier et sa vêture parlaient pour lui. Un mercenaire. Rien d'alarmant. Un mercenaire, en route pour le sud.

Délaissant la mare qui s'était formée à ses pieds, Cellendhyll se dirigea droit vers le bar, où il demanda aussitôt des nouvelles de son contact.

Le tenancier, un homme maigre au teint olivâtre, débita d'un ton monocorde, éraillé par l'abus de ses propres produits :

— Raf le Borgne ? Il d'vrait pas tarder. Z'avez qu'à l'attendre. Vous voulez manger, une chambre pour vous r'poser ?... Une fille ?

— Je vais prendre une table. J'ai soif.

— Installez-vous. On va v'nir prendre la commande.

Alors que Cellendhyll cherchait une place, la danseuse sauta de l'estrade et vint le rejoindre d'un pas alerte.

— Bonsoir, beau guerrier. Qu'est-ce qui t'amène dans cet endroit perdu ? Tu me payes un verre ?

Même sans les clochettes à ses chevilles soulignant chacun de ses pas, il aurait dû reconnaître son origine. À la qualité de sa danse. Une Rhitan. Que faisait-elle sur sa route, celle-là ? Avait-elle un rapport avec les autres, ceux du campement ? Non, probablement pas. Les Rhitans étaient des errants, on en trouvait partout.

— Je suis Nérine, se présenta la jeune femme. Et toi ?

— Machallan.

L'une de ses identités factices d'agent des Ombres.

De petite stature – le haut de sa chevelure ondulée atteignait le milieu de la poitrine du guerrier – Nérine avait un visage en forme de cœur, un nez mutin, légèrement retroussé et parsemé d'une myriade de taches de rousseur. Ses lèvres pleines se fendaient d'un éclat engageant. Toutefois, si ses yeux noisette avaient la douceur d'une biche, ils se voilaient surtout d'une indicible tristesse.

Elle vibrait de solitude, et sa tristesse résignée était palpable – du moins pour l'Adhan. Un air de mélancolie poignante qui déformait sa beauté, altérait sa spontanéité. Elle ne correspondait décidément pas à cet endroit.

Elle glissa vers lui dans un bruissement d'étoffes gaiement colorées, accompagnée du tintement de ses clochettes et de celui des nombreux bracelets ornant ses poignets.

— Mon beau, je vais bien m'occuper de toi

— Pas besoin de lancer le grand jeu, ma belle. La bagatelle ne m'intéresse pas. Je passe la nuit ici et je repars.

Elle lui lança un regard pénétrant mais ne sembla pas s'offusquer du ton brusque du guerrier.

— Viens. Si tu veux te reposer, commence par t'asseoir...

Elle désigna l'une des rares tables libres, au beau milieu de la salle.

— Non, pas cette table, refusa le guerrier d'un ton sans réplique, peu désireux de s'installer à un endroit aussi exposé. Là-bas, décida-t-il en optant pour une table à l'écart, près du mur – la meilleure place selon lui.

La place était occupée par un couple improbable. Un Ikshite et un Fendyr.

— Elle n'est pas libre, ta table, et ceux-là, ça m'étonnerait qu'ils veuillent te la laisser !

— C'est ce qu'on va voir...

Sans attendre, Cellendhyll traversa la salle et alla se planter devant les deux hommes. Ceux-ci le toisèrent en retour, prêts à répondre au moindre geste hostile. La tension emplit soudain la salle de son parfum pimenté.

Tous les regards convergeaient sur le trio. L'Ikshite à la toison d'ébène et le Fendyr blond fixaient toujours Cellendhyll de Cortavar qui les toisait en retour de son regard de jade.

Tendue comme la corde de l'arc que le Fendyr avait accroché derrière lui, Nérine examinait intensément la scène. De Cellendhyll, elle ne voyait que la nuque, couverte de cheveux courts d'un bel argent clair, et ses épaules, fort bien développées, lui fallut-il reconnaître.

Le silence étouffant menaçait d'exploser à tout moment. Même l'irascible Stimbass, le propriétaire des lieux, installé à l'étage à sa place favorite, resta dans l'expectative.

Et le grand guerrier continuait de fixer les deux hommes attablés, sans rien dire. En cas de besoin, il les tuerait avant même qu'ils n'aient touché leurs armes. Sans avoir à invoquer le zen.

Sans se consulter, les deux comparses se levèrent de concert en évitant de croiser les yeux de l'Adhan. Le Fendyr saisit prudemment son arc et son carquois, l'Ikshite leur paquetage, et ils filèrent sans un mot, sans claquer la porte, sans même un regard en arrière.

Le reste de la clientèle expira bruyamment, de soulagement pour certains, de dépit pour d'autres, mécontents d'avoir manqué le spectacle d'une altercation. Le flot des conversations reprit, l'atmosphère fut de nouveau bourdonnante.

Cellendhyll ôta son manteau encore mouillé, qu'il plaça à sécher sur un banc, s'installa dos au mur, comme il convenait à un homme prudent. Sans se faire voir, il fit ensuite apparaître un long stylet qu'il glissa près de lui, du côté gauche. Il recouvrit l'arme d'un pan de son manteau étalé.

D'un mouvement de tête, il indiqua à Nérine une place libre à sa droite, afin de conserver une vue dégagée de la salle.

D'un ton admiratif, la Rhitan l'apostropha :

— Tu as chassé un raider ikshite et un archer fendyr, comme ça, sans même te battre. Quel est ton secret ? À quelle magie as-tu fait appel ?

Curieusement, Cellendhyll se sentait détendu en sa présence. Sans pour autant se départir de sa méfiance. Cette avenante jeune femme allait probablement tenter de le tromper. Cette auberge pouvait se transformer en une véritable chausse-trappe.

— Tu ne les as pas vraiment bien regardés, répliqua-t-il. Jamais un Ikshite ne s'approcherait si près d'un Fendyr. Sauf pour l'égorger. Et jamais un Fendyr ne garderait son arc tendu, avec cette humidité, alors qu'il ne va pas s'en servir. Cela abîme les cordes et altère la précision. N'importe quel Fendyr le sait. Et aucun d'eux ne resterait aussi longtemps à l'intérieur d'un endroit aussi enfumé. D'ailleurs, les Fendyrs ont les yeux d'une autre couleur. Non, ce n'était certainement pas un véritable forestier fendyr. Et l'autre me semblait fortement métissé. Deux simulateurs, voilà tout.

Cellendhyll n'ajouta pas qu'en agissant ainsi il avait démontré au reste de la salle qu'il valait mieux éviter de l'importuner.

Nérine contemplait les traits sévères de son interlocuteur. Elle avait du mal à ne pas baisser les yeux devant ce regard si intimidant. *C'était celui qu'elle attendait. La vision l'en assurait.* La Rhitan se mourait à petit feu dans cet univers confiné mais aujourd'hui, l'attente, cette attente désespérée, insupportable, prenait fin. C'était *lui* !

Le serveur, un brun maigre aux cheveux emmêlés, aux vêtements froissés, arriva sur ces entrefaites, apportant un répit opportun à la jeune femme troublée. Après avoir essuyé la table d'un chiffon au moins aussi crasseux que le sol, il demanda à la Rhitan :

— Hé, Nérine ! Une bouteille de Chavalas jaune, comme d'habitude ?

La jeune femme touchait un pourcentage sur chaque boisson commandée par ses proies. Elle avait pour instructions de leur faire choisir le vin le plus cher, par ailleurs largement coupé d'eau par Stimbass.

— Non, Kal'mar. Nous allons prendre une fiasque double de vapeur-de-feu avec deux chopes de bière glacée. De la blonde de May. Ne trafique rien, ou mon ami va se mettre en colère. Et apporte un plat de saucisses. Allez, rat des marais, l'invectiva la Rhitan, qu'attends-tu ? Bouge !

Kal'mar faillit se rebeller devant ce manquement aux règles établies par Stimbass. Toutefois, un coup d'œil à Cellendhyll suffit à le dissuader. Le guerrier avait haussé un sourcil et son expression était éloquente. Le serveur fila sans un mot en serrant les mâchoires.

— Eh bien, guerrier, veux-tu que je te lise l'avenir ? Je suis douée, tu sais...

— Laisse mon avenir tranquille... Je cherche un homme. Un borgne au crâne rasé. Tu le connais ?

Alors qu'elle se préparait à répondre, la quiétude de la salle fut une nouvelle fois troublée.

Dans un fracas de métal, sept hommes en armes, vêtus de surcots bleu ciel portés sur des cottes de mailles resplendissantes, firent irruption dans la salle, traînant un homme entravé qu'ils jetèrent au sol, devant le comptoir. Leur meneur, un sous-officier au maintien rigide, un dur à cuire aussi droit, aussi solide qu'un chêne, apostropha le serveur qui officiait au bar.

— Les templiers de l'Empire ! Que viennent-ils faire par ici ? souffla Nérine.

— Nous n'allons pas tarder à le savoir, répondit Cellendhyll en se contraignant au calme.

Il se posait exactement la même question.

— Nous avons capturé un ennemi de la Lumière ! annonça le militaire à la cantonade. Le connaissez-vous ? A-t-il des fréquentations, des amis ? Il a avoué devoir rencontrer quelqu'un ici, ce soir.

— Non, sergent, répondit l'homme qui tenait le bar. Il a bien pris une chambre chez moi, hier, en payant d'avance. Mais je l'ai toujours vu seul. J'ignore s'il devait voir quelqu'un ici. Ce n'est pas un habitué.

— Et vous, reprit le sous-officier en apostrophant les buveurs, regardez cet homme, lui connaissez-vous des complices ?

Le prisonnier, à la silhouette trapue, portait une tenue de mercenaire, maculée et déchirée. Sa figure ensanglantée laissait entrevoir une particularité : un bandeau couvrant son œil gauche. Le droit était à demi fermé par les coups.

Par l'Épée de Lachlann, jura intérieurement Cellendhyll, *le borgne* !

Absorbé par la scène qui se déroulait devant lui, il ne vit pas Nérine le détailler avec minutie. Cet homme mystérieux éveillait en elle un écho inconnu mais irrésistible. Elle avait le Don. Le don de Clairvoyance. Lorsque celui-ci se manifestait, ses yeux pénétrants pouvaient lire à travers les gens. Plus ou moins bien selon les individus. À l'évidence, don ou pas don, l'aura de ce guerrier aux cheveux d'argent était pleine de violence, de colère. Tout l'opposé d'une proie facile.

Elle avait un choix à faire et se décida sans hésiter. *Le Don, son intelligence et son charme en faisaient d'habitude une vigie idéale pour Spendoss. Eh bien, cette fois, ses atouts allaient servir à lui faire quitter cette infâme prison.*

— C'est donc lui, l'homme que tu voulais rencontrer ! Oh, ne t'inquiète pas, Machallan, je ne vais pas te trahir. Nous autres Rhitans n'avons rien de commun avec les templiers et leur fichue Lumière. Sois-en sûr. Ils nous ont tellement persécutés...

— Alors, comme ça, personne ne veut coopérer ! maugréait le sous-officier, courroucé par le manque de collaboration.

Dans cette région reculée, presque sauvage, ce n'était pas de sitôt qu'on aiderait les forces impériales.

— Tant pis pour vous, tas de vermine ! railla-t-il. Les choses vont changer, je vous préviens. Dès demain, le noble Jhemar d'Althynès, questeur du Rosaire, viendra vous poser ses questions. Par la puissante Lumière, il saura bien régler toute cette histoire !

Se tournant vers le prisonnier affalé, il lui asséna un violent revers de son gant renforcé d'acier.

— Et je doute que cela te plaise, sale espion ! Dommage que l'Orage ne soit pas en campagne. Ses inquisiteurs sauraient te faire parler !

Le sous-officier reprit pour la salle :

— Dès demain, je fais établir des barrages. Bientôt, très bientôt, l'Ordre régnera ici. Pour le plus grand bien de la Lumière. Alors, à demain, les pouilleux...

Les templiers furent salués par un brouhaha de voix irritées. La présence de l'Empire dans la région, un questeur du Rosaire, l'arrivée annoncée de forces d'occupation... Les langues allaient bon train, soupesant les causes et les conséquences d'un tel bouleversement. Ce n'était pas bon pour les affaires annexes de Spendoss, ni celles des autres bandes de moindre importance. Plusieurs petits groupes ainsi que quelques individus isolés se levèrent aussitôt pour quitter la région. La salle se vida d'un tiers de ses occupants. Les Territoires-Francs offraient un vaste choix de destination pour ceux désireux d'éviter l'Empire et ses lois.

Cellendhyll bouillonnait, même après le départ des templiers. Il avait reconnu le nom du questeur. *Jhemar d'Althynès !* À cette évocation, une irrépressible envie de tuer l'avait saisi.

Nérine s'en rendit compte. Sa main fraîche effleura instinctivement la main du guerrier. Il n'aurait supporté un contact plus appuyé sans frapper en retour, d'instinct. Néanmoins, la délicatesse du geste apaisa sa furie.

— Finalement, je vais faire appel à tes services, dit-il. Je veux savoir où sont cantonnés ces templiers. Il n'y a toujours aucun fort dans le coin, n'est-ce pas ? Ils doivent donc avoir établi un campement aux abords de la grand-route, pour contrôler les allées et venues. Peux-tu me trouver le renseignement ?

— As-tu de quoi payer ?

— L'argent ne fait pas partie de mes problèmes actuels, assura l'Adhan, songeant au moyen de s'entretenir avec le borgne.

— J'aime entendre ce genre de propos, mentit Nérine. Elle avait décidé de continuer à jouer son rôle d'entôleuse, en attendant le moment propice pour parler de sa vision. Je vais envoyer quelqu'un. Ah, voici notre commande !

Alors que le serveur déposait verres et bouteilles sur la table, Nérine lui glissa quelques mots à l'oreille. Kal'mar acquiesça d'un air entendu et fila en cuisine.

— C'est fait. Ça va prendre un peu de temps. Déguste ta boisson. Dès que j'aurai le renseignement, tu pourras payer.

Cellendhyll apprécia la saveur complexe de la vapeur-de-feu. La morsure de l'alcool s'accommodait parfaitement du goût fumé des saucisses trop cuites.

Que le destin pousse Jhemar d'Althynès à sa portée si rapidement le laissait songeur. Jhemar, *un des Compagnons du Soir*.

La jeune femme scruta intensément Cellendhyll avant de lâcher :

— Tu vas le tuer, c'est ça ?

— De qui parles-tu, femme ?

Vigilant, le regard de jade du guerrier parcourait la salle. Il semblait peu se soucier de la Rhitan. Attitude qui la surprit, car d'ordinaire elle plaisait. Trop à son goût, en général. Heureusement, Stimbass ne l'obligeait pas à coucher avec les clients. La vieille Trenna et Josie Deux-Fois se chargeaient de cette tâche peu reluisante.

— Du questeur. Tu vas le tuer, hein ?

Cellendhyll ne prit pas la peine de lui répondre.

Intéressante question, qu'il était en train de soupeser : allait-il vraiment tuer Jhemar d'Althynès ? Cette pensée lui fit quitter la réalité. Il se retrouva plongé dans le passé.

Une cellule éclairée par des torches. L'action semble se dérouler au ralenti. Un groupe d'hommes en demi-cercle contemple avec dégoût un de leurs frères d'armes gisant sur un lit, les bras liés derrière le dos. Chacun des hommes de la pièce arborait la même livrée immaculée, bleu ciel à parements blancs, décorée du Soleil Levant. Seule celle du captif aux cheveux argentés diffère. Le sang l'a teintée de rose. Un des aspirants, debout, les mains sur les hanches, se tient légèrement en retrait des autres. Son regard passe de l'un à l'autre des protagonistes, se repaissant sans vergogne des émotions violentes engendrées ce soir par ses propres soins. Un autre aspirant, Jhemar d'Althynès, se penche sur le captif pour le railler, il lui décoche ensuite un brusque coup de pied, inondant son visage tuméfié d'un nouveau flot de sang. Les autres se mettent à rire devant le regard impuissant, peiné puis désespéré du supplicié...

— Hé, guerrier, reviens parmi nous !

Une salle d'auberge enfumée, des gens autour de lui en train de converser. Une jolie jeune femme lui souriant, amicalement.

Cellendhyll sursauta puis reprit brutalement contact avec la réalité. Ce n'était pas la première fois qu'il vivait ce genre de cauchemar. Le canevas pouvait varier, mais c'était toujours la même horreur, la même souffrance.

— Je veux deux montures, reprit-il d'un ton sec. Des bonnes. J'ai de quoi payer. Tu peux arranger cela ?

— Tout est possible à Gar-O-Gar. Si effectivement tu as des licornes...

— J'en ai suffisamment, mais n'imagine pas pouvoir m'escroquer. Tu n'es pas de taille.

— Je n'ai pas l'intention m'attaquer à toi, Machallan. Ni d'aider qui que ce soit à le faire. Inutile de me menacer...

Cellendhyll estima que le ton tranquille de la jeune femme sonnait juste. Il en fut surpris.

— Une sage décision, dit-il avant de reprendre une gorgée d'alcool.

La bière glacée inonda son palais, remplaçant l'union sulfureuse des saucisses épicées et de la Vapeur-de-Feu par une vague désaltérante.

Le serveur revint alors en possession du renseignement désiré. Cellendhyll paya l'information. Rengaina son stylet. Remit son manteau à peine sec. Ordonna à Nérine :

— Les chevaux... Conduis-moi...

La nuit encore jeune et toujours pluvieuse, ils sortirent pour remonter la rue vers l'est. Le temps n'incitait pas à la promenade. Personne ne traînait dehors. Nérine avait passé un châle brun afin de se protéger du froid. Il lui fallait presque courir pour combler les grandes enjambées du guerrier adhan.

Elle tira le bras de Cellendhyll, le souffle heurté par sa course :

— L'écurie est en bas de la route. Je t'emmène voir Rasten. Tu devras traiter avec lui. Je ne toucherai aucun pourcentage sur la vente. Je ne fais que l'intermédiaire, c'est tout... Rasten présente au moins un avantage : il ne parlera à aucun des membres de la Lumière. Mais sache qu'il fait partie de la bande de Stimbass. Gar-O-Gar leur appartient... Ils vont être tentés de te voler. Fais attention !

— Pourquoi me prévenir ? Tu travailles sans doute pour ce Stimbass toi aussi, n'est-ce pas ?

— C'est un porc ! Il me tient captive depuis trois ans. À sa merci. Il se sert de moi pour détrousser les clients. Mais je suis de ton côté.

La jeune femme prit une inspiration avant d'enchaîner d'une traite :

— J'ai le Don. J'ai eu une vision, je dois venir avec toi. Tu dois m'emmener.

Elle lâcha ce flot d'informations aussi vite que possible, craignant d'essuyer un cinglant refus.

— Et pourquoi m'encombrerais-je de toi ?

Nérine hésita un instant avant de lancer :

— Tu vas avoir besoin de moi pour atteindre la cité des Nuages... Tu ne l'atteindras jamais sans mon aide...

La dextre de Cellendhyll surgit sans prévenir pour la saisir à la gorge d'une étreinte de fer.

— Que sais-tu ? Parle, si tu veux vivre !

Il relâcha un peu sa prise pour permettre à Nérine de respirer. La Rhitan ne s'affola pas. Le Don parlait.

— Tu dois te rendre à la Cité des Nuages pour le jour saint de la justice. Tu dois y accomplir une tâche très importante. Je n'en sais pas plus. Mon talent n'est pas très puissant. Il va et vient, sans prévenir. Je t'en prie ! Tu vas avoir besoin de mon aide. Je ne te trahirai pas, tu dois me croire ! Nos destins sont liés !

Ses yeux doux le suppliaient.

— Nous verrons, dit l'Adhan. Je vais y réfléchir. En attendant, je te jugerai sur tes actes. Tu vas me présenter à ton Rasten, ensuite, tu me laisseras faire. Dans l'écurie, reste à ma droite. Ne passe pas devant moi. À aucun prix.

Chapitre 4

L'écurie était en adéquation avec le reste de la bourgade. Un bâtiment décrépit de planches disjointes. L'endroit semblait aussi insalubre que le reste des bâtiments et puait au moins autant. Cellendhyll plaignit les chevaux.

Le nommé Rasten était conforme à ce qu'il en attendait. Un homme de corpulence moyenne au teint brouillé, mal rasé, avec des cheveux en broussaille, le regard calculateur et la mine faussement accueillante. Ses mains maigres ne s'éloignaient jamais longtemps de sa ceinture où, sous la lumière glauque des lanternes, brillait le métal d'un grand poignard. Ses vêtements de cuir râpé renseignaient sur ce qu'il avait mangé dans la journée, et la veille. Il dégageait un relent offensant, une addition de crottin de cheval et de pesquann, une drogue à fumer fabriquée à bon marché à partir de crottin de mulet.

Hormis le vendeur et ses montures, l'écurie semblait déserte.

Rasten fit montre d'un enthousiasme de commande :

— Pour toi, guerrier, le meilleur ! Regarde cet étalon !

Il désigna fièrement un cheval noir aux membres déliés, à la robe luisante, à la fière allure. Les oreilles en arrière, l'animal battait nerveusement des sabots.

— Vois comme il a hâte de galoper, reprit le vendeur. Il file sous le vent ! Pas cher pour toi. Un prix d'ami.

— Ne me prends pas pour un amateur ! répliqua Cellendhyll. Les noirs dans son genre ne sont pas fiables, ils ont le caractère ombrageux. Je n'ai que faire d'une bête de parade trop nerveuse. Pousse-toi, je vais choisir moi-même.

Nérine contemplait le manège, amusée par la mine contrariée de Rasten. Si celui-ci pensait pouvoir escroquer le guerrier aux cheveux d'argent comme ses clients habituels, il n'allait pas être déçu.

L'Adhan inspecta divers équidés avant de se décider. Toutefois, avec une moue dubitative, il demanda à Rasten :

— Tu en as d'autres ? Ceux-là ne sont pas bons à grand-chose pour le voyage qui m'attend.

— Au pâturage. Mon frère peut les amener pour demain soir. De très belles bêtes.

— Trop tard pour moi, dit Cellendhyll. Tant pis... Je vais me contenter de ceux-là. Ce gris, par exemple, il vient d'où ?

Il désignait un grand cheval aux membres musculeux, à la robe mêlée de gris clair et d'anthracite, dont l'épaisse crinière couleur ardoise était taillée en crans irréguliers.

— Ah ! Un mercenaire-franc dans ton genre l'a perdu aux dés-dragons le mois dernier. Un bon choix pour toi !

— Mouais... C'est toi qui le dis. Sa robe est terne. Il a les membres lourds et semble hors de forme. Je vais me traîner avec lui. Mais les autres ne valent pas mieux.

Comme s'il sentait que l'on parlait de lui, le cheval poussa un bref hennissement. Cellendhyll en profita :

— En plus, il n'a pas l'air d'avoir meilleur caractère que le noir. Enfin, je n'ai pas de temps à perdre. Je vais le prendre.

Il poursuivit son examen, délaissant plusieurs possibilités. Dans un coin, une petite jument baie aux yeux doux attira son attention. Elle hennit doucement, saluant son approche. Cellendhyll examina son allure, ses jambes, ses fers, ses dents.

— Elle n'est plus toute jeune, celle-là. Néanmoins, elle a l'air paisible.

Une monture idéale pour une femme, se disait-il. Séduit par l'air affectueux de la jument, il annonça :

— Elle aussi, je la prends. Avec cette mule. Combien pour les trois, sellés ?

Nérine retint une exclamation. Il avait bien dit *trois* !

Rasten fourragea dans sa toison brune, embrouillé par les bénéfices qu'il espérait encore engranger.

— Parce que tu es avec Nérine, le moins cher. Trois licornes d'or.

Cellendhyll cracha devant l'une des bottes du marchand :

— Tu as forcé sur l'engrais ! Qui, dans la région, pourrait prétendre posséder une telle somme ? J'offre dix licornes d'argent. Et encore parce que je suis pressé...

Le vendeur glapit comme s'il se faisait égorger :

— Par Felgren le Tricheur, tu veux ma ruine ? Cinquante d'argent ! C'est mon dernier prix.

— Quinze, pas plus...

Rasten en loucha d'indignation.

— À moins de quarante, j'y perds.

— Je ne peux monter plus haut que vingt d'argent. Avec le fourrage...

Rasten lui tendit la main.

— Vingt-cinq et nous faisons affaire !

Il délivra un clignement d'œil complice à Nérine.

— D'accord, capitula Cellendhyll. C'est bon, voici un tiers de la somme. Je vais aller faire un tour avec le gris, histoire de voir ce qu'il vaut. Je viendrai reprendre les autres d'ici quelques heures. Alors, je te paierai le complément. Prépare-les et tu auras un bonus.

— Pas de problème, mon ami. Tes montures seront prêtes.

Le vendeur se demandait s'il avait réellement bien mené son marchandage.

Mais comme de toute façon, l'homme allait revenir, il aurait l'occasion de se refaire. D'une manière ou d'une autre.

Dehors, menant son cheval par la bride, Cellendhyll fut interpellé par la Rhitan. Elle lui glissa à l'oreille :

— Tu aurais pu l'avoir pour encore moins cher.

— Tu crois ? Tu as vu la crinière dentelée du gris ? C'est la marque d'un cheval de guerre pellonien. À lui seul, il vaut au minimum dix fois plus que le prix que j'ai payé. Je ne pouvais espérer mieux, en vérité. Il manque juste d'exercice et de grand air. Rasten est peut-être un bon voleur, mais il ne semble pas connaître grand-chose des chevaux !

— Rasten ?

La Rhitan éclata de rire. S'il l'apprenait, il ferait une de ces poussées de fièvre !

Cellendhyll sangla le destrier. Flattant son garrot et ses flancs, il lui parla doucement, établissant le contact. Il s'était toujours bien entendu avec les équidés. Le cheval de guerre le regardait avec curiosité. Cellendhyll caressa le chanfrein étoilé d'une tache blanche avant de revenir à Nérine. Il lui glissa quelques pièces d'argent dans la main.

— Achète de la nourriture de voyage pour cinq

jours. Une outre d'eau, une gourde d'alcool fort. Trouve-moi aussi un gros quartier de bœuf. Fais-le couper et emballer pour la route. Tu feras livrer le tout à l'écurie et Rasten chargera les montures. Tu me retrouveras ici, disons dans trois heures. Si je ne suis pas là, reviens toutes les heures...

Il sauta souplement en selle, sans se servir des étriers. Il déplaça sa jambe gauche en arrière, se pencha légèrement du même côté. Répondant aussitôt à son ordre, le pellonien prit le petit galop.

L'ébauche d'un sourire aux lèvres, l'espoir retrouvé, Nérine regarda la silhouette montée s'engager au petit trot sur la piste de l'est. La délicate jeune femme aurait pu s'interroger sur son avenir proche, mais elle se sentait rassurée. Il allait revenir... Et l'emmener.

Si Cellendhyll avait effectivement mis à jour la nature des deux guerrier chassés de l'auberge, il s'était mépris sur leur réaction.

Mortifiés de quitter ainsi la taverne, les usurpateurs galopèrent dans la nuit incertaine en direction de leur campement. Ruminant leur dépit. Dans l'auberge, face à ce regard qui leur promettait la mort, leur instinct de survie avait pris le pas sur leur fierté et ils avaient fui. Mais au fil de leur chevauchée, la peur provoquée par l'homme aux cheveux d'argent s'estompa. Puis, elle céda la place à la honte. Avec la honte, vint la colère.

Aussi, lorsqu'ils débouchèrent sur l'entrée de la caverne occupée par le reste de leur bande de renégats, les deux guerriers s'empressèrent-ils de cracher des ordres, ralliant les spadassins étendus çà et là, hébétés par l'ennui de cette morne soirée.

La vitesse à laquelle leur camp se vida témoigna clairement de l'étendue de leur courroux.

Chapitre 5

Plan Primaire, Territoires-Francs, aux alentours de Gar-O-Gar.

Chevauchant à travers bois, Cellendhyll exultait presque. Il n'avait pas monté une telle bête depuis trop longtemps. L'Adhan ne s'était pas trompé sur l'excellence de l'animal, qui répondait à la moindre pression de ses mollets. L'homme et sa monture avalèrent les kilomètres. Ravi de l'exercice, le destrier gris martelait d'un pas sûr le sol détrempé. En dépit du mauvais temps, il filait sous le vent. Felleyran était voilée par des nuages lourds. Yrénas, en revanche, diffusait sa lumière nacrée sur la campagne.

Le renseignement qu'il avait payé se révélait juste. Le campement des templiers ne fut pas difficile à repérer. Suivant les instructions, Cellendhyll ralentit l'allure et obliqua pour longer la rivière qui coupait le chemin, vers l'est, à couvert sous les frondaisons des arbres. Au bout d'environ cinq cents mètres, il mit pied à terre et récompensa le destrier pellonien d'une série de caresses, puis passa les rênes autour d'une branche de saule, à l'abri des éléments. Il terminerait à pied. Accrochant le fourreau de son épée à la selle, il se débarrassa de son manteau alourdi par l'averse qui venait de s'interrompre. Un surcroît de mobilité faciliterait son approche. Il se permit encore quelques caresses, tout en chuchotant pour assurer le pellonien de son retour. Le cheval le regarda partir avec placidité avant de s'intéresser aux feuillages qui l'entouraient.

L'Adhan remonta encore le long du courant sur une centaine d'enjambées. Le sol mouillé étouffait les sons. Soudain, une odeur de fumée l'alerta. Se dissimulant derrière les troncs, il se rapprocha prudemment de son objectif, éclairé par des braseros. Redoublant de précautions, il atteignit enfin les abords du camp.

Étudier le ballet des sentinelles ne lui posa aucun problème. Ballet pour le moins imparfait, put-il constater avec mépris. De son temps, les mesures de sécurité auraient été d'un tout autre calibre. En effet, le camp de base établi par les templiers de l'Empire pour accueillir le questeur du Rosaire présentait de sérieuses lacunes. Au moins trois zones restaient mal couvertes, sinon pas du tout. Les tentes étaient trop rapprochées les unes des autres. Les chevaux, à l'écart et trop près de la rivière.

La pluie et le froid conjugués avaient annihilé toute velléité de zèle. Les templiers usaient leur énergie à tenter de se réchauffer, plutôt qu'à surveiller efficacement leur périmètre.

Le borgne ruminait sa peine, détenu dans un chariot-cage sous lequel trois soldats s'étaient recroquevillés pour partager une bouteille d'eau-de-vie. Ceux-là, parmi lesquels Cellendhyll crut reconnaître le sous-officier de la taverne, ne risquaient pas de bouger. Tant pis pour le prisonnier, Cellendhyll ne pouvait rien pour lui. Du reste, le destin de cet homme lui importait peu. L'Adhan avait uniquement besoin de la carte que devait lui remettre le borgne. La carte précise de la région avec les emplacements des forts de garde, des routes et des chemins forestiers, permettant de définir les différents itinéraires possibles pour rejoindre son but.

Le Sud. La cité des Nuages, capitale de l'Empire, bastion de la toute-puissante Lumière sur le Plan Primaire.

Cette carte, le borgne devait l'avoir sur lui, lorsqu'il avait été arrêté. Selon toute probabilité, elle devait à présent être détenue avec ses autres affaires... dans la tente dévolue au questeur, Jhemar d'Althynès.

Cellendhyll avisa la tente de commandement, dressée à l'écart sur une hauteur, sous les ramures d'un immense tilleul, à l'opposé de la cage. Mais même sans cette fichue carte, indispensable au bon déroulement de sa mission, Cellendhyll aurait décidé d'y aller, dans cette tente. L'attirance était par trop forte de renouer avec ce passé qui le hantait jusque dans son sommeil.

Cellendhyll de Cortavar n'y tint plus. Il revint sur ses pas pour se diriger vers la tente du questeur.

Après avoir effectué une sommaire inspection du camp une heure auparavant, le questeur Jhemar d'Althynès s'était retiré dans ses quartiers, sur la petite butte herbue. La chevauchée que l'officier venait d'effectuer l'avait vidé de ses forces et rendu mauvais, d'une humeur de Centaure !

Une bouteille renflée à la main, il renvoya son écuyer après lui avoir adressé quelques sévères reproches à propos de sa tenue, pourtant impeccable. Le garçon ne fut que trop heureux de quitter les lieux. Jhemar d'Althynès s'octroya une large gorgée, savourant la chaleur du breuvage. Une deuxième rasade suivit, puis une troisième... Ce bon vin de Pélissar, seul capable d'atténuer l'amertume de sa vie. Heureusement, ses réserves de vin étaient pleines. Tassé dans son fauteuil, protégé sous l'auvent, le questeur s'affala totalement et entreprit de vider la bouteille. Par-dessus sa veste d'uniforme, l'officier portait une grosse pelisse de fourrure bleutée. Un pantalon de cavalier blanc à bandes latérales bleu foncé et de hautes bottes de cuir parachevaient sa tenue.

Parfaitement éclairé par la lampe tempête surplombant l'entrée de sa tente, il faisait une bien belle cible. Cellendhyll fut convaincu. C'était bien Jhemar d'Althynès, cet homme brun, aux cheveux courts frisés, à la peau pâle, au visage grêlé. Reconnaissable à sa manie de pencher sa tête de côté. Que pouvait-il bien faire ici ? Jhemar en questeur ? C'était risible !

L'agent des Ombres du Chaos n'eut pas à forcer son talent pour déjouer l'attention des sentinelles transies. Choisissant le moment approprié, il rampa dans l'herbe mouillée jusqu'à atteindre le bas de la butte.

Chacune de ses reptations le rapprochait de son passé.

Une fois derrière la tente, l'Adhan sonda l'air ambiant. Personne ne l'avait découvert. Il dégaina un court poignard et découpa une issue dans le fond de la toile huilée, au ras du sol.

Jhemar jeta distraitement sa bouteille vide dans l'herbe et réintégra la tente afin d'en chercher une autre. Il avait dédaigné souper et l'ivresse le tenait. Comme chaque soir. Déçu par l'existence, l'homme s'était depuis longtemps tourné vers la boisson. Tant et si bien qu'il faillit se faire chasser de l'ordre des templiers de la Lumière où il était capitaine – pour abandon de poste. Son ami et protecteur, Ghisbert de Cray, dut intervenir. Il fit jouer ses relations pour lui faire intégrer l'ordre du Rosaire, en tant que haut-questeur. Jhemar ne profita pas de l'expérience. Il continua à boire tant et plus. Jusqu'à se retrouver déchu de ses nouveaux privilèges, dégradé au rang inférieur et muté en patrouille sur les Terres Franches, bien loin de la capitale de l'Empire.

Une ombre se détacha du fond de la tente. Vive et déterminée. Les réflexes noyés par l'alcool, le questeur réagit avec un retard accablant. De la pointe de ses doigts raidis, Cellendhyll le frappa sèchement dans le plexus solaire, provoquant un vomissement subit, suivi d'une brutale perte de conscience.

Jhemar se réveilla la bouche pleine de vomissures, totalement dénudé, attaché sur son fauteuil à l'intérieur de la tente à présent fermée. Il hoqueta de stupéfaction en reconnaissant son agresseur :

— *L'Ange* ? Ce... Cellendhyll, c'est toi ?

— C'est moi, en effet...

L'Adhan plaqua une dague sur la gorge exposée de son ancien condisciple.

— Attention, mes hommes vont venir ! J'attends un rapport...

— Toujours aussi menteur, Jhemar ! Tu as ordonné qu'on te laisse pour la nuit. Afin de savourer ton vin en paix. Ttt-ttt-ttt... N'espère pas appeler. Au moindre mouvement de ta part, je t'égorge.

Cellendhyll sourit largement, exhibant une dentition parfaite. Mais ses yeux restaient glacés.

— Alors, comme ça, tu es devenu questeur ? Je ne te savais pas la fibre religieuse ! Mais peu importe, en vérité. Ghisbert et les autres... Donne-moi de leurs nouvelles. Comment se portent les Compagnons du Soir ?

— Pitié, l'Ange. Par la Lumière, nous étions jeunes... Ghisbert nous a poussés...

— Mais c'est bien de jeunesse que l'on parle. Cette jeunesse que vous m'avez volée ! Parle-moi, Jhemar, parle-moi des *Compagnons*. Où puis-je les trouver ?

Il marqua une pause, octroyant un court répit à son prisonnier.

— Tu ne veux rien dire ? Parfait.

L'Adhan changea de position pour bâillonner Jhemar.

Il se rassit en face de lui, sur les talons, le fixant de ses étranges prunelles vertes, un large sourire aux lèvres. Jhemar n'avait jamais vu une expression aussi effrayante.

Durant la période d'inconscience du questeur, Cellendhyll était ressorti vérifier les abords de la tente. Toujours aussi calmes. Seules les sentinelles se maintenaient dans un éveil relatif. Il avait tout loisir de s'occuper de Jhemar. Ensuite, il avait fouillé les affaires de l'officier pour découvrir la carte qu'il convoitait, ainsi qu'une bourse de cent licornes d'or. Une petite fortune représentant les économies que Jhemar avait pu emporter dans son exil.

Cellendhyll poursuivit d'une voix douce, faussement amicale :

— Je vais t'expliquer ce que je te réserve. En souvenir du bon vieux temps... Je vais te couper tous les doigts. Un par un. En commençant par une main. Puis l'autre. Si cela ne suffit pas, je passerai après à ton visage. Jusqu'à ce que tu parles. Avec ce bâillon, nous ne devrions pas être dérangés. Tu ne sembles pas me croire... Mais Jhemar, je ne suis plus aussi gentil que naguère, tu sais. Et pour te prouver que je ne bluffe pas...

D'un geste sûr, inflexible, l'Adhan trancha le pouce droit de Jhemar. Le Questeur ne s'attendait pas à une telle douleur. Il s'étouffa presque dans son bâillon. Pleura d'impuissance.

Cellendhyll lui libéra la bouche et dit :

— Allons, ça ne fait pas si mal que ça ? Si ? Désolé. Tu devrais parler...

— Pitié ! tenta le supplicié.

Mais la pitié et l'amour de son prochain, Cellendhyll de Cortavar les avait perdus dix années auparavant... alors qu'il gisait le corps brisé, la gorge tranchée, dans une flaque de son propre sang. Trahi.

Il rajusta le bâillon puis posa le tranchant de sa lame sur l'index de son prisonnier et commença à appuyer.

La chancelante loyauté que pouvait conserver Jhemar d'Althynès pour ses complices s'effaça devant cette douleur effroyable. Terrifié par la transformation de son ancien camarade, les yeux exorbités, le questeur agita la tête pour indiquer qu'il désirait s'exprimer. L'Adhan lui ôta de nouveau son bâillon.

— Je vais parler. Donne-moi un verre et je dirai tout !

— Apprends-moi ce que je veux savoir et tu auras tout le vin que tu veux.

Jhemar commença à s'épancher, répondant aux attentes de son bourreau. Ses aveux achevés, Cellendhyll lui tendit un verre de vin. Le prisonnier but avidement, sans se soucier des éclaboussures sur son torse.

— C'est bien, Jhemar. Très bien. Je vais aller transmettre tes amitiés aux autres puisqu'ils sont à la cité des Nuages. J'ai eu plaisir à te revoir...

L'agent des Ombres se pencha sur Jhemar, comme pour lui délivrer une fraternelle étreinte. Comme *avant*.

Au lieu de quoi, il l'égorgea sans pitié. Il détailla même son agonie avec une satisfaction certaine. Son forfait perpétré, l'Adhan quitta le camp aussi furtivement qu'il était venu, profitant des ombres de la nuit pour rejoindre sa monture.

Le pellonien agita son encolure pour l'accueillir. L'étalon gris l'avait adopté. Un sentiment réciproque. À peine Cellendhyll était-il en selle que sa monture piaffait, ne demandant qu'à galoper. Le cœur léger, la carte du borgne en poche, Cellendhyll le lui accorda de bon gré.

Durant toute la chevauchée vers Gar-O-Gar, l'Adhan ne songeait qu'aux confidences de Jhemar.

La vengeance avait un avant-goût troublant.

Chapitre 6

Comme il l'avait annoncé à Nérine, Cellendhyll revint à Gar-O-Gar. Un peu moins de trois heures venaient de s'écouler depuis son départ. L'Adhan se positionna au même endroit que dans l'après-midi. Pour scruter les parages. Aucune trace des templiers. Sa longue-vue se déplaça jusqu'à l'écurie. Personne. Et surtout, aucun signe de la jeune femme.

L'avait-elle trahi ? Avait-elle changé d'avis ? Il ne le pensait pas. Elle pouvait cependant avoir été manipulée par ce Stimbass. Servir d'appât ou de leurre. Il n'y avait qu'un moyen d'être fixé.

Cellendhyll laissa son cheval derrière un arbre avec son manteau et son épée, qui ne feraient que l'encombrer, et descendit la pente en veillant à rester camouflé par les ombres. La pluie renaissante rendait la progression difficile. Il aurait préférer passer des vêtements secs, mais n'en n'aurait pas le loisir de sitôt. Il s'en accommoderait, capable de supporter de bien pires conditions. Avançant avec prudence, il gagna l'arrière de l'écurie. Toujours aucun signe de vie.

L'Adhan escalada le mur sans peine pour atteindre le toit. Parvenu en haut, il découpa un carré de chaume qu'il retira pour pénétrer à l'intérieur du bâtiment. Il dut relever son écharpe pour protéger sa bouche de la poussière omniprésente. Il ne devait surtout pas tousser.

Il entendit un échange de murmures provenant d'en bas. Rampa jusqu'à la rambarde. Passa prudemment la tête à l'extérieur pour découvrir une bien repoussante assemblée.

Rasten faisant les cent pas, il semblait attendre quelque chose ou quelqu'un. Deux hommes en pleine partie de cartes. Le dernier en train de faire le guet à la porte de l'écurie. Et Nérine. Liée sur une chaise et bâillonnée.

En somme, rien de très surprenant.

Cellendhyll regarda autour de lui. Le grenier servait à stocker des ballots de fourrage. Un système de poulies permettait de monter et descendre le foin. Un des ballots était resté accroché à l'une des poulies.

C'est presque trop facile, se dit l'agent des Ombres.

Il défit la corde et, d'un coup de botte, fit basculer le ballot dans le vide, droit sur la table de jeu. Puis il sauta.

Conformément à ses calculs, il atterrit non loin de Rasten. Un roulé-boulé pour amortir sa chute et il se releva à côté du voleur. Il le saisit, le plaqua contre lui. Comme surgi de nulle part, son stylet apparut dans sa main gauche pour aller piquer la pointe du menton de Rasten. Le ballot de paille libéré avait renversé la table et les joueurs, et détourné l'attention du guetteur.

Revenus de leur surprise, les coupe-jarrets vinrent se ranger devant le guerrier adhan, lames brandies, la mine hostile.

— Dis à tes copains de se calmer et de jeter leurs armes, ordonna Cellendhyll à son captif. Le premier à mourir, ce sera toi. Es-tu sûr que cela en vaille la peine ?

Rasten hésita. Il pensait à Stimbass et à sa Faucheuse.

— Lâchez vos armes, dépêchez-vous ! répéta Cellendhyll d'un ton impérieux.

Il enfonça sa lame dans le cou de Rasten pour provoquer quelques gouttes de sang. Celui-ci glapit un ordre bref Ses comparses obtempérèrent enfin.

— Bien, reprit l'Adhan. Détachez-la maintenant et reculez... Nérine, viens là, derrière moi.

La jeune femme ne se fit pas prier.

— Tu vas bien ?

Elle hocha la tête. Sans remarquer cette marque de sollicitude, surprenante de la part de Cellendhyll. Les yeux courroucés de la jeune femme ne lâchaient pas l'un des hommes, un individu râblé, à la tenue répugnante, affligé d'une tonsure.

— Voilà ce qui va se passer, reprit Cellendhyll. Je prends mes montures avec les provisions. Je ne paierai rien de plus, puisque tu as cherché à me piéger... Mais tu restes *en vie*.

La peur du présent l'emporta sur celle dévolue au futur.

— D'accord, souffla Rasten, maussade.

— Une dernière chose... J'emmène Nérine.

La nouvelle stupéfia Rasten.

— Tu es fou, guerrier ! Stimbass ne le permettra jamais !

Cellendhyll parcourut la salle du regard.

— Stimbass ? Je ne vois aucun Stimbass ici.

Il accentua la pression de son stylet d'un demi-pouce supplémentaire contre la chair de Rasten, et poursuivit :

— Nérine, va chercher les chevaux... Le mien est dehors, en haut de la colline, sous les sapins. Laisse les portes ouvertes. Je crois que mes nouveaux amis vont rester sages, ou ils le regretteront.

Les hommes de Stimbass bougonnèrent leur capitulation, le regard éteint par la défaite. Ils ne voyaient que trop bien le sang de Rasten goutter sur son tablier. Aucun n'avait l'étoffe d'un héros.

Nérine revint quelques minutes plus tard avec le pellonien. Puis, elle s'occupa de harnacher la jument et la mule. Une fois les montures prêtes, elle les attacha à un poteau à l'extérieur. Elle fit un geste pour capter l'attention de Cellendhyll. Du menton, elle désigna l'homme à la tonsure, dont les traits grossiers s'ornaient d'un nez épaté avec une narine plus large que l'autre.

Cellendhyll haussa un sourcil. À son tour, il hocha la tête pour répondre à la question muette.

Nérine s'approcha de l'individu en question. Sans prévenir, elle lui flanqua un violent coup de pied dans les testicules. Foudroyé, le tonsuré s'écroula sur le côté et se roula par terre.

— Ne t'avise plus jamais de poser la main sur moi ! s'exclama la jeune femme, penchée sur sa victime.

Le bas-ventre en feu, le tonsuré ne semblait pas en mesure de répondre.

Sans plus attendre, l'Adhan et la Rhitan se mirent en selle. Nérine avait l'assiette d'une cavalière chevronnée. Elle ne devrait pas trop le retarder, songea le guerrier. De toute manière, il ne pourrait aller bien vite avec le squazz.

Du haut de sa selle, Cellendhyll toisa les coupe-jarrets un à un et lâcha d'un ton funèbre :

— Le premier qui me suit, je le tue...

La morsure impitoyable de son regard de jade les cloua sur place.

Son avertissement résonna dans l'écurie alors que les deux cavaliers se lançaient sur la route, la mule sur leurs talons.

Un silence stupéfait mêlé d'abattement plana dans le bâtiment.

— Stimbass ne va pas être content ! commenta enfin le tonsuré depuis le sol, les mains plaquées sur son entrejambe.

— Ta gueule, Jollo ! rétorqua Rasten tout en épongeant sa blessure au moyen d'un mouchoir à la propreté douteuse. Queylas, file voir quelle direction ils vont choisir pour quitter le coin. Nacht', file réunir les gars et rejoignez-moi chez Stimbass. Jollo, puisque tu es si malin, tu viens avec moi. On va faire notre rapport. Magnez-vous, les gars ! Si on les retrouve, La Panse pourra passer ses nerfs sur eux. Sinon...

Livides, les autres s'exécutèrent aussitôt. Même Jollo. Ils connaissaient parfaitement les conséquences de l'affront qui venait d'être fait à leur chef. Torture et trépas. Tels étaient les adages de Stimbass, dit La Panse.

Également connu en d'autres lieux comme le Boucher de Queym.

Chapitre 7

Stimbass Malar. Semblable à un ours, immense, hirsute et couvert de poils grisonnants. Le torse couvert d'un double gilet de cuir ocre tombant aux genoux, distendu par un ventre orgueilleux. Un pantalon de soie rouge. Des grosses bottes en cuir gras, à revers et boucles métalliques. Pour seul ornement, une magnifique ceinture tissée d'or qui camouflait imparfaitement un tatouage à l'encre violette : le poing fermé hérissé de pointes des légions Hânnarii, dispersées après les grandes guerres de Pouvoir. À portée de sa main de jour comme de nuit, sa fidèle compagne, la Faucheuse, une hache de bataille à double tranchant. Tel était Stimbass Malar.

La Panse, comme le surnommaient ses hommes dans son dos, se tenait assis au balcon intérieur du premier étage de l'auberge de la Hache. À sa place préférée, d'où il disposait d'une vue imprenable sur son petit univers. La nuit, l'auberge ne désemplissait pas. Que faire d'autre par ce temps hivernal ? Néanmoins, l'endroit rapportait peu, générait trop de frais. Il permettait en revanche à Stimbass de réinjecter les revenus de sa principale activité. Le crime.

Un beau jour, Stimbass était arrivé dans la bourgade, à pied, les traits tirés, le regard traqué, et porteur d'une sacoche remplie de licornes sur l'épaule, la main assurée sur le manche de sa grande hache.

Appréciant la rusticité des quelques autochtones et l'absence totale d'ordre, il avait débuté une nouvelle carrière en tant qu'associé du légitime propriétaire de l'auberge, avant d'en prendre le contrôle total en assassinant son partenaire, d'en changer le nom et de lancer ses petites affaires : vols, pillages, prostitution et contrebande. Le tout à petite échelle pour ne pas attirer l'attention, la diversité produisant un rendement bien suffisant à ses besoins. Pour l'instant. Stimbass Malar, le Boucher de Queym, avait retrouvé confiance. Il voyait grand, tentant obstinément de retrouver sa gloire passée.

Le Templier avait-il dit vrai en annonçant l'établissement de l'Empire dans la contrée ? En plein Territoires-Francs ? Stimbass gratta la longue cicatrice qui courait sur sa joue. Cela demanderait tout de même un certain temps ainsi qu'une sacrée dose d'organisation pour arriver jusqu'ici en établissant des voies de communication sûres. Un plan à plus grande échelle, alors. Et quelle serait la réaction des autres Puissances face à cette manœuvre d'envergure ?

Stimbass songea qu'il allait devoir mettre ses affaires en veilleuse. Le temps de voir venir. Il allait également falloir prévoir une nouvelle voie de repli. Qui choisir pour l'aider dans cette tâche capitale ? Aucun de ses servants n'en avait l'étoffe.

Depuis son auberge, le chef de bande avait rassemblé ses champions, comme tout véritable chef de guerre doit le faire. Stimbass Malar et son clan. Son clan ! Terme bien pompeux pour désigner le sinistre ramassis de brigands de toutes races dont s'était entouré le colosse ventru.

Tel était Stimbass Malar. Violent, vantard, puant et

querelleur. Au centre de l'existence sinistre de Nérine, depuis un an. La jeune femme avait été enlevée lors d'une attaque de caravane, et séquestrée depuis lors – avec un minimum d'égards depuis que Spendoss avait découvert son Don. Il obligeait la Rhitan à lui livrer les proies les plus intéressantes. La surveillant en conséquence de très près. Son *petit bijou*, comme il l'appelait.

Et voilà que Rasten et Jollo venaient lui apprendre qu'un grand guerrier aux allures de loup sauvage venait de lui enlever la Rhitan ! Stimbass brisa sa table d'un unique coup de poing. Ses petits yeux noirs jetaient des éclairs de fureur. Il proféra d'abominables jurons. Assena un revers à Jollo, qui n'avait pas mis suffisamment de distance entre sa colère et lui-même, lui fracturant la mâchoire au passage. Il saisit sa Faucheuse, se couvrit de sa pelisse de fourrure et sonna le rappel de ses troupes.

Des os brisés, du sang et des lamentations, voilà ce que réclamait le Boucher de Queym pour laver cette injure à son autorité, cet affront à son honneur.

Cellendhyll et Nérine chevauchaient sur la route. Ils se préparaient à franchir la rivière. Les deux lunes diffusaient heureusement une lumière suffisante pour voyager de nuit. L'Adhan ne voulait pas s'attarder. Nérine semblait inquiète.

Un résonnement sourd éclipsa le sifflement du vent. Cellendhyll ne s'y trompa pas.

— Au galop, vite !

D'un coup de talon, il accéléra l'allure, suivi par Nérine et la mule au bout de sa longe.

De l'ouest, monté sur un grand cheval bai, Stimbass surgit à toute allure d'un monticule, talonné par tous ses hommes. Cellendhyll dirigeait la fuite à l'opposé, vers un pont de pierre.

Menés par les deux guerriers chassés de l'auberge, les brigands débouchèrent de l'est par l'autre côté du pont, leur coupant la retraite. Leur armes brandies et l'expression de leurs visages valaient bien celles de Stimbass et de sa troupe.

Cellendhyll se décida en une fraction de seconde. D'une pression du talon, il força sa monture à obliquer à droite du pont, sur un sentier pentu, parallèle à la rivière. Nérine passa tout juste à sa suite.

La Panse et ses séides côtoyaient régulièrement les brigands à l'auberge. Stimbass avait plus d'une fois trinqué avec Tervekh le sang-mêlé et Losterfan le blond, les deux meneurs. Ils auraient dû se reconnaître. S'allier contre leur ennemi commun. La lumière lunaire, trop imparfaite, la vitesse de leurs courses et leur soif conjointe d'entendre le fracas des armes en décida autrement. Sans plus se préoccuper des deux fuyards, forts de leur élan, les deux groupes hurlèrent de concert avant de se jeter l'un sur l'autre dans une féroce mêlée qui s'épanouit au beau milieu du pont.

— Es-tu terriblement chanceux ou efficace ? questionna la Rhitan en constatant qu'ils s'en étaient tirés.

Le couple venait de s'arrêter à une centaine de mètres du pont d'où résonnaient clairement les bruits de bataille.

— Les deux, je crois, répondit le guerrier, un rictus en guise de sourire. Pas de vision ? Ton Don fonctionne-t-il ?

— Pas pour le moment. Je t'avertirai s'il se manifeste. Nos destins sont liés, ne l'oublie pas.

Liés jusqu'à quel point ? se demandait Cellendhyll

stupéfait quant à sa décision de s'encombrer de la jeune femme.

— Allez, on repart, ordonna-t-il sèchement.

Sous une pluie de nouveau battante, des hommes s'affrontaient et mouraient. Les pires individus de la région se livraient à un corps à corps sanglant, ponctué de cris de douleurs, de jurons ou de harangues. L'acier frappait l'acier. Le vide, parfois. La chair, souvent.

Stimbass se battait avec une vaillance insoupçonnée. On pouvait l'accuser de bien des torts, certes pas de manquer de courage. Dressé sur le pont, il avait déjà vomi deux fois sa bière de la journée. Deux fois, en plein combat, sans que cela nuise à son efficacité. Sa grande hache avait déjà bu son content de sang et, cependant, les ennemis continuaient à l'assaillir.

Stimbass n'avait pas l'esprit à se demander d'où venaient ces adversaires. Il luttait pour sa survie. Il avait vu tomber Rasten, Jollo, Nach't, Queylas et les autres.

Losterfan, le faux Fendyr, gisait à ses pieds, la tête fendue de part en part.

Son ami et amant, Tervekh, le sang-mêlé ikshite, parvint à contourner le colosse en rampant, pour lui sectionner les jarrets. La Panse tomba à la renverse, incapable de conserver son équilibre. Il ne restait plus que quatre hommes en vie sur le pont. Stimbass face à Tervekh et deux guerriers, un humain et un nain. Tervekh avait fait sa part de travail en mutilant Stimbass. Il laissa les deux autres achever leur ennemi à coups de poignards. Entamer son deuil de ses pleurs lui parut prioritaire. Pauvre Losterfan !

Agonisant, Stimbass réussit à emporter l'un de ses bourreaux avec lui dans la mort. Le Boucher de Queym n'était plus.

Sa mort concluait l'arrivée de Cellendhyll dans la

région. Les trois quarts des brigands infestant les lieux venaient de s'entretuer. Et la moitié des survivants avait fui à l'arrivée des templiers de la Lumière.

— Stimbass est mort ! Je viens d'avoir une vision, s'écria Nérine.

— Un souci de moins, commenta Cellendhyll. Te voilà véritablement libre. Car je doute maintenant que quiconque te poursuive.

Nérine réalisa tout à coup ce que cela signifiait. Libre ! Sans avoir à se retourner à chaque coin de rue. Stimbass, cet être immonde, ne lui manquerait certes pas. Sa liberté lui tournait la tête. Même si, pour le moment, sa destinée restait entre les mains du mystérieux guerrier aux cheveux d'argent.

— Si tu le veux bien, je reste avec toi, dit-elle doucement. Le moment de nous séparer n'est pas venu. Je le sens.

— Alors, viens. Nous devons aller récupérer quelqu'un. Il est un peu bizarre, mais il ne t'importunera pas.

Au bout d'une demi-heure de chevauchée, Cellendhyll retrouva aisément la cachette du squazz. Il laissa la jeune femme à l'écart et s'engagea dans la caverne. Toujours sous sa forme humaine, le démon-félidé dormait pesamment. Autour de lui, une série d'os rongés. Flottait une tenace odeur de charogne.

Cellendhyll réveilla la créature d'un coup de pied dans les côtes.

— Debout. On s'en va.

Le démon asservi s'exécuta en silence. Exécutant les ordres, il se jucha tant bien que mal sur la mule. Aucun cheval n'aurait accepté un tel cavalier.

La Rhitan affichait une expression à mi-chemin entre

l'horreur et la consternation. Écœurée par l'odeur du squazz, elle avait nettement pâli.

— Il... C'est un...

La jeune femme ne trouvait pas les mots. Elle percevait la véritable nature du ténébreux sans réellement parvenir à l'appréhender.

— Je sais ce qu'il est, rétorqua l'Adhan. Nous sommes obligés de le prendre avec nous. C'est comme ça. Ne t'occupe pas de lui et tout ira bien...

En constatant la mine réprobatrice de Nérine, il ajouta sans douceur :

— Tu as voulu me suivre. Ne va pas te plaindre !

Cellendhyll prit la tête, traînant la mule et son cavalier au bout de la longe. Nérine le suivit docilement en direction du sud-est. Ils allaient tenter de rejoindre la région des Forts, la longer et rejoindre le bac du fleuve Betthin.

Chapitre 8

Plan Primaire, abords des Grandes Plaines.

La matinée était bien entamée. Trois cavaliers galopaient parmi les herbes hautes de l'immense plaine. La pluie venait de cesser. Pas le vent. Couchés sur leur selle, les trois cavaliers obliquèrent vers la pente ascendante d'un plateau cerné de taillis et d'arbustes.

De dimensions conséquentes, le plateau se rétrécissait jusqu'à un épais bosquet de trembles. Seuls habitants des lieux, les oiseaux cessèrent toute activité pour épier les intrus.

Grâce à la vitesse de son pellonien, Cellendhyll arriva le premier. Nérine le suivait sans peine mais la mule qui portait le squazz était à la traîne. Plus loin, la phalange des templiers de la Lumière convergeait en deux lignes mouvantes, à bride abattue. La pluie avait cessé son pilonnage durant la nuit, et l'air du jour paraissait plus chaud. Mais l'Adhan n'avait pas le loisir de s'en réjouir. Malgré leur avance, ils ne parviendraient pas à semer les rapides templiers, à leur poursuite depuis une heure. L'étalon de Cellendhyll aurait pu se jouer de ses congénères, mais il lui aurait alors fallu abandonner le squazz et Nérine. Nérine qui connaissait sa destination. Il devait prendre une décision.

L'Adhan finit par trancher. Laissant la jeune femme le rattraper, il lui indiqua :

— Pars en avant. Jusqu'au bosquet, là-bas. Je vais les retarder. Je te rejoins.

Cellendhyll sauta de sa selle, attendit l'arrivée bringuebalante du squazz, et lui ordonna de descendre de la mule.

— Reprends ton apparence. Des ennemis arrivent. Tu dois les arrêter. Va !

Tout en parlant, il retira le collier de servage qui ôtait au squazz toute volonté. Le démon-félidé considérerait encore Cellendhyll comme son maître durant quelques heures, mais l'effet s'estomperait ensuite.

Un bruit de succion et d'os écrasés provoqua l'envol des oiseaux et leur fuite. Le squazz retrouva sa véritable apparence. Il lança un hululement de contentement. Ergots dressés, ses griffes giflant l'air de manière spasmodique, le démon sentait parfaitement ses proies approcher. La chaleur de leurs corps, la vibration de leur cavalcade à travers le sol les avaient trahis bien avant qu'ils ne soient en vue.

Cellendhyll sauta en selle, talonna l'étalon pour rejoindre le bosquet où se tenait Nérine. Devenue inutile, la mule fut abandonnée broutant un buisson de genêts.

À peine arrivé au bosquet, Cellendhyll sauta de nouveau à terre pour couper quelques branchages. Sans perdre de temps, il rebroussa chemin, effaçant leurs dernières traces. Enfin, il fit reculer la jeune femme et les montures à l'abri du bosquet.

Ils n'attendirent pas pour voir ce qui allait arriver. C'était le moment de prendre de l'avance.

Dans un roulement de sabots, la phalange accédait au plateau. Le squazz avait disparu. La mule paissait tranquillement, bien aise de pouvoir se reposer de sa course.

Le jeune officier qui menait la poursuite lança ses ordres d'une voix pointue. Les templiers se déployèrent à la recherche de traces. La mule, quant à elle, ignora souverainement les nouveaux venus.

Un crissement résonna dans les taillis. Un son propre à ébranler les nerfs. Aucun des hommes de l'Empire ne s'était aventuré sur les landes ténébreuses, territoire de chasse des squazz. S'ils avaient su...

Le prédateur des Ténèbres sauta du haut d'un arbre directement sur l'un des cavaliers. Il égorgea celui-ci d'un mouvement du poignet avant de bondir sur une autre cible. Les chevaux apeurés ruaient des quatre fers, jetant leur maître à bas. En quelques secondes, le démon avait semé un affolement total au sein de la phalange de la Lumière.

Plus rien ne pouvait arrêter la créature. Ses griffes et ses ergots, ses crocs et ses dentelures déchiraient les armures comme du papier. Arrachaient métal, chair, tendons et os.

Habituelle alliée des squazz, la panique régnait sur le plateau. Le prédateur frappait hommes et bêtes, sans accuser de fatigue. Il semblait plus grand, plus puissant à mesure qu'il tuait encore et encore. Son hululement résonnait de plus en plus fort.

Les templiers étaient incapables de mener une action concertée. À quoi bon ? Flèches, épées et haches rebondissaient sur la peau squameuse renforcée de chitine, sans même parvenir à l'égratigner. Aucune lame normale ne pouvait lui nuire et l'armement de templiers n'en comprenait pas de magique.

Le diacre de l'Orage qui accompagnait la colonne tenta bien un sort de Révocation. En vain. Seul un archidiacre ou un membre de la Guelfe Blanche aurait pu renvoyer une telle créature sur son plan d'origine. D'un seul coup de griffe, le démon-félidé lui arracha la tête du corps et en profita pour dévorer la moitié de son visage figé en plein cri.

Ce fut un massacre.

Seuls les deux derniers templiers, restés en arrière-garde pour se soulager d'un besoin pressant, eurent la vie sauve. Et ce uniquement parce qu'ils ne montèrent pas jusqu'au plateau.

Affamé, le squazz s'était mis à déguster ses victimes. Accroupi sur un monceau de restes humains, avalant goulûment morceau après morceau.

Cellendhyll menait la route qui s'éloignait du carnage, veillant à rester caché par les amas de broussailles. Les bruits du combat résonnaient à travers les arbres, de plus en plus indistincts. L'Adhan pressait Nérine à forcer le train. Les deux cavaliers devaient absolument sortir du périmètre de détection du squazz, sans quoi le démon-félidé les suivrait pour les attaquer lorsqu'ils s'y attendraient le moins.

Leurs autres poursuivants ne constituaient plus une menace. Et sans la mule, Cellendhyll pouvait forcer le train. La présence d'un squazz allait monopoliser les esprits. La région allait grouiller de patrouilles de la Lumière. Ils devraient se faufiler en douceur vers le sud et longer la route jusqu'au bac tout en restant hors de vue.

Nérine attira son attention :

— Regarde... Là !

Le guerrier dirigea son regard dans la direction indiquée. Il repéra en contrebas une file de trois formes indistinctes, naviguant sur l'herbe grasse de la vaste plaine, encore gorgée des pluies passées. Il tira sa longue-vue de sa sacoche de selle et fit le point. Il obtint la vision nette de trois roulottes aux tentures colorées cheminant à petite allure vers le sud-est.

Cellendhyll tendit son instrument à Nérine afin qu'elle constate l'origine du conducteur de tête : un Rhitan âgé, en train de mâchouiller un brin d'herbe.

— Ce sont les tiens, lui dit-il. Probablement en route pour les grandes foires de printemps.

— On pourrait les rejoindre. Ils nous cacheraient, sans aucun doute : les Rhitans s'entraident toujours.

L'agent des Ombres songea qu'en se mêlant au groupe de Rhitans ils pourraient suivre une voie directe jusqu'au bac... Un gain de temps, sans compter qu'ils risqueraient moins l'attention des patrouilles.

— D'accord, reprit-il. On va essayer.

Nérine ne put cacher la joie qu'elle éprouvait à côtoyer les siens.

Ils firent obliquer leurs montures sur une sente pierreuse qui descendait en lacets sur la plaine. Cellendhyll savoura l'ondulation puissante de son pellonien jouant des muscles pour contrôler sa descente.

Sur le plateau régnait à présent le calme. Assis devant un tas d'ossements qu'il avait soigneusement assemblés, son festin achevé, le squazz hésitait. Sa très rudimentaire intelligence ne parvenait pas à décider d'une conduite à tenir. Il ressentait encore la présence de Cellendhyll qui s'éloignait vers l'ouest, puis le sud, à travers les broussailles, ainsi que celles des deux survivants en plein galop dans la direction opposée, vers le fort le plus proche, suivis de la mule. L'indécision perturbait le démon. Il se leva, se mit à tourner sur lui-même, sans pouvoir s'arrêter. Une série de cercles sans fin. Jusqu'à ce qu'une voix grave l'interpelle.

— Alors, mon chéri ! On se repose ? le salua gaiement un nouveau personnage, plus petit que le squazz, mais combien plus large.

Les sens multiples du démon-félidé, bien qu'exacerbés par la tuerie, n'avaient jusqu'alors pas détecté sa présence.

La créature des Ténèbres se releva en contractant ses ergots. Le sang frais dégoulinait de sa mâchoire démesurée et de ses griffes effilées. Sa longue silhouette torturée, hérissée, semblait ternir la lumière de l'astre. Le squazz était déconcerté. Cet ennemi n'était pas humain, et ne dégageait aucune nervosité, aucune frayeur. Il s'avançait vers le démon d'un pas lent mais ferme.

— Si on jouait tous les deux ? reprit la voix joyeuse.

Le démon étira ses membres dentelés, hululant à nouveau de provocation. Toisant son interlocuteur de toute sa hauteur, il adopta une posture belliqueuse, dressé devant son tas d'ossements. Gorgé de sang frais, il était au maximum de sa puissance.

Accélérant son allure, celui qui le défiait se débarrassa de son long manteau et d'un baudrier d'armes.

C'est à mains nues qu'il se rua à la rencontre du squazz.

Une heure plus tard, le squazz gisait à terre, débité en plusieurs morceaux. Son adversaire lui avait également tranché la tête pour faire bonne mesure.

Gheritarish prit le temps de se désaltérer, humant le vent à la recherche d'une odeur précise. Après l'avoir retrouvée, il empaqueta la dépouille du quazz, tête comprise, dans une toile cirée qu'il avait trouvée parmi les restes. Le démon serait brûlé dans un endroit approprié.

Le Loki se lava à grande eau, usant sans scrupule des réserves des soldats défunts, puis se sécha à l'aide d'une couverture. Malgré la température, il décida de rester torse nu afin de laisser ses blessures, de nombreuses lacérations, sécher au grand air. D'ici le soir, elles auraient cicatrisé.

Gheritarish récupéra ses armes et son pardessus. Prêt à reprendre sa course. Son paquet sur l'épaule, il se mit à trotter à petites foulées sur les traces de Cellendhyll de Cortavar, sifflotant une gigue aux consonances guerrières.

Chapitre 9

Plan Primaire, les Grandes Plaines.

Après avoir prudemment descendu la pente, Cellendhyll et Nérine galopèrent à la rencontre des roulottes. Les trois véhicules cahotaient à faible allure dans la plaine. Aucun signe, ni du squazz, ni de la patrouille qui les avait pourchassés.

— Il vaudrait mieux que je leur parle, non ? proposa Nérine.

— À ta guise.

Le guerrier ne craignait rien des Rhitans. Les nomades étaient reconnus tant pour leur probité que leur hospitalité. Encore qu'ils soient méprisés par la plupart des races en raison de leurs mœurs parfaitement pacifiques.

Nérine s'approcha à portée de voix de la caravane et débuta les salutations d'usage :

— Que le vent vous guide, Père de Caravane.

— Que les étoiles éclairent ta route, Petite Sœur.

Le chef de famille avait un visage tanné par le soleil et plissé par des rides où la gaieté entrait pour une bonne part. Une expression de franchise et de sagesse animait ses traits usés. Avec lui, une femme, un garçon et deux jeunes filles ; leur progéniture, probablement.

Une famille inoffensive, jugea Cellendhyll, *protégée par sa pauvreté.*

— Petite sœur, que puis-je pour toi ?

— Père de Caravane, mon compagnon et moi te demandons l'hospitalité de la Route. Nous avons besoin d'aide.

— Mes biens sont les tiens. Demande...

Nérine lui raconta qu'ils étaient recherchés par les troupes de la Lumière, sans plus d'explications. Elle demanda à pouvoir descendre la route du sud avec eux, cachés dans les roulottes.

Le chef Rhitan se tourna vers Cellendhyll, qu'il dévisagea intensément mais sans hostilité ni méfiance.

— Et si les soldats nous arrêtent et fouillent les roulottes ? Ton ami ne ressemble pas vraiment à un Rhitan. Il sera découvert. Sauf...

— Sauf ?

— Laissez-moi faire. Je ne peux refuser mon aide à l'une des nôtres. Vous êtes les bienvenus. Je suis Eltan. Et voici ma compagne, Irvène. Niah et Sabah, les jumelles, et Then, mon cadet.

— Je te paierai pour ton aide, annonça Cellendhyll.

— Je n'ai pas demandé d'argent, guerrier. Nous sommes pauvres, mais pas pour autant dépourvus d'honneur !

— En effet. Je ne voulais pas t'insulter.

— Je ne me sens aucunement insulté, sourit le chef de famille. Mais je parle trop. Venez plutôt vous rafraîchir, notre eau est fraîche. Nous partirons juste après. Then, tu conduiras le chariot de ta mère. Irvène va s'occuper de vous. Elle vous donnera de quoi vous déguiser et vous maquillera. Vous verrez, elle sait y faire. Vous serez... nos oncle et tante. Toi, guerrier, tu devras te tasser un peu. Prends l'air idiot. Plus tu auras l'air idiot, moins on te remarquera. Nérine, couvre-toi de ce châle. Tu es désormais une vieille femme...

Enfin grimés, vieillis par la main habile et douce d'Irvène, l'épée du guerrier dissimulée sous l'un des chariots, ils reprirent la route. Le soleil ne parvenait pas à véritablement s'imposer. Des bandes de nuages moutonneux parcouraient le ciel à vive allure, poussés par un fort vent d'altitude. Leur course aérienne vers l'ouest créait une impression d'altération du temps.

Eltan leur avait confié une roulotte. Enduit de boue, le pellonien avait été recouvert d'une vieille couverture et mis à l'attache à l'arrière du chariot de l'Adhan. Le Rhitan menait son véhicule parallèlement à celui que conduisait Cellendhyll afin de converser.

— Je passe ici chaque année, à la même époque, expliqua le chef. Nous allons à la foire de Manpelt où je suis attendu par d'autres familles. Je suis connu des patrouilles et je n'ai jamais eu de problème.

— Nous verrons bien, répondit le guerrier en haussant les épaules. Si tu permets, je vais me reposer un peu dans la roulotte. Notre nuit a été mouvementée.

Cellendhyll était en effet harassé de fatigue et absolument pas d'humeur à bavarder.

— Dors, mon ami, dors. Je te réveillerai en cas de besoin. Nous ferons halte ce soir. Je connais un bon endroit.

Le guerrier adhan confia les rênes à Nérine, et gagna l'intérieur de la roulotte où il s'allongea comme il put. Il s'endormit bientôt, bercé par le roulis du véhicule et les voix gaies d'Eltan et de Nérine.

Profitant des bonnes prises que lui offrait la pierre, il grimpait, s'élevant toujours plus haut sur la paroi de granit. Il était si haut qu'il ne voyait plus le sol. Le fait qu'il soit harnaché de sa lourde armure de lige pour escalader la falaise en rappel ne le surprenait pas, c'était dans la normalité du rêve. La première partie de l'escalade se déroula sans problème. À l'exception de la chaleur. Le soleil martelait son armure et Cellendhyll était trempé de sueur. Malgré tout, il était heureux d'être avec les autres, de relever le défi de la falaise en leur compagnie.

Pourtant, à la halte du déjeuner, il se rendit compte que quelque chose n'allait pas.

Cellendhyll était assis en face des autres qui se tenaient en demi-cercle ; ils étaient installés sur une langue de roche qui surplombait le vide. Les Compagnons du Soir ne lui adressaient pas la parole et ne répondaient à ses tentatives de conversation que par des gloussements narquois. Ils échangeaient des murmures complices et le regardaient par en dessous.

La suite du trajet tourna au calvaire. Les bonnes prises se raréfiaient, la roche devenait friable. Les Compagnons avaient pris de l'avance. Ils se moquaient ouvertement de lui à présent. Le soleil avait disparu derrière les nuages et Cellendhyll était transi par le souffle glacé du vent des hauteurs. Son armure pesait de plus en plus lourd, entravant ses efforts.

Le sommet n'était plus loin, et Cellendhyll soupira de soulagement en l'apercevant.

— Maintenant ! s'écria Ghisbert.

À cet ordre, Igon et Valère redescendirent à la hauteur de l'Adhan, se plaçant de chaque côté de lui. Mais au lieu de l'aider, ils se mirent à l'accabler de coups de piolet. Cellendhyll s'accrochait tant bien que mal à sa corde, les attaques des autres le ballottaient de droite à gauche. Un rire s'éleva, toujours le même. Il se mêla au vent mauvais et gagna en puissance.

D'un coup particulièrement puissant, Igon perfora

son armure, et son piolet s'enfonça dans l'épaule de Cellendhyll.

Ils le frappaient, sans pitié. Cellendhyll n'avait même plus la force de les supplier d'arrêter. Il mobilisait le peu de ressources qui lui restait pour s'accrocher à la corde. Ghisbert encourageait ses complices de sa voix charmeuse.

Alors qu'il ne tenait plus que par un bras, Ghisbert rappela les autres et descendit à son niveau. Il lui sourit et lui cracha au visage. Dégaina une dague et entreprit de trancher fiévreusement l'épaisse corde qui soutenait Cellendhyll.

D'en haut, Sophien le regardait d'un air apitoyé mais sans rien tenter pour l'aider.

La corde s'effilocha sous le tranchant de Ghisbert. Cellendhyll tomba en tournoyant, tomba, hurlant sa colère et sa détresse. Secoué par le Rire.

Il s'éveilla en sueur. Haussa les épaules, fataliste. Ce n'était pas le premier assaut du genre qu'il subissait et probablement pas le dernier. Il reprit sa place aux commandes de la roulotte. Nérine semblait bien plus détendue. Elle lui adressa un chaleureux sourire. Auquel ne répondit pas l'Adhan. Il ne savait toujours pas trop quoi penser de la jeune femme. Quel était son rôle exact ? Qu'allait-il faire d'elle, la laisser avec les siens ou l'emmener avec lui ? Il n'eut pas davantage le loisir d'y songer.

Une escouade de lanciers de la Foudre, l'un des contingents de cavalerie légère de la Lumière, apparut au sud, remontant la route à toute allure sur deux files compactes, venant à la rencontre de la modeste caravane des Rhitans.

Un ordre fut brièvement lâché par l'officier supérieur et, sans que les soldats ne ralentissent, un sous-officier et quatre lanciers se détachèrent de la colonne pour obliquer vers les roulottes, leurs longues lances à pointe de diamant au côté. Le gros de la troupe continua vivement sa route et ne tarda pas à disparaître derrière une colline.

Les cinq cavaliers approchaient. Eltan tira sur les rênes pour arrêter la caravane. Le caporal, un brun athlétique, salua négligemment les Rhitans. Avec flegme, il délaissa sa lance, son écu en forme de larme gravé du symbole de l'Éclair, ôta son casque à cimier et accrocha le tout à l'arrière de sa selle.

Ils avaient fière allure. Les lanciers de la Foudre étaient réputés pour la splendeur de leur mise et l'intrépidité de leurs charges. Leur uniforme se composait d'un épais surcot blanc décoré du Soleil d'Or de l'Empire, porté sur un plastron de mailles luisantes, d'un pantalon argent à parement latéral bleu ciel et de bottes de cavalier d'un noir lustré. La tresse d'or finement ouvragée portée à l'épaule gauche indiquait que leur régiment s'était distingué sur le champ de bataille.

Le contraste était flagrant entre les lanciers pimpants et les humbles Rhitans.

Capuche tirée sur son visage, Cellendhyll gardait la tête baissée. Il s'exhortait au calme. Il devait donner le change. Son instinct lui soufflait pourtant que les choses allaient mal tourner.

Le meneur jeta un œil méprisant sur la famille.

— Je suis le caporal Strek de Belvanse, du 3e régiment des lanciers de la Foudre. Nous sommes à la recherche d'alliés des Ténèbres. Un squazz – maudit soit-il ! – a attaqué l'une de nos patrouilles sur les hauteurs, non loin d'ici. Probablement accompagné d'un couple de Ténébreux. Un homme et une femme, ou un adolescent. Tu as remarqué quelque chose, le vieux ?

Le chef rhitan avait mis pied à terre pour accueillir

les lanciers. Il haussa ses maigres épaules, le regard humble, jouant à merveille les imbéciles :

— Non, mon prince. Nous sommes restés sur la plaine. Nous n'avons rien remarqué. Personne ne s'est approché de nous depuis au moins une semaine.

— Je m'en doute, ricana le sous-officier qui ne cachait pas son mépris pour les nomades. Enfin... Javis, Klops, fouillez-moi ces chariots. Par la Lumière, on ne sait jamais !

Du calme. Ne pas bouger. Surtout, ne pas bouger, se répétait l'Adhan. *Faire l'impotent.*

Les soldats manifestèrent aussi peu d'enthousiasme que leur supérieur.

Il était clair qu'ils perdaient leur temps. Ils savaient peu probable qu'un squazz puisse se cacher dans une des roulottes. Aucun Rhitan n'avait jamais servi les Ténèbres et un démon-félidé n'aurait pu les côtoyer et se retenir de les massacrer.

L'un d'eux vint examiner Cellendhyll. Celui-ci loucha et se mit à tousser comme un perdu, pour finir par baver sur la main du militaire.

— Quel vieux dégoûtant !

Après cette exclamation, le lancier Klops eut un sursaut de dégoût. Il ne prit même pas la peine de frapper le repoussant personnage. Effaçant aussitôt l'incident de sa mémoire, il se hissa dans le chariot pour effectuer une fouille aussi rapide qu'infructueuse. À l'arrière, Nérine, grimée en vieille femme, attira encore moins son attention.

Javis fouilla la deuxième roulotte où se tenaient Irvène et Then, en vain. Par contre, il se montra fortement intéressé par le contenu du véhicule d'Eltan.

— Strek ! s'exclama-t-il. Regarde ce que j'ai trouvé ! Venez, mes mignonnes, venez voir l'oncle Javis.

Tout en parlant, il força les jumelles à descendre de la roulotte.

Jusqu'alors le caporal Strek s'ennuyait. Mais cet ennui disparut soudainement lorsqu'il découvrit ce que recelait le chariot d'Eltan. Deux appétissantes jeunes femmes. Il se retourna sur sa selle pour lancer un clin d'œil égrillard à l'un de ses compagnons d'armes, un barbu dont la chevelure châtain commençait à se dégarnir.

— Eh, Belgaar ! Regarde ce que Javis vient de nous dégoter. Voyez ces belles donzelles ! Finalement, on ne va pas perdre notre journée... À terre, les gars !

— Sûr, Strek, sûr, s'esclaffa le barbu. On va bien s'en donner.

Sans attendre, le lancier se rapprocha des jeunes filles que Javis avait poussées dans l'herbe, l'une à côté de l'autre. Son regard s'alluma. Il commença à dégrafer son baudrier.

— Les pouilleux, tenez-vous tranquilles, et tout ira bien. Sinon...

La main du caporal esquissa un geste en travers de sa gorge, menace universelle que saisirent parfaitement les Rhitans.

Eltan s'avança néanmoins vers Strek, ses mains maigres élevées en geste d'imploration.

— Non, je vous en supplie, mon Prince...

Croyant que le Rhitan allait le dénoncer, Cellendhyll posa lentement les doigts sur l'une de ses lames. Il se trompait...

— S'il vous plaît, reprenait le père, mes filles... elles sont encore *innocentes* !

— Des vierges ! Encore mieux !

Le sourire de Strek s'accrut.

— Non, ce n'est pas bien..., reprit Eltan en s'accrochant à la manche du sous-officier.

Strek haussa la voix :

— Tu commences à m'énerver, le vieux !

Il dégaina sa dague, et asséna un coup violent du pommeau sur la tempe du Rhitan, le plongeant dans l'inconscience, une plaie sanglante au visage.

Strek essuya son arme, nettement réjoui.

À grandes enjambées, il rejoignit son compère Belgaar en train d'extraire sa virilité au grand air.

Les autres prenaient part au spectacle. Sûrs de leur impunité, les lanciers dévisageaient les deux jeunes femmes apeurées, quasiment dénudées. Cellendhyll restait de marbre. Son rôle de grand-père débile le contraignait à l'inertie. La réussite de sa mission en dépendait. Toujours inconscient, leur père nourrissait l'herbe de son sang. Dans le deuxième chariot, Then tentait de se défaire de l'étreinte de sa mère. Irvène ne savait que trop bien que son fils se ferait tuer s'il tentait de s'opposer aux soldats de l'Empire.

Puis, un sourire de mauvais augure aux lèvres, Strek se pencha sur Nyah pour lui pincer méchamment le téton. Le cri aigu de la jeune fille, ponctué par les rires gras des soldats, traversa l'air jusqu'aux épaules immobiles de Cellendhyll qui se contractèrent douloureusement, frappées de ce trait sonore.

Nérine enfonça ses ongles dans le bras de Cellendhyll. Elle ne pouvait clamer son indignation sans attirer l'attention. Impuissante, elle se mit sangloter de rage.

Et puis merde ! se dit l'Adhan. Il ôta la main de Nérine de son bras, rejeta sa pèlerine sur le banc. Un instant plus tard, il touchait souplement le sol.

Était-ce la vue de ses anciens compagnons d'arme en train de souiller la bannière qui naguère avait été la sienne ? La bonté bafouée de cette innocente famille ou son impuissance ? Le souvenir proche du campement des Rhitans, massacrés par les squazz ? Ou tout simplement la soif de tuer ?

Toujours est-il que l'Adhan ne fit preuve d'aucune pitié. À peine à terre, il lança une dague de jet dans le tympan gauche du lancier posté le plus près de chevaux. Foudroyé par la mort, celui-ci s'écroula en poussant un bref cri rauque.

Écœurant, le son de la dague de jet fit bondir Klops. Le lancier de la Foudre se dressa devant Cellendhyll, sabre dégainé. Il était rapide. Il faut dire que, contrairement à Strek et Belgaar, il était encore habillé. À peine à portée, Klops amorça aussitôt un coup de taille vers Cellendhyll.

L'Adhan contra de son avant-bras droit, pour détourner le sabre vers le sol, exposant le visage du lancier. Du plat de la main, l'Adhan frappa sèchement la base de son nez. Un ensemble de mouvements exécutés avec une telle fluidité que son adversaire ne vit rien. Klops s'effondra à son tour dans l'herbe piétinée, le cerveau broyé par l'explosion de ses cartilages.

Strek et Belgaar avaient baissé leurs pantalons jusqu'aux mollets. Leurs turgescentes virilités dardées en l'honneur des jumelles perdirent de leur ardeur lorsqu'ils se rendirent compte qu'on les attaquait. Ils se retournèrent pour faire face au danger, tout en essayant à la fois de se rhabiller et de dégainer leurs armes, posées à leurs pieds.

Le cinquième lancier, un grand costaud aux cheveux en brosse, arrivait enfin à la rescousse, sabre haut. Cellendhyll flanqua un coup de pied latéral dans le sternum de Strek qui s'était redressé, sa dague dans une main, l'autre occupée à retenir son pantalon. Le caporal décolla du sol pour aller percuter le lancier, tombant avec lui sur la dépouille de leur premier camarade abattu.

Cellendhyll agrippa Belgaar, toujours penché sur le fourreau de son arme, bloqué par son baudrier. Le lancier sentit une main se placer sous son menton, une autre sur sa nuque. Une rotation irrésistible força son cou, suivie d'un sinistre craquement sec. Une explosion de douleur, et les vertèbres de Belgaar se rompirent, provoquant sa mort immédiate.

Décidément tenace, le costaud revenait à la charge. Cellendhyll esquiva un coup de pointe, fit un pas de côté. Riposta d'une frappe mortelle de sa main droite, ses doigts raidis écrasant sèchement la glotte de l'agresseur.

Seul Strek restait en lice.

Alors qu'il tentait de se redresser, Irvène se jeta dans ses jambes par-derrière, et le fit tomber à la renverse. Au-dessus de lui se dressa Then. Les traits figés, armé de son courroux en sus d'un sabre récolté sur l'un des cadavres. Celui qui n'était plus un adolescent et pas tout à fait un homme put enfin défendre sa famille. Laisser parler sa fureur en frappant à coups redoublés l'agresseur des siens.

La tête de Strek finit par se détacher de son corps, tomba dans l'herbe, et dévala la pente, laissant dans son sillage une traînée de sang frais.

Tandis que se déchaînait l'Adhan, Nérine n'était pas restée inactive. La tête d'Eltan sur ses genoux, elle le pansait avec une douceur particulière. Le chef de famille venait à peine de reprendre ses esprits. Rejoint par sa femme, il parvint à se relever. Ses filles accoururent dans ses bras, saines et sauves.

Cellendhyll les laissa à leurs retrouvailles. Il entreprit de s'occuper sans perdre de temps des cadavres et de leur équipement. Tout devait disparaître. Après avoir jeté les corps dans sa roulotte, il y entassa leur équipement. Les chevaux furent attachés à la traîne. S'il les laissait en liberté, les équidés retourneraient à leur écurie après avoir brouté leur content d'herbe grasse et provoqueraient une nouvelle alerte.

— Eltan, dès que j'aurai fait disparaître les corps, nous nous séparerons, déclara le guerrier aux cheveux d'argent au père de famille qui reprenait ses esprits. C'est trop dangereux pour vous. Dès que l'absence de ces hommes aura été signalée, la Lumière enverra d'autres patrouilles. Si je reste, je risque de vous causer du tort. Dès que tu auras rejoint la route, tes traces se mêleront à celles des autres caravanes. Vous serez libres de continuer en paix.

— Ce n'est pas après toi qu'ils en avaient, guerrier, mais à mes filles. J'ai une dette envers toi. Sans ton intervention...

— Tu ne me dois rien. Tu m'as aidé, Rhitan, je l'ai fait à mon tour. N'en parlons plus.

— J'en informerai les Familles, lors du rassemblement. Invoque mon nom, guerrier, et tu trouveras toujours un refuge parmi les nôtres. Mais continuez tout de même avec nous ce soir. Si tu me permets un conseil... Je connais bien la région. Demain matin, nous longerons la grande forêt d'Yspal. Un bon endroit pour dissimuler les morts et poursuivre ta route en sécurité, à l'abri des regards.

— Soit, concéda l'Adhan. Demain matin.

— Parfait. Tout le monde dans les chariots. Irvène, en route !

Ils ne croisèrent plus de patrouilles et le soir venu, Eltan arrêta sa petite troupe auprès d'une élévation de terrain en forme de fer à cheval, surmontée de plusieurs rangées de sapins.

Le chef de famille avait bien choisi l'endroit. Un abri contre le vent de la plaine, de l'herbe pour les chevaux, du bois pour le feu et même une modeste source pour se laver. Pour Nérine et Cellendhyll, c'était loin d'être un luxe.

Irvène fouilla dans ses provisions pour préparer ce qui pour les Rhitans constituait un véritable festin. Les deux filles dansèrent en l'honneur de leurs invités, accompagnées de Then qui jouait du tambourin et de la flûte avec une égale maîtrise. Irvène chanta, et fut bientôt rejointe par Nérine. Leurs voix mêlées s'élevèrent dans la nuit pour célébrer la Liberté, le Vent et les Étoiles. Après quoi, le regard pétillant, Eltan conta les légendes des Rhitans.

Lorsque Then et les jumelles finirent par aller se coucher, Eltan fumait sa pipe, tout en caressant la chevelure de sa femme, la tête posée sur ses genoux.

Nérine vint se blottir contre l'Adhan pour s'endormir. Fragilisée par ce déchaînement de violence, elle ressentait visiblement le besoin d'être rassurée. Cellendhyll se surprit à apprécier ce contact. Sans toutefois songer à en profiter. Il ne pensait qu'à deux choses. Le palais de Vérité. La vengeance.

Le lendemain matin, comme Eltan l'avait annoncé, ils atteignirent la lisière de la forêt d'Yspal. Un rideau touffu d'orgueilleuse végétation, aux dominantes de vert foncé, de brun-roux et de jaune.

Après un bref repas de viande froide, Cellendhyll prit Nérine à part.

— Tu devrais rester avec eux. Tu serais en sécurité. Personne ne soupçonnera que des Rhitans soient responsables de la disparition des lanciers. Vous passerez aisément les contrôles. Eltan m'a dit qu'il maquillerait ses filles pour qu'elles n'attirent plus l'attention.

— Ce n'est pas le moment de nous séparer, répondit

Nérine, en le fixant intensément. Laisse-moi te suivre, Machallan... Je t'en conjure !

Cellendhyll sonda le visage suppliant de la jeune femme. Après une brève hésitation, il soupira :

— Bon... D'accord. Mais tu vas donner cet argent à Irvène. Discrètement.

— Pourquoi ? demanda la Rhitan en empochant la bourse que lui tendait Cellendhyll.

— Parce que Eltan, lui, ne l'acceptera pas. Même pour ses enfants.

Surprise, Nérine considéra l'Adhan qui s'éloignait pour s'occuper de son pellonien. Ainsi, cet homme pouvait faire preuve d'une certaine bonté.

Cellendhyll déchargea de sa roulotte les cadavres et leurs armes. Il enterra le tout à l'intérieur de la grande forêt d'Yspal, et prit soin d'effacer toute trace de son intervention. Les chevaux des lanciers furent relâchés dans les bois. Ils mettraient plus de temps à retourner chez eux. Un répit supplémentaire.

De retour auprès des autres, le guerrier considéra le pellonien.

Il lui était impossible de l'emmener avec lui à travers la forêt. L'étalon risquait de se blesser. Il n'était pas même sûr de pouvoir le garder jusqu'à la cité des Nuages. Et après ? Qu'en ferait-il ?

— Eltan, je te laisse mon cheval. J'ai un service à te demander.

— Tout ce que tu veux, sourit le vieil homme.

— Je voudrais qu'il soit placé chez un éleveur. Un bon. Une fois arrivé à ton marché, si tu pouvais faire le nécessaire...

Le guerrier adhan savait que la descendance de l'étalon pellonien assurerait à Eltan un futur agréable.

— Je comprends ton souci. Je m'en occuperai avec

plaisir. Ta monture sera bien traitée. Sur l'honneur de ma famille, je m'y engage !

Nérine fut chaudement embrassée par toute la famille. La mine austère, rébarbative de Cellendhyll dissuada les Rhitans de l'approcher. Manifestement, il leur faisait toujours un peu peur.

— Que le vent vous guide, Père de Caravane, souffla Nérine.

Elle lâcha quelques larmes qui firent écho à celles des jumelles et d'Irvène. Eltan lui offrit une chaleureuse accolade.

— Que les étoiles éclairent votre route, dit Eltan. Petite Sœur, prends garde à toi. Guerrier... peut-être nous reverrons-nous un jour.

Les roulottes reprirent leur train cahotant, accompagnées de la gaieté teintée de mélancolie d'un chant rhitan.

Suivi de Nérine, sans un regard en arrière, Cellendhyll s'engagea dans la forêt d'Yspal.

Chapitre 10

Plan Primaire, Territoires-Francs, forêt d'Yspal.

Tout en passant l'index le long de l'arête de son nez – signe chez lui d'une intense réflexion – Cellendhyll de Cortavar contemplait la carte du borgne. Heureusement détaillé, le document offrait à l'agent des Ombres trois cheminements possibles à partir d'Yspal pour rallier la cité des Nuages et le palais de Vérité.

Le premier trajet, le plus rapide et le plus sûr, passait en plein centre de la région des Forts de la Lumière, soigneusement gardée par ses fameuses tours de guet. C'était celui qu'empruntaient Eltan et sa caravane. À présent que l'alerte avait été donnée, la zone serait sévèrement quadrillée par les patrouilles. Donc difficilement praticable, même sans la présence de Nérine.

Venait ensuite l'option de couper à travers Yspal. Emprunter les pistes forestières pour éviter la ligne des Forts par le sud-ouest, avant de prendre à l'est, derrière le rideau de surveillance des tours de guet de l'Empire. Un parcours probablement exténuant, qui présenterait peu de confort car la terre y était gorgée par les eaux de pluie.

Enfin, la dernière possibilité. Traverser le fleuve Bethine par le bac du Pélican, gagner la passe montagneuse de Thorbald, traversant ainsi le royaume des Nains de l'Ouest. Cellendhyll y avait des contacts parmi certains clans. Cependant, avisant le ciel, il balaya cette éventualité. Les lourds nuages d'encre marquant la fin tardive de la saison des pluies se dirigeaient sur eux. Ils iraient ensuite en droite ligne vers les montagnes où ils s'ébattraient joyeusement, bloquant la passe de Thorbald par d'infranchissables tempêtes de neige.

Il ne lui restait donc que la deuxième option.

En passant par la forêt, ils pourraient rejoindre le lac de Beltanys, remonter ensuite le torrent indiqué sur le plan, traverser le pont, et redescendre la grande pinède d'Artallon, vers le sud-est. Un trajet permettant d'éviter la majeure partie des patrouilles de l'Empire.

Et ensuite, comment pénétrer dans la cité ? Chaque chose en son temps, décida-t-il. Il verrait sur place.

Et que décider pour l'avenir de la Rhitan ? Elle n'avait pas son entraînement et allait le ralentir. Quelle était sa valeur ? Cellendhyll avait le souci de ne pas s'encombrer d'un poids mort. Alors, comment l'utiliser au mieux de ses compétences ? Il l'ignorait encore. Le Don de Nérine était-il fiable ? La jeune femme était pour l'heure une compagne plaisante, intelligente, sachant apprécier la valeur du silence, contrairement à beaucoup de ses pareilles. Il espérait ne pas avoir à la tuer. Il le ferait cependant, si cela s'avérait nécessaire, et sans remords.

Rien ni personne ne lui barrerait le chemin.

Nérine interrompit le tour dérangeant que venaient de prendre ses pensées.

— Qu'as-tu décidé ?

— J'espère que tu apprécies la marche ?

Sa grimace lui signifia que tel n'était pas le cas. Tant pis pour elle.

— Nous allons devoir voyager léger, reprit-il froidement. Je vais faire le tri dans nos affaires, et après nous partirons. Il faudra que tu t'accroches.

À peu près au même moment, à l'intérieur de la forêt, le portail des Ténèbres se refermait en crépitant dans la brume. Une pluie dense et fine accueillit les envahisseurs. Une horde de guerriers Ikshites au grand complet se mit en chasse. Des tueurs à la peau mate, dont la chevelure consistait en une unique mèche d'un noir intense, portée sur le devant du front. Chacun arborait les scarifications rituelles sur le visage, était revêtu d'une pelisse fourrée, d'un jaseran clouté, laqué d'un rouge très sombre, d'un pantalon de cuir et de bottes de chasse noires. Les Ikshites portaient également un paquetage léger et au moins deux armes. Aussitôt arrivé dans le Plan Primaire, le plus grand des guerriers, celui aux joues maigres, portant la marque des chefs de horde – un géant parmi les siens – leva sa hache et éructa une série d'ordres secs. La noire mèche de son front rasé soulignait la force et l'assurance de son regard écarlate de rapace. La horde s'élança aussitôt, en ordre et presque en silence, pour former l'ordre de marche. Un pisteur à mèche grise partit seul reconnaître les lieux.

Un individu détonait au milieu de cette troupe féroce. Dressé sur les talons de ses bottes vernies, un petit homme au teint cadavérique, portant une longue robe noire à capuche décorée de runes de sang, s'immobilisa devant le chef de guerre. Ils se dévisagèrent avec un mépris difficilement contenu.

— Que veux-tu, sorcier ?

— Savoir si tes hommes sont prêts.

— La horde t'attend, Mordrach. Que les Ténèbres soient favorables à notre traque !

— Nous n'avons pas de temps à perdre en prières ! Je vais préparer le sort de détection à l'aide de ce focus.

Le sorcier sortit des poches intérieures de sa robe un gant de cuir brun qu'il agita devant son interlocuteur.

— Dès que j'aurai la position de l'Adhan, reprit-il, nous nous mettrons en chasse.

— Alors prends ça, sorcier ! Tu vas en avoir besoin, si tu veux suivre la horde. Partir en chasse avec des talons hauts ! persifla le chef ikshite. On n'est pas à la cour des Ténèbres ! Ne traîne pas, Mordrach. On ne t'attendra pas, siffla-t-il, laissant clairement entendre qu'il n'avait pas besoin du renégat pour traquer et éliminer leur cible.

— Ne prends pas ce ton avec moi, Ikesh ! Mon pouvoir est encore grand. Je suivrai...

Mordrach eut néanmoins le bon sens de saisir les bottes ikshites, et les chaussa tout en foudroyant le chef des guerriers de son regard malsain. Une fois prêt, le sorcier se plaça en retrait de ses alliés.

Il remonta alors l'une de ses manches pour dévoiler un avant-bras marqué d'un entrelacs de fines cicatrices. De son autre manche, il sortit une petite dague en pierre cérémonielle. Mordrach éleva la lame puis s'entailla la chair au-dessus du poignet. Laissant tomber l'arme dans l'herbe, il dévoila un gros médaillon de métal sombre qu'il plaça sous le gant. Il fit ensuite soigneusement goutter le sang sur le gant puis sur le médaillon. Le sang grésilla au contact du bijou avant d'être totalement absorbé. À présent, le médaillon diffusait une luminescence pourpre. Le sorcier l'empoigna à pleine main et fit appel à son pouvoir.

Je sens sa présence. Dans la forêt. Au sud-ouest...

Satisfait, Mordrach recueillit un peu du sang de sa blessure pour lancer un sort de marche-vive. Sa silhouette se para un instant d'un halo orangé avant de retrouver son apparence normale. L'hémoglobine qui maculait ses mains avait été entièrement bue par sa peau. Ainsi opérait la magie du Sang.

Mordrach rangea sa lame après l'avoir nettoyée et pansa rapidement son entaille.

Relevant le menton, il toisa une nouvelle fois le chef de horde.

Les deux hommes se détestaient cordialement. Toutefois, chacun tenait à remplir la mission pour bénéficier des faveurs du Père de la Douleur. Et leur collaboration décidée par le Roi-Sorcier, bien que sujette à des heurts, restait des plus efficaces.

— J'ai retrouvé sa trace, annonça le sorcier renégat. Il est au sud-ouest.

Le regard avivé par l'appel de la chasse à l'homme, Ikesh leva son poing fermé et l'agita par trois fois au-dessus de sa tête. La horde se mit en branle.

Chapitre 11

Au même moment, Cellendhyll et Nérine étaient en train de suivre une série de pistes forestières embourbées. La carte du borgne se révélait inestimable pour se diriger dans la forêt luxuriante.

Le paysage forestier à l'odeur d'humus omniprésente aurait pu être des plus plaisants, n'était la volonté avérée des éléments de marquer la fin de la saison des pluies par un ultime assaut. Envahi par un tombereau de nuages chargés, le ciel criait son courroux sous la forme d'une pluie battante. L'humidité, le vent puissant à peine atténué par les feuillages et le froid semblaient se liguer pour freiner leur périple.

Au moins, philosopha Cellendhyll, *on ne risque pas de nous repérer de loin, et nos traces sont totalement diluées par les averses. Par ce temps, aucun pisteur ne pourra nous suivre.*

Si l'Adhan avait appris à dédaigner les éléments, ce n'était pas le cas de Nérine. La Rhitan peinait à franchir les obstacles. Pourtant, malgré une vêture trempée, elle s'efforçait de faire bonne figure, affrontant l'adversité sans se plaindre.

Les ramures des arbres se firent plus denses, leur permettant de cheminer enfin à l'abri de la pluie. Pas de l'humidité. Pleine de courbatures, le souffle malmené, Nérine se trouvait tour à tour transpirante de tous ses pores ou transie. Cellendhyll ouvrait la marche d'un pas décidé, sans paraître aucunement s'émouvoir des difficultés de la jeune femme.

Au début de l'après-midi, l'Adhan repéra le torrent référencé sur sa carte, gonflé par la pluie et les coulées de boue. Ils le remontèrent vers l'amont durant quelques heures, suivant une piste à peine tracée. Puis la pluie les retrouva. Alliée d'un vent glacé, elle les cingla sans pitié. Même Cellendhyll leva les yeux d'un air courroucé.

C'est en descendant une petite sente pierreuse qui s'évasait en une large clairière qu'ils rencontrèrent l'enfant.

À genoux, un petit être décharné, aux cheveux filasses, le visage noirci d'une poussière brune délavée par des larmes d'impuissance, vêtu d'une tunique informe et déchirée, se balançait mécaniquement d'avant en arrière en pleurant silencieusement, le regard vitreux braqué sur un corps aux rondeurs féminines, étendu. Sans connaissance ou sans vie.

L'Adhan scruta la scène en silence. Alerte et méfiant, son regard de jade sonda la clairière cernée d'arbres épais où se tenait la petite fille. Il n'avisa rien de remarquable, hormis une dizaine d'arbustes aux formes torturées plantés çà et là autour de l'enfant et dont les sombres ramures d'un vert presque noir avaient pris des formes quasi humaines. Le vent avait brusquement faibli, de même que la pluie. Aucun bruit, à part les pleurs et le bruit sourd d'un torrent en retrait. Aucune présence menaçante. Pourtant, le guerrier n'était pas tranquille.

Perplexe, Cellendhyll leva un sourcil interrogateur vers Nérine. Elle aussi était nerveuse.

— Prudence ! Je sens quelque chose d'étrange...

Pour toute réponse, Cellendhyll dégrafa l'attache qui maintenait son épée au fourreau et lui tendit son sac à dos.

— Je vais voir. Reste bien en arrière.

Cellendhyll n'était plus qu'à dix pas de l'enfant lorsque celle-ci releva la tête et tendit ses petites mains implorantes dans sa direction.

Du haut de la pente, Nérine regardait le guerrier aux cheveux d'argent qui avançait à pas mesurés, tous ses sens aux aguets. Elle sentit le frémissement intérieur familier qui l'envahissait. Le Don se manifesta soudainement, l'inondant de sa clarté. Nérine fut alors en mesure de voir ce qui les attendait dans la clairière. Elle hurla :

— NON, MACHALLAN... ! CE N'EST PAS UN...

Sans finir sa phrase, elle jeta le sac, courut et se jeta en avant pour percuter le guerrier, l'envoyant bouler sur le côté, près du torrent, au pied d'un des arbustes. Elle suivit le même chemin.

Des mains de l'enfant avaient jailli un halo de noirceur Ténébreuse, qui enfla jusqu'à se densifier sous la forme d'un magma suppurant, ourlé d'orange et de violet. La boule de magma ténébreux traversa l'air en grésillant avant de brûler l'herbe à l'endroit que Cellendhyll venait de quitter. Un sifflement de dépit se fit entendre, l'atmosphère se troubla dans la clairière avec un terrible bruit de déchirement. La réalité reprit ses droits, révélant à Cellendhyll l'étendue du piège.

À la place de l'enfant se tenait un homme pâle au crâne rasé, vêtu d'une tenue de mage noire, les traits déformés par la haine. Le prétendu corps de femme n'était en réalité qu'un tronc d'arbre pourrissant. Les arbustes aux formes torturées devinrent des guerriers ikshites.

L'un deux s'apprêtait d'ailleurs à embrocher de sa lance l'Adhan qui se trouvait à terre. Empêtré dans les pans de son long manteau, Cellendhyl n'était pas en mesure de dégainer son épée. Roulant sur lui-même, il se servit de son corps pour faucher les jambes de l'Ikshite. Celui-ci rata sa frappe, plongeant la pointe de son arme dans la terre. Cellendhyll se hissa sur un genou, avant de sortir un stylet de sa manche, qu'il planta d'une main sûre dans le bas-ventre de son assaillant. Celui-ci hurla horriblement, de peur et de douleur. Cellendhyll l'ignora. Il retourna trois fois son arme dans la plaie et se redressa pour faire face à ses ennemis.

Nérine se glissa derrière lui. La situation n'était pas des plus brillantes. L'agent des Ombres et la jeune femme se tenaient excentrés sur la droite de la clairière, dos au torrent, cernés par une haie infranchissable d'épineux. Un demi-cercle d'Ikshites sur deux rangs leur faisait face. Le sorcier s'était prudemment reculé.

Mordrach vociférait des imprécations incompréhensibles. Affaibli par le sort de magmatique et celui d'illusion qui s'additionnaient au rituel de détection et à la marche-vive, il était presque vidé de son mana et de ses forces. Déjà, il sentait la fatigue le gagner.

Certains de tenir leur proie, les Ikshites attendaient les ordres d'Ikesh. Aucun ne bougeait, jusqu'à ce que le sorcier rompe le silence en ordonnant :

— Qu'est-ce que vous attendez, chiens ? Tuez-le ! C'est lui !

Trop pressé pour user du zen, Cellendhyll rejeta son manteau en arrière pour enfin dégainer son épée. Les Ikshites étaient bien menés. Sur un ordre d'Ikesh, au lieu de tous se ruer sur le guerrier, quatre d'entre eux barrèrent les deux issues de la clairière, quatre autres reculèrent de chaque côté du sorcier et armèrent les lourdes arbalètes qu'ils portaient en bandoulière. Les derniers, équipés de lances et de sabres, s'avancèrent lentement vers lui, lui coupant la retraite.

Soucieux de briller devant ses aînés, un jeune guerrier ikshite, dont l'inexpérience se trahissait par sa mèche plus courte que les autres, se lança présomptueusement à l'assaut, brandissant sa hachette. Fort de sa fougueuse et vivace jeunesse, il tenta une double feinte, avant de se fendre vers la poitrine de Cellendhyll.

Celui-ci le laissa terminer son mouvement avant de lui trancher le bras droit à hauteur du coude. Sa vitesse d'exécution, la sûreté de sa frappe calmèrent les ardeurs de ses assaillants. Pas suffisamment longtemps, pourtant.

Du coin de l'œil, Cellendhyll repéra un arbalétrier qui le visait. Il tenta d'esquiver. Trop tard. Un carreau se ficha dans son flanc droit, l'inondant d'une douleur cuisante. Brandissant une hache, un autre guerrier ténébreux s'avança pour profiter de l'occasion. Cellendhyll ne lui laissa pas le loisir d'en profiter. D'un ample mouvement de son épée, il ouvrit net le front de l'imprudent. Les Ikshites s'enhardissaient. Un carreau siffla dans la clairière, le manquant de peu. L'Adhan détourna le suivant de sa lame. Trois guerriers approchaient de concert. Le sorcier lançait des cris furieux. L'affaire se corsait.

Cellendhyll parvint à contenir la douleur dans un recoin de son cerveau. S'il faisait front, il était perdu. Le guerrier recula jusqu'à toucher Nérine. D'une bourrade, il la projeta dans le torrent glacé. Un dernier regard à l'autre bout de la clairière pour graver les traits du sorcier dans sa mémoire et il sauta à son tour dans l'eau vive. Emportés par le courant à vive allure, le couple disparut dans les flots, au grand dam de leurs ennemis vociférants.

Chapitre 12

Cellendhyll dut lâcher son épée qui l'alourdissait et l'empêchait de remonter à la surface. Le froid mordant atténuait la morsure du carreau mais sapait ses forces. Nérine, de son côté, surnageait tant bien que mal. Le flot les emporta sur plusieurs lieues, jusqu'à ce qu'au détour d'un tournant où le courant faiblissait, la jeune femme parvienne à s'agripper fermement à une épaisse branche saillant d'un tronc couché en travers des flots. Au moment où Cellendhyll allait la dépasser, elle réussit à lancer ses jambes pour enserrer le torse du guerrier. Bénissant les longues heures passées à danser et à muscler ses jambes, la Rhitan put ainsi freiner la folle dérive de l'Adhan, lui permettant de saisir à son tour une autre branche salvatrice. Sous la pluie battante qui avait repris, ils parvinrent à se cramponner au tronc pour rejoindre la berge. Nérine toucha terre la première. Après avoir repris son souffle, elle aida son compagnon à atteindre le sol détrempé.

Le torrent avait prélevé un lourd tribut sur Cellendhyll. Malgré sa peau hâlée, il présentait un teint blafard, et ses lèvres bleuissaient à vue d'œil.

— Tu ne peux pas rester ainsi ! s'écria Nérine, nettement inquiète. Il faut te soigner.

Cellendhyll maîtrisa un frissonnement.

— Pas tout de suite. On doit d'abord trouver où se cacher. Ils vont suivre le courant et tenter de nous débusquer.

Chancelants et transis, ils se redressèrent tant bien que mal. Cellendhyll vacillait. En jurant, il entraîna la jeune femme sous les arbres, à l'abri de l'averse. Dans son état, il était hors de question de tenir tête aux Ikshites. Il devait absolument trouver un endroit approprié pour se soigner. Échapper à ses poursuivants. Trouver des provisions. Et avant tout, ne pas s'évanouir. Surtout ne pas s'évanouir. Pour combattre la torpeur, il s'entailla le dos de la main de son stylet. La morsure de cette nouvelle blessure le tiendrait éveillé, il l'espérait.

S'engagea alors une course maladroite qui les mena jusqu'à un semblant de clairière surmontée d'un épais talus, qui disposait d'une entrée sombre faite de main d'homme. Nulle lumière ne filtrait du boyau.

Après avoir ordonné à Nérine de rester cachée, Cellendhyll pénétra dans l'ouverture, sa dague sombre en main. Il ne trouva personne. Avisant les maigres réserves laissées par les forestiers des environs, il y préleva un fagot de bois sec qu'il glissa dans un sac de toile avec du lard, quelques oignons, du fenouil, une couverture, de quoi allumer un feu et des bandages. En retour, il laissa la somme de dix licornes d'argent.

L'Adhan ressortit de la grotte pour retrouver Nérine.

Claquant des dents, la Rhitan grelottait dans le vent qui s'engouffrait sous les arbres. Cellendhyll la plaqua contre lui, afin de lui offrir un peu de sa chaleur. Il l'entraîna de nouveau le long du torrent. La grotte allait attirer les Ikshites comme un phare dans la tempête. Il leur fallait trouver un abri moins évident.

Après avoir parcouru plusieurs centaines de mètres, légèrement réchauffé par cette marche forcée, soutenu par une volonté de survivant, Cellendhyll repéra une série de gros rochers regroupés non loin d'un coude du torrent. Ils obliquèrent dans cette direction. Derrière l'amas de rocs, l'Adhan remarqua au ras du sol la trace peu marquée d'un ancien lit de rivière. Il s'accroupit pour examiner sa trouvaille. L'effort provoqua un vertige qui le fit jurer.

— Change l'eau de ta gourde, qu'elle soit bien propre, et rejoins-moi ici, intima-t-il à Nérine. Tu viendras derrière ce rocher. Ça va aller, on va s'en sortir...

Nérine lui accorda ce qui pouvait passer pour un maigre sourire avant d'exécuter ses directives. Cellendhyll rampa dans le couloir formé par le lit asséché et s'enfonça sous la protection des arbres sur une bonne dizaine de mètres. S'estimant assez loin des oreilles et des yeux ennemis, il dégaina sa dague sombre, et trancha des branches tout autour de lui dans un diamètre d'au moins cinq pas, qu'il élargit ensuite en hauteur, de manière à aménager une cache confortable pour eux deux.

Plus à l'aise, Cellendhyll ôta son manteau, qu'il étendit sur un arbre. Soulagé de ce poids, il s'en retourna en frissonnant chercher Nérine et le sac prélevé chez les forestiers. Puis ils gagnèrent leur cachette.

Mais il ne pouvait encore se reposer. Accordant à Nérine quelque repos, il s'employa à faire un feu sans fumée, aidé en cela par l'épaisse couche de branchages au-dessus de leurs têtes, qui les coupait de la pluie et du vent.

Le feu crépitant, le guerrier tailla des branches sèches pour l'approvisionner, d'autres pour camoufler l'entrée de leur cache. Le feuillage servit à confectionner deux litières, fort prometteuses au vu des circonstances.

— Nos vêtements sont trop mouillés. Prends la couverture, Nérine, et sèche-toi. Tu vas devoir me soigner.

Incapable de tenir debout plus longtemps, Cellendhyll dut s'allonger. Une fois dévêtue, Nérine s'enroula dans la couverture. Elle plaça ses affaires à sécher et vint s'asseoir au chevet du blessé.

— Je ferai ce qu'il faut. Dis-moi...

Elle se tenait bravement à ses côtés. Elle qui lui avait sauvé la vie.

Cellendhyll sortit son étui à herbes qu'il tendit à la Rhitan.

— Tiens, ouvre-le. Maintenant, écoute bien. Après, tu répéteras... D'abord, ces feuilles jaunes... Tu vas les mélanger avec les mauves. Cette graine...

Nérine répéta les instructions sans se tromper. Puis elle se mit à l'œuvre. Elle sélectionna les petites feuilles indiquées par le guerrier, les mouilla à sa gourde et les mélangea pour obtenir un cataplasme à l'odeur piquante. Une graine écrasée livra un liquide épais, qu'elle délaya avec quelques fleurs séchées et mit à bouillir avec trois petites racines rousses. Et ainsi de suite...

Cellendhyll sombra dans l'inconscience avant la fin des préparatifs.

Le feu offrait à présent une chaleur bienfaisante. Nérine avait remis ses vêtements secs et entreprit de déshabiller le guerrier aux cheveux d'argent. En découvrant son corps couturé de nombreuses cicatrices, Nérine retint une exclamation peinée. Elle avait toujours eu une âme de guérisseuse et détestait la souffrance, sous toutes ses formes.

La blessure au flanc de Cellendhyll n'était pas belle à voir. L'eau froide avait tari le sang. Le trait acéré avait traversé le gras de sa hanche. La pointe ressortait à peine dans son dos et les ailettes de la hampe métallique du carreau pointaient. Les lèvres de la plaie étaient rouge foncé. Mauvais signe. Cependant, d'après les dires du guerrier, elle n'était pas empoisonnée.

Nérine essuya patiemment le corps de l'Adhan. Puis, suivant les explications que lui avait données Cellendhyll, elle utilisa le tranchant inaltérable de la dague sombre pour trancher les ailettes au ras de la hampe. À sa grande surprise, la lame découpa le métal sans aucune difficulté. Nérine la reposa néanmoins d'un air dégoûté. La dague lui semblait vivante, comme dotée d'une conscience avide.

La Rhitan choisit une branche fine et droite au diamètre équivalent à celui de la hampe. Elle plaça la branche sur la hampe, prit la pierre qu'elle avait prélevée dans le lit asséché et se concentra. Elle devait frapper juste et droit. Pour que le trait ressorte de la blessure sans déchirer la chair. Une longue inspiration. Elle visualisa son geste durant plusieurs minutes.

Puis, sans plus attendre, elle leva son bras armé de la pierre, et frappa. Un grand coup sec. Le carreau s'enfonça plus profondément dans le flanc de Cellendhyll, ressortit aux deux tiers par l'arrière. Saisissant la pointe, Nérine extirpa le trait le plus doucement possible. Cellendhyll s'arqua convulsivement sous la douleur mais resta inconscient. Le sang jaillit de la blessure. Sans s'affoler, Nérine la lava à l'eau claire, l'étancha puis bourra soigneusement l'orifice avec les pétales d'une fleur qui ne poussait que dans les forêts lokis. Elle appliqua ensuite le cataplasme qu'elle avait préparé, l'entoura de bandages prélevés dans la grotte des forestiers et, enfin, recouvrit le blessé de la couverture.

Elle se sentait si fatiguée, presque assommée par la chaleur qui régnait dans leur modeste havre. Pourtant et bien que les Ikshites n'aient donné aucun signe de vie, elle choisit de veiller.

Après avoir mis les affaires du guerrier à côté du feu, la jeune femme se mit à contempler l'homme qui l'avait arrachée au destin pourrissant de Gar-O-Gar.

Elle ne savait toujours pas quoi penser de lui. Il était difficile de déchiffrer cet homme aux manières si rudes. Il avait des secrets et savait les garder. Il avait également souffert, elle le pressentait. Énormément. Et l'aura du danger, de la mort violente, l'imprégnaient, s'imprégnaient de lui. Même lorsqu'il dormait, il semblait sur ses gardes.

Son assurance, sa façon de se mouvoir, sa mine ombrageuse, son regard d'un vert si intense. Un mélange si troublant, attirant. Nérine se rendit soudain compte qu'elle avait envie de lui. De sentir ses grandes mains sur son corps. De se noyer dans son étreinte. De partager caresses, tendresse et chaleur. De se donner véritablement.

Elle soupira. S'occuper de leurs vêtements, préparer le lard, les oignons et le fenouil pour la soupe, voilà qui était plus urgent... et plus approprié pour occuper ses pensées.

Cellendhyll sortait de la forêt. Il portait son armure de Lige. Il devait retrouver les Compagnons. Ghisbert, Sophien, Valère, Igon et Jhemar l'attendaient de l'autre côté du pont, riant et mangeant. Avec de grands gestes, ils l'invitèrent à les rejoindre. Mais lorsque Cellendhyll arriva au milieu du pont, celui-ci s'écroula. L'Adhan tomba dans le courant.

Emporté par le poids de son armure étincelante, il avait bien du mal à surnager. Il réussit à rejoindre la surface et se dirigea péniblement d'un côté de la berge. S'y trouvait Mordrach, le sorcier renégat, qui le menaça de son gantelet maudit.

Cellendhyll se rejeta à l'eau et s'enfuit à la nage vers l'autre côté de la rive. Il réussit à poser une main sur la berge. Apparut Ysanne, qui lui écrasa les phalanges de son soulier de satin, et, d'un coup de pied au visage, le repoussa. Son beau visage déformé par le mépris, la jeune femme l'accabla de railleries.

Il était de nouveau au milieu du torrent, emporté par la force impétueuse du courant. Morion du Chaos dériva à côté de lui, tranquillement assis sur un tronc, une pipe d'herbe loki aux lèvres. Cellendhyll l'appela à l'aide. Son maître lui répondit :

— Je t'ai arraché à la mort une fois. Je t'ai entraîné. Débrouille-toi !

Le courant l'emporta bientôt hors de vue.

Cellendhyll tenta bien de rester à la surface mais son armure était si lourde...

Soudainement, on lui empoigna la cheville. La poigne agressive de Ghisbert l'entraîna vers le fond.

— Alors, l'Ange, on ne sait pas respirer sous l'eau ?

Ghisbert souriait. La lumière se troublait peu à peu, l'eau se révélait de plus en plus froide.

Cellendhyll n'avait plus d'air. Le rire d'Ysanne, mêlé à celui de Ghisbert résonnait tout autour de lui. Il sentit la vie le fuir. Il n'avait plus la force de résister. Le rire se faisait plus fort, plus sarcastique...

— Machallan ? Réveille-toi. Tu es en sécurité. Je suis là. Tu as fait un mauvais rêve. C'est fini.

Péniblement Cellendhyll s'extirpa du sommeil. Encore un cauchemar. Un nouveau, cette fois.

Nérine l'avait pris dans ses bras. L'Adhan grelottait. Elle lui fit boire un peu de soupe. Se coucha sur lui pour le réchauffer. Cela ne suffisait pas. Elle se dénuda et se colla contre lui, peau contre peau. Les recouvrit de la couverture. Chantonna une mélopée rhitan pour le bercer. Apaisé mais encore brûlant de fièvre, l'homme aux cheveux d'argent replongea dans un sommeil profond, plus paisible.

Il s'apaisa alors qu'elle s'échauffait. Nus l'un contre l'autre, encore en vie après toutes ces épreuves. Elle avait envie de crier son désir. Avoir survécu aux périls qu'ils avaient affrontés avait décuplé sa soif d'amour. Sans pouvoir se retenir, sans le vouloir, Nérine commença à onduler sur Cellendhyll. Tout doucement pour le maintenir à la limite de l'inconscience. Le corps de l'Adhan se mit à réagir. Le désir fut bientôt réciproque. Nérine s'empala lentement sur le membre dressé de Cellendhyll. Le mouvement lui arracha un gémissement de plaisir. Elle usa de ses muscles intimes pour presser sa virilité, la caresser de la partie la plus douce d'elle-même. Puis elle se mit à bouger au-dessus de lui. Lentement toujours, pour ne pas l'éveiller. Elle avait du mal à retenir son excitation, ses gémissements. À ne pas le dévorer de baisers. L'Adhan s'abandonnait sans véritablement se réveiller. La jouissance vint rapidement. D'une force soudaine, enivrante, elle balaya les amants. Nérine se mordit la lèvre pour ne pas crier.

Lorsqu'elle eut recouvré son souffle, elle essuya le visage et le corps de Cellendhyll, et le couvrit de nouveau.

Comme le visage du guerrier changeait dans l'apaisement de l'amour ! Apparaissait un homme plus jeune, aux traits purs. Un *ange*.

Plus tard, elle lui donna à boire de la tisane qu'il engloutit dans un demi-sommeil. Mélangé à certaines herbes indiquées par le guerrier, le breuvage ferait baisser la fièvre, et accélérerait le processus de récupération. Il lui ferait également oublier les détails de cette nuit. Au réveil, Cellendhyll n'aurait aucun souvenir de leur étreinte. Elle le savait. S'en accommodait.

Cet homme n'était pas pour elle. Le Don parlait. Il n'était pas pour elle.

Sc sentant plus seule que jamais, elle se mit à pleurer.

Chapitre 13

Le lendemain, lorsque Cellendhyll s'éveilla, il sentit que la magie curative des plantes lokis avait fait son œuvre. Sa blessure était pansée proprement. Il ne ressentait plus qu'une douleur un peu sourde, tout à fait supportable. Il souleva le bandage pour constater que la cicatrisation était en bonne voie. Loués soient les herboristes lokis ! Le guerrier adhan se sentait faible mais la fièvre l'avait quitté. Même s'il était désarmé de son habituelle énergie, il se sentait en mesure de bouger et combattre, s'il le fallait vraiment.

Il allait devoir s'occuper de trouver de la nourriture. Il s'habilla, constatant que ses vêtements, délavés par la baignade, commençaient à partir en lambeaux. Plus de rechange.

La jeune femme accueillit son réveil d'un chaud sourire. Après avoir terminé la soupe de la veille, ils s'aventurèrent hors de leur abri, avec toutes les précautions requises, et rampèrent jusqu'à un gros roc moussu où Cellendhyll laissa la Rhitan.

Un surprenant soleil perçait l'horizon, avide de reprendre son territoire. Les beaux jours de printemps allaient peut-être enfin s'imposer, après cet insolent retard. Il faudrait quelques semaines pour que la région sèche, mais l'astre allait peu à peu chasser l'humidité ambiante et influait favorablement sur le moral des deux Humains.

Veillant à ce que Nérine reste bien à l'abri des regards, l'Adhan grimpa dans l'un des sapins touffus qui parsemaient les rochers, afin de s'orienter et sonder l'horizon tout en restant hors de portée des regards ennemis.

De son perchoir, il engloba l'horizon. Il ne put que se féliciter de ses précautions, car, de l'autre côté du torrent venait d'apparaître une file de guerriers aux profils menaçants. Les Ikshites, à leur recherche. Accompagnés de ce maudit sorcier, dont la frêle silhouette se détachait sans peine dans la masse des guerriers ténébreux. Sa robe noire décorée d'écarlate attirait l'œil. Qui était-il ? Et pourquoi en avait-il après lui ?

Alors que les hommes des Ténèbres défilaient, Cellendhyll réfléchissait. Seul, il pouvait leur échapper. Avec Nérine, c'était moins sûr. Mais il était hors de question de l'abandonner. Ils la trouveraient et la feraient parler, la violenteraient probablement, et finiraient par la tuer. Ou pire, la prendraient pour esclave. La Rhitan connaissait sa destination. En outre, elle venait de lui sauver la vie à deux reprises.

Quelles que fussent les raisons, l'Adhan s'estimait en devoir pour le moment de veiller sur elle.

Les Ikshites longeaient toujours la rive opposée, menés par un éclaireur avancé. Allaient-ils traverser ? Non. En tout cas, pas pour le moment. Les poursuivants se contentèrent de suivre le courant en quête de traces. Cellendhyll attendit qu'ils disparaissent pour redescendre de son arbre.

Appuyé sur le rocher, aux côtés de Nérine, toute piteuse de s'être fait surprendre, se tenait un homme en vert, les bras nonchalamment croisés sur la poitrine. Il était de taille moyenne, mais de constitution robuste – trop au goût du guerrier. Le large visage mat de l'homme s'éclairait d'un sourire engageant. La présence derrière lui de deux hommes blonds, arcs bandés pointés vers le sol, n'ôtait rien à la chaleur ce sourire.

L'agent des Ombres soupesa ses chances. Trois hommes à affronter. Seulement trois. Toutefois, il se retint. Premièrement, il manquait d'énergie. Et deuxièmement, les deux blonds étaient des Fendyrs. Des *vrais*, cette fois. Ils naissaient Initiés, l'arc à la main, « une mire dans l'œil », disait-on dans les tavernes du nord des Territoires-Francs. Leur habileté faisait leur réputation.

Cellendhyll leva donc ses grandes mains, paumes ouvertes en signe de paix. Prêt malgré tout à dégainer de l'une ou de l'autre au moindre signe d'hostilité.

— Bien le bonjour ! lança aimablement l'homme en vert. Belle journée, n'est-ce pas ? Je crois que le printemps est enfin arrivé. Ça va nous changer de cette pluie, hein ?

Les cheveux et la barbe couleur d'automne, les yeux gris alertes et rieurs, mâtinés d'une sagacité malicieuse, l'homme avait une allure sympathique.

— Je suis Reydorn, mage du Cercle Vert, annonça sans ambages l'homme en vert. Je sers Aïlaënn, maîtresse de la Sylve. Je ne vous veux aucun mal.

Cellendhyll retint un juron. *Encore un putain de mage !*

Tandis que celui-ci décroisait les bras – Cellendhyll devait s'apercevoir par la suite que Reydorn avait du mal à laisser ses mains au repos – l'Adhan prit le temps de l'examiner.

Son interlocuteur portait une tunique chatoyante, tissée d'une matière souple d'un beau vert d'eau, avec un grand cercle beaucoup plus foncé, plus profond, en son centre, le signe de reconnaissance du Cercle Vert. Sur le col, et sans doute sur les manches, des runes de pouvoir en fil argenté. Sous la tunique, qui descendait à mi-jambes, un pantalon de peau teint en vert sapin, et des bottes de daim. Le respectable coutelas qui pendait à son étui de ceinturon, aux côtés d'une fronde, n'était que la moindre de ses armes, estima Cellendhyll. L'Adhan pouvait dénombrer au moins un bracelet torsadé décoré de petites feuilles d'or, cinq des sept anneaux ornant ses doigts tachés par le tabac, un pendentif en gemellite et les petites pierres ovales vertes tressées dans sa chevelure. Sans compter son long gilet de peau qui devait abriter nombre de poches secrètes.

Cellendhyll se tenait toujours prêt à dégainer.

— Que fait le Cercle Vert dans les parages ? questionna-t-il. Ces Fendyrs sont loin des terres de la Mère. Vous êtes-vous perdus ?

— Très drôle ! répondit calmement le mage sans se départir de son expression avenante. Je suis surpris de constater que vous avez encore de l'humour, guerrier, après votre rencontre d'hier...

Le visage de l'Adhan et sa voix se durcirent brusquement, faisant reculer Reydorn.

— Que savez-vous de ce qui s'est passé hier ? Que me voulez-vous ? siffla Cellendhyll.

Il s'en fallait de peu qu'il ne se lance à l'attaque, malgré sa situation d'évidence peu favorable.

— Du calme ! dit doucement le mage, les paumes levées en geste d'apaisement. Ne laissons pas les choses déraper. S'il vous plaît. Nous avons suffisamment d'ennemis dans les parages pour éviter de nous entretuer.

— Je pourrais vous plonger ma dague dans la gorge avant que vous ne puissiez utiliser vos runes, menaça Cellendhyll, prêt à frapper.

— J'en suis conscient. Pour vous prouver ma bonne foi, je vais demander à mes amis de se retirer et d'aller surveiller les environs.

Cellendhyll regarda les archers s'éloigner, tout en gardant un œil vigilant sur le mage.

Effectivement, ces trois hommes semblaient véritablement dénués de la moindre hostilité à son égard. L'Adhan quitta son air redoutable et finit par se détendre. D'ailleurs, comme il l'avait lui-même appris à Nérine, les Fendyrs abhorraient les Ikshites.

— Écoutez, si j'avais voulu vous nuire, argua encore le nommé Reydorn, j'aurai commencé par enlever votre amie pour vous tendre un piège. Nous ne lui avons fait aucun mal. Demandez-le-lui.

La jeune femme acquiesça. Passé le choc de la surprise, son instinct et le Don lui soufflaient que le destin avait mis ces hommes sur leur chemin. Des alliés. Et peut-être même plus.

— Si vous daignez me suivre, proposa Reydorn, nous avons un petit campement non loin d'ici. Un endroit sûr... Il y a aussi de quoi vous offrir un repas chaud. Nous pourrons y discuter sans risquer d'être repérés par vos poursuivants.

— Je ne tiens pas à vous suivre, riposta Cellendhyll, peu habitué à se départir de sa méfiance.

Reydorn offrit un autre de ses radieux sourires qu'il fit suivre de sa voix mélodieuse :

— Je comprends qu'après la mésaventure d'hier, vous soyez sur vos gardes. Mais je ne vous veux aucun mal. J'ajouterai même que nous avons un ennemi commun.

— Comment puis-je vous accorder ma confiance, mage ? J'ai déjà des Ikshites à mes trousses.

— C'est précisément parce que vous êtes pourchassé par ces Ikshites que vous devez m'écouter. Je vous dis que nous avons les mêmes ennemis ! Nous pouvons nous entraider. Nous devons en parler.

— Soit, rétorqua le guerrier adhan. Nous vous suivons. Mais sachez une chose, mage, je n'aime pas les surprises !

La menace transparaissait dans ses paroles.

Reydorn ne jugea pas nécessaire de relever. Le ton du guerrier n'était pas véritablement agressif. Juste un rappel. Sans plus. À la surprise du guerrier, le mage se mit à pousser le cri de l'engoulevent ; imitation parfaite qui lui permettait de rappeler les Fendyrs.

Au moment de partir, Reydorn récupéra ses affaires, posées contre un tronc. Cellendhyll remarqua un bâton de marche à bout ferré, ornée d'inscriptions runiques, une pèlerine émeraude doublée de fourrure, une gibecière ventrue en cuir brun et un étui rigide de même matière, destiné à protéger ses parchemins. Il savait voyager, celui-là, jugea Cellendhyll. Même sans l'aide des Fendyrs. C'était un pratiquant de l'art, oui, mais au moins, il n'avait rien de ces pompeux mages de cour.

Comme pour conforter son opinion, Reydorn s'engagea le premier sur le sentier, parfaitement à l'aise, contrairement à la plupart de ces confrères dans un coin sauvage en un tel lieu. Il fut suivi de Nérine qui paraissait lui accorder une confiance sans restriction.

Cellendhyll resta un temps en arrière. Grâce aux herbes lokies, sa blessure était en bonne voie de guérison, et ne le gênait plus. Si le nommé Reydorn disait vrai, peut-être disposait-il à présent de partenaires potentiels. Peu nombreux, certes, mais deux Fendyrs et un mage, cela pouvait s'avérer intéressant. *Pouvait*. Cependant, l'Adhan les aurait volontiers échangés contre Gheritarish. Au moins devait-il s'avouer mieux préparé que la veille pour la suite des événements. Il ne se ferait plus surprendre. Par qui que ce soit.

Et si le sorcier ténébreux pointait son nez, il risquait de le regretter. Voilà ce qu'annonçait le sourire réfrigérant qui flottait sur ses lèvres lorsque l'homme aux cheveux d'argent se mit en route.

Chapitre 14

Le petit groupe traversa la rivière, choisissant une direction différente de celle des Ikshites. Une heure plus tard, après avoir franchi un champ de bruyère épineuse et gravi une pente boisée, ils arrivèrent en vue d'un campement.

Les trois forestiers s'étaient établis dans une cuvette creusée à flanc de colline, couverte d'un rideau d'arbres et de bruyère. Une position stratégique, en hauteur pour conférer l'avantage aux arcs fendyrs et dotée de plusieurs voies de repli. Le bivouac comprenait une toile de tente imperméable habilement camouflée par des feuillages, un cercle de pierre tenant lieu d'âtre, et des provisions. On pouvait entendre le gazouillis d'un ruisseau, tout près.

À peine arrivé, le plus jeune des Fendyrs s'affaira à réchauffer un ragoût de lièvre. Nérine ne tarda pas à le rejoindre pour l'aider. Arc en main, le second alla se camoufler sous le feuillage d'un arbre pour faire le guet. Son regard mauve se portait fréquemment sur Nérine.

Cellendhyll consentit à s'installer en face de Reydorn, le dos appuyé sur une souche. Sa main était proche du stylet dissimulé dans son étui, sur la face intérieure de son avant-bras.

Reydorn ne fit aucun cas de cette défiance affichée.

Après avoir pris soin de choisir une position confortable, il reprit la conversation :

— Vous voyez bien qu'il n'y a aucun piège. Je ne cherche pas à vous tromper, et pourtant je sens bien votre méfiance. Nous ne pouvons continuer ainsi. Il nous sera impossible d'affronter les dangers qui nous attendent si nous passons notre temps à nous défier l'un de l'autre. Alors qu'ensemble, j'estime que nous avons nos chances de vaincre. En marchant jusqu'ici, j'ai eu une idée qui pourrait débloquer la situation, balayer votre réserve, annonça-t-il de sa voix allègre, les traits éclairés d'une mimique astucieuse. Une idée qui pourrait nous convenir à tous deux. Mon cher guerrier, je vous propose un Pacte. Un Pacte à l'ancien mode. Qu'en dites-vous ?

— Mage, vous me surprenez agréablement ! s'exclama Cellendhyll. Ce qui n'est pas fréquent. Un Pacte ? Pourquoi pas ?

Reydorn lui retourna le sourire espiègle qui devait être son expression favorite. Prenant la position requise par le Pacte, il lança d'une voix ferme :

— Par le nom d'Aïlaënn, la Mère Éclairée de Sylve, moi, Reydorn Aydarra du Cercle Vert, je fais le serment de ne te nuire en aucune façon. Que nos pas s'unissent jusqu'à ce que nous nous quittions en paix... Sur ma vie !

Un geste du poignet pour tracer la rune de Confirmation et d'Engagement, qui étincela quelques secondes dans l'air avant de disparaître. Le serment des mages.

Reydorn venait de se lier sans rémission.

— Par mon honneur de guerrier, moi, Machallan, je ne te nuirai en rien. Ni en actes, ni en paroles, ni en pensées. Sur ma vie ! Jusqu'à ce que nos routes se séparent, en paix.

L'Adhan s'entailla le pouce de sa lame et but son propre sang, validant ainsi le serment des guerriers.

Cellendhyll venait de se lier à son tour. Qu'il ait caché son identité véritable n'ôtait rien à la force de son engagement.

Enfin, les deux hommes échangèrent le nom de leurs témoins respectifs pour valider le pacte de façon définitive.

Selon le rituel antique, si l'un des contractants trompait l'autre, le témoin assistant le trahi serait immédiatement prévenu par magie. Où qu'il se trouve. Il pourrait ainsi lancer la vendetta auquel s'exposait le traître. Le témoin du parjure serait également alerté et devrait également pourchasser le fautif. Peu d'êtres avaient jamais réussi à échapper à ce genre très particulier d'engagement. Les Pactes à l'ancien mode n'étaient plus que rarement établis depuis les Grandes Guerres. Que le mage propose une telle solution dénotait sa conception de l'honneur. Qu'il adhère aux rites anciens annonçait également une grande érudition.

En guise de témoin, l'Adhan nomma Gheritarish le Loki. Reydorn cita en retour Gwerch'aïï. Rien de moins que le roi des nations fendyrs de l'Ouest ! Le mage avait de puissantes relations... Un autre point à retenir.

Cellendhyll de Cortavar n'aurait jamais cru pouvoir se lier ainsi à un mage. Mais il n'était pas encore prêt à abaisser ses défenses.

Restent les Fendyrs, songea-t-il. *Ils ne sont pas tenus par le Pacte, eux.*

Assise non loin du guerrier aux cheveux d'argent, touillant un ragoût au fumet appétissant, Nérine était d'une tout autre humeur que son compagnon. Elle se sentait en total accord avec son environnement. Une parcelle du Don s'était manifestée. Quelque chose allait se produire. Quelque chose de bénéfique pour elle.

Elle se sentait en sécurité avec le mage, ce sympathique Reydorn. En ce qui concernait les deux autres, la Rhitan comprenait maintenant le jugement de Cellendhyll sur le soi-disant Fendyr de la taverne. En contemplant les deux archers, elle se rendit compte à quel point l'usurpateur de la taverne s'était mépris sur l'opportunité de son déguisement.

En tant que membres de la race des Humains, les Fendyrs pouvaient prétendre en représenter l'un des plus beaux fleurons. Car beaux, ils l'étaient véritablement. Gracieux, singuliers, uniques, subjugants, tels étaient les qualificatifs qui venaient à l'esprit de la jeune femme. Nérine les détaillait comme les plus belles des sculptures.

Les deux archers avaient la peau mordorée, au grain parfaitement lisse. Leurs traits altiers semblaient tracés pour n'exprimer que la plénitude, la joie, le rire ou le chant. Tout aussi altière, leur stature longiligne évoquait une agilité particulière. Leurs cheveux qui flottaient librement sur leurs épaules, de la blondeur des blés sous un ciel d'été, décorés de plumes ou de coquillages torsadés, paraissaient sans cesse parcourus, caressés par un vent léger et moqueur. Et leurs yeux, par le Don ! Leurs magnifiques yeux aux étonnantes pupilles mauves aux iris dorés, qu'elle estima un ton plus clair chez Gwendh'aïel, l'aîné.

Les cousins Gwendh'aïel et Gwerdh'ann, ainsi que les avait présentés Reydorn, portaient tous deux une tenue rayée de forestier, en daim souple tanné avec des dominantes de brun, d'ocre et de vert, et décorée sur les manches et au niveau de la poitrine de perles de différentes teintes. Les deux jeunes hommes ne pouvaient être différenciés que par l'âge ou par la corpulence. Gwerdh'ann, à peine sorti de l'adolescence, n'avait pas encore atteint sa pleine stature, à l'inverse de Gwendh'aïel, de quelques années plus âgé, à la musculature faite.

Peu à peu, sans s'en apercevoir, la jeune femme délaissa sa pitance pour s'intéresser au plus grand des Fendyrs. La nuit passée avec l'Adhan ne représentait déjà plus qu'un précieux souvenir. Elle en était consciente. Leurs chemins allaient bientôt se séparer.

Sans qu'elle s'en soit rendue compte, depuis son arrivée dans le camp, l'attention de l'archer revenait se poser sur elle, par touches délicates, dès qu'elle-même cessait de le regarder.

Comme Nérine, Cellendhyll s'était concentré sur l'examen des deux cousins. En s'attachant à des points bien différents. Gwendh'aïel se tenait debout sous un pin, un peu à l'écart, appuyé sur un arc long taillé dans du bois blanc et parcouru de runes délicatement entrelacées. Les traits alertes, le Fendyr surveillait les alentours. Sans nul doute le plus dangereux des deux.

Assis en tailleur à côté du mage, Gwerdh'ann possédait un arc d'apparence plus simple, posé derrière lui. Nérine ayant pris la responsabilité du repas, le plus jeune des Fendyrs étudiait Cellendhyll avec la franche curiosité d'un enfant. Il n'était encore que l'ébauche de son aîné, mais si les siens l'avaient laissé quitter leur clan, c'est qu'il ne devait pas être aussi inoffensif qu'il en avait l'air.

Ils n'avaient pas la moindre once de métal sur eux. Les Fendyrs répugnaient à son contact. Leurs longs coutelas, qu'ils portaient tous deux dans un étui à la hanche, étaient taillés dans un bois particulier. Cellendhyll savait qu'ils utilisaient pour leurs pointes de flèches du cristal de roche bleue, aux propriétés singulières, qui pouvait aisément se modeler pour ensuite durcir selon des procédés jalousement gardés secrets. Une telle pointe pouvait percer une armure de plates. Et les Fendyrs se targuaient d'être les meilleurs des archers, tous Plans confondus.

Morion aurait rêvé d'avoir au moins un tel éclaireur dans ses rangs. Hélas pour lui, depuis longtemps, bien longtemps, les Fendyrs avaient choisi leur allégeance. Ils s'étaient déclarés défenseurs de l'alliance sylvestre, menée par Aïlaënn. Sans exception aucune. Par contre, les forestiers détestaient naturellement le pouvoir ténébreux et ses alliés. Et tout particulièrement les Ikshites, leurs ennemis ancestraux.

Voilà qui nous fait un point commun et qui confirme cette récente alliance, se dit l'Adhan en soupesant les avantages qu'il pourrait tirer de cette nouvelle situation.

Quinze minutes plus tard, Gwendh'aïel délaissa sa garde pour le rejoindre. Le jeune homme semblait glisser sur l'herbe, effleurant à peine le sol de son pied. D'un sifflement discret, il intima à son jeune compagnon de le remplacer. Arrivé devant l'Adhan, Gwendh'aïel lança d'une voix mélodieuse, chantant plus que parlant :

— Gheritarish, as-tu dit tout à l'heure ? Gheritarish An Loki-C'haras An Gwen'Dallavallach ? Gheritarish le Tueur-de-Dragon ?

— On l'appelle aussi Double-Hache, Boule-de-Poils, l'Obsédé et Gros-Soiffard... puisque tu aimes les surnoms. Tu connais Gher ? C'est mon compagnon de bouclier. Tiens, si vraiment tu connais le Loki, tu devrais reconnaître ceci...

Cellendhyll écarta le col de sa tunique pour ôter un pendentif qu'il tendit au Fendyr. Celui-ci examina l'objet. Une griffe de dragon accrochée à un cordon de cuir. Un cadeau de Gheritarish. Son sceau en quelque sorte.

Le Fendyr dévoila ses dents opalines en un sourire radieux :

— Gheritarish An Loki-C'haras est un ami personnel de notre roi Gwerch'aïi, expliqua le forestier. Il a reçu le titre d'Ami des Fendyrs après lui avoir sauvé la vie. Le compagnon de bouclier de Gheritarish n'aura rien à craindre de notre peuple, je le proclame devant tous !

— C'est la meilleure ! s'exclama Cellendhyll en rangeant son collier. Ce gros fiérot poilu va adorer. Quand je vais lui raconter, il ne va plus se sentir !

Saisi d'une soudaine bouffée d'affection à l'égard de son ami Loki, il sentit les souvenirs refaire surface.

Lors d'une soirée d'été passée au sein des clans nains de l'Ouest, après avoir ingurgité plusieurs cruches d'alcool local, Gheritarish avait fait le pari de tuer un dragon à mains nues. Un dragon adulte, avait-il précisé dans les brumes de son délire éthylique. Le lendemain, il avait disparu.

Deux semaines plus tard, il revenait sur une civière, porté par des patrouilleurs nains. Grièvement blessé mais vainqueur. Une fois guéri grâce au fameux pouvoir de régénération Loki, il se pavana, arborant un collier composé des dents et des griffes du dragon bleu qu'il avait dépecé.

Cela n'avait pas duré. Le collier était trop lourd à porter et Cellendhyll n'arrêtait pas de se moquer de lui. Gheritarish finit par se résoudre à vendre sa parure à un armurier du clan nain, après avoir prélevé une série de griffes destinées à ses proches. L'Adhan avait reçu la première d'entre elles.

— Ah, je prends cela comme un signe du destin ! intervint Reydorn, la mine réjouie. Nous étions destinés à nous entendre. Et par Maulnas le Gris, une rude tâche nous attend, croyez-moi ! Vois-tu, guerrier, c'est que j'ai pour mission de retrouver ce sorcier et de mettre fin à ses agissements.

— Mage, qu'est-ce que je viens faire dans cette histoire ? demanda le guerrier adhan.

Il sentait que cette rencontre ne pouvait être fortuite.

— À présent que nous sommes alliés, je propose que nous reprenions des forces. Mangeons. Nous parlerons ensuite...

Leur soirée fut détendue.

Malgré quelques velléités de sévir, le temps froid ne les incommodait pas et la pluie n'était pas revenue. Installés à l'abri du vent et des regards hostiles, ils se régalèrent de ragoût et de pain de voyage fendyr à la mie lourde agrémentée de fruits séchés et de noisettes, accompagnés d'une eau des plus rafraîchissantes.

Reydorn se montra charmant convive. Il menait les débats. Tout en gesticulant, il divertit Nérine de ses voyages, fort nombreux, plutôt mouvementés, avant de régaler les cousins de tours de passe-passe dont ils se révélaient friands.

Cellendhyll avait muselé sa méfiance coutumière. Il devait s'avouer qu'il appréciait cette détente improvisée. Sa blessure était presque guérie. Il mangeait. Ses forces revenaient.

Le repas achevé, Gwendh'aïel avait repris son guet impassible. Il s'était positionné de manière à voir tout à la fois la pente et Nérine, partageant son attention entre elles deux. Gwerdh'ann emplit un pot d'étain qui fut placé à chauffer sur le feu. Assis sur un tronc, le mage sortit de son gilet une pipe, une blague à tabac qu'il plaça devant lui, un sachet d'herbes qu'il tendit au plus jeune des Fendyrs, pour préparer une infusion digestive.

Il était prêt à s'expliquer.

— Eh bien, Machallan, de toute évidence, ce cher Mordrach t'en veut... entama Reydorn. Nous ne serons pas trop de quatre pour l'affronter...

Depuis le serment, le tutoiement leur était venu naturellement.

— *Mordrach* ? Le connais-tu ? Pourquoi ce sorcier en a-t-il après moi ? demanda l'Adhan.

Les traits habituellement enjoués du mage se contractèrent, tout d'un coup marqués d'un chagrin écrasant.

— J'ignore pourquoi Mordrach peut vouloir ta mort. Mais je sais qui il est, effectivement. Un renégat qui agit sous les ordres de la Ténèbre...

Reydorn marqua une pause le temps d'allumer sa pipe. Un nuage verdâtre, odorant, s'éleva dans la nuit. Le mage plongea son regard gris dans celui de son interlocuteur. Il reprit :

— Tu dois avoir un ennemi puissant au sein des Ténèbres... Suffisamment puissant pour lancer à tes trousses une horde accompagnée d'un sorcier. Et ce, si près des forces de l'Empire ! Que leur as-tu donc fait, guerrier ?

— Je l'ignore, répondit l'Adhan en haussant les épaules.

C'était vrai. Cellendhyll ne savait rien à ce sujet. Et cela l'inquiétait d'ailleurs. Y avait-il un rapport avec sa mission ? Illogique, puisque c'étaient les Ténèbres qui avaient invoqué l'aide du Chaos. L'agent aurait bien voulu pouvoir contacter son maître, Morion.

— Je connais bien Mordrach, figure-toi, poursuivit le mage du Cercle Vert. Nous avons étudié ensemble durant plusieurs années. Il était mon ami. Naguère. Il a été corrompu par le Père de la Douleur. Il a vendu ses talents pour obtenir le pouvoir. Je dois l'arrêter, une bonne fois pour toutes. Il a déjà fait bien trop de mal.

Un soupir navré suspendit cette confession. Après avoir tiré sur sa pipe, Reydorn reprit d'une voix douce :

— Autrefois, Mordrach était un homme bon et doux. Responsable des antiquités à l'université des Mages de Pendarakh, sur la Côte Verte. Peu après les Grandes Guerres, il fut chargé par notre ordre d'étudier un artefact découvert lors de la fouille d'un site antique, un temple abandonné au fond de l'eau, sur un Plan intermédiaire déserté. Comme à son habitude, Mordrach se dévoua entièrement à sa tâche. Pour notre plus grand malheur, cette fois... Cet artefact, le Gantelet de Maalarhdak, en réalité créé par les Ténèbres, pervertit insidieusement son âme et altéra son esprit. Ayant succombé à l'attrait de la magie du Sang, Mordrach disparut avec l'objet, sans laisser de trace, si ce n'est le corps de notre mentor qu'il avait sauvagement assassiné. J'étais parti en visite dans un clan fendyr. Je suis rentré pour enterrer mon... notre maître. Sans aucun remords, Mordrach rentra au service des seigneurs ténébreux. Ses nouveaux protecteurs, ses formateurs, devrais-je dire, se révélèrent trop heureux d'utiliser sa soif d'ambition. Une soif engendrée par ce gantelet maudit.

Reydorn se dressa pour lancer à la face des étoiles :

— Oui, Mordrach a le Gantelet de Maalarhdak. Un artefact aux grands pouvoirs de destruction. Cela le rend presque invincible. Et je dois pourtant l'arrêter. Telle est la tâche que m'a confiée Aïlaënn... Je piste le renégat depuis maintenant deux ans. Nous ne sommes plus que trois...

Reydorn plissa le front en signe de contrariété.

— Il m'est aujourd'hui impossible de le combattre de front. Avec ce gantelet qui focalise et alimente son mana, il dispose d'une réserve d'énergie bien supérieure à la mienne. Une énergie purement destructrice, selon la nature de l'artefact. Quant à ses écrans défensifs, ils valent les miens. Mes réserves de pouvoir sont quasi épuisées. Mes *breloques* également – il faisait référence aux objets de gemellite dont usaient mages et sorciers pour accroître la puissance ou l'endurance de leurs pouvoirs. Annuler son bouclier me demanderait une réserve de mana dont je ne dispose plus pour le moment.

— Eh bien si la magie ne marche pas, nous nous fierons à la force des armes ! lâcha Cellendhyll en songeant à ce qu'il aimerait infliger au nommé Mordrach. Je trouverai un moyen, conclut le guerrier.

Il se leva et, tout en se frottant pensivement l'arête du nez, disparut dans la nuit.

Reydorn bourra une deuxième pipe. Les deux Fendyrs restaient à leur poste, peu désireux de participer au conseil de guerre. Ils avaient toute confiance dans les décisions du mage.

Nérine vint leur servir une tisane. Après quoi elle alla s'allonger dans la tente. Elle avait bien peu dormi la veille.

L'Adhan réapparut sans bruit. Faisant sursauter Reydorn. Le mage roula des yeux et gronda :

— Non, mais ça ne va pas ? J'ai failli avoir une attaque ! Par la Sylve, ne me refais plus jamais un tour pareil !

— Désolé, dit Cellendhyll avec une ébauche de sourire. Je pense avoir trouvé quelque chose pour vaincre nos ennemis. Quelques questions, tout d'abord. Lequel est le meilleur archer des deux ? demanda le guerrier, en désignant les cousins du menton.

Reydorn pesa sa réponse. Il finit par annoncer :

— Gwerdh'ann est brillant. Mais le meilleur est sans conteste Gwendh'aïel.

— Est-il *bon* ? Je veux dire, vraiment bon ?

— Ah ! Entends-moi, Machallan. Nous parlons de Fendyrs. Gwendh'aïel a été nommé dans les rangs des Flèches-Vives, l'élite des archers de sa race. Malgré sa jeunesse, c'est déjà un Initié. Crois-moi... Il touche *tout* ce qu'il vise, tout simplement. Et à des distances que tu n'imagines même pas !

Tout en discourant, le mage agitait sa pipe en tous sens.

— Hum... Dis-moi encore, Reydorn, à propos de ton sorcier... son gantelet peut-il fonctionner à travers son bouclier de protection ?

— Impossible. Pour s'en servir, Mordrach doit avancer son bras en dehors de l'écran. Mais cela ne sert pas à grand-chose... Personne ne pourra l'approcher d'assez près pour le lui prendre. Même par surprise. Sans compter les Ikshites dont il sera entouré.

— Personne n'a parlé de l'approcher, répondit Cellendhyll, son regard de jade allumé par une lueur vindicative.

Il se leva.

— Ne bouge pas, je reviens...

Sans rien ajouter, il alla s'entretenir avec Gwendh'aïel, se baissant à un moment pour dessiner sur le sol une image qu'il montra à l'archer. Ce dernier se mit à opiner. Ils devisèrent encore quelques minutes. Reydorn en profita pour allumer sa pipe. L'Adhan vint reprendre sa place auprès du mage. Pensif mais décidé.

— Bien. Très bien...

Cellendhyll soupesait la somme d'informations qu'il avait récoltées tandis que le mage vert finissait sa pipe en regardant les petites flammes du feu danser dans la nuit. Au moment où Reydorn allait s'offrir une nouvelle pipe, l'Adhan déclara :

— Les Ikshites vont fouiller le coin jusqu'à trouver notre trace. Nous devons agir avant qu'ils ne se déploient. Voilà comment je vois les choses, tu me diras ensuite de quelle façon ta magie pourra m'appuyer...

Les deux hommes parlèrent jusque tard dans la nuit, avant de mettre au point un plan considéré comme acceptable. Gwendh'aïel fut mis à contribution. Il préleva une série d'objets dans son paquetage et se plaça à l'écart, confiant la garde à Gwerdh'ann. Bientôt son chant léger, presque un murmure, s'éleva dans l'obscurité, berçant Nérine profondément endormie.

Le sommeil tardif de Cellendhyll fut accablé de cauchemars. Toujours. Encore et encore.

Il courait dans la pénombre humide d'un tunnel profondément enfoui sous la terre, des voix narquoises l'entouraient, l'aiguillonnaient. Puis vinrent les bruits de métal frotté sur la roche, suivis de halètements malsains. Son armure de Lige était bosselée, noircie, souillée de sang. Il n'avait pas d'arme. Pas même sa dague sombre, qui pourtant ne le quittait jamais. Il jetait des regards inquiets derrière lui, où régnait un noir opaque. Y résonnaient les éructations excitées des trois Sanghs qui le pourchassaient. Sans arme, les affronter serait un suicide. Cellendhyll accéléra l'allure. Il finit par déboucher dans une petite caverne. Elle était vide. Une ouverture dans la roche au niveau du sol attira son regard. Il n'y avait pas d'autre issue. Il était coincé. Les bruits de poursuite se faisaient plus forts. Il avait à peine la place d'entrer dans le boyau qui lui faisait face mais se força. Il n'avait pas le choix. Il s'allongea donc à plat ventre et, se tassant du mieux qu'il pouvait, s'engagea dans le conduit.

Il rampa ainsi un bon moment. Le tunnel montait par endroits, descendait dans d'autres. Le grincement de son armure qui raclait la roche lui hérissait les nerfs. Derrière lui, des grondements, des crissements, et cela ne fit qu'accentuer sa nervosité. Quelque chose le suivait dans le boyau et il ne pouvait pas se retourner pour y faire face.

Le Rire. Ce rire moqueur l'environnait de toutes parts. Se gaussant de ses efforts comme un vent funèbre.

À force de reptation, le cuir chevelu entaillé, il finit par déboucher dans une sorte de salle ronde. L'y attendaient les Compagnons, silencieux et la mine grave, sinon hostile.

— Ah, vous êtes là ! Enfin... Il y a des Sanghs après moi... Ils sont trop nombreux. J'ai besoin d'aide, les amis. Avec vous...

Un halo de lumière l'aveugla, l'empêchant de terminer. Lorsqu'il retrouva la vue, les Compagnons s'étaient transformés en animaux.

Ghisbert incarnait un massif lion des montagnes au pelage doré, Jhemar une hyène tachetée aux crocs bavants. Valère était un grand lézard à crête dentelée, sa langue bifide sifflant de colère. Igon un énorme ours noir aux yeux rouges de haine. Et Sophien, un hibou gris dont les cris écorchaient les tympans. Des prédateurs avec tout ce qu'ils pouvaient exhaler de sauvage, de terrifiant, de carnassier et de sanguinaire.

Il était leur proie, leur pitance. Il était sans armes.

Ils bondirent sur lui en rugissant, en vagissant. Seul le hibou voleta hors de portée. Ses yeux – ceux de Sophien – étaient emplis de pitié. Les autres le submergèrent.

Leurs crocs et leurs griffes avides le déchirèrent sans qu'il puisse rien faire pour se défendre. D'abord le métal argenté de son armure, qui fut lacérée aussi facilement que du papier, puis sa peau, faisant jaillir le sang, et ses os, fracassés par les mâchoires frénétiques des prédateurs.

Dans son cauchemar, Cellendhyll hurla à s'en déchirer les cordes vocales.

Chapitre 15

Oorchissht, un vieil Ikshite à la musculature sèche, menait la horde. Une horde incomplète car amputée de trois de ses guerriers. Oorchissht déplorait particulièrement la mort de Klektt, le second pisteur, tué d'un coup de dague dans l'oreille. Jamais plus ils ne chasseraient ensemble. Klektt, qu'il considérait comme un fils. Que les Ténèbres écorchent ce guerrier aux cheveux d'argent !

Et voilà qu'en plus, l'éclaireur en chef devait obéir à ce renégat des plus désagréables. Lui, Oorchissht, premier pisteur du clan des Pics-de-Braise ! Quel déshonneur ! Ce satané sorcier, ce Mordrach avait refusé que l'on soigne Nerkkhull. Tout au contraire, il avait plongé les mains dans la blessure avant de s'en maculer le visage. Sa face blafarde devint écarlate, de même que ses mains et ses poignets. Mais cela ne dura pas. Mordrach prononça une suite de mots sifflants, et le sang de l'agonisant se mit à disparaître, absorbé par la peau du sorcier. C'était le processus habituel de la magie du Sang. Se vidant d'hémoglobine par son bras tranché, l'Ikshite blessé finit par expirer, sous les yeux de ses compatriotes choqués et haineux. Tout ça pour recharger ses pouvoirs magiques, son précieux mana, comme disait effrontément le petit homme en noir.

Maudite magie du Sang ! Fort prisée par les mages ténébreux, elle exigeait en effet l'apport de sang frais pour s'épanouir.

Peut-être qu'au retour de leur mission, se disait Oorchissht, soudain rêveur, *un regrettable accident surviendrait et l'on déplorerait la perte du sorcier.* Il verrait avec lkesh comment arranger la chose. Le chef de la horde exécrait le sorcier renégat au moins autant que lui.

Malgré sa colère qui couvait, Oorchissht suivait la piste avec sa ténacité coutumière. Il ouvrait la voie sans fléchir, sans se laisser abuser par les stratagèmes fendyrs. Justement, pour des forestiers, les Fendyrs se révélaient plutôt faciles à suivre. Les récits d'autres pisteurs lui avaient fait craindre le pire – Oorchissht et le clan des Pics-de-Braise venaient des territoires du Sud, où ils se livraient à d'incessantes escarmouches avec de soi-disant alliés, les Fenaggas. Les Fendyrs combattaient en général les Ikshites du Nord.

Derrière lui, les Écumeurs d'Ikesh suivaient, armes à la main, confiants, malgré leurs récentes pertes.

Ainsi Oorchissht, le sage Ikshite, se mouvait-il avec aisance au sein de ces bois étrangers, menant la horde à la poursuite de Cellendhyll de Cortavar.

La nuit se faisait attendre. La froidure du soir recouvrait la forêt, avivée par la proximité de la rivière. Oorchissht se félicitait d'avoir passé sa pelisse. Quelques cliquetis d'armes troublaient régulièrement le babil de la forêt. Le pisteur réprouvait ce manque de discrétion. Néanmoins, les Ikshites avaient le meilleur rôle. Celui du chasseur. Ils n'étaient pas contraints à la furtivité. La horde était en marche. Quiconque se dresserait en travers de sa route en paierait le prix.

Les sapins, ifs, cèdres et tilleuls s'éclaircissaient le long du torrent, offrant au pisteur une vue plus dégagée. Devant lui, l'étroit chemin s'élargissait sur une bonne cinquantaine de pas à découvert, pour se rétrécir de nouveau de l'autre côté de la rive. Un pont les reliait. Un modeste pont de bois délavé par l'usage. De l'autre côté du pont, un rideau d'arbres proches. Trop proches de la rive au goût du pisteur. Trop de courant pour traverser à la nage. Il n'y avait que ce pont à l'aspect inoffensif, trop étroit pour être franchi de front.

Oorchissht leva le bras pour ordonner à la colonne de s'immobiliser. Comme tout pisteur qui se respecte, il estimait que ce changement dans la configuration de terrain nécessitait une étude approfondie. D'un doigt calleux à l'ongle laqué de noir, il gratta avec application la scarification rituelle ornant sa joue gauche.

On n'entendait, ni ne voyait quoi que ce fût d'inquiétant de l'autre côté de la rive. Le vent qui soufflait dans son dos ne pouvait informer l'odorat exercé du pisteur sur ce qui pouvait attendre la horde. Toutefois, quelque chose tracassait Oorchissht.

En pleine concentration, l'éclaireur fut agrippé par l'épaule. Sans ménagement. Oorchissht reçut en pleine face une bouffée d'épices issue de l'haleine rance de Mordrach le renégat. Celui-ci le fixait d'un regard étrange, comme enfiévré.

— Hé, toi ! Qui t'a dit de t'arrêter ? Tu as perdu leurs traces ?

Oorchissht se retint de saisir sa hachette. Plus tard. Sondant la mine hallucinée du mage, le pisteur devina chez lui de puissants démons. Cet homme se consumait de l'intérieur. Oorchissht avait déjà été confronté à ce genre d'individus. Il convenait d'être très prudent.

En guise d'avertissement, il secoua sa lourde mèche parsemée d'une bande de fils gris.

— Il y a un pont, devant. Et on ne voit rien à travers ce rideau d'arbres. C'est dangereux...

— La belle affaire, pisteur ! Tu attends ma bénédiction pour le franchir ? On n'est pas en promenade, *mon brave* !

Le ton de Mordrach était insultant, ses traits convulsés en un masque de dédain blême.

Les Ikshites, à présent réunis autour de leur pisteur, se contractèrent devant l'insulte. Ikesh l'Écorcheur haussa ses épaules très musclées, dédaignant intervenir. Il préféra laisser son éclaireur s'exprimer :

— C'est un endroit propice pour un piège, souffla patiemment Oorchissht.

— Un guerrier et une femme nous tendre une embuscade ? s'exclama le renégat. Espèce de lâche !

Cette fois, les Ikshites réagirent en levant leurs armes devant le sorcier des Ténèbres. Cependant Mordrach ne montra aucun signe d'effroi.

— Tiens, tiens, je crois qu'une petite mise au point s'impose.

Il leva sa main droite, dont l'avant-bras était recouvert de mailles sombres et surmonté d'un joyau pulsant lentement d'une énergie écarlate. Le Gantelet de Maalarhdak.

Bien que détestant la magie, Ikesh n'était pas dépourvu de connaissance en la matière. Il savait reconnaître un objet de pouvoir. La magie maudite pratiquée par Mordrach passait pour la plus horrible. Tout autre qu'Ikesh se serait demandé pourquoi lancer une horde entière alliée d'un sorcier à la poursuite d'un seul guerrier. Pas le genre de l'Écorcheur, uniquement intéressé par la réussite de la mission. Son haut rang n'était pas le fait du hasard. Il se poserait ce genre de questions ensuite, de retour sur ses terres d'origine.

— Ce ne sera pas utile, sorcier. On y va, Oorch', énonça-t-il sévèrement.

Le phrasé du meneur de horde n'admettait aucune réplique. Les Ikshites maugréèrent pour la forme mais, peu désireux de contester l'ordre de leur chef, reformèrent les rangs sans se faire attendre.

Le chef contempla ses hommes. Il les savait irritables. Perturbés par cette région étrangère au climat rebutant. Ils s'accommodaient bien mieux du désert fenagga que de cette région humide, balayée par les pluies.

Ikesh détestait la pluie. Ses fourrures trempées l'alourdissaient. Comme sa troupe, il aspirait à retrouver les forêts froides mais sèches des monts bordant les landes ikshites.

On pouvait traiter un Ikshite de bien des méfaits mais certes pas de couardise. Pourtant, le renégat troublait, dérangeait les guerriers ténébreux. Seule l'autorité de l'Écorcheur pouvait encore les inciter à suivre.

Temporairement calmés, les guerriers avaient repris leur formation, et le chef de guerre apprécia la rapidité de leurs réactions. En tête, Oorchissht attendait l'ordre de mener la horde de l'autre côté du pont.

Ikesh resta en arrière le temps d'attirer le sorcier à l'écart. Il approcha son torse puissant, protégé d'un jaseran clouté d'argent et recouvert de sa pelisse de fourrure noire, contre celui du maigre sorcier.

— Mordrach, si tu menaces encore un de mes hommes, mission ou pas, je jouerai avec tes tripes, c'est clair ? Je mène mes Écumeurs comme bon me semble. Ne l'oublie pas !

— Tu as reçu des ordres, répondit le mage des Ténèbres en reculant d'un pas, visiblement irrité d'être obligé de lever sa tête chauve pour toiser le regard écarlate de l'Ikshite. Nous devons tuer cet Adhan ! Il ne doit en aucun cas nous échapper. Le Roi-Sorcier a longuement insisté sur les désagréments encourus en cas d'échec, t'en rappelles-tu ?

L'avertissement qu'il venait de subir ne paraissait pas l'émouvoir outre mesure.

— J'ai parfaitement entendu les ordres, répondit l'Écorcheur. J'ai bien l'intention d'accomplir ma tâche. Et comme tu l'as précisé, pour tuer un seul guerrier, avec mes guerriers, je n'ai pas besoin de ton aide.

— Ah ! Mais justement, mon aide, tu en auras besoin pour rentrer chez toi... À moins que tu ne préfères traverser à pied la région des Forts et la moitié des Territoires-Francs pour rejoindre les Terres-Rouges ? (La réplique de Mordrach devenait mielleuse, faussement amicale.) Nous devons nous supporter, Ikesh, je crois bien.

Ikesh se rendait compte que son interlocuteur avait raison sur ce point. Sans lui, les Ikshites auraient bien du mal à retrouver les landes ténébreuses. Le sorcier était le seul à pouvoir leur ouvrir un portail de téléportation.

Mordrach avait marqué une pause, comme à l'écoute d'une voix secrète, avant de cracher :

— Ne me menace plus jamais, toi non plus ! Ou tu goûteras à la magie du Sang !

— Je vois que nous nous comprenons, rétorqua le chef de guerre.

Il venait de décider la perte du renégat. Il en glisserait un mot à Oorchissht. Le pisteur serait de bon conseil en la matière. Lorsque le cas de l'Adhan serait réglé et le portail de retour ouvert, peu importerait le sort de Mordrach.

Ikesh l'Écorcheur leva le bras. D'un mouvement impérieux de sa hache, il lança la horde en avant. Profitant de l'élargissement du terrain, les guerriers se déployèrent en formation de traque, orientés sur une triple ligne. Mordrach reprit sa place en milieu de cortège. Et soudain...

Chapitre 16

Soudain, de l'autre côté de la rive, apparut une silhouette robuste et masculine. Vêtue de vert, elle sortit du couvert des arbres, et prit possession du pont, un grand bâton décoré de runes à la main.

Reydorn toisait les guerriers ikshites si impérieusement qu'ils se figèrent.

Mordrach ne tarda pas à reconnaître le mage du Cercle Vert qu'il avait longtemps côtoyé. Il sursauta avant de se hâter d'activer son bouclier protecteur et de cracher, le visage convulsé :

— Rey' ? Ici ? Celui-ci est à moi ! Reculez-vous !

Les Ikshites s'exécutèrent sans rechigner, effrayés par le pouvoir ténébreux. Le bras brandi devant lui pour que l'artefact puisse agir, le sorcier renégat s'avança en première ligne.

Les deux mages se contemplèrent sans rien dire. Mordrach se sentit humilié par la pitié qu'il lisait dans les yeux gris de son ancien compagnon d'études. Le si talentueux Reydorn !

Le sorcier des Ténèbres retroussa ses lèvres en signe de défi. Il puisa dans l'énergie du gantelet. Un bruit de tonnerre secoua la nuit et fit trembler le sol et les Ikshites alors que le joyau s'embrasait d'un feu pourpre. Même Ikesh l'Écorcheur resta interdit devant la puissance réveillée.

Mordrach paraissait exulter, tandis qu'il s'abandonnait au mana. Il puisa dans les réserves du gantelet maudit. Jaillissant de son bras tendu, une sphère de magma fuligineux éclaboussa la forêt d'une noirceur ourlée de pourpre et d'orange, fusant directement sur Reydorn.

Sans s'affoler, le mage du Cercle Vert invoqua le sort qu'il tenait prêt, un assemblage de runes exécutées trop rapidement pour l'œil profane. Un cercle liquide apparut devant lui. Un bouclier ovale et bleu, pour la plus grande part composé d'eau. D'un ample geste de la main, Reydorn agrandit son écran défensif. Juste à temps.

La boule enflammée n'était plus qu'à trois mètres. Anticipant la suite, Reydorn plongea en arrière.

Le contact entre le feu et l'eau ébranla la terre. Provoqua un jet de vapeur gigantesque, qui s'élança furieusement vers les étoiles. L'explosion surprit les Ikshites. Quant à Mordrach, il devait attendre quelques secondes, le temps que la magie du gantelet se recharge. Trop confiant dans son artefact, il ne s'était pas préparé à utiliser la magie du Sang.

Sur la même rive que les Ikshites, à une trentaine de pas au sud de leur position, se trouvait un petit monticule broussailleux. Gwendh'aïel en surgit, rejetant son camouflage – un grand manteau de feuilles soigneusement assemblées sous lequel il se tenait, attendant tranquillement les guerriers ténébreux. En un seul mouvement coulé, le Fendyr se dressa, arc en main. En une seconde, il ajusta et tira une flèche, une seule. Son unique du genre.

Effleurant au passage trois Ikshites, le trait fila dans la nuit et atteignit sa cible. Le sorcier. Et ce n'était pas une flèche comme les autres. La pointe cristalline en forme de demi-lune de la flèche conçue d'après les consignes de l'Adhan trancha net le bras droit de Mordrach, toujours brandi hors de son écran protecteur, emportant son avant-bras, sa main et le gantelet maudit. La séparation pour le moins brutale d'avec l'artefact provoqua un déchaînement d'énergie qui projeta le sorcier renégat dans les airs. Celui-ci retomba, inanimé, son moignon noirci heureusement cautérisé par le feu de l'explosion magique.

Allongé dans l'herbe, Reydorn avait également survécu au déferlement de magie élémentaire. Hormis quelques cheveux et brins de barbe roussis. La diversion avait fonctionné. Le bouclier avait tenu bon de justesse, protégeant le mage vert des effets du magma ténébreux. Saisissant son bâton runique, le mage vert sentit l'objet se cabrer dans sa main et le mana affluer avant de surgir, prêt à se plier à ses désirs. Pointant l'extrémité de son bâton vers les Ikshites, Reydorn activa son pouvoir. Un éclat de lumière vive aux reflets d'émeraude fusa du néant pour illuminer l'endroit où se tenaient les Ikshites. Effleurant une suite de runes sur son bâton, Reydorn activa un dernier sort.

Une violente bourrasque fut invoquée, tout droit dirigée sur les Écumeurs. Un vent créé par le mana qui gifla leurs tympans, piqua leurs paupières et boucha leurs narines de terre. La moitié des Ikshites furent balayés au sol. Le vent magique cessa brusquement. Leurs sens altérés, les Ténébreux virent avec quelque retard une haute silhouette surgir à quelques pas seulement de leur position.

Cellendhyll jaillit des ombres nocturnes, sa Belle de Mort dans la main gauche, son stylet dans la droite. Profitant de l'effet de surprise, il se rua sur ses ennemis. Ses yeux verts luisaient d'un éclat terrible.

Il chevauchait le zen. Sans cesse en mouvement, l'homme aux cheveux d'argent bondissait au sein des Ikshites dont les silhouettes, à ses yeux, s'auréolaient d'orangé. L'Adhan frappa à coups précis et mesurés, concentrés sur les points vitaux. La danse de mort méthodique de l'Initié se mit à faucher les Ikshites, dépassés par la vivacité de ses attaques.

Reydorn se tenait sous les frondaisons, aux côtés de Gwerdh'ann. Nérine se tenait en retrait, derrière un tronc mort. Les clameurs d'un combat sans pitié résonnaient de la clairière. Reydorn distinguait la silhouette de Cellendhyll, virevoltant au milieu des guerriers ikshites.

Reydorn avait fait sa part. Épuisé par la débauche de mana, il était pour un bon moment à court d'énergie magique. Il posa son bâton pour tenter de s'essayer à la fronde, avant de renoncer. Ses lancés manquaient de puissance pour être efficaces, et n'ayant pas l'adresse des Fendyrs, il risquait d'atteindre Machallan. Son aide, de toute façon, s'avérait inutile.

On ne pouvait déceler aucun geste superflu chez l'Adhan. Rien que des frappes courtes, d'une fluidité, d'une précision avivées par le zen. Il ne se découvrait jamais, ses lames près du corps, toujours en mouvement. Il contrôlait parfaitement ses efforts, ainsi que sa dépense d'énergie.

D'un coup de taille latéral, Cellendhyll éventra un guerrier qui le menaçait de sa hache. Pivotant sur la gauche, il para dans la foulée un coup de lance asséné vers son visage. Son stylet se brisa. Il riposta d'un revers en demi-cercle, pour voir sa lame sombre trancher avidement la gorge de l'impudent. Une flèche de cristal fendyr siffla en abattant l'arbalétrier situé à sa droite et libéra un espace dont Cellendhyll se servit pour déséquilibrer un autre Ténébreux, avant de lui plonger sa dague dans le sternum. Il affronta le suivant armé d'un sabre, qui fendit l'air dans un sifflement. Atteint en trois points différents, l'Ikshite s'écrasa sur l'herbe, l'inondant d'une gerbe vermeille. Sa lame étrange coupait si bien que Cellendhyll n'avait même pas senti l'impact de ses coups.

Les deux archers sylvestres l'épaulaient avec une efficacité hors pair. Ils visaient sans faillir, touchant à chaque coup leurs ennemis mortels, d'abord les arbalétriers, puis les autres. Jamais un trait ne menaça l'Adhan, plusieurs sauvegardèrent ses arrières.

L'agent des Ombres taillait, pourfendait, tranchait, sans répit. Il frappait de sa lame, du revers de la main, de ses avant-bras et de ses coudes. Porté par le vent du zen, le guerrier aux cheveux d'argent avait trouvé son rythme. Sa haute taille ne le gênait nullement pour esquiver les attaques adverses, lui apportant même un surcroît d'allonge et de puissance.

Un gigantesque Ikshite au profil de rapace, hache brandie, s'opposa à lui. Sa hache cherchait une ouverture, mais à chaque fois se trouvait détournée par la dague sombre. N'ayant pas le loisir de perdre du temps dans un duel, Cellendhyll usa de l'une de ses manœuvres favorites qu'il adaptait selon les circonstances. Une feinte de déplacement à gauche, un contre-pied, une rotation sur la droite. La hache passa devant lui.

Cellendhyll saisit la main armée, assena un coup de coude au visage de l'Ikshite, et lui planta sa dague au creux de l'épaule. Laissant l'arme en place, son autre main vint rejoindre la première sur le poignet d'Ikesh l'Écorcheur.

Un rictus sauvage plaqué sur le visage, l'Adhan lui rabattit le bras en arrière. Le membre se brisa au niveau de l'épaule, accompagné du hurlement incrédule du chef de horde. Sans pitié, Cellendhyll récupéra sa dague pour cette fois trancher la gorge de son ennemi d'un sanguinaire aller-retour. La lame en frémit de contentement. Puis de dépit. Ikesh était le dernier.

Il n'y avait plus un ennemi debout dans la clairière.

Le guerrier aux cheveux d'argent, maculé de sang, une longue dague noire aux reflets rouges dans la senestre, le regard vert brillant de sauvagerie. Le sang dont il était couvert, l'herbe rougie à ses pieds, témoignaient aisément de l'âpreté du combat qu'il avait livré.

Oorchissht gisait aux côtés d'Ikesh, l'une des flèches de Gwerdh'ann dans l'orbite droite.

Cellendhyll reprenait à peine ses esprits. Le zen l'avait quitté, remplacé par une intense fatigue. La musique intérieure qui l'avait porté durant la bataille venait de s'éteindre, le laissant exténué de sa danse mortelle. Il ne désirait plus qu'une chose, s'allonger sur un bon lit moelleux et dormir.

Une inspiration le fit tressaillir de douleur. Il s'aperçut enfin qu'il souffrait de plusieurs blessures, un éventail de coupures ou d'entailles sur les bras, les flancs et les cuisses. Aucune n'était profonde, mais leur nombre s'additionnait pour prélever une lourde dîme. Quant à ses vêtements, ils étaient lacérés, tachés de sueur et d'hémoglobine, bons à jeter.

Pris de vertige, l'Adhan faillit tomber. À travers un voile brumeux, il distinguait l'image troublée de Nérine accourant vers lui. Il réussit à rengainer sa dague. Provisoirement repue, la lame étrange avait absorbé tout le sang versé. Elle n'avait pas besoin d'être nettoyée, jamais.

Cellendhyll fit trois pas hésitants et s'évanouit.

Chapitre 17

L'Adhan se réveilla allongé sur une fourrure ikshite, auprès d'un réconfortant petit feu. Couvert de baume et de pansements, il ne souffrait pas de ses blessures, mais se sentait bien trop faible à son goût.

— On a réussi. Par le Hibou Bleu du val d'Eyre, je n'en reviens pas ! Ça a marché !

La voix joyeuse du mage vert lui fit redresser la tête.

En face de lui, Reydorn avait saisi les mains de Nérine et l'entraînait dans une gigue, sous le regard amusé des Fendyrs.

D'instinct, Cellendhyll tourna la tête de l'autre côté pour se fixer sur un corps inanimé vêtu de noir. L'Adhan réussit à se redresser. Contenant ses tremblements, il apostropha le mage :

— Et ton Mordrach ? On en fait quoi ?

La fureur glacée qui perçait dans sa voix doucha net l'enthousiasme du mage.

Nérine en profita pour s'approcher du guerrier et lui faire boire un gobelet d'herbes aux vertus reconstituantes cueillies par Gwendh'aïel.

— Mordrach ?

Reydorn tiraillait sa barbe, clairement ennuyé.

— Oui. À t'entendre, l'affaire est réglée, siffla l'Adhan, rendu irritable par son état de faiblesse. Or, je ne suis pas de cet avis. Le sort du sorcier reste en suspens... Et je compte bien y remédier.

— Il est sous ma responsabilité, rétorqua le mage vert. C'est à moi de m'en charger. Repose-toi. Tu dois reprendre des forces.

Reydorn se dirigea vers leur prisonnier. Le renégat gisait sur le sol, exsangue. Il venait à peine de reprendre conscience. Reydorn avait pris soin de récupérer le gantelet magique et de l'empaqueter dans sa besace.

Mordrach était dans une piètre forme, encore pire que la sienne, se réjouit l'Adhan avec un sourire de fauve.

— Infortuné Mordrach, tu peux être fier de toi ! sourit tristement le mage du Cercle Vert. Aïlaënn m'envoie, tu t'en doutes. Et tu sais ce que je dois faire.

— Non, pas ça. Rey' ! Nous étions amis... Souviens-toi ! Pas ça, par pitié !

La voix de l'homme des Ténèbres se perdait dans les aigus. À bout de force, drainé par sa blessure, il fut pris d'une quinte de toux rauque, tachée de son sang.

— C'est trop tard, Mordrach. Tu as laissé trop de morts dans ton sillage, trop d'infamies. Tu t'es placé bien au-delà du pardon.

Le ton du mage vert débordait de pitié. Il avait les épaules voûtées par la peine. Néanmoins, en dépit de ses sentiments, en dépit des supplications de Mordrach, Reydorn devait accomplir son devoir. Il apposa sa main tannée sur le front blême et trempé de Mordrach. De l'autre, il dessina dans l'air un essaim de runes étudiées pour cette occasion précise.

— Mère, réponds à mon appel, vois ton enfant impie. *Mère !*

Une fragrance d'herbe récemment coupée et de fleurs printanières emplit leurs narines. Autour de la main de Reydorn, un ovale de lumière naquit, d'un jaune plus pâle mais presque aussi aveuglant que celui du soleil. Aïlaënn, Puissance de la Sylve, se manifestait. La lumière baigna les visages du mage et du sorcier d'un écrin jaune et vert, gagnant encore en intensité. Le sorcier renégat écarquilla les yeux devant la vision qui se déroulait pour lui seul. Alors, il hurla, son corps arqué, forcé par une pression invisible, engendrée par le biais du contact de Reydorn.

Ce cri inhumain glaça Nérine qui se recroquevilla. Mais il ne dura pas. Épuisé par ce qu'il venait de subir, Mordrach sombra de nouveau dans l'inconscience. La lumière surnaturelle décrut jusqu'à disparaître.

— C'est fait, annonça Reydorn, visiblement soulagé. Aïlaënn a repris ce qu'elle avait accordé. Mordrach est désormais coupé de son mana. Pour un être comme lui ou comme moi, cela signifie qu'il n'est plus rien. Il est inoffensif.

Cellendhyll répondit :

— Peut-être. Il peut cependant en envoyer d'autres de son acabit à ma poursuite. Il y a bien des moyens de nuire, et je gage que ton inoffensif Mordrach les connaît tous. Ce n'est pas dans mes habitudes de laisser un tel ennemi derrière moi, en vie !

— Tu ne comprends pas, Machallan. La reine de la Sylve lui a laissé la vie. Je ne peux donc pas le tuer, ni te laisser t'en charger.

Reydorn jeta un regard suspicieux sur son ancien condisciple.

— J'avoue qu'il ne m'inspire aucune confiance. Cependant, je ne peux en aucun cas passer outre la décision de ma maîtresse. Comprends-moi...

Cellendhyll réfléchit avant de répondre, sachant bien ce qu'il pouvait coûter d'obéir à certains ordres et de désobéir à d'autres. En conséquence de quoi, il répliqua :

— Oh, je sais de quoi tu parles... Mais je voudrais

au moins l'interroger. Je veux savoir qui l'a chargé de me tuer, et pourquoi !

Reydorn soupira :

— Il ne pourra te répondre. Le traitement que je viens de lui infliger lui a fait perdre la mémoire. Et il faudra bien du temps pour qu'il la récupère. Écoute, je pense avoir trouvé un moyen de nous satisfaire tous deux. Je vais charger mes amis fendyrs de le conduire vers l'ouest. Ils vont l'escorter, lui fournir quelques provisions. Ils nous rejoindront dès qu'ils l'auront assez éloigné. Le temps que Mordrach retrouve ses esprits et guérisse de sa blessure, il ne pourra plus te nuire, tout en restant vivant. Qu'en dis-tu ?

— J'en dis que je vais te faire confiance... J'espère pour toi ne pas avoir à le regretter.

Il était clair que le guerrier adhan aurait préféré tuer le sorcier. Une nouvelle crise de frissons secoua son corps amoindri. Nérine avait épuisé toutes les plantes de la sacoche médicinale ainsi que celles de Reydorn. Cellendhyll pensait pouvoir marcher, certes pas combattre. Il aurait été stupide, dans son état, de s'opposer à la décision du mage.

— Bien. Repose-toi encore un peu. Je m'occupe de tout.

— N'oublie pas une chose, mage. Je t'ai aidé. Ta mission s'achève, parfait. À ton tour, car j'ai moi aussi mes obligations. Il est impératif que je me rende à la cité des Nuages. Pour le Festival et avant le jour du Jugement. Pour moi, c'est vital !

Reydorn lut clairement l'urgence transmise par les yeux verts de l'Adhan. Ses mains agiles se levèrent de nouveau en signe d'apaisement.

— Fort bien. N'aie pas d'inquiétude, Machallan. Je t'aiderai à gagner la Cité...

Le mage du cercle vert se détourna pour donner ses

instructions aux Fendyrs. Avant de partir. Gwendh'aïel vint se tenir face à Nérine, la contemplant sans rien dire, sans rien montrer, durant plusieurs minutes. Puis il partit rejoindre son frère auprès du renégat.

Un peu plus tard, le petit groupe se prépara à partir. Cellendhyll avait récupéré son grand manteau. Le soleil ne parvenait pas à le réchauffer. Il avait aussi froid que sous la pluie. Le reste de ses vêtements consistait en un pantalon, une tunique doublée et un surcot ikshites, le tout trop petit. Tribut prélevé sur les cadavres, ainsi qu'une lance qui servirait à appuyer sa marche.

Ils se séparèrent. Les Fendyrs faisaient route vers l'ouest, comme convenu. Cellendhyll, Nérine et Reydorn en direction du sud.

— Nous avons tous besoin de repos, dit Reydorn à l'attention de l'Adhan. Et toi, de soins. En outre, je dois me recharger en mana. Aussi, je propose que nous allions voir des amies. Elles nous aideront. Elles résident le long de la région des Forts. C'est sur ta route, non ? Nous y serons en sécurité, sur le Pacte ! Et de là, je trouverai un moyen approprié de te faire entrer dans la cité des Nuages, dans les temps.

Cellendhyll n'avait pas la force de trouver une autre solution. Marcher mobilisait déjà toute son énergie. Il opina du chef, trop heureux de pouvoir au moins avancer sur ses jambes chancelantes.

Chapitre 18

La matinée s'était déroulée dans le calme, sans contretemps et sans pluie. Ils cheminaient à travers la forêt d'Yspal, lentement mais sûrement. Avec une habileté acquise au contact des Fendyrs, Reydorn avait réussi à leur faire éviter toutes les patrouilles. De plus en plus fréquentes à mesure qu'ils se rapprochaient de la zone des Forts, marquant l'entrée officielle de l'enclave de l'empire de la Lumière sur le Plan Primaire.

À présent installés sous un saule pleureur, les trois compagnons avaient partagé du pain, du lard et du fromage, accompagnés d'une gourde de bière fortement houblonnée, une spécialité des forêts du Nord.

Si Cellendhyll peinait, il tenait bon. Son endurance, acquise dès l'enfance à nager dans les torrents de montagnes, à escalader les falaises des Marches ou à chasser dans les pinèdes, lui permettait de résister. La marche avait au moins contribué à réchauffer son corps épuisé.

Nérine se leva pour aller se laver au bord d'une source proche.

L'Adhan terminait un morceau de pain de voyage fendyr que Nérine avait eu la bonne idée de réchauffer sur une pierre. Reydorn vint s'asseoir à ses côtés, pipe allumée, l'œil pétillant de malice :

— Le danger semble écarté, pour le moment. Puisque nous voilà seuls, je voudrais aborder un sujet plus réjouissant. Voilà... Gwendh'aïel m'a demandé de te parler. Au sujet de Nérine. Il veut avoir ta permission de la courtiser. Il est fou d'elle, ça ne fait aucun doute, glousse le mage qui avait retrouvé sa bonne humeur coutumière.

— Ma permission ? Et pourquoi moi ? Nérine ne m'appartient pas, elle est libre de ses choix.

Si Cellendhyll s'attendait à discuter d'un tel sujet ! Il appréciait la jeune femme, la trouvait séduisante. Cependant, comparée à sa mission, à sa vengeance, elle n'avait que peu d'importance.

— C'est que... il n'est jamais sorti des forêts nordiques. Avec ta chevelure argentée, il t'a pris pour son père. Sans vouloir te manquer de respect !

— Quoi ?

Cellendhyll en avala son pain de travers.

Reydorn cachait mal son hilarité. Se mordant les joues pour s'empêcher de pouffer de rire, il avait dû poser sa pipe pour ne pas l'abîmer.

— Je l'ai détrompé, bien sûr ! Gwendh'aïel était tout confus. Il s'est aussitôt excusé.

Le mage vert écarta ses mains avant d'ajouter plus sérieusement :

— ... Mais il n'a pas voulu en démordre, reprit-il. Il veut ton accord avant de se déclarer.

— Bon, grommela le guerrier. Après tout... Que veux-tu de moi ?

— Eh bien, simplement ton accord. Mais, selon l'usage, je dois d'abord te parler de Gwendh'aïel.

Le mage Vert adopta un ton plus sérieux pour expliquer :

— Malgré son jeune âge, c'est un guerrier d'expérience, déjà honoré parmi les clans des forêts du Nord pour ses talents d'archer, que tu as pu apprécier. Il est bon pisteur et bon chasseur. Les siens n'auront jamais faim. Un point important de la mentalité fendyr car ils se marient pour la vie. Gwendh'aïel a remporté les dernières joutes de son peuple, les Jours du Vent, à l'arc évidemment, la discipline principale. Sa famille est nombreuse, il a six frères dont trois déjà mariés. Le clan du Chêne-Faucon est l'un des plus anciens du peuple du Nord. Le destin de ce jeune homme sera brillant, à n'en pas douter ! Les Fendyrs sont des gens pacifiques pour peu que les Ikshites ne les chatouillent pas trop, et le clan de Gwendh'aïel est situé dans la forêt d'Espérance, un lieu sacré, protégé par Aïlaënn. La vie y est douce. Nérine y sera bien accueillie et en sécurité. Si tu y consens, il suffit que tu donnes ton accord verbal. Gwendh'aïel est un bon garçon, Machallan. Je l'ai vu naître et, depuis lors, je n'ai eu qu'à me louer de lui. Et d'après ce que j'ai cru voir, Nérine est loin d'être insensible à son charme... Qu'en dis-tu ?

Cellendhyll pris le temps de mûrir sa réponse. Il était hors de question de l'emmener avec lui dans la capitale de la Lumière. Il n'aurait pas le loisir de veiller à sa sécurité. Il se remémora l'air si triste qu'elle affichait à leur rencontre.

La Rhitan l'avait suivi sans se plaindre ni le trahir, ne récoltant que froid, faim, peur et danger en guise de paiement. Sans compter qu'elle lui avait sauvé la vie à au moins deux reprises.

— J'ai une dette envers Nérine, je le reconnais, et je veux qu'elle soit heureuse. Mais encore faut-il qu'elle en ait envie, de ton archer.

— Les as-tu regardés tous les deux, ces derniers temps ? Ils ne le savent pas encore, mais ils sont faits l'un pour l'autre.

— Fort bien. Alors annonce à ton gamin qu'il a mon aval. Mais s'il lui manque de respect en quoi que ce soit, je viendrai lui enfoncer son arc dans la gorge. Nation fendyr ou pas. Tiens, d'ailleurs... Prends cette bourse, je te demande de l'utiliser au mieux pour leur avenir. Tu seras garant de son installation, Reydorn. Telle sera ma condition.

Les cent licornes d'or de Jhemar d'Altynès feraient une belle dot.

— Par les tresses de la grosse Hilda ! Tu me plais, guerrier ! s'exclama le mage en empochant la bourse. Je m'y engage. Nérine sera comme ma fille.

Le mage reprit d'un sourire, un sourire chaud comme le soleil, limpide comme l'eau, tranquille comme la terre :

— Je suis ravi de t'avoir rencontré, Adhan. Les événements ont démontré que nous pouvions devenir des amis et j'en ai le désir sincère. Si tu me parlais un peu de toi ? Que vas-tu faire dans la capitale de l'Empire ?

— Tu ne m'es pas antipathique, c'est un fait, Reydorn. Cependant, je ne suis pas libre de parler. Trop de choses sont en jeu.

C'était la vérité. Cellendhyll appréciait le mage du Cercle Vert. De là à lui accorder une totale confiance et à s'épancher... Ce n'était certes pas le style de l'Adhan.

— Je comprends. Et je respecte. Chacun ses secrets. Ah ! Voici notre douce et belle Nérine qui revient toute propre de son bain. Tu vas pouvoir aller te laver. Ce ne sera pas du luxe. Tu es couvert de sang et de poussière. Tu veux que je t'aide ?

— Ça ira, merci... À tout à l'heure.

L'Adhan gémit en se relevant. Ses muscles s'étaient refroidis durant la halte. Ses jambes semblaient aussi dures que la pierre, ses cuisses et ses mollets le brûlaient de fatigue. Ses reins l'élançaient. Les frissons revinrent à la charge. Il jura tout son saoul en claquant des dents. Conscient qu'il était incapable de se défendre face au danger. Obligé de se reposer sur Reydorn et Nérine. Il clopina jusqu'à la source dont revenait la Rhitan, toute pimpante. Tout en grelottant, il réussit à se laver et à se sécher.

Dès que Cellendhyll eut terminé ses ablutions, ils se remirent en route.

Chapitre 19

Tout en ouvrant la voie de son pas souple, Reydorn ne cessait de discourir. Il possédait un savoir passionnant qu'il dispensait pour divertir Nérine. Cellendhyll constata que, depuis le début de leur rencontre, la Rhitan avait perdu de sa tristesse résignée. Le grand air lui avait redonné de bonnes couleurs et son visage s'ouvrait à la perspective d'une vie différente.

Nulle vision ne s'était manifestée à elle.

— Au fait, indiqua Reydorn, je vous emmène dans un lieu tout à fait singulier. Vous avez déjà été dans un comptoir d'échange sylvain ? Un endroit convenable, vous verrez. Nous pourrons y reprendre des forces. Et puis, les cousins et moi y avons laissé un compagnon blessé que nous devons récupérer. Le meilleur ami de Gwerdh'ann : Wasth'ana le Rusé. Je pense, chère Nérine, que vous l'apprécierez. Ah, décidément, quelle belle journée pour voyager !

Cellendhyll avançait comme il pouvait. Il se défendait de demander quand ils arriveraient à destination. Ses blessures se refermaient normalement, mais il restait épuisé. Des vagues de frissons le prenaient régulièrement, le laissant au bord de l'évanouissement. Malgré tout, il irait jusqu'au bout. Un pas après l'autre. Sans abdiquer.

Le lendemain soir, après avoir passé une journée similaire à travers bois, ils furent rejoints par les archers fendyrs qui avaient ramené du gibier. La soirée fut paisible. Gwendh'aïel parla peu, couvant Nérine de son regard pénétrant. La jeune femme rougissait fréquemment de ces attentions. Cellendhyll put ainsi vérifier les dires de Reydorn. L'attirance des deux jeunes gens était manifeste.

Reydorn se révélait un précieux compagnon, toujours prêt à discuter, à rire ou à chantonner. Empli d'une sereine énergie, il vivait chaque instant à sa juste valeur, impressionnant Cellendhyll par l'harmonie simple de son âme, qu'il offrait sans restriction. Les deux Fendyrs le regardaient pour leur part avec une adoration sans bornes, et Nérine semblait particulièrement l'apprécier.

Pour une fois, l'Adhan s'endormit le premier, bercé par le récit d'une des aventures du mage vert. Sa rencontre avec une licorne. Cellendhyll sombra bien avant la fin du récit.

Comme Reydorn l'avait proposé au guerrier adhan, les deux cousins fendyrs avaient convoyé Mordrach à l'ouest, s'enfonçant profondément dans l'une des vastes forêts qui couvraient le secteur.

Mordrach fut laissé sous une petite hutte, rapidement montée par les mains habiles de l'aîné des Fendyrs. On changea son pansement. On lui laissa des provisions, de l'eau, et le renégat fut laissé à lui-même. Son état actuel ne lui permettrait pas de voyager. Il ne risquait donc pas de s'élancer à la poursuite des Fendyrs ou de Cellendhyll.

Au bout d'une heure pourtant, alors que les Fendyrs avaient disparu, Mordrach se leva. Sortit de la hutte et se dirigea vers le sud. Une volonté puissante, bien plus puissante que la sienne l'appelait. Le convoquait.

Mordrach marcha, rampa même par endroits, sans jamais s'arrêter malgré sa blessure, malgré son état de faiblesse extrême, sans jamais penser à ce qui se produisait.

— Je viens, je viens, répétait-il sans même s'en rendre compte.

Le sorcier renégat était possédé.

Il parcourut la forêt, attiré malgré lui par un monceau de roches granitiques. Sans même s'arrêter pour reprendre son souffle, il entra dans une caverne qui s'offrait à lui. C'est à bout de forces qu'il franchit le portail qui l'y attendait.

Le téléporteur le transporta directement dans une autre caverne. Située sur un autre Plan d'existence, issu des Ténèbres.

Enfin libéré de la transe qu'il l'avait guidé, Mordrach retrouva ses esprits. Son lieu d'accueil n'avait rien d'engageant. Les parois de la vaste caverne avaient été teintes en rouge sombre. Au sol, de la terre battue d'une couleur indéfinissable. L'atmosphère était sèche, véhiculait une odeur aux relents musqués. Des torches dispensaient une lumière insuffisante laissant de nombreuses zones d'ombre à l'inquiétante densité. Mordrach ignorait où il se trouvait. La caverne semblait vide, à l'exception d'une vingtaine de monticules de la taille d'un homme moyen, disposés en cercle. S'approchant de l'un deux, le sorcier déchu put constater qu'il était composé de restes humains. Il frissonna.

— Le Père de la Douleur t'a chargé d'abattre l'Adhan. Et tu as échoué !

Le renégat tressaillit. Une voix qu'il avait appris à respecter, à craindre même, résonna, rebondit sur les parois de granit, le faisant sursauter. Mordrach tressaillit. Il se jeta aussitôt au sol, où il s'aplatit dans une posture de soumission.

Devant lui se dressait le marquis Leprín, dont la queue giflait l'air de mécontentement. Le légat des ténèbres apostropha le renégat :

— L'Adhan est donc toujours en vie. Le Père est déçu, Mordrach ! Il espérait tant de toi...

— Pitié, maître ! Pitié ! J'ai fait ce que j'ai pu... Il y avait un mage, des Fendyrs...

Mordrach se redressa pour tenter de s'expliquer. Un sifflement accueillit sa tentative, et la queue du marquis fouetta l'air avant de le percuter violemment. Projeté au sol, Mordrach eut la poitrine profondément entaillée.

— Tu peux garder tes excuses, vermisseau humain ! Tu sais que notre roi n'admet pas l'échec. Tant pis pour toi.

Leprín s'avança, l'aiguillon de sa queue prêt à frapper.

— Ne me tuez pas, maître. Je suis prêt à tout pour vous servir, sanglota le renégat en se tassant sur lui-même. Pitié !

— Tu prétends encore pouvoir servir ? Et comment ? Tu as perdu tes pouvoirs, ton bras. Ton corps est si faible. Tu n'es plus rien ! Que pourrais-je bien faire de toi ?

— N'importe quoi, maître, je ferai n'importe quoi !

Leprín contempla l'Humain avec dégoût. Il s'apprêtait à rassembler son mana pour utiliser la magie du Sang et arracher les membres du renégat un à un, quand une idée subite suspendit son geste. Un projet qu'il caressait depuis plusieurs mois, sans avoir jusqu'ici trouvé l'occasion de le concrétiser. Une expérience hasardeuse que le marquis estimait pouvoir mener à bien. Mordrach constituait le matériau approprié pour un tel projet.

— En fait, pourquoi pas ? J'ai en effet un moyen de l'utiliser. Mais tu te rappelleras que c'est toi-même qui l'as demandé. Inutile de te plaindre par la suite.

— Mettez-moi à l'épreuve, seigneur. Mettez-moi à l'épreuve. Par mon âme, je ne vous décevrai pas !

— Soit !

Leprín sortit un sifflet d'os. Il souffla, provoquant un son strident.

De hautes silhouettes sortirent des zones d'ombres de la caverne. Elles se rapprochèrent et vinrent encercler Mordrach.

Des Mantes. Une douzaine. Aussi redoutables que les squazz et combien plus intelligentes. Inféodées aux Ténèbres, les Mantes mesuraient deux mètres de haut, en moyenne. Sous la houppelande noire qui les recouvrait, on pouvait distinguer leur corps mince d'insecte d'une teinte à mi-chemin entre le pourpre et le brun.

Les insectes géants s'avançaient en cliquetant. Leurs bras frêles, constitués de trois segments chitineux et de deux articulations, s'agitaient de concert. Leur petite tête surmontée de trois antennes crénelées de même. Un orifice barré de trois rangées de petites dents acérées leur servait de bouche, laissant couler un flot de bave violette qui grésillait en touchant le sol.

Une autre Mante s'approcha du Légat. Dans ses bras graciles terminés par des pinces dentelées, elle étreignait une forme molle qui remuait presque imperceptiblement. Leprín examina soigneusement la petite créature qui constituait l'élément principal de son expérimentation. Une larve de Mante en parfaite santé. Une larve de reine.

— Je vais te prendre à mon service, Mordrach. Ne crains rien, j'arrangerai la chose avec le Père. Tu vas connaître un destin exceptionnel. Vois-tu, tu seras le premier rejeton d'une nouvelle race ! Et tu pourras ainsi regagner les faveurs du Roi-Sorcier. À présent, lève-toi et laisse-toi faire...

Il fit un signe de tête à l'attention de la Mante.

Celle-ci se positionna derrière Mordrach, éleva ses pinces encombrées au-dessus de la tête du renégat et déposa la larve qu'elle tenait sur le crâne chauve et suant de l'Humain. La larve s'étira pour recouvrir l'arrière du crâne et descendre jusqu'aux épaules. Leprín vérifia qu'elle était bien positionnée. Il invoqua son mana et, d'un geste sûr, traça une rune complexe qui devait lier le renégat et la larve.

Alors, toutes les mantes présentes levèrent les bras et lancèrent un cri d'allégresse.

Le visage de Mordrach se contracta avec désespoir, ses yeux s'exorbitèrent. Il hurla à s'en déchirer les cordes vocales, avant de sombrer dans l'inconscience.

— Veille sur lui ! ordonna Leprín à la Mante. Tu répondras de sa santé. Je reviendrai prendre de ses nouvelles.

Le Légat s'engagea dans un couloir mal éclairé. Ainsi, le sorcier avait échoué. De même que la horde ikshite. Face à un homme seul ! L'Adhan se révélait bien plus résistant que prévu. Tant pis, le monde des Plans offrait maints tueurs prêts à se charger de son sort. Et avec ce que Leprín avait décidé pour Mordrach, son projet marquait un net avancement. Le marquis des Ténèbres n'avait plus besoin que de temps, d'attendre que la greffe de larve atteigne sa maturité.

Somme toute satisfait de la tournure des événements, Leprín monta une série d'escaliers qui débouchaient sur une caverne. L'y attendait un portail de téléportation. Il avait rendez-vous.

Lorsque le Légat des Ténèbres fit son entrée dans la salle principale de l'auberge, Estrée l'attendait, assise à une table. Le marquis connaissait les lieux. Le Guet n'y descendait jamais et l'anonymat de chacun était respecté. En avisant la clientèle de l'endroit, il ne put s'empêcher de sourire. Tous les mâles de la salle regardaient plus ou moins ouvertement la jeune femme, ce qui n'était pas étonnant car elle exhalait une sensualité irrésistible. D'ailleurs, l'un des clients avait tenté sa chance. Un blond massif, vêtu de cuir et de velours vert, était attablé avec elle. Il possédait des traits plutôt plaisants mais un maintien vulgaire. L'homme blond parlait, Estrée l'écoutait. Il était clair à ses grands gestes qu'il tentait de l'impressionner. Leprín réprima son agacement. Il rejoignit la table où se tenait le couple.

Ignorant le blond, il plongea ses yeux dans ceux d'Entrée et lâcha d'un ton sec :

— Viens avec moi !

— Je suis très bien où je suis, répliqua la jeune femme.

Dans ses prunelles, dansait une étincelle de défi moqueur.

— Dis-moi, ma jolie, il t'ennuie ce type ?

La jeune femme prit le temps de répondre. Elle scruta le visage nettement contrarié du Légat. Lui adressa un sourire équivoque avant d'émettre un petit rire moqueur et d'annoncer :

— En effet, il m'importune...

— Tu as entendu, toi ! cracha le blond en dévisageant Leprín d'un air courroucé. Dégage ! Dégage ou je vais essuyer mes bottes sur ta sale gueule.

— Et tu comptes faire ça tout seul ? lui demanda le Légat, nullement impressionné.

— Oh, mais non, je ne suis pas seul, rétorqua le blond.

Et il siffla entre ses doigts.

Deux hommes carrés qui se tenaient accoudés au comptoir délaissèrent leurs chopes de bière. Sur un bref signe du menton du blond, qui désigna Leprín. les deux sbires vinrent l'encadrer par-derrière. Sans crier gare, sans perdre de temps, ils l'empoignèrent solidement par les bras pour l'emprisonner dans une étreinte musclée.

Estrée les regardait agir, son fin et beau visage éclairé d'une excitation malsaine.

Sûr de lui, le blond se leva tranquillement de sa chaise et vint toiser le Légat.

Il lui sourit et frappa sans plus attendre. Un direct à l'estomac, un autre, un troisième, puis un revers de la main au visage.

— Alors, ça y est, tu as compris ? Tu as ton compte ? souffla-t-il au visag de Leprín.

Celui-ci montrait les dents. Le coin de sa lèvre éclatée laissait couler un ruisseau de sang jaune. Sa réponse ne tarda pas, sous la forme d'un coup de tête en pleine face qui fit reculer son tourmenteur.

Jusqu'ici cachée, la queue du Ténébreux jaillit des pans de son manteau. Frémissant, l'aiguillon acéré qui la surmontait se planta dans l'entrejambe d'un des hommes de main. Celui-ci s'écroula au sol en hurlant, les mains plaquées sur son bas-ventre ensanglanté. Libéré, Leprín pivota et plongea son coude libre dans le larynx de l'autre sbire, le tuant sur le coup. Puis, le Ténébreux sortit de son manteau un fouet aux courtes lanières de métal et cingla violemment le visage du blond. Les yeux crevés, transformé en proie facile, le blond hurla à son tour. Estrée se dressa souplement dans son dos. Le regard trouble, elle lui planta une courte dague dans la nuque, provoquant son trépas. L'homme blessé à l'entrejambe achevait de se vider de son sang. Il émettait des gargouillements désespérés et son faciès avait pris une teinte blafarde. Il ne tarda pas à succomber à son tour.

Leprín jeta dédaigneusement une bourse sur le

comptoir. Il ordonna au tenancier de faire évacuer les corps. Après avoir vérifié la somme, celui-ci haussa les épaules et obtempéra sans s'émouvoir. Ce genre de spectacle était courant dans son établissement et personne n'y trouverait à redire, à présent qu'il avait été payé pour le désordre causé.

Les dépouilles des trois hommes furent soulagées de tous leurs biens de valeur avant d'être jetées derrière le bâtiment, à la lisière de la forêt.

— À présent, viens, dit Leprín d'un ton sans réplique.

Docile, la jeune femme suivit son complice et amant à l'étage.

Une fois dans la chambre qu'il avait louée pour la journée, Leprín ferma violemment la porte et jeta son manteau sur une table. Il se tourna vers Estrée et la frappa du revers de la paume. Elle s'écroula en travers du lit, continuant pourtant de le dévisager d'un air ironique.

— Tu n'as pas pu t'en empêcher, hein ? demanda le Légat. Tu voulais voir couler le sang ! Une fois de plus !

— Tu sais bien que ça m'excite. Et puis, je savais bien qu'ils n'étaient pas de taille à t'affronter, répondit la jeune femme en s'étirant langoureusement.

— Maintenant, ça va être mon tour de m'amuser, reprit le Ténébreux. Déshabille-toi !

— Donne-moi d'abord la bleue-songe.

— Oh non, ma tigresse ! Premièrement, tu ne l'as pas encore méritée. Et deuxièmement, je préfère te voir en pleine possession de tes moyens.

Estrée plissa les yeux de mécontentement mais ne dit rien. Elle s'exécuta sous le sourire de Leprín. Oui, il lui donnerait sa dose, évidemment. Mais seulement lorsqu'il se serait suffisamment amusé avec elle et lui aurait fait payer cette inutile bagarre. Elle le connaissait suffisamment pour savoir que ces trois hommes n'avaient aucune chance de le vaincre. Il n'était pas vraiment étonné par ce qu'elle avait provoqué. Cette garce voulait juste voir couler le sang et le contrarier, c'était bien son genre. À présent, il allait lui montrer qui était le maître.

Le Légat ôta sa chemise de soie noire, qu'il jeta négligemment derrière lui. Il sortit sa lourde ceinture des passants de son pantalon et la fit claquer dans l'air. Estrée le dévisageait, les yeux brillants d'une lueur familière.

— À mon tour, répéta le Légat en se rapprochant du lit et en levant son bras armé.

Bientôt, le son mat des coups sur la chair emplit la pièce, ponctué par les gémissements de plaisir de la jeune femme et les halètements rauques du Ténébreux.

Deux heures plus tard, ils reposaient l'un à côté de l'autre sur le lit dévasté.

— Bon, tu me la donnes, maintenant ? soupira Estrée d'un ton indolent.

Ruisselant de sueur, Leprín se leva de la couche et se déplaça jusqu'à son manteau pour y prélever un sachet transparent contenant la drogue promise, qu'il jeta à la jeune femme. Celle-ci ne quitta pas le sachet des yeux. Elle le rattrapa au vol, se retourna sur le ventre et se mit à contempler la bleue-songe, agitant le sachet devant ses yeux.

Le Ténébreux retint une exclamation victorieuse. Son activité annexe et florissante de fournisseur de drogues en tous genres lui avait appris à reconnaître ce type de regard. Elle était ferrée par la bleue-songe. C'était manifeste.

— C'est tout ? ajouta Estrée sans pouvoir cacher sa déception. C'est tout ce que tu as pour moi ?

— Pourquoi, tu en voulais plus ?

Maussade, la jeune femme ne répondit pas. Leprín haussa les épaules et reprit son manteau. Il en sortit deux autres sachets qu'il lança sur le lit.

— Tiens, mais à partir de maintenant, si tu en veux d'autres, tu devras payer. De la bleue-songe aussi raffinée, ça coûte cher à produire.

— Payer ? Et comment ?

— Avec des informations. Des informations sur le Chaos...

— Jamais je ne livrerai les secrets d'Eodh ! s'écria la jeune femme.

— Et jamais je ne te le demanderai, mentit le Légat. Mais il y a les autres Maisons. Tu dois sûrement pouvoir dégoter des renseignements sur leur compte...

— Je verrai ce que je peux faire, souffla Estrée.

— Bien, reprit Leprín. Je dois te laisser, le Père de la Douleur m'attend.

— Oui, surtout ne le fais pas attendre, lâcha son interlocutrice sans même le regarder, son attention rivée sur la bleue-songe qu'elle agitait doucement devant elle. Son amant ne comptait plus.

Sans se formaliser, le Légat passa dans la salle de bains pour y faire une rapide toilette. Il en ressortit vêtu d'une nouvelle et impeccable tenue de soie noire. Il jeta un œil à la jeune femme, qui n'avait pas changé de position, passa son manteau et sortit sans rien ajouter, un petit sourire au coin des lèvres.

Estrée ouvrit le sachet. De ses doigts fuselés, elle préleva une pincée de sable bleu qu'elle porta à ses narines. Elle inspira fortement et hoqueta tandis que la drogue fusait dans ses membres. Son regard se voila, ses pupilles se dilatèrent, et un peu de salive humecta la commissure de ses lèvres parfaites. Elle se laissa tomber en arrière sur le matelas avec un sourire indolent, les bras en croix.

Une fois dehors, Leprín remonta la pente qui menait à sa tente à grandes enjambées. Quelques minutes plus tard, il activait son orbe. La tente de transport miroita un instant avant de disparaître du Plan neutre intermédiaire.

La tente réapparut dans la forteresse même du Roi-Sorcier. Au cœur du Plan primaire des Ténèbres.

Le Légat sortit de sa tente d'un pas vif et salua les sentinelles sans les regarder. Il se trouvait à présent dans une salle de forme circulaire aux dimensions gigantesques. Les murs ruisselaient d'un liquide sirupeux d'un noir dense et insondable. L'air était chaud et sec. Les voix murmurantes des sentinelles surnaturelles, les Xors, hantaient le haut plafond dont la voûte disparaissait dans une ombre brumeuse. Le Légat s'arrêta pour contempler le passage d'un groupe de femmes nues encadré par deux gardes ikshites. Les esclaves avaient le crâne rasé, le corps enluminé d'une arabesque de coupures et d'entailles. Elles marchaient les épaules voûtées, le cou relié à la précédente par une chaîne brillante. Une femme en milieu de colonne trébucha, visiblement épuisée. Un des gardes lui administra un coup de fouet sur l'épaule afin de la faire réintégrer le rang.

Des focus pour la magie du Sang, se dit le Légat sans s'émouvoir de leur sort. Les esclaves étaient en route pour un horrible destin, à l'usage des sorciers ténébreux. Elles allaient être lentement, patiemment torturées ; leur sang, la douleur et le désespoir provoqués serviraient à gonfler les réserves de mana de leurs bourreaux.

Les esclaves furent conduites hors de la salle. Leprín se dirigea vers une double porte de métal brillant couverte de runes sanglantes. Le légat fit appel à son mana et leva les mains devant lui. Ses paumes ouvertes firent le geste de repousser. Sans bruit, les battants s'ouvrirent. Sans attendre, Leprín entra, et la porte se referma sur lui.

Il se dirigea vers le centre de cette nouvelle salle. Une fumée grise mouvante recouvrait le sol, ondulant comme un reptile, et occultait les murs.

Un trône. Un homme.

Le trône d'Épine et le Père de la Douleur. Le Roi-Sorcier des Ténèbres, le seigneur et maître du Légat, ennemi juré du Patriarche de la Lumière : l'être le plus redouté de tous les Plans d'existence confondus.

Nul ne connaissait son nom. On disait de lui qu'il était né aux tous premiers instants de l'univers connu.

Ce n'était qu'une silhouette tassée sur son trône, qu'on le voyait rarement quitter. Un long nez légèrement busqué à la carnation blême, une bouche mince, fardée de rouge foncé et un menton pointu étaient les seules parties visibles de son visage. Tout le reste de son anatomie disparaissait sous une ample robe à capuche, tissée d'un épais et chatoyant brocard noir aux reflets grenat.

Le Légat s'approcha du trône et s'agenouilla aux pieds de son maître.

— Leprín, tu es là, s'éleva une voix aux tonalités grinçantes – une voix dont la formidable puissance ne faisait qu'affleurer. À l'heure, comme toujours. Je t'écoute, mon fils...

Le Légat narra calmement l'échec de Mordrach et des Ikshites. Son maître siffla de dépit en apprenant la nouvelle.

— J'espère que tu as châtié Mordrach comme il le *méritait* !

— Mieux que cela, maître. Je l'ai utilisé pour l'accomplissement de mon petit *projet*. Le processus est lancé. Ce que va devenir Mordrach compensera sa défaillance, je vous le promets ! Il nous servira bien mieux que par le passé.

— Fort bien. Je te laisse juge. Tu sais que tu as toute ma confiance.

Sans pouvoir se retenir, le Légat s'abandonna à la vague de plaisir que lui transmettait la voix du Roi-Sorcier.

— Seigneur, puis-je vous demander pourquoi vous vous intéressez à cet Adhan ?

— Non, tu ne peux pas. Mais l'échec de Mordrach n'est pas si grave, après tout... Cela nous permet d'apprendre que ce Cellendhyll n'est pas n'importe quel guerrier. La prochaine fois, il faudra agir en conséquence.

— Le problème, seigneur, est que nous n'avons plus aucun moyen de le retrouver.

— Ne t'inquiète pas, cela viendra.

Le ton du Roi-Sorcier était formel.

— Oui, continua le Père de la Douleur, nous aurons une autre occasion de l'atteindre. Par le feu sacré des Ténèbres, ce temps viendra et l'Adhan périra. Mais à présent, parle-moi plutôt de cette mission du Chaos...

— D'après les informations que m'a envoyées le duc Elvanthyell, l'agent des Ombres a commencé sa mission. Il aurait pénétré les Territoires-Francs. Je ne sais rien de plus, et j'ignore bien évidemment son identité. Comme l'a exigé le duc d'Eodh, les méthodes qu'emploiera le Chaos pour résoudre notre problème resteront secrètes.

— Cela m'est égal. Je me doutais que ce renard

d'Elvanthyell imposerait une telle condition. De toute manière, nous aurons bientôt notre réponse. Laissons-les faire, nous avons tout à y gagner...

Que l'agent des Ombres, leur temporaire allié, et l'Adhan dont le Roi-Sorcier voulait la tête, soit le même individu, leur échappait totalement, sinon le Père de la Douleur aurait suspendu l'exécution de Cellendhyll de Cortavar dont il ignorait le véritable rang au sein du Chaos.

— Et qu'en est-il de cette ravissante Estrée ? susurra encore le Père.

— Je pense que bientôt, elle sera en mon pouvoir. Elle résiste encore à l'attraction de la drogue que je lui fournis mais cela ne durera pas. J'ai commencé à lui demander des renseignements sur les Maisons du Chaos. Elle devrait m'en fournir sous peu.

— Fort bien, approuva le Roi-Sorcier. Surtout ne la brusque pas. Prends ton temps, il ne faut surtout pas nous l'aliéner. Le Chaos n'est pas une priorité mais pourrait bien le devenir... D'ici là, nous devons en apprendre plus sur cette mystérieuse Puissance. C'est bien, je suis content de toi.

Leprín fut récompensé d'une nouvelle vague de plaisir diffusée par son maître. Mais alors que le Légat s'apprêtait à prendre congé, le souverain des Ténèbres ajouta :

— Reste, j'ai encore besoin de toi. Je reçois les Quatre... Je dois évoquer avec eux les dispositions à prendre en cas d'échec. Si nous ne sommes pas prêts à affronter la Lumière sur les champs de bataille, il est toutefois hors de question de baisser les bras devant le Patriarche. S'ils veulent la guerre, ils l'auront, et que la colère des Ténèbres les engloutisse tous !

La voix du Roi-Sorcier enfla sur cette dernière phrase. Leprín sentit ses os vibrer, et faillit perdre l'équilibre, tandis que la fumée qui couvrait le sol était repoussée vers le plafond, révélant un réseau de runes aux lignes tranchantes, gravées sur toute la surface de la salle. Des runes de sang sur un sol de quartz noir.

Tandis que le souverain des Ténèbres retrouvait son calme, la fumée surnaturelle plana pour reprendre sa place.

C'est alors que les portes qu'avait empruntées le Légat s'illuminèrent d'un entrelacs pourpre. Les Quatre arrivaient.

Le Roi-Sorcier lâcha un petit rire aux tonalités métalliques.

— À présent, Leprín, plus un mot. Contente-toi de regarder et d'écouter. Tout à l'heure, je te demanderai ton sentiment sur l'attitude de mes seigneurs de guerre.

Dans un concert de voix aux tonalités disparates, les Quatre firent leur entrée. Ils se disputaient déjà.

Le Légat se prépara à une longue et ennuyeuse attente. Il savait à quoi s'attendre. Depuis un certain temps déjà, les réunions de commandement n'aboutissaient à rien. Les Quatre ne tombaient que rarement d'accord, se chamaillant souvent sous le regard amusé de leur maître, qui ne paraissait nullement se soucier de ce manque d'efficacité. Leprín soupçonnait celui-ci de soigneusement nourrir leur antagonisme, entretenant sciemment leurs rivalités.

Les ambitions respectives des Quatre n'étaient un secret pour personne. Ils voulaient la place de leur maître. Et seule la peur d'échouer dans leur tentative les retenait encore. La peur et la colère du Roi-Sorcier. Individuellement, les seigneurs de guerre étaient incapables de vaincre le Père de la Douleur, mais ensembles, ils pourraient réussir. Ce que le Roi-Sorcier ne pouvait ignorer.

Les quatre seigneurs de guerre des Ténèbres entrèrent sans discrétion. Aucun d'eux ne voulait laisser aux autres l'honneur d'entrer le premier. Ils entrèrent côte à côte, veillant à ne pas se toucher.

Des êtres d'une formidable puissance, s'inclinant pourtant bas devant leur maître.

Croc-de-Haine était d'apparence le plus fort d'entre eux. Le corps massif et musculeux du Sangh était couvert d'une peau indigo, aussi épaisse que du cuir, surmontée d'une toison noire et rase exhalant une odeur musquée. Sa corne frontale s'agitait fièrement de droite à gauche, faisait briller le pourpre de son anneau nasal. Le sol grondait alors que ses pieds noueux à trois orteils fourchus martelaient la pierre. Vêtu d'un baudrier laqué de noir, d'une jupette en cuir de griffon, les poignets ornés de bracelets de force, il se campait fièrement à côté de ses pairs. Ses yeux globuleux ne cillaient pas, braqués sur le Roi-Sorcier.

Empaleur-des-Âmes se tenait à sa droite, vibrant d'énergie nerveuse. Un Humain de taille moyenne, svelte et musclé, qui arborait les attributs ténébreux : une peau sombre, des yeux écartés, aux prunelles rouge sang, fendues de noir, et sa queue à l'aiguillon acéré, décorée d'un cerclage d'or fin. Il avait des cheveux roux et la barbe noire, soigneusement taillée. Il portait un justaucorps de cuir noir et des bottes en peau, teintes en un curieux violet. Il avait adopté des manières faussement nonchalantes, mais son regard vif ne restait pas en place et, de temps à autre, des frissons d'énergie brute secouaient son corps tels des spasmes.

Griffe-de-Sang était une singularité au sein même des Ténèbres : un hybride serpentère. Sa peau écailleuse blanchâtre luisait de reflets verts. Ses ailes courtes à rayures cramoisies étaient sagement rangées dans son dos. Presque aussi grand que Croc-de-Haine, le Sangh, sa musculature se rapprochait cependant de celle d'Empaleur-des-Âmes, sèche et nerveuse. Il ne portait aucun vêtement à l'exception d'un pagne taillé dans de la peau humaine, et exhibait en guise d'ornement un épais collier composé de doigts tranchés qu'il arrachait de temps à autre et mâchonnait lentement telles de douces friandises. Il salua le Roi-Sorcier de sa voix zozotante.

Berger-du-Massacre, la Mante. Haute et fine, elle se tenait à l'extrême droite. Bien à l'écart des trois autres. Elle s'exprimait peu mais lorsqu'elle le faisait sa voix sifflante était sans réplique. Les antennes frémissantes de son front bombé s'agitaient doucement hors de la capuche de sa robe. Un vêtement ample coupé pour cacher sa forme voûtée et sa carapace de chitine mauve hérissée de dentelures et de piquants. De temps à autre, ses pinces sortaient de ses manches et claquaient sinistrement dans le vide.

À la force brute de Croc-de-Haine et Empaleur-des-Âmes, Griffe-de-Sang préférait des méthodes plus sournoises. Quant à Berger-du-Massacre, la souveraine des Mantes, il était difficile de la cerner. C'était peut-être le seigneur de guerre que le Père appréciait le plus. Le Légat eût été bien en peine d'en connaître la raison. La mentalité de ces créatures et leur processus de pensée lui restaient totalement étrangers.

Quatre personnages dissemblables d'aspect, de mentalité et de comportement, mais d'une puissance égale. Ils partageaient une chose, une soif de domination, une même haine de la Lumière, un même penchant pour la mort d'autrui. Si aucune amitié ne les unissait, une certaine communauté d'intérêt les liait toutefois, même si chacun nourrissait ses propres ambitions.

Si la présence du favori du Roi-Sorcier les gêna, ils

eurent cependant la présence d'esprit de ne pas le signifier ouvertement. Ils méprisaient Leprín et celui-ci le leur rendait bien. Heureusement pour lui, le Légat ne rendait compte qu'au maître suprême des Ténèbres. À qui au moins, il accordait un sincère respect. Le Roi-Sorcier le traitait en retour avec l'affection d'un père. Cela étant Leprín ne parvenait pas à savoir si ce sentiment était bien réel ou en fait une autre manœuvre de son tortueux seigneur.

— Nous pouvons commencer la réunion, susurra sans plus attendre le Père de la Douleur.

Leprín porta la main à sa bouche pour étouffer un long soupir d'ennui.

Chapitre 20

Le lendemain, à l'aube, Cellendhyll s'éveilla presque aussi fourbu que la veille. Son sommeil avait été perturbé de ses habituels cauchemars, menés d'un bout à l'autre de l'éclat de rire cristallin et moqueur. Indéniablement celui d'une femme.

Malgré le ciel pur, le froid matinal le saisit. Tout à fait réveillé, Reydorn lui tendit une tasse de tisane.

— Courage, guerrier ! Il ne te reste plus qu'une matinée à marcher... Nous y sommes presque. Tu auras le repos mérité. Et toi, Nérine, je gage qu'un bon bain chaud et des vêtements propres te feraient plaisir. Haut les cœurs, mes amis, et en avant !

Les Fendyrs sur les flancs pour débusquer d'éventuelles patrouilles, ils se remirent en route. Gwendh'aïel n'était pas visible, et pourtant Nérine pouvait sentir la caresse troublante de son regard sur elle. Elle ressentait sa présence, qui la faisait vibrer comme les cordes d'une harpe.

Longeant la lisière de la forêt d'Yspal, ils débouchèrent sur une succession de vallées encaissées, baignées de nombreux petits ruisseaux et recouvertes d'arbres de toutes sortes, aux feuillages de printemps. Reydorn pointa son doigt sur l'une d'elles, située un peu à l'écart dans un renfoncement formé de falaises escarpées au centre desquelles miroitait l'éclat bleu d'un lac.

À mesure qu'ils se rapprochaient de l'endroit indiqué, leur environnement se modifia subtilement. Les couleurs de la nature se firent plus vives, l'air plus doux. Un impalpable sentiment de quiétude planait sur les lieux. Il sembla à l'Adhan que le temps était altéré, magnifié. Il se sentait transporté. Comme s'il avait pénétré dans un Plan différent.

Il profita d'une halte pour évoquer la question. Reydorn lui confirma qu'il voyait juste, lui expliquant que c'était l'une des conséquences les plus évidentes de la magie sylvaine.

Un peu plus tard, le mage vert fit halte devant une enceinte de ronces haute comme trois hommes. Cette masse épineuse défendait l'accès de la mystérieuse vallée. Le sentier était complètement barré. Aucune issue n'était visible à travers l'entrelacs épineux.

— Solide rempart naturel, n'est-il pas vrai ? Eh bien, mon ami guerrier, tu découvres le premier cercle des défenses sylvaines. Qui s'ouvrira pour nous.

De sa pipe, Reydorn désigna une grosse pierre blanche dressée vers le ciel, deux fois large comme lui. À demi recouverte par les ronces, elle marquait un des bords du sentier. Le mage sylvestre s'en approcha. Y apposa sa paume. Parut se recueillir quelques instants avant de revenir vers ses compagnons.

— Nous pouvons y aller, déclara-t-il. Nous avons l'autorisation de pénétrer dans le Bosquet de la Mère.

Confirmant ses dires, la haie de ronces s'écarta dans un lourd bruit de feuillage pour les laisser pénétrer dans la vallée, avant de se refermer sur leur passage.

— Ah, si vous saviez comme j'aime cet endroit ! s'écria Reydorn en lâchant un long soupir de plaisir.

Au fil de sa marche, tout en examinant le paysage verdoyant, Cellendhyll se rendit compte que la pierre blanche faisait partie d'un *tout*. Aussi loin que portent ses yeux, quelle que soit la nature du terrain, il pouvait relever la présence d'autres pierres du même type, espacées sans logique apparente. Cellendhyll devinait que cet assemblage original avait une signification précise. Son instinct ne lui soufflait en revanche aucun signe de péril.

Reydorn remarqua son intérêt. Il poursuivit ses explications :

— Nous sommes entrés sur le domaine des pierres de Garde. Il entoure tout le territoire de mes amies. Vous pouvez vous détendre. Nous sommes protégés par le pouvoir sylvain. De telles enclaves sont disséminées sur de nombreux plans et permettent à un humble voyageur dans mon genre de trouver un havre entre deux aventures. Mais entre tous, ce bosquet a ma préférence.

La vallée descendait vers l'est en cinq paliers réguliers, couverts d'ifs, de noisetiers et de sapins sur les trois premiers, de pommiers et de cerisiers en fleurs sur les deux derniers. Une prairie de fleurs sauvages de multiples couleurs, trois rivières qu'ils passèrent à gué. Ils retrouvèrent le sentier qui s'enfonçait dans une grande forêt – d'arbres millénaires, leur indiqua Reydorn.

Cellendhyll se sentait de mieux en mieux depuis qu'ils avaient franchi le cercle de pierres. Une partie de sa fatigue disparaissait, comme absorbée par la terre.

Quant à Nérine, elle connaissait une plus puissante transformation encore. Sensible elle aussi au changement d'atmosphère, elle rayonnait de l'influence du Bosquet. Comment ne pas apprécier cet endroit, cette délivrance, après ces années de captivité chez Stimbass ? Un sourire gai, courageux avait pris place sur son doux visage. Chassée l'amertume, évanouies la tristesse et la peur. La Rhitan se sentait véritablement exister. Les oiseaux venaient plonger vers elle, la charmer de leurs acrobaties, effleurant sa chevelure, quêtant son intérêt.

— Voyez comme ce lieu est extraordinaire ! s'exclama le mage vert. C'est Kell qui l'a créé. Nous sommes presque arrivés. Au fait, ne vous fiez pas à la rudesse de Marg, surtout, souligna-t-il. Quand on la connaît, c'est une femme adorable. Quant à Kell, vous jugerez par vous-même. Ah, ah ! La Vierge d'Acier et la Dame de Lune ! Vous verrez...

De son côté, Cellendhyll notait la nervosité de plus en plus affirmée de Gwerdh'ann.

D'ordinaire plutôt placide, le jeune Fendyr avait adopté une allure agitée, jouant nerveusement avec son arc.

L'Adhan s'en alarma. Sa méfiance naturelle reprit le dessus.

— Rey', viens voir... Regarde Gwerdh'ann. Il s'agite ainsi depuis une heure. Que se passe-t-il ?

Reydorn partit d'un bref éclat de rire avant de répondre :

— Oh, l'état de Gwerdh'ann ne doit pas t'inquiéter ! Tu comprendras au comptoir, Machallan. Il n'y a rien à craindre. Il est juste impatient de revoir son ami. Oh, regarde, là-bas, un épervier à Crête blanche. Quelle vitesse !

Les mains du mage s'agitaient tandis qu'il admirait le vol de l'oiseau.

— Par les moustaches bleues du prince Thyell, ma pipe ! s'écria-t-il.

Emporté par son enthousiasme, le mage venait en effet de jeter son objet chéri dans un buisson d'orties.

Le sentier se mit à serpenter entre de grands ormes. Les voyageurs franchirent une succession de petits ruisseaux dont le doux bruissement s'accompagnait d'une multitude de chants paisibles d'animaux ou de volatiles.

Reydorn s'arrêta enfin dans une clairière baignée par un soleil d'été, recouverte de fougères.

Un triangle de trois arbres gigantesques d'une nature inconnue entourés de massifs d'astilbes odorants les attendait de l'autre côté de la clairière. Couverts d'un lierre vivace piqué de fleurs jaunes, roses et blanches, les géants de la forêt semblaient veiller sur le Bosquet. Plus larges qu'une maison, ils montaient si haut que Cellendhyll dut plisser les yeux pour distinguer leur cime.

On entendait le clapotis régulier provoqué par le ressac léger du lac qui bordait de son manteau miroitant le nord de la clairière. Sur l'onde et au-dessus, s'ébattait un ballet de cygnes, de flamands roses, de pélicans et de canards à col vert.

Reydorn ouvrit les bras et s'exclama :

— Nous sommes arrivés !

Les Fendyrs avaient posé leurs paquetages. Gwerdh'ann ne tenait plus en place. Il s'agitait tant qu'il subit les moqueries de Gwendh'aïel.

Reydorn offrit son visage au soleil. Il souriait pleinement, sentant revenir son mana au contact du pouvoir de la Sylve.

En fait de comptoir, Cellendhyll se serait attendu à un fortin garni de palissades, voire à un fossé défendu par une équipe de mercenaires. Il se retrouvait au bord d'un lac, au pied d'arbres mystérieux, submergé de verdure. Avant qu'il ait pu demander au mage quelques précisions, un frémissement parcourut les végétaux géants.

Sans un bruit, une ouverture en ovale se créa dans le bas de l'arbre du milieu. De l'intérieur sortirent deux femmes.

Kell la Sylvaine et Marg la Vierge d'Acier, servantes d'Aïlaëen. Et indéfectiblement liées.

Chapitre 21

Plan Primaire, Territoires-Francs,
le Bosquet sylvain.

Les poings sur les hanches, Marg faisait sans conteste partie de la caste des guerrières. Grande et musclée, la Vierge d'Acier se tenait avec cette aisance, cette souplesse, cette assurance qui sont l'apanage des gens d'armes – Cellendhyll avait le même port. Malgré ses cicatrices, le large visage de la jeune femme recelait une beauté froide, indomptée. Ses grands anneaux d'oreilles en argent étincelant constituaient la seule touche féminine de sa personne. Vêtue d'un pourpoint cintré à manches courtes et d'un kilt de cuir brun à franges, elle portait également de hautes bottes teintes en rouge et des protège-poignets en cuir de même teinte. Une dague longue comme son avant-bras reposait dans un fourreau usé, sur sa cuisse gauche. Malgré sa tenue légère, Cellendhyll estima qu'elle devait sans doute en cacher une ou deux autres sur sa personne.

Dure et menaçante, elle le fixait avec défi, véritable pendant féminin de l'Adhan. Le guerrier du Chaos avait appris à reconnaître ce type de regard. Avant peu, entre eux deux s'établirait un rapport de force.

Première Sylvaine que rencontrait Cellendhyll, Kell

avait l'allure et la physionomie bien plus avenantes. C'était une femme d'apparence jeune, plus mince et plus petite que sa compagne, drapée dans une tunique écrue, décorée de surpiqûres tissées d'un vert qui s'harmonisait parfaitement à celui, plus clair, de sa fine chevelure. Un diadème, simple cercle d'or blanc, faisait ressortir la pâleur laiteuse de son visage pur, empli d'une clairvoyance intimidante. L'agent des Ombres eut du mal à s'extirper de l'attraction de ses yeux lavande, où luisaient de minuscules étoiles coruscantes.

Parfaitement à son aise, Reydorn les embrassa comme des sœurs.

— Bien le bonjour, gentes dames ! Me voici de retour. Avec de bonnes nouvelles. Voici des nouveaux amis : la douce Nérine et le fier Machallan ! Nous venons de livrer bataille et avons grand besoin de repos...

— Et d'un bon bain ! le coupa la femme à la verte chevelure. Rey', tu dégages une de ces odeurs !

Kell engloba l'ensemble des arrivants d'un regard chaleureux :

— Vous êtes les bienvenus. Entrez, je vais vous installer. Ne soyez pas étonnés par notre demeure, ceux de mon peuple résident toujours dans les arbres. L'harmonie y est supérieure. Venez vous mettre à l'aise. On s'occupera de vos paquetages.

Sa voix mélodieuse sonnait aussi accueillante que ses paroles.

Brisant cet instant paisible, la Vierge d'Acier se plaça en travers du seuil. D'un geste agacé, elle replaça une mèche échappée de sa longue tresse de cheveux cuivrés.

— Rey', qui c'est le grand, là ? demanda Marg d'un ton suspicieux.

— Machallan est sûr, Marg. Nous avons conclu un Pacte...

— Tu as conclu un Pacte avec cet étranger ? Soit. Mais ce n'est pas mon cas !

Muscles bandés, la guerrière en rouge se retourna pour toiser de nouveau Cellendhyll. Sourcils froncés, mains écartées, elle cracha :

— Je te préviens, mon joli : un pas de travers et je t'éclate la tête !

Une femme adorable, vraiment !

Cellendhyll répliqua de son sourire particulier, celui qui n'exprimait que le défi.

— Allons, Marg, ne sois pas impolie, intervint sa compagne. Les amis de Rey' sont mes invités. Tu ferais mieux de m'aider à les accueillir, vilaine fille !

La Vierge d'Acier obtempéra de mauvaise grâce. Elle rentra dans l'arbre en maugréant.

— Gwerdh'ann a définitivement usé ses réserves de patience, constata Reydorn. Comment se porte le Rusé ?

— Il est passé bien près de la mort, soupira Kell. Brûlé au magma ténébreux. Une sale blessure. Il se remet doucement. Je crains que...

À ces mots, le jeune Fendyr devint livide. Sans attendre, il s'élança à l'intérieur de l'étrange habitation.

Avant d'entrer, Reydorn expliqua à Nérine et Cellendhyll :

— Le Rusé a été blessé par Mordrach, il y a une quinzaine. J'ai dû le conduire ici pour le laisser aux soins de Kell. Nous avons continué à poursuivre Mordrach, qui s'est dirigé dans la forêt d'Yspal où il t'a attaqué.

Reydorn expliqua ensuite qu'il avait pu suivre la piste du sorcier en se repérant grâce à l'écho de mana laissé par le gantelet maudit.

Cellendhyll pénétra dans l'arbre à sa suite.

Étrange, cette habitation l'était en tous points. Déjà, à l'intérieur, les notions d'espace semblaient repoussées, livrant aux visiteurs un véritable univers. Celui de la Sylve.

Ils montèrent sur une plate-forme centrale, sur laquelle se tenait déjà Gwerdh'ann. Kell lui caressa les cheveux d'un geste apaisant. Marg avait disparu. L'ouverture dans le tronc se referma d'elle-même.

— Tenez-vous à ces rampes, nous allons monter. Notre arbre-hôte comporte plusieurs niveaux. Allons tout de suite voir le Rusé. Je constate qu'il y a urgence. Ensuite, vous pourrez vous détendre.

La Sylvaine actionna un cordon et la plate-forme s'éleva en souplesse. Kell les fit monter de deux niveaux et les conduisit dans une pièce aérée aménagée en aire de repos.

Des rideaux de lierre laissaient filtrer les rayons du soleil. Le concert des oiseaux au-dehors se révélait assourdissant. D'un geste distrait du poignet, Kell atténua leur babil.

La Sylvaine se tourna vers Gwerdh'ann.

— Je l'ai appelé, il arrive...

Le Rusé surgit d'un couloir en boitant. Un large pansement immaculé ceignait son poitrail. Le loup gris trottait péniblement, les oreilles baissées, d'une démarche de vaincu. Parvenu à sa couche, l'animal se laissa misérablement tomber dessus, laissant échapper un jappement de douleur.

Tous les regards se braquaient à présent sur Gwerdh'ann. Le jeune Fendyr avait adopté la même posture que le loup. Incapable de supporter plus longtemps la vue de son compagnon diminué, il lui tourna le dos. À peine s'était-il détourné, accablé par la tristesse, que les oreilles du loup se redressèrent, et son regard myosotis retrouva toute sa clarté. L'étrange animal retrouva toute sa prestance et Cellendhyll aurait pu jurer qu'il souriait.

D'un bond incroyable, le Rusé franchit la pièce pour sauter sur les épaules de Gwerdh'ann. Un grand rire accueillit son assaut, et bientôt, les deux compagnons roulèrent au sol, lancés dans une fraternelle bagarre. L'adolescent ne tarda pas à être terrassé par de vigoureux coups de langue râpeuse.

— Ces deux-là se sont choisis depuis l'enfance, dit le mage vert. Ah, ce petit futé de Wasth'ana nous a fait une bonne farce ! Cet animal pas comme les autres est d'une intelligente déconcertante, il dispose de pouvoirs tout à fait remarquables.

— En effet, renchérit la Sylvaine. Ce que je n'ai pas eu le temps de dire est que ce petit blagueur est totalement guéri. Mais je crois qu'il voulait lui-même en faire la surprise à Gwerdh'ann. Nous n'avons qu'à les laisser, ils sauront bien nous rejoindre. S'ils ne partent pas courir les bois !

L'adolescent fendyr et le loup absorbés par leurs retrouvailles, les autres reprirent la plate-forme pour gagner le sommet de l'arbre.

Surmonté d'un auvent naturel de branches entremêlées, ce dernier niveau avait été aménagé en terrasse, offrant un ombrage accueillant. Une grande table chargée de victuailles les y attendait. Cellendhyll se laissa tomber sur une confortable banquette rehaussée de coussins aux motifs orangés et poussa un soupir de soulagement. Ses jambes tremblaient de fatigue. Reydorn s'esquiva prestement dans une pièce adjacente pour choisir un vin approprié à son humeur, qui était excellente.

Debout dans un coin de la pièce, Marg ne quittait

pas l'Adhan du regard. Lèvres pincées, elle tortillait une mèche de ses cheveux entre ses doigts musclés.

— Quel endroit merveilleux, s'exclama Nérine. C'est...

Impressionnée, elle ne trouvait plus ses mots.

— Ma chère petite, sache que tu pourras rester ici le temps qu'il te plaira, annonça Kell en prenant les mains de la Rhitan dans les siennes.

La Sylvaine semblait avoir perçu l'étau de solitude qui entourait la Rhitan. Le sourire qu'elle lui adressa fit fondre Nérine. Peu habituée à tant de gentillesse, au sincère intérêt qu'on lui portait, elle éclata en sanglots. La Sylvaine dut la prendre dans ses bras pour calmer cet accès d'émotion. Assis sur une des grosses branches qui partaient du haut de l'arbre, Gwendh'aïel couvait la Rhitan d'un regard attendri.

Reydorn revint les bras chargés de bouteilles poussiéreuses à long col.

— J'ai pris du Feuille-Rouge, ce fameux cru des coteaux de Fleuranges. L'occasion me semble particulièrement appropriée, ne trouvez-vous pas ?

Chacun prit place à table. Tout en remplissant les assiettes de légumes frais et de terrine de poisson, Kell lança :

— Alors, ça s'est bien passé finalement ?

Avec son habituelle faconde, le mage narra leur rencontre et tout ce qui s'en était suivi avec brio, mêlant l'épique et le glorieux. Excepté au sujet de Mordrach, où le ton se fit plus grave.

Le cas de l'artefact fut vite réglé. Reydorn se releva pour donner le Gantelet de Maalarhdak à Kell, qui fit la grimace :

— Je sens sa noirceur ténébreuse. Elle infecte les lieux, les effluves sont insupportables ! Reydorn, fais le service. Commencez à manger. Il me faut m'occuper sans tarder de cet objet maudit. Je vais directement l'envoyer à Aïlaëen, la reine de la Sylve saura bien mieux que moi s'en charger.

À peine était-elle sortie que Marg en profita :

— Que fais-tu, Adhan, si loin des Marches de l'Empire ? Tu n'es pas sur le bon Plan !

La Vierge d'Acier faisait référence aux terres adhanes, situées sur la frontière nord du Plan primaire de la Lumière. Un silence gêné accueillit sa tirade.

Regards rivés l'un dans l'autre, les deux guerriers se jaugeaient. Levant une main, Reydorn se prépara à intervenir.

— Marg ! résonna la voix de Kell. L'ami de Rey' n'est pas là pour répondre à un interrogatoire. Il ne présente pour nous aucun danger, je te l'ai déjà dit.

La Sylvaine était de retour sans que personne eût remarqué son arrivée.

— Penses-tu, ma douce, que je lui aurais permis de nous approcher dans le cas contraire ? Tu parais oublier que les Pierres m'ont prévenue de leur arrivée, et que sur mon territoire, nul ne peut me tromper !

Elle énonça le fait calmement, sans forfanterie aucune, ses yeux étranges posés sur l'agent des Ombres. Cellendhyll ressentit une sorte de picotement. Il comprit que la Sylvaine avait le pouvoir de sonder les êtres. Un Don de vision, proche de celui de Nérine, mais combien plus fort, totalement maîtrisé. Le guerrier pouvait à présent ressentir la puissance qui émanait de la jeune femme aux cheveux verts.

L'intervention de Kell sembla calmer sa compagne. Cependant, l'expression qu'elle lança à Cellendhyll annonçait qu'elle ne le tenait pas pour quitte.

— Ne faites pas attention. Elle vous teste... Une mauvaise habitude dont je n'arrive pas à la débarrasser. Rassurez-vous, *Machallan*, je confirme les engagements de Rey'. L'Empire n'a aucune autorité sur mes terres et je doute que la Lumière puisse y entrer de force.

La Sylvaine continuait de fixer Cellendhyll. En voyant le sourire qu'elle lui adressait, l'Adhan comprit qu'elle avait percé sa véritable identité. Du reste, elle paraissait parfaitement s'en moquer.

— Rey', c'est bon de te revoir ! sourit la Sylvaine. Figure-toi que nous t'attendions : cela fait deux jours que le Rusé a senti Gwerdh'ann.

Elle claqua dans ses mains avant de reprendre :

— Passons à la suite, j'ai préparé un agneau rôti au miel sur lit d'échalotes ! Accompagné d'une bonne salade de fèves et de tomates du potager. Que dis-tu de ce menu, mon ami ?

Reydorn se jeta à ses pieds et proclama d'un ton outrancier où perlait la malice :

— Ah, Kell, ma mignonne, ma reine, mon adorée ! J'en dis que je vogue sur des sommets de bonheur ! J'en dis qu'à jamais je serai ton humble serviteur !

— Rey', tu n'es qu'un vil flatteur et jamais tu ne seras humble, je le crains ! Mais remplis donc ces verres que je vois vides. Nérine, viens t'asseoir à côté de moi, mon enfant. Il va falloir que nous parlions. Tu as le Don.

L'adolescent fendyr vint les rejoindre le temps d'annoncer qu'il allait courir les bois avec son compagnon. Juste avant de partir, le Rusé vint lécher la main de la Rhitan. Il ne s'approcha pas de l'Adhan qu'il regardait en coin, l'air dubitatif.

Malgré l'excellence culinaire de Kell, le repas fut vite expédié. Menée de concert par la Sylvaine et le mage vert, la conversation fut légère et passionnante – une fois le plat de résistance servi, sous les acclamations de Reydorn, Kell avait ordonné qu'aucun sujet grave ne soit abordé. Le mage vert put donc justifier sa réputation en glissant quelques récits cocasses.

Marg et Gwendh'aïel intervenaient peu, mais toujours à propos. Quant à Cellendhyll, il restait en retrait. Silencieux, peu à l'aise dans cette atmosphère des plus joyeuses.

Nérine chanta quelques mélodies rhitans de sa voix pure. Elle en fut récompensée par une embrassade chaleureuse et spontanée de Kell.

Le repas fut conclu par une tournée de thé vert, et la maîtresse des lieux en profita pour demander :

— À présent, chers invités, que voulez-vous faire pour occuper votre journée ? Car vous restez, c'est décidé ! Un bon bain, peut-être ? Des vêtements propres ? Nérine, je vais m'occuper de toi. Je suis sûre de te trouver un petit quelque chose à mettre...

— Je voudrais m'équiper, intervint Cellendhyll. J'ai perdu une bonne partie de mon équipement.

— Ah ! Marg, c'est ton domaine. Je te laisse faire. Sois aimable, ma douce. À tout à l'heure. Reydorn, débrouille-toi. Tu connais la maison...

Escorté par la guerrière, Cellendhyll emprunta de nouveau la plate-forme et descendit jusqu'au sous-sol, sur lequel s'ouvrait une enfilade de cavernes sèches, éclairées d'une lumière douce produite par des gemmes incrustées dans les murs.

— Mais combien de niveaux comporte cet arbre ? questionna l'Adhan, avouant sa perplexité.

Le repas l'avait en partie ragaillardi mais il avait bu trop de vin et la tête lui tournait un peu.

— Laisse tomber ! s'exclama Marg. Si tu savais... J'avoue que je n'ai jamais compris la logique de l'endroit. Au début, ça me rendait folle, incapable que j'étais de comprendre comment ça fonctionnait. Kell peut modeler cet endroit à son désir. Tu peux me croire, on n'en voit jamais la fin ! Le meilleur moyen de se diriger est encore de se concentrer sur sa destination. Encore faut-il la connaître...

La guerrière se comportait de façon moins agressive. Le récit de la bataille contre les Ikshites semblait avoir octroyé à Cellendhyll un semblant de respect. Celui-ci estimait que c'était toujours ça de gagné. Peut-être pourrait-il éviter la confrontation. Il n'avait aucune envie de se battre et peu de moyens d'y parvenir. Dans son état, il se ferait sans aucun doute vertement corriger par la Vierge d'Acier.

Ils accédèrent au comptoir proprement dit. Une pièce en ovale couverte d'étagères en teck, couvertes d'équipement et de marchandises de toutes sortes.

— À ce que je vois, tu as besoin de vêtements. Fais ton choix... Les grandes tailles sont par là.

Cellendhyll ne se le fit pas dire deux fois. Même son manteau ne valait plus grand-chose. Après examen, il se choisit une tenue complète composée d'un costume bleu nuit, d'un gilet noir de cuir gras et d'un manteau de cuir à capuche et doubles pans tombant aux chevilles. D'épaisses cuissardes de cuir noir, renforcées de bouts ferré, pour le chausser. Des vêtements sobres et bien coupés qui lui permettraient en ville de passer pour un aisé et de pénétrer dans les hauts quartiers sans éveiller la suspicion.

Un détail important car une fois parvenu à la cité des Nuages, il avait prévu de rendre quelques visites d'amitié. Histoire d'évoquer le bon vieux temps... et surtout de régler ses comptes. La vengeance couvait en lui comme un feu magmatique, faisant palpiter son cœur meurtri.

— Tu devrais attendre d'avoir pu te laver pour te changer, intervint Marg. Les vêtements t'attendront dans ta chambre. Passe cette tunique, tes loques ne te serviront plus à grand-chose.

Marg rangea la tenue que Cellendhyll s'était choisie dans un casier qu'elle plaça dans un monte-charge. L'Adhan se changea rapidement, saisissant au passage le regard appréciateur de la Vierge d'Acier.

— Tu désires autre chose ? demanda la guerrière.

— Des armes...

— Évidemment ! rétorqua-t-elle, le regard brillant.

Elle le mena dans une salle rectangulaire à plafond bas. Sur chaque mur, des râteliers couverts d'armes diverses. De toutes tailles, de toutes formes.

Marg resta sur le seuil et croisa les bras. Visiblement curieuse de voir ce que pourrait choisir l'Adhan. On pouvait conclure certaines choses d'un guerrier au choix de ses armes.

Délaissant les armes d'hast, Cellendhyll s'attarda tout d'abord sur un mur chargé d'épées. L'une d'elles retint son intérêt. Une longue lame runique à la pointe légèrement incurvée, à la garde argentée, au manche gainé de soie recouverte de cuir noir. Le sabre tulwharii si tranchant, dont le procédé de fabrication restait une énigme. De telles armes étaient parmi les plus prisées. *Comment une telle arme avait-elle pu échouer ici ? Comment son possesseur avait-il pu s'en défaire* ? se demanda le guerrier.

Il se détourna pourtant de ce joyau. Avec un regret marqué. Mais il n'était pas conseillé de s'en munir. Trop difficile à dissimuler. Les procédés runiques qui avaient servi à créer cette arme d'exception seraient repérés par n'importe quel mage qualifié. Surtout durant le Festival, période particulièrement festive où les forces du Guet seraient sur le qui-vive.

Non, une épée ne lui serait pas d'une grande utilité dans la capitale. Mieux valait s'en passer et préserver une certaine discrétion. Et puis, il avait sa dague sombre. Elle valait bien toutes les armes de sa connaissance et disposait de ses propres moyens pour échapper aux vigies magiques. Et si vraiment il avait besoin d'une lame longue, au pire, il n'aurait qu'à en *emprunter* une.

En appoint de son arme favorite, de bonnes lames courtes lui suffiraient. Il changea de mur pour contempler dagues, stylets, couteaux et poignards. Il soupesa différents modèles avant de mettre de côté un court poignard, un stylet à lame de cristalambre qui lui plaisait et une paire de dagues de jet qu'il examina minutieusement.

Il montra celles-ci à Marg :

— Je peux les essayer ?

— À droite, dit la Vierge d'Acier.

Du menton, elle désigna un couloir d'essai au sol sablé comportant des silhouettes de bois travaillé espacées de dix, vingt et trente mètres.

Cellendhyll avait renoncé à saisir les notions d'espace du royaume de Kell. Dagues de jet en main, il contempla les mannequins. Il se plaça face devant la première silhouette, les bras le long du corps. Il se concentra et lança les dagues à deux secondes d'intervalle. Après avoir effectué un tour complet en l'air, elles filèrent se ficher toutes deux au cœur de la cible. Parfaitement équilibrées, apprécia-t-il d'un hochement de tête.

Marg alla elle-même retirer les dagues qu'elle rendit à l'Adhan. Elle ne put s'empêcher de relever :

— À dix mètres, c'est pas mal, guerrier. Mais peut-être qu'à vingt...

Tachk ! Tachk !

— ... mètres.

Même résultat. Un tir parfait. Cellendhyll lui adressa un sourire moqueur.

— Tu disais ? Tu veux peut-être voir à trente ? demanda-t-il d'un ton faussement innocent.

La Vierge d'Acier en restait bouche bée. Il avait agi si vite que la jeune femme n'avait perçu qu'un mouvement flou de sa part. Elle le gratifia de son premier sourire. Un sourire qui laissait percevoir un pan plus agréable de sa véritable nature.

Cellendhyll aurait pu apprécier la situation, s'il n'avait dû se retenir au mur pour laisser passer une vague de vertige. Il tenta de faire passer le geste comme naturel, espérant que la guerrière n'avait pas remarqué sa défaillance. Il détestait laisser transparaître sa faiblesse. « On ne peut paraître faible que lorsqu'on est fort », lui rabâchait sans cesse Yvain, chef instructeur des Maraudeurs Fantômes. Et cette inutile démonstration d'habileté venait de le laisser sur le flanc.

Quel orgueil imbécile ! Bien digne d'un *abruti* de guerrier ! L'Adhan se morigéna. Il devait se reposer, dormir... Longtemps.

— Je prends les quatre, annonça-t-il pour détourner l'attention. Je voudrais des étuis. Tu me diras combien je te dois.

Tout en parlant, ils revinrent dans la salle.

— Combien ? Mais, mon joli, l'argent n'a aucun cours ici. C'est le troc que nous utilisons. C'est bien plus pratique et ça marche sur tous les Plans...

L'Adhan jura intérieurement. S'il n'avait été trop fatigué pour réfléchir, il aurait relevé le mot « échange » et emporté avec lui suffisamment d'armes fendyrs qu'il aurait pu utiliser comme moyen de paiement. Mais non, il était si affaibli qu'il aurait été incapable de porter même une seule épée.

— J'ai peut-être une solution, annonça doucement la Vierge d'Acier.

On y arrive, se dit le guerrier Adhan. Il n'allait plus y couper maintenant...

— Un combat à mains nues, précisa Marg. Une joute amicale...

Cellendhyll gémit intérieurement. Pourquoi voulaient-ils tous s'en prendre à lui qui n'aspirait qu'au repos avant de repartir pour la capitale ?

Juste une nuit. Après tous ces combats, était-ce trop demander ?

— Impossible. Je suis à bout de forces. Mes blessures sont à peine refermées, et je ne tiens pas à repartir sur un brancard.

— Oh, mais je peux arranger cela ! assura-t-elle avant de détourner la tête. Comme ça, tu pourras te battre sans handicap. Qu'en dis-tu, mon joli ?

— Tu ne veux pas laisser tomber, hein ?

— Je t'offre les bains et le petit déjeuner, si tu tiens trois périodes contre moi, lança la guerrière. Si tu savais comme je m'ennuie ! Avec cette interminable saison des pluies, je ne suis pas beaucoup sortie de notre arbre. J'ai besoin de m'entraîner sérieusement avant de repartir sur les routes. Je fourmille de partout...

— Marg ! intervint Kell d'un ton outré.

La Sylvaine et le mage vert venaient de faire leur entrée dans la salle d'armes. La guerrière lui lança un clin d'œil charmeur.

— Kellishniwid'h, mon cœur, roucoula-t-elle, j'ai besoin de toi.

— Que la Sylve nous protège ! s'exclama la femme aux cheveux verts. Encore une de tes manigances... Et de quoi s'agit-il, cette fois ?

Cellendhyll se rendit compte que Kell lui plaisait malgré lui. Non seulement par son physique mais également par son assurance tranquille et ses manières simples, qu'elle adoptait malgré son rang. Il se reprit, croisant subitement le regard troublant de la jeune femme qui s'approchait de lui. Elle attisait ses sens. Il fut persuadé qu'elle lisait ses pensées mais ne détourna pas les yeux des siens. Ils se fixèrent un instant avant que la Sylvaine ne dise :

— Très bien, elle a encore gagné ! Je vais vous examiner. Ne craignez rien, ça ne fait pas mal.

Cellendhyll hésita quelques secondes avant de se laisser faire. La Sylvaine leva ses mains, qu'elle posa sur les tempes de l'Adhan. Elle ferma les yeux. Ses paumes luisirent quelques instants d'une lumière dorée, puis Kell ouvrit les yeux, baissa les mains et dit :

— En effet ! Je n'avais pas fait attention, je suis indigne de ma réputation ! Vous êtes en piteux état : vos flux d'énergie sont presque éteints. Déshabillez-vous. Je dois vous examiner.

Il s'exécuta sans faire de manières. Il ôta sa tunique pour se laisser sonder, dévoilant une musculature sèche et le réseau de cicatrices qui marquait son corps halé.

Cellendhyll sentit les doigts frais se poser sur les épaules. Il en eut la chair de poule. Elle le balaya encore de sa lumière d'or avant de rendre son verdict :

— Vous êtes épuisé, Machallan. En état de choc. Toutes mes excuses, j'aurais dû m'en rendre compte plus tôt. Mais il n'est pas trop tard pour y remédier. Vous allez devoir vous reposer, dormir. Avec mes soins, trois heures devraient suffire...

— Kell, on doit se battre, s'écria la Vierge d'Acier, il dormira après !

— Trois heures *pleines*. Tu as entendu, Marg ? Profites-en pour aller faire chercher mes onguents et ma trousse d'herbes numéro deux que tu porteras dans sa chambre, et fais couler un bain brûlant. Tu prévoiras également un repas. À son réveil, notre invité aura faim... Venez, Machallan, je vais vous conduire à votre chambre. Ces trois heures seront bien employées. Croyez-moi, je vais vous remettre sur pied. Marg, ma puce, pas la peine de geindre comme une vieille fille, je te vois derrière ce pilier ! Si tu veux ton combat, il doit être guéri.

Un formidable éclat de rire lui parvint en guise de réponse. Soudain réjouie à l'idée du duel, Marg s'élança à la surface pour répondre aux désirs de son amante.

Alors que Kell accompagnait Cellendhyll dans les hauteurs de l'Arbre-Hôte, le mage remonta jusqu'à la cuisine en sifflotant, y chipa une pomme et fonça au hammam, un étage plus haut. Après quoi, il s'abandonna à un bon massage, effectué par une des parentes de Kell sur la terrasse.

Une petite heure de sieste plus tard, il enfila des vêtements propres de teinte verte.

En attendant l'heure du combat, Reydorn remonta sur la terrasse, pour s'allonger au soleil, une chope de bière glacée à la main. En songeant à sa bonne fortune, il se prépara à fumer un mélange spécial à base de graines de Vellan-Marbré qu'il avait déniché dans les réserves de Kell. Il était au paradis. D'autant que Kell – vraiment une incomparable cuisinière – lui avait soumis le menu qui les attendait ce soir : omelette aux herbes du potager, saumon aux épices et aux champignons, accompagné de riz brun aux oignons blancs ; pain noir à la farine de châtaigne ; salade d'agrumes rafraîchis et *surtout*, son inestimable crumble aux Cinq-fruits. Oh oui, la vie avait du bon quand on savait apprécier les plaisirs simples !

Après avoir dégusté deux pipes et deux bières, le

mage se rendit au cellier pour sélectionner les vins appropriés au festin attendu. Certains seraient mis à décanter, tels le Vieux-Quau ou le Montdragon-Rubis année de la Reine d'Été ; d'autres, comme le Vin-des-Nuages ou encore le vin vert de Llenas aux essences poivrées, seraient au contraire placés à rafraîchir.

Trois heures pleines avaient passé lorsque Cellendhyll, vêtu d'une tenue d'entraînement, sortit de sa chambre. Il avait pris un bain, s'était restauré. Reydorn l'attendait impatiemment dans le couloir.

— Qu'en dis-tu, Machallan ? Tu as récupéré ? Oui, je le vois bien. Kell est vraiment la meilleure guérisseuse que je connaisse.

Cellendhyll se contenta d'opiner, louant intérieurement l'efficacité de la Sylvaine. Il devait également s'avouer impatient d'affronter Marg dans ce duel amical. Son corps trop longtemps amoindri éprouvait le besoin de s'exercer. Et Marg l'avait un peu agacé à le chercher ainsi.

— Alors, tout va bien ! J'avoue que j'ai hâte de voir votre lutte. Marg est une redoutable combattante, tu sais ?

— Dis-moi, Rey', je suis bien content de constater que tu passes du bon temps... Mais j'espère que tu n'oublies pas mon problème : la cité des Nuages. Comment comptes-tu m'y faire entrer ?

— Tu y seras dans les temps, je te l'ai promis, non ? Allez, viens que je t'amène dans la salle où se passera le combat. Tu as intérêt à te concentrer, ou Marg va te filer une raclée !

Cellendhyll se laissa guider jusqu'à la salle d'exercice, qu'il estimait se trouver au troisième sous-sol. Avant d'y pénétrer, il arrêta le mage :

— Une dernière chose, Rey'... Après le duel, tu

devras utiliser ton art pour me soigner. Hors de question que je sorte d'ici en traînant une blessure. Ma mission ne peut attendre !

— C'est-à-dire... Je ne suis pas un Curatif, avoua le mage vert, la mine contrite. Je ne pratique aucun sort de soins mais ne t'inquiète pas, si besoin est...

— Kell s'en chargera de nouveau, termina Marg qui venait d'arriver. Je m'y engage. C'est une Sylvaine, elle a ça dans le sang.

— Alors ça roule ! ne put se contenir Reydorn, en se frottant les mains, le visage éclairé de son sourire malicieux.

Chapitre 22

La salle d'exercice de Marg était circulaire, les murs et le sol recouverts de panneaux en bois roux. Vaste, haute de plafond, elle offrait un large espace dévolu à l'entraînement des guerriers.

En connaisseur, Cellendhyll approuva l'agencement des lieux. Une série complète d'agrès que Marg fréquentait quotidiennement, comme elle l'annonça fièrement ; plusieurs appareillages de musculation ; un mannequin rembourré pour s'exercer aux frappes ; deux râteliers d'armes.

Au centre de la pièce, un grand tapis en paille de riz, sur lequel se déroulerait le duel. Une arche de marbre rosé donnait sur les vestiaires, avec douches, bains bouillonnants et sauna. L'aménagement des sphères lumineuses flottantes avait été étudié de manière à ne pas gêner la concentration et la vision des pratiquants.

Il était impossible qu'un arbre, si grand soit-il, puisse contenir autant de pièces. Cellendhyll était toujours aussi désorienté par cet univers qui semblait sans limites, et dont il n'arrivait pas à saisir la cohérence. Un défi digne de son maître Morion.

Kell et Reydorn prirent place derrière une estrade, l'endroit idéal pour apprécier le combat. Le mage vert avait pris soin d'emporter une carafe de vin frais et des coupes de fruits secs.

Marg et Cellendhyll se placèrent face à face sur le tapis. Chacun entreprit une suite d'étirements suivie de quelques exercices d'échauffement. Marg abrégea les siens, incapable de juguler plus longtemps son impatience d'en découdre.

— Alors, mon joli, tu es prêt ? On peut y aller ?

Histoire de l'énerver, Cellendhyll termina sa série de flexions des bras. Effectua une centaine d'abdominaux. Des pieds et des mains, il exécuta des frappes à vide. Enfin, il annonça :

— Je suis prêt.

Ils se bandèrent les poignets d'épais bracelets, passèrent des coudières également rembourrées. L'Adhan avait pris soin de se munir d'une coquille pour protéger ses parties génitales. Son regard avait retrouvé toute son acuité. Les feux de jade brillaient de nouveau dans ses prunelles.

Alors qu'ils se livraient à leurs préparatifs, Reydorn se pencha sur la Sylvaine, l'œil empli de malice :

— Où sont passés les Fendyrs ? Et Nérine ?

— Eh bien, Gwerdh'ann a filé avec le Rusé. Gwendh'aïel a emmené Nérine en promenade. Tu avais raison à leur sujet. Ils forment un couple ravissant. J'espère que tu veilleras bien sur eux.

— Hé hé, c'est une affaire qui marche entre ces deux-là ! Tu peux croire que je vais surveiller ça de près. Gwendh'aïel a l'étoffe d'un chef de clan, j'en suis persuadé. Bon, ils commencent ou quoi ? Allez, les guerriers, on n'a pas toute la journée !

Peu après, son verre de vin glacé à la main, installé aux côtés de Kell, Reydorn assistait, bouche bée – une fois n'est pas coutume – à l'un des plus beaux combats de sa vie.

Chacun des combattants possédait son style respectif. La Vierge d'Acier harcelant sans répit, bondissant et frappant à un rythme effréné tout en poussant des exclamations rauques. Plus sobre, silencieux, Cellendhyll préférait user de feintes et de contres, son large sourire sans joie planté sur le visage. Son inévitable sourire de combattant.

Reydorn parvenait tout juste à décortiquer la technicité de cet affrontement haut de gamme. Ce qui ne l'empêchait aucunement d'apprécier cette joute amicale. Amicale, du moins dans l'esprit. Car il s'avérait difficile pour les guerriers de retenir leurs coups alors que les enchaînements se succédaient sans répit.

Dès le début, la Vierge d'Acier prit le dessus. Elle fit pleuvoir une cascade de coups divers sur son adversaire. L'accablant de coups de poings, de pieds, de coudes et de genoux. Cellendhyll fit de son mieux pour parer ou esquiver. Malgré sa défense, il fut sévèrement touché à trois reprises. Puis, déséquilibré, il commit une petite faute. Vraiment minime.

L'instant suivant, il sentit son poignet droit happé par une étreinte de fer. Il fut frappé à la gorge, à la tempe, soulevé et projeté à travers le tapis pour retomber dans un bruit sourd, sur le dos.

— Première manche. Repos..., annonça calmement Kell.

Reydorn applaudit des deux mains avant de s'octroyer une large lampée de son verre. Plaqué au sol, Cellendhyll tentait d'insuffler un peu d'oxygène à ses poumons malmenés. Marg, la belle et fière Marg, vint le relever, un ironique sourire aux lèvres.

— Splendide ! Tu te défends bien, Machallan, mais sache que j'ai remporté trois fois le championnat de lutte libre des Territoires-Francs, poids moyens. On continue ?

Cellendhyll haussa un sourcil en guise d'assentiment, le souffle encore court, incapable de proférer le moindre son intelligible.

Ses prunelles irradiaient néanmoins d'une joie sauvage. Marg ne triompherait pas si facilement.

Accentuant volontairement son boitillement, il rejoignit lentement la femme aux allures conquérantes. Ils reprirent leur place dans l'arène. Marg envoya un baiser de triomphe anticipé à son amante. Le duel reprit.

Feinte, frappe, esquive, contre-attaque, contre, feinte de nouveau et frappes... les figures martiales s'accéléraient avec une grâce hypnotique. La sueur ne gênait en rien l'ardeur et la précision des opposants. Cette fois, Cellendhyll était prêt. Pourtant, il se contint, laissant l'initiative à son adversaire. Marg se lança dans un enchaînement pied-main qui faillit lui décoller la tête et lui briser les côtes, s'il n'avait contré au tout dernier moment.

Maintenant.

Cellendhyll commit la même erreur. À dessein. Et lorsque Marg lui happa le poignet, il se baissa sur un genou, crocheta l'arrière de la cuisse de la Vierge d'Acier, pinça ses nerfs, ce qui lui paralysa la jambe. Il brisa l'étreinte de la guerrière, saisit son poignet, le tordit, et, de l'autre main, les doigts raidis, il frappa son plexus solaire. Enfin il lui balança un coup de coude dans l'oreille, faucha ses jambes et l'envoya à terre.

— Deuxième manche. Repos, annonça Kell.

Cellendhyll se pencha sur Marg. Allongée sur le dos, elle ne raillait plus. À son tour, elle cherchait son souffle. Il l'aida à se relever sans un mot. Les yeux dans les yeux, ils se remirent en position de combat. La Vierge d'Acier foudroya les spectateurs d'un regard qui les dissuadait d'émettre le moindre commentaire.

La dernière manche s'engagea. Marg se montra

encore plus déterminée. Ses assauts démarrèrent aussitôt, se firent cinglants. C'est alors que le guerrier aux cheveux d'argents s'immergea dans le zen, la transe du guerrier d'élite, de l'Initié. Les mouvements de la guerrière semblèrent brusquement ralentis. Auréolés de cet orangé surnaturel, ses gestes se découpaient, se décomposaient parfaitement dans la lumière bleutée du zen. Ces mouvements, l'Adhan put les détourner, les éviter ou les bloquer. La transe huilait ses coups et ses parades, lui permettait d'anticiper les intentions de la guerrière. Pourtant, il restait encore sur la défensive, attendant le moment propice.

L'Adhan se montrait plus technique et disposait d'une plus grande allonge. Marg ripostait d'une souplesse supérieure, d'un dynamisme inaltérable et d'une volonté d'airain. Elle était en meilleure forme. Mais Cellendhyll était l'agent des Ombres, un Initié.

Portée par sa détermination, poussant un long cri de défi, Marg se lança à l'assaut.

Cellendhyll ne put éviter un coup de pied latéral qui lui meurtrit la pommette, doublé d'un coup de coude sur le dessus de la cuisse. Il faillit perdre l'équilibre mais le zen vint à sa rescousse. Marg tenta une feinte en direction de sa tête et frappa au niveau de son ventre découvert. Cellendhyll la retint par la main, para un coup de coude, esquiva un balayage des jambes. Il se pencha, basculant son torse en avant, en appui sur une jambe, relevant l'autre par l'arrière, en un mouvement de balancier. La plante de son pied vint frapper Marg au niveau du cou. Cellendhyll saisit alors le poignet de la guerrière et lui imprima un ample mouvement circulaire.

Irrésistiblement emportée par la torsion, Marg quitta terre, fit un soleil et retomba lourdement sur le dos. Sonnée.

— Fin du combat, victoire de Machallan ! s'exclama Reydorn en bondissant de sa chaise, renversant son verre sur sa tunique par la même occasion.

Marg dut accepter l'aide de Kell pour se relever. Une lueur amusée dans l'œil et le sourire tordu, la Sylvaine cachait tant bien que mal une certaine satisfaction. Voilà une petite leçon d'humilité qui ferait du bien à son aimée. Et qui lui permettrait de bénéficier de soins particulièrement attentifs.

Reydorn vint rejoindre l'Adhan qui avait quitté la transe guerrière. Il lui tendit un grand verre d'eau fraîche, une serviette pour s'éponger.

Marg vint toiser le guerrier et l'apostropha :

— Tu ne m'as pas dit que tu étais un Initié !

— Mais tu ne m'as rien demandé... Et puis tu paraissais plutôt sûre de toi, tout à l'heure, répliqua le guerrier en haussant les épaules.

À court d'arguments, la Vierge d'Acier se tourna vers la Sylvaine :

— Kell ! Tu le savais, j'en suis sûre. Tu aurais pu me prévenir !

— Que cela te serve de leçon, ma douce. Depuis son arrivée, tu n'as pas arrêté de chercher Machallan. Jusqu'à ce que tu l'obtiennes, ce duel que tu voulais tant. Et tu n'as absolument pas cherché à analyser les capacités de ton adversaire, ce que lui a visiblement fait. Tu t'es laissée emporter par la soif du combat, c'est bien fait pour toi.

— Oui, mais...

— Oui, mais rien du tout ! rétorqua la Sylvaine. Et ne fais pas ta boudeuse, vilaine fille !

Pendant que les deux amantes s'expliquaient, le mage vert attira l'Adhan à l'écart.

— Un magnifique combat ! sourit Reydorn. Dis, j'ai réfléchi à ton problème, Machallan... Rejoindre la cité des Nuages, alors que les forces de l'Empire sont en alerte et quadrillent ses abords ! Mais ça peut s'arranger. J'en ai discuté avec Kell et elle m'a donné son accord. Nous allons utiliser un portail qui nous transportera directement dans les jardins suspendus de la capitale. Instantané, le transfert te permettra d'arriver au début du Festival, quelques jours avant le *Jugement*. Comme moyen de locomotion, tu trouveras difficilement plus rapide ou plus sûr ! Kell propose que nous partions demain soir, après le dîner. Cela nous laisse la journée pour nous reposer. J'ai besoin de recharger totalement mon mana, et une bonne nuit dans un lit ne te fera pas de mal non plus. Qu'en penses-tu ?

L'Adhan, qui sentait une chape de fatigue le menacer, estima qu'une journée supplémentaire ne serait certes pas de trop pour retrouver sa pleine forme. Il répondit :

— Si vraiment c'est possible, je gagne une semaine. Je suis d'accord. Merci, Rey' !

— Il n'y a qu'une condition : tu devras me donner ta parole de ne rien révéler de ce que tu verras de nos secrets.

— Soit. Maintenant, je vais prendre ma douche, si tu veux bien.

— Ne tarde pas trop, une des cousines de Kell t'attend pour un massage. Tu vas voir, les Sylvaines ont des doigts de fée, les coups de Marg ne seront bientôt qu'un mauvais souvenir. Mais que dis-je ? Tu as déjà pu le constater. Après, je te conseille de dormir un peu. Le dîner sera servi sur la terrasse, je viendrai te chercher.

Dormir. Cellendhyll n'attendait que cela. Il n'était pas encore entré dans la capitale, sa mission n'avait pas réellement démarré et il était déjà épuisé. Le combat avec Marg, l'usage du zen l'avaient laissé sur les genoux. Oui, il allait dormir.

Apres s'être éveillé d'un sommeil aussi réparateur qu'une nuit entière et toujours exempté de ses cauchemars habituels, Cellendhyll avait commencé par effectuer de nouveaux étirements. Tandis qu'il nettoyait ses armes, on frappa à sa porte.

Tout de cuir rouge vêtue, de larges boucles de rubis à ses oreilles, un foulard de soie écarlate retenant la masse de ses cheveux cuivrés, Marg se tenait sur le seuil, la mine éclatante. Elle avait passé la fin de la journée entre les mains expertes de Kell. Qui avait fait disparaître toute séquelle du duel. La guerrière en rouge lança à l'Adhan un ballot qui contenait une tenue légère de daim brun.

— Tu es prêt ? demanda-t-elle. Tiens, un petit prêt. Ça t'évitera d'abîmer ton beau costume de citadin, le temps que tu restes ici... Les autres nous attendent pour prendre l'apéritif, acheva-t-elle en lui offrant un grand sourire.

Ainsi, la victoire de Cellendhyll lui avait conféré un nouveau statut. Marg ne lui en voulait finalement pas, sa défaite n'avait provoqué aucun ressentiment. Au contraire. La guerrière le traitait enfin en égal. Presque en ami.

Cellendhyll gagna la salle d'eau et enfila rapidement ses habits en peau, simples mais agréables à porter. Il enfila les bottes souples qui accompagnaient la tenue, glissa sa dague sombre dans la gauche, revint dans sa chambre et suivit la Vierge d'Acier.

Après le succulent dîner préparé par Kell, que Reydorn magnifia d'un poème détourné, ils s'étaient installés dans d'épais canapés. Le café leur fut servi accompagné de liqueur de menthe. Reydorn alluma sa pipe. Une conversation légère, ponctuée d'éclats de rire, occupa le reste de la soirée. Néanmoins, Cellendhyll se sentait déplacé en pareille circonstance. Il n'avait pas l'habitude de vivre de tels moments. Pas depuis son enfance. Il tenta pourtant de se laisser aller. Laissant le soin de la conversation aux autres, il réussit à lâcher quelques rires provoqués par les facéties du mage vert.

Kell contemplait cette chaleureuse assemblée, se nourrissait des vagues de bonne humeur, d'amitié et d'amour qui s'en dégageaient.

Cellendhyll partit se coucher le premier. Il n'était pas dans son élément au sein de tant de gaieté, et cette atmosphère de camaraderie le gênait plus qu'il ne voulait se l'avouer. Cela évoquait des réminiscences trop douloureuses. Il préféra se retirer, se recentrer sur la mission, sur la vengeance.

Une heure plus tard, Kell apparut dans sa chambre. Soudainement, sans bruit et sans passer par la porte. Elle apparut tout simplement. Enveloppée dans une robe de soie presque transparente, qui semblait glisser sur elle pour caresser chacune de ses courbes. Ses cheveux verts étaient dénoués, électriques. D'un geste, elle fit apparaître deux verres de cristalune et une carafe de vin-vert. Qu'elle déposa sur la table de chevet. Elle se retourna vers le guerrier aux cheveux d'argent et entrouvrit sa robe. Laissant apparaître un corps parfaitement proportionné et extrêmement désirable.

— Je te dérange, peut-être ? Tu veux dormir ?

— Que veux-tu, Kell ?

— Toi, évidemment... Pour cette nuit.

— Et Marg ?

— Marg est avec Reydorn. Le fait que nous prenions de temps à autre des amants ne change strictement rien à notre amour. Et nous ne nous cachons rien. Cette situation nous convient parfaitement à toutes les deux. Mais je doute que tu puisses comprendre les mœurs sylvaines.

— En effet. Et pourquoi moi ?

— Tu me plais. Ai-je besoin d'une autre raison ?

Cellendhyll dut admettre que non. Sans réfléchir, sans même vraiment le vouloir, il s'abandonna. D'un bras, il enlaça la jeune femme. Colla son corps contre le sien. Elle l'embrassa hardiment, provoquant chez lui un désir ardent, irrépressible. Il la porta jusqu'au lit, où ils se dévêtirent mutuellement. Kell prit aussitôt l'initiative. Le contact de ses doigts brûlait l'Adhan par moments, le glaçait à d'autres. Une sensation exquise qui excita chacune des fibres de son corps. La Sylvaine démontrait un savoir amoureux incomparable.

La nuit fut douce et longue à la fois.

Kell joua de son désir, l'amenant plusieurs fois, de la main ou de la bouche, au bord de l'orgasme. Le laissant reposer encore, avant de s'empaler sur lui avec une lenteur calculée, presque douloureuse. Cellendhyll avait depuis longtemps perdu toute notion du temps, de la réalité, de ses responsabilités. Il n'était plus que désir, que plaisir. Kell accéléra enfin l'allure, provoquant la jouissance de l'Adhan. Cellendhyll ne put retenir un cri de libération. Tout son corps lui paraissait exploser de plaisir. Lovée dans ses bras, toujours sur lui, Kell jouit longuement en poussant de petits gémissements aigus.

Le calme revint graduellement.

La Sylvaine traça quelques runes rapides dans l'air. Un vent chaud s'éleva dans la pièce, caressa leurs membres, sécha leur sueur.

Ils ne parlèrent pas. Kell ne semblait pas encline à la conversation. Ce qui convenait parfaitement à Cellendhyll. Une nuit. Rien de plus, elle l'avait dit.

Cellendhyll s'endormit sans s'en rendre compte, épuisé par son plaisir.

Plus tard, usant de sa bouche, encore, elle le réveilla. Demanda qu'il fasse preuve de ses talents. L'Adhan obtempéra avec enthousiasme. À son tour, il goûta chaque parcelle de sa partenaire, provoquant une réaction en chaîne. Puis il la pénétra et lui prouva sa vigueur. Simultanée, leur jouissance fut encore plus forte.

Après s'être rafraîchie d'une coupe de vin-vert glacé, elle lui massa longuement les pieds, les jambes, le dos avec un mélange de camphre et d'arnica. Ses mains fines irradiaient d'une force bénéfique qui chassait les moindres tensions, nerveuses comme musculaires.

Cellendhyll sombra dans une béatitude telle qu'il n'en avait pas connu depuis bien longtemps.

Chapitre 23

Lorsqu'il s'éveilla, le lendemain matin, la Sylvaine avait disparu. Le sommeil de Cellendhyll avait été affranchi de cauchemars. Il s'éveilla frais et dispos mais resta un moment à contempler le plafond.

Quelle femme ! Il aurait facilement pu s'éprendre d'elle. Voire aspirer à la réciproque, même si Kell avait été claire à ce sujet. Mais de toute manière, ce genre d'espérance n'était pas pour lui. Avant oui. *Avant*. Lorsqu'il était encore un jeune idéaliste. Lorsqu'il croyait à l'Amour. Mais il l'avait chèrement payée, cette foi qu'il considérait comme sacrée. Avec pour toute récompense la trahison, la souffrance et se voir laissé baignant son propre sang, la gorge tranchée. Non, il n'avait plus ce genre de croyance. Il ne croyait à présent qu'en une seule chose, lui-même, et n'avait aucune envie de s'embarrasser d'une liaison sérieuse. Aucun désir, en fait, de s'embarrasser d'une liaison tout court.

D'un bond, il sauta de son lit. Fit ses habituels exercices martiaux, ses étirements avant d'aller se doucher.

Dans la salle à manger habituelle – il avait au moins compris comment s'y rendre par ses propres moyens – il rencontra Reydorn. En robe de chambre, la chevelure en bataille, les yeux lourds, le mage avait une mine de déterré.

— Pas fermé l'œil de la nuit ! lança-t-il. Marg a eu le dessus, elle ne m'a laissé aucun répit : je suis griffé de partout !

Ils étaient seuls. Cellendhyll s'assit en face de lui et se versa une tasse de café. Il dégusta le breuvage avant de demander :

— Mais ça ne te gêne pas de coucher avec elle ?

— Et pourquoi ? Les choses sont claires. Kell est parfaitement au courant. Et puis, tu sais, cela n'arrive pas si souvent, c'est une façon de partager l'amitié qui nous lie, car il ne s'agit que de cela. Le cœur de Marg est pris et cela me convient. J'aime ma liberté, vois-tu, et je ne désire pas la sacrifier sur l'autel de l'Amour. Toutefois, qui sait ce que l'avenir nous réserve ? Bon, je parle, je parle, mais Kell t'attend dehors. Ah, au fait, avant de te laisser, j'ai croisé Gwendh'aïel, tout à l'heure. Il s'est déclaré, la tresse qu'il portait à la tempe droite était éloquente. Selon les mœurs fendyrs, il est à présent *promis* ! Et je gage que Nérine porte la même tresse. Je pense qu'elle s'adaptera facilement aux usages fendyrs. D'ailleurs les deux peuples ont beaucoup en commun. Hormis une conception bien différente du pacifisme ! Je suis un gros bavard, n'est-ce pas ? Mais ce n'est pas tout ça. Mon lit m'appelle, ami Machallan. À plus tard !

Ami. Ainsi le mage vert le considérait comme tel.

La réciproque était-elle vraie ? Cellendhyll n'en était pas sûr. Il avait cru en l'amitié. *Autrefois*. Et le prix en avait été exorbitant. Aujourd'hui, le seul à vraiment se targuer d'être proche de lui était Gheritarish le Loki. Reydorn allait-il intégrer ce cercle des plus restreints ? Peut-être... S'ouvrir à une nouvelle amitié était une sensation étrange pour Cellendhyll. Il avait l'impression de devoir forcer au fond de lui-même une porte poussiéreuse, grinçante et fragile. Il n'était pas certain d'en être capable. Il s'ébroua. Ce n'était certes pas le moment pour de telles pensées. Plus tard. Un jour. S'il parvenait à réussir ce pourquoi il était revenu sur le Plan Primaire.

L'Adhan prit le temps d'engloutir une assiette de fromages, accompagnée de figues et de noisettes, de fondantes galettes de froment et d'une demi-miche de pain aux céréales.

Il gagna ensuite la plate-forme qui l'amena au rez-de-chaussée. L'Arbre était ouvert. Dehors se trouvait Kell. De leur nuit commune, aucun signe. Elle lui sourit :

— Viens avec moi, dans la clairière. Quelqu'un désire te voir et je crois que cela te plaira.

Dehors, le soleil continuait à briller d'abondance. Un vent folâtre agitait les arbres. Cellendhyll emplit ses poumons de l'air sylvain, si vivifiant. Il avait du mal à croire qu'à peine deux jours auparavant, il était assailli par des trombes d'eau glacée.

Un bruit de galopade couvrit le chant moqueur des oiseaux. Alerté par cette cavalcade, l'agent des Ombres épia la Sylvaine. Elle paraissait toujours aussi détendue. Était-ce un piège ? Non. Une troupe de chevaux sauvages prit possession de la clairière. Leur éclaireur, un magnifique alezan, se dressa devant Kell, comme pour la saluer, avant d'aller s'abreuver au lac. Bientôt suivi d'une jument blanche, d'un robuste louvet, de plusieurs bais, clairs ou bruns, de quelques tachetés et enfin d'un grand gris. Son pellonien.

Le destrier de combat s'écarta de ses congénères et se mit au pas, agitant la crinière vers Cellendhyll.

— Mais, comment... ? s'étonna celui-ci.

Il avait du mal à comprendre la présence de l'animal dans le bosquet.

Avec un hennissement de joie, celui-ci vint droit sur

lui et nicha affectueusement ses naseaux dans le cou de l'Adhan, qui se tourna vers la Sylvaine, le sourcil haussé.

— Une caravane de Rhitans en route vers la région des Forts est passée à la limite de la vallée, expliqua Kell. Le cheval a tout simplement rompu ses attaches et nous a rejoints. Lorsqu'il est arrivé sur mon territoire, j'ai sondé son esprit et il avait ton image en tête. Et comme tu peux t'en rendre compte, ton cheval se trouve fort bien ici !

L'étalon se rendit de lui-même vers une couverture, une selle et un harnais, placés à l'écart sur une souche. Il hennit doucement en direction de celui qu'il considérait comme son maître.

— Il t'attend, annonça Kell. Tu as l'après-midi. Ça fait partie de ta convalescence. Profites-en, mais si tu veux rester sous ma protection, ne sors pas de la vallée...

Cellendhyll ne résista pas. Il avait toujours aimé les chevaux et avait su monter avant de savoir marcher. À peine son cheval harnaché, ils galopaient tous deux à travers bois.

Chapitre 24

Plan-maître du Chaos, la Forteresse.

Habillée d'une ample tunique claire qu'elle portait par-dessus un pantalon ajusté et des cuissardes de cuir noir, sans bijoux ni maquillage, Estrée se tenait dans le bureau de Morion, son frère. Elle avait patiemment attendu que celui-ci sorte pour effectuer son rapport quotidien à leur père, le duc Elvanthyell, pour y pénétrer. Cela ne lui fut pas difficile, car son frère lui avait toujours offert libre accès.

À peine entrée, la jeune femme inspecta les lieux du regard – elle s'était fait une queue-de-cheval pour ne pas être importunée par sa longue chevelure.

D'un jour à l'autre, la pièce favorite de Morion pouvait totalement changer d'aspect. C'était d'ailleurs encore le cas. Nouvelle décoration, mobilier à base de bois laqué sombre, et nouvel agencement. Sur deux des murs libres, des esquisses au fusain sous verre. Si la bibliothèque avait changé de place, elle se révélait toujours aussi fournie. Dans la cheminée qui lui faisait face, des bûches craquaient sous le feu qui les dévorait lentement.

Estrée ne perdit pas de temps à étudier la décoration. Contrairement à son frère, elle n'avait aucun goût pour l'art. De son ample tunique claire, la jeune femme sortit une gemme ronde et plate, gris foncé, ciselée de runes argentées. Elle lâcha la gemme et prononça un mot de pouvoir. La gemme grise resta suspendue dans les airs. Elle se subdivisa en quatre croissants. Sur un nouveau mot de pouvoir de la jeune femme, les croissants fusèrent à chaque coin de la pièce où ils disparurent dans un bref étincellement. Quelques instants plus tard, ils s'illuminèrent d'une lueur azurée, le temps de compter jusqu'à trois, avant de disparaître de nouveau.

Estrée eut une moue appréciatrice. Sa gemme d'intrusion lui avait coûté le prix fort mais elle ne regrettait nullement cet investissement. Les vigies de Morion venaient de perdre toute efficacité, leurrées par les croissants magiques.

Enfin libre d'agir, elle fit quelques pas. Plutôt que d'effectuer un quadrillage minutieux de la pièce, elle préféra s'en remettre à son instinct.

Elle s'installa au bureau de son frère. Le meuble était encombré d'une masse de feuilles volantes, de dossiers, de cahiers, de recueils, accompagnés d'une série de pots à tabac et d'un cendrier en bois d'olivier, d'une pipe et d'un nécessaire à fumer. Les différents tiroirs contenaient un fatras similaire. Estrée sourit. Elle et son frère avaient beau être l'opposé l'un de l'autre, elle connaissait parfaitement son fonctionnement. Le désordre qui jonchait son bureau était inversement proportionnel à la clarté de son esprit. Mais ce désordre était un leurre. D'ailleurs, ce bureau lui-même était un leurre. Elle n'y trouverait pas ce qu'elle cherchait.

La bibliothèque peut-être ? Non, encore un endroit trop évident pour mon frère.

Finalement, elle se releva et tourna lentement sur elle-même pour jauger la pièce.

Les dossiers ! Où Morion pouvait-il cacher ces fameux dossiers ?

Elle examina chaque statue, chaque bibelot. En vain. Dans un angle, le bar à liqueurs ne lui livra aucun secret. Elle en profita tout de même pour se servir un verre de vieil armagnac dont elle prit une gorgée. Son regard errait, à la recherche d'un indice. Elle ne voyait rien. Elle reprit une gorgée. *Pense à Morion*, se dit-elle. *Mets-toi à sa place.*

Son expression se fit plus vive.

Ce n'est pas un indice que je dois chercher ; mais au contraire, une absence d'indice !

Immédiatement, son attention se focalisa sur le mur du fond. Un mur nu, blanc parfaitement quelconque. Si elle connaissait bien son Morion, sourit-elle, ce ne pouvait être que là.

Estrée posa son verre sur la table basse et gagna ledit mur. Elle se mit à le sonder des mains, sans trouver aucun levier ou renfoncement caché, aucun mécanisme secret.

Pourtant, ce ne devait pas être un truc trop compliqué. Si le cabinet particulier de son frère se trouvait bien derrière ce mur, comme elle l'espérait, son accès ne devait pas être trop difficile car Morion devait s'y rendre plusieurs fois par jour.

Elle finit par poser la main sur la fresque de pierre taillée décorant le manteau de la cheminée.

Un déclic se fit entendre et le pan de mur qui l'intéressait s'effaça, laissant apparaître un carré de lumière douce. Le cabinet.

Postée sur le seuil, Estrée puisa dans ses réserves de mana – elle ne pouvait recourir au pouvoir de la Pierre-de-Vie du Plan-maître sans laisser une trace de son utilisation. Malgré son examen, elle ne repéra aucune surveillance, magique ou non. Ce qui l'étonna de la part de son frère, plutôt précautionneux de nature.

Sans plus y penser, la voie libre, elle entra.

Là aussi, du bois laqué aux tons foncés mais aucun objet de décoration. Au centre du cabinet, un épais fauteuil à roulettes qui avait l'air confortable. Sur toute la surface des murs, des dossiers, des milliers. Soigneusement étiquetés, soigneusement rangés dans des tiroirs coulissants, ils s'empilaient dans la pièce jusqu'au plafond.

Il y avait tant à lire. Et à apprendre. Mais la jeune femme était venue dans un but précis. Le seul problème était que les indications qui figuraient sur la tranche des tiroirs lui étaient incompréhensibles et que le mode de classement paraissait irrationnel. Estrée savait toutefois que ce n'était qu'un subterfuge de plus de la part de son aîné. Il lui fallut à peine cinq minutes pour percer la clé alphabétique.

Elle savait à présent où chercher. Faisant pivoter son fauteuil, elle le fit rouler pour atteindre un tiroir contenant une série de dossiers violets qui traitaient des accords commerciaux de la Maison Melfynn sur les Territoires-Francs.

Voilà qui devrait contenter le Légat des Ténèbres. La jeune femme soupira de contentement.

Elle fouilla une nouvelle fois sous sa tunique pour en extirper une autre gemme. Celle-ci était ovale et brillait doucement. Estrée saisit le premier dossier, qu'elle ouvrit. Elle passa la pierre au-dessus de la première feuille, de haut en bas. La lumière de l'artefact s'élargit pour englober toute la surface du papier et mémoriser les informations qu'il contenait – il suffirait à Estrée de repasser la pierre magique au-dessus d'une feuille blanche pour voir les informations s'y imprimer.

Sa tâche accomplie, elle rangea les dossiers, veillant à ne laisser aucun indice de son intrusion.

Elle avait fini. Mais au lieu de sortir, elle se mit à chercher un autre type d'informations.

Une série de registres d'un noir d'encre. Classés *Très Secret* selon le code couleur en vigueur. Ces dossiers, il y en avait sept. Ils concernaient les agents des Ombres.

Contrairement aux autres Puissances, le Chaos n'entraînait pas d'armée digne de ce nom. Uniquement les troupes nécessaires à la sécurité des cinq Maisons. Peu d'hommes donc, mais triés sur le volet, parfaitement éprouvés. Et parmi eux, l'élite, les sept agents secrets de Morion, dont l'identité restait secrète même au sein des Maisons.

Sans s'intéresser aux autres, Estrée se jeta sur celui de Cellendhyll. Qui se révéla étonnamment succinct. Y figuraient quelques lignes concernant sa jeunesse, passée dans le domaine familial, sur les Marches du Plan-maître de la Lumière, et sa venue dans la cité des Nuages pour étudier en tant qu'apprenti paladin. Sans plus de détails, suivaient la date de son arrivée au Chaos, les grandes lignes de sa carrière de Maraudeur et sa nomination comme agent. Un résumé de ses missions, toutes réussies. Le détail était référencé dans un autre registre. Une note ajoutait qu'il venait de partir en mission sur les Territoires-Francs. Un nom de code suivait, que la jeune femme ne parvint pas à décrypter. C'était tout ce qui concernait l'Adhan.

La jeune femme voulut se servir de sa gemme pour copier les six dossiers restants, mais un tintement résonna dans sa tête. La sentinelle magique qu'elle avait placée dans le couloir venait de l'avertir du retour de Morion.

Idiote ! Elle n'avait plus le temps à présent. Sa gemme rangée sous sa tunique, Estrée se hâta de remettre les registres en place, prenant soin d'en conserver l'ordre. Elle aurait dû copier les sept, les uns après les autres, et sans attendre. Au lieu de cela, idiote qu'elle était, elle n'avait pu se retenir de consulter celui de l'Adhan. Pour rien, en plus, le dossier ne contenait aucune information vraiment intéressante. Elle ne connaissait même pas l'identité des autres.

Son frère avait sans doute d'autres notes, encore plus secrètes, mais elle n'avait pas le temps de les trouver. Il lui faudrait revenir.

D'un bond, elle jaillit hors du cabinet particulier. Elle n'eut que le temps de plonger sur le canapé d'angle et de saisir le verre qu'elle s'était servi.

De l'autre main, alors que la porte d'entrée en écaille de dragon se mettait à luire, elle fit le geste de happer. Les croissants issus de sa pierre d'intrusion répondirent aussitôt à son appel. Ils relâchèrent leur emprise sur les vigies surnaturelles destinées à surveiller le bureau et flottèrent jusqu'à la jeune femme pour se recomposer en gemme, que la jeune femme s'empressa de faire disparaître. Les sentinelles magiques ne garderaient aucun souvenir des agissements de la sœur de Morion.

Il était temps, la porte avait disparu et celui-ci venait d'entrer, la mine songeuse. Estrée scruta ses traits, il ne s'était rendu compte de rien.

Perdu dans ses pensées, son aîné fit encore trois pas avant d'aviser sa présence. S'il éprouva de la surprise à voir sa cadette lui rendre visite durant son absence, celle-ci ne transparut pas à travers le verre de ses lunettes.

Dans le royaume du Chaos, les apparences étaient le plus souvent trompeuses. Des deux, Morion paraissait le plus jeune. Le cadet des seigneurs du Chaos avait en effet l'aspect d'un adolescent. En réalité, c'était le contraire, il précédait la jeune femme d'une centaine d'années.

Son frère était de taille moyenne, avec une ossature mince, des traits délicatement sculptés sur une peau d'albâtre. La fossette familiale au menton, il disposait de l'altière beauté dévolue à la descendance d'Eodh. Cependant, on ne voyait rien de ses yeux qui restaient abrités derrière une paire de petites lunettes rondes à verres fumés.

Estrée jeta un œil à sa tenue : un costume en gabardine de laine noire, une chemise violette, à col ouvert, des souliers de peau, et un béret bleu foncé.

— Toujours aussi impeccable, mon cher frère, sourit-elle.

Elle ne bougea pas pour aller à sa rencontre, mais leva son verre pour le saluer.

En retour, Morion lui adressa un petit signe de tête poli.

— Petite sœur ! Je suis content de te voir, chère Estrée. Que me vaut le plaisir ?

Le Puissant s'exprimait d'une voix sûre, cultivée, à la tonalité plus grave qu'on ne pouvait attendre de sa frêle apparence.

— Ce matin, je me suis réveillée avec l'envie de te voir, alors me voici.

— Et je m'en félicite. Cela faisait trop longtemps que nous ne nous étions vus. Que fais-tu de ta vie, ces derniers temps ?

— Rien de plus que d'habitude. Tu me connais, rétorqua la jeune femme, je vais et viens sur les Plans, au gré de mes envies. Je me balade.

— Estrée, soupira son aîné qui avait espéré entendre

un autre discours... Quand cesseras-tu tes frasques pour te consacrer à ton devoir, le bien-être de notre Maison ?

La jeune femme quitta sa pose alanguie et haussa le ton :

— Inutile de te lancer dans tes pitoyables discours, je ne les connais que trop. N'espère pas me changer, Morion, je te l'ai déjà dit !

— Oh, loin de moi cette idée, petite sœur. Il y a bien des années que j'ai cessé d'espérer te voir agir de manière sensée et responsable. Mais ce n'est pas parce que père te passe tous tes caprices que je vais m'interdire de te dire ce que je pense. Reviens parmi les tiens, viens tenir ta place à mes côtés. Un jour ou l'autre, tes agissements irresponsables causeront grand tort à Eodh, et je ne peux le permettre.

— Tu me prêtes plus d'importance que je n'en ai, répondit Estrée en haussant les épaules.

— Mais si tu es importante. Tu es l'héritière d'Eodh, ne l'oublie jamais.

— Et toi alors ? Tu es le fils du premier duc du Chaos !

— Mais moi, ma chère, je ne peux avoir d'enfants. Et tu le sais, cela me barrera à jamais la succession au trône. Du reste, je me satisfais tout à fait de mon rôle actuel. Non, c'est ainsi : à toi revient l'honneur de donner une descendance à notre famille.

— Quel honneur, en effet ! Mais moi, je me refuse à subir vos fantasmes. Oh oui, père et toi voulez me voir rentrer dans le rang. Seulement voilà, je refuse d'être votre marionnette. Oui, tu entends bien, mon frère, *je refuse* ! Car je ne suis pas dupe. Admettons que père soit prêt à me laisser diriger la Maison d'Eodh – et c'est encore loin d'être le cas – je sais pertinemment ce qui se passerait alors. Vous contrôleriez les moindres de mes faits et gestes, modèleriez la moindre de mes décisions, je ne serais qu'un pantin à votre usage. Et père continuerait de gouverner mais en secret. Comme il a prévu de le faire. Hors de question que je vous laisse m'emprisonner ainsi !

— Je n'ai pour ma part aucun désir de te museler. Je ne veux que ton intérêt, qui n'est d'ailleurs pas incompatible avec celui de notre Maison. Le tout est de trouver un équilibre acceptable entre tes besoins et ceux d'Eodh. Je ne supporte plus de te voir gâcher tes talents alors que notre Famille attend que tu te décides à nous rejoindre.

— Au fait, tu sais où est passé Cellendhyll ? demanda Estrée à brûle-pourpoint. J'ai passé la matinée à le chercher. Tu l'as envoyé en mission ?

— Ce que je fais de mes hommes ne te regarde pas. Et laisse Cellendhyll en paix !

— Tu as peur que je le pervertisse, ton fameux agent secret ?

— Exactement. Il m'est bien trop utile pour être *gâché* dans et par tes bras. Et je te rappelle que tu n'es pas censée parler de son véritable rang. Il n'est pour tous que capitaine des Maraudeurs.

La jeune femme balaya la remarque de la main. Elle vida son verre d'un trait et se leva pour aller se resservir, un sourire malicieux au coin des lèvres.

— Merci de tes bons conseils, mon frère.

— Tu sais très bien ce que je veux dire, Estrée, alors ne joue pas l'innocente, pas avec moi ! Et permets-moi d'ajouter qu'il est temps que tu grandisses, temps de construire quelque chose dont tu puisses être fière. Cesse de gâcher ainsi ta jeunesse !

— Garde ta morale pour toi, Morion, se hérissa la jeune femme. Je ne suis pas venue pour un sermon ! Et je suis libre de faire ce qui me plaît.

Le seigneur du Chaos soupira avant de poursuivre :

— Laisse tomber... Nous ne parviendrons jamais à nous accorder sur ce sujet. Laisse-moi au moins ajouter une chose : si tu as besoin de moi, sache que je suis là. C'est tout.

Estrée faillit dire quelque chose mais se ravisa au dernier moment.

— Merci, sourit-elle. Cela m'a fait plaisir de te voir, grand frère.

— Moi aussi. Attends, prends au moins cela.

Morion ouvrit l'un de ses pots à tabac de son bureau pour en sortir une bourse pleine d'aigles d'or qu'il jeta à sa cadette. Celle-ci saisit l'argent au vol, et soupesa la bourse en adressant un large sourire à son mécène.

— De quoi apaiser ta conscience, grand frère ? Pourquoi pas ? En tout cas, je boirai à ta santé dès ce soir !

Ils s'étreignirent. Malgré leurs différends, malgré leurs différences, le frère et la sœur se portaient une sincère affection.

Une fois la jeune femme partie, Morion se rassit à son bureau. Malgré ses positions toujours aussi rebelles, il avait pris plaisir à revoir sa sœur. Cependant, son instinct le titillait. Quelque chose sonnait faux.

Pourquoi Estrée avait-elle choisi le moment de son rapport pour venir le voir ? Elle connaissait cette obligation quotidienne, et Morion ne pensait pas qu'elle avait pu l'oublier. Ils avaient tout de même été élevés ensemble et sa cadette était loin d'être aussi écervelée qu'elle voulait bien le paraître. Elle se servait même très bien de ce subterfuge.

Le seigneur du Chaos finit par se lever et se fixer devant le mur vide, son regard scrutant le sol. Morion poussa un soupir et se baissa pour saisir quelque chose qui reposait par terre.

Il se rassit à son bureau, pensif. Pourquoi Estrée avait-elle pénétré dans son cabinet particulier ? Oh, elle avait été suffisamment habile pour ne pas laisser de traces de son passage, et il avait bien failli ne pas se rendre compte de son intrusion. Seulement voilà, il y avait le cheveu qu'il avait ramassé par terre. Un simple cheveu placé à dix centimètres du bas de la porte et qui était tombé de son perchoir.

Les trucs les plus simples restaient la plupart du temps les plus efficaces, songea Morion en jetant le cheveu dans son cendrier.

À l'évidence, sa sœur était venue pour trouver des informations, mais lesquelles ? Il y avait une telle masse de renseignements dans ces dossiers qu'il ne risquait pas de le deviner.

Petite sœur, à quoi joues-tu encore ? soupira le seigneur.

Il décida de vérifier les lieux. Il ouvrit son Œil et parcourut minutieusement la pièce. Estrée n'avait laissé aucune trace de son passage. Par acquit de conscience, Morion vérifia grâce à l'Œil que sa sœur n'avait laissé aucun mouchard ou piège quelconque. Non qu'il pensât qu'elle en soit capable. Consulter ses précieux dossiers sans demander son accord, soit. Qu'elle l'ait fait avec habileté lui ressemblait bien. Mais la jeune femme ne pouvait pas aller plus loin. Cette injure serait difficilement pardonnable, même pour elle.

Il allait devoir changer ses mesures de protection. Il avait péché par orgueil, songeant que personne n'oserait s'attaquer ainsi au maître des Mystères. La porte d'entrée était protégée par une série de sorts quasi inviolables, et Estrée était l'une des rares personnes à connaître le mot de pouvoir qui permettait d'entrer. Un espion des Ténèbres ou de la Lumière n'aurait jamais autant de latitude. Et son existence serait détectée bien avant qu'il ne mette le pied dans cette partie de la Forteresse.

Il devrait tout de même prendre de nouvelles précautions en matière de sécurité. Quelque chose d'efficace, mais sans excès, avec la pointe d'esthétisme qui était sa marque.

Morion retourna dans son cabinet particulier. Puisant dans la Pierre-de-Vie qui reposait au cœur de la Forteresse – ce qui lui permettait d'éviter d'user de son propre mana – le seigneur du Chaos ouvrit les mains. Un noyau de lumière apparut au-dessus de ses paumes. Il modela la boule d'énergie brute jusqu'à ce qu'elle prenne la forme d'une silhouette féminine, nimbée d'un champ d'énergie nacrée, pulsante et silencieuse.

La fée de lumière ainsi créée flotta devant son maître, attendant les instructions. Elles furent des plus claires. Seul Morion avait le droit de pénétrer dans cette pièce. Le moindre intrus devait être maintenu captif dans une bulle de stase et Morion serait immédiatement prévenu. En revanche, si l'intrusion venait d'Estrée, la fée avait ordre de ne pas se manifester mais d'enregistrer ses moindres mouvements.

D'une pensée, Morion ordonna à sa création de lumière d'entamer sa surveillance. Celle-ci obéit et disparut.

Le maître des Mystères se tapota songeusement les lèvres. Le meilleur moyen d'en savoir plus sur sa sœur était de la laisser libre de ses mouvements. Si elle prenait l'habitude de venir consulter les dossiers secrets, Morion finirait par comprendre ce qu'elle avait en tête. Il pourrait alors prendre les mesures nécessaires pour protéger et sa Maison et sa sœur.

Ainsi rassuré, le Puissant sortit du cabinet particulier et en referma l'accès. Il se rassit à son bureau, un verre de vin-vert à portée de main. Il se carra dans son fauteuil et se mit à réfléchir à la suite. Il se demanda si les manigances de sa sœur avaient un rapport avec l'une des missions en cours.

Des sept agents d'élite que dirigeait le seigneur, il n'y en avait actuellement que quatre en service. Et sur ces quatre-là, trois avaient démarré leur mission depuis déjà plusieurs mois... L'une d'elles prendrait au moins un an, rien que pour l'infiltration. Elle se déroulait sur le Plan-maître des Ténèbres et c'était Carghaël, le meilleur des sept – meilleur même que Cellendhyll – qui en était chargé. Non, il n'y avait aucune connexion possible. Ne restait que la mission que l'Adhan venait de débuter. Et s'il y avait un rapport – ce qui n'était pas prouvé – alors les Ténèbres étaient impliquées.

Le seigneur se retint de briser son verre. Depuis longtemps, il aurait dû faire surveiller sa sœur, et de près ! Seulement voilà, profitant d'un instant de faiblesse de sa part, le jour de sa majorité, Estrée lui avait arraché la promesse de ne jamais épier ses faits et gestes. Et Morion mettait un point d'honneur à tenir sa parole.

Devait-il en parler à Elvanthyell ? Il doutait que cela serve à quelque chose. Le duc chérissait sa fille, et depuis toujours lui avait passé tous ces caprices, toutes ses frasques. Tout Puissant qu'il était, il s'avérait incapable de résister à son enfant chérie, la petite dernière de la famille d'Eodh. Elysangre, son épouse, la mère de ses deux enfants, était morte en donnant naissance à Estrée, et, depuis, Elvanthyell avait reporté l'adoration qu'il portait à sa femme sur sa fille. Cela s'était révélé préjudiciable pour la jeune femme, qui ne supportait aucune autorité mais Morion n'en avait tenu nul grief à son géniteur.

Estrée était l'Héritière. D'elle dépendrait un jour l'avenir de la Maison. Ce n'était pas pour tout de suite, fort heureusement. Le seigneur du Chaos frémit en songeant à ce qu'il adviendrait d'Eodh si Estrée en prenait le contrôle le jour même.

Il leva ses jambes pour poser les pieds sur son bureau et se renversa dans son fauteuil. Il y avait longtemps qu'il voulait voir Estrée s'intéresser aux affaires de la Maison, mais de cette manière, il y avait de quoi s'inquiéter.

Néanmoins, son trouble ne dura pas. Morion reprit une position plus conventionnelle et convoqua ses assistants. Il avait une foule de problèmes à régler, bien plus concrets au demeurant que ceux que pouvait poser sa sœur. Chaque chose en son temps. Le cas d'Estrée ne serait pas oublié.

Chapitre 25

Une monture racée galopant sous le soleil printanier, le corps caressé par une petite brise... Que demander de plus ? Cellendhyll n'aurait pas échangé son pellonien contre un coursier adhan. Leur entente était parfaite. Le gris réagissait à la moindre pression de la jambe et filait sous le vent, infatigable et sûr, aussi heureux que son maître.

Le guerrier aux cheveux d'argent croisa des animaux de toutes sortes. Ils ne ressentaient visiblement pas le besoin de se cacher. Cellendhyll vit même des ours, qui le toisèrent placidement. Comme le lui avait expliqué la Sylvaine, les animaux savaient que sur son domaine, ils pouvaient bénéficier d'une entière liberté, protégés par la bienveillance d'Aïlaëen. Alors qu'il se reposait en haut d'une pente d'un galop particulièrement rapide, l'Adhan avisa en contrebas un couple marchant main dans la main au milieu d'un champ de coquelicots. Il n'eut aucun mal à reconnaître Nérine et Gwend'haïel.

Le jeune Fendyr avait donc déclaré sa flamme. Un problème de réglé. Car Cellendhyll ne tenait pas à s'encombrer plus longtemps de la jeune femme. Elle n'avait aucune place dans ses plans. Dans la capitale, elle risquait d'entraver ses gestes, de perturber sa concentration. Il n'aurait pas le temps de veiller sur elle. Sa mission était combien plus importante. Et la vengeance, primordiale.

Soulagé d'un poids, le guerrier fit demi-tour, préférant laisser les deux jeunes gens profiter de leur amour naissant.

Nérine se sentait si bien auprès du Fendyr. Après le repas, elle avait pu se laver et passer une robe propre, en lin couleur mûre. Gwendh'aïel l'avait alors conviée à une promenade. Depuis leur rencontre, elle resplendissait de l'attention soutenue mais respectueuse que lui prodiguait le Fendyr. *Gwendh'aïel.* La Rhitan ne pouvait s'empêcher de susurrer son nom pour elle seule, savourant chaque son.

Le Fendyr la troublait si profondément. Encore plus que le guerrier aux cheveux d'argent. Comme ils étaient différents ! Elle percevait parfaitement la méfiance et la dureté de Cellendhyll, constamment sur le qui-vive, et sa réserve, bien qu'il ait su la protéger. Alors que Gwendh'aïel l'inondait de sa confiance, d'attentions qu'elle devinait honnêtes. D'une promesse qui la laissait rêveuse. Sa main était chaude, si chaude, et serrait la sienne avec un mélange de force et de douceur. Laissait de temps en temps ses longs doigts caresser le dos de sa main. De sa voix chantante, il lui faisait découvrir les merveilles et les secrets du Bosquet.

Jamais Nérine ne s'était sentie aussi heureuse. Trop souvent meurtri, le cœur de la jeune Rhitan s'ouvrait au regard tranquille de l'archer. Un amour naissant et manifestement réciproque.

Nérine se permit un regard sur le jeune forestier. Elle croisa ses yeux dorés et s'y perdit avec ravissement. Elle avait chaud, brusquement, portée par une langueur exquise. Elle aurait pu goûter indéfiniment à cet abandon, le reste ne comptait plus. Elle murmurait pourtant le doux nom de Gwendh'aïel, le cœur battant la chamade.

Main dans la main, ils marchaient au milieu des fleurs. Se parlaient sans mots, se découvraient, se partageaient. Ils ne virent pas le cavalier monté sur un grand cheval gris qui les observa un moment d'un surplomb avant de disparaître.

Trop tôt, l'après-midi toucha à sa fin. De retour dans la clairière, Cellendhyll prit soin d'ôter le harnachement du pellonien, de curer ses sabots, de le brosser soigneusement et de l'essuyer, une manière de lui faire ses adieux.

— Au revoir, mon ami, soupira le guerrier. Tu as choisi le meilleur des endroits. Je tâcherai de venir te voir..., acheva-t-il sans trop savoir comment il pourrait tenir sa promesse.

L'animal se cabra deux fois en guise de salut, puis s'élança de sa foulée puissante pour rejoindre ses congénères, venus l'attendre en bordure de la clairière. Hennissant leur joie de vivre, les chevaux s'égayèrent dans la forêt.

Cellendhyll dut admettre que cette chevauchée l'avait apaisé de bien des tensions. Il pénétra dans le flanc de l'Arbre-Hôte resté ouvert. Kell l'attendait sur la plate-forme, comme si elle avait pressenti l'exact moment de son retour. D'un nouveau sourire, elle le mena dans une salle de soin. L'Adhan livra son corps au massage expert de Nyan, une cousine de Kell, qui lui ressemblait comme une cadette. Des doigts experts de la Sylvaine sortaient des flammèches de mana sylvain. D'un jaune tirant sur l'orangé, celles-ci s'insinuèrent sous sa peau, dans sa chair, chassant les derniers restes de fatigue et de meurtrissures.

Après quoi, il passa une petite heure au sauna en compagnie de Reydorn. Les deux hommes devisèrent de tout et de rien, se découvrant un mutuel penchant pour la littérature zelaznyenne.

Une brève douche d'eau glacée pour terminer le traitement, suivie d'une nouvelle sieste. Kell avait insisté sur ce point.

Cellendhyll se réveilla en début de soirée. Il y avait bien longtemps qu'il ne s'était autant senti en paix. La cour du Chaos n'incitait ni à la confiance ni à la détente. Tandis que dans le Bosquet, la vie s'écoulait au rythme paisible décidé par la maîtresse des lieux.

Pouvait-il lui faire confiance ? Kell connaissait sa véritable identité et s'en moquait, il aurait pu en jurer. Si elle avait voulu lui nuire, elle en aurait eu dix fois l'occasion. Au contraire, elle l'avait remis sur pied, sans aucune contrepartie. Oui, il pouvait accorder sa confiance à la jeune femme aux cheveux verts. Dans une certaine mesure et avec des limites définies.

L'Adhan s'habilla sans hâte, passant la nouvelle tenue qu'il s'était choisie au comptoir. De facture impeccable. Ses nouveaux vêtements dotaient sa personne d'une élégance certaine. Il laissa ses armes dans sa chambre, à l'exception de sa dague magique, qu'il glissa comme d'habitude dans sa cuissarde gauche. Il passerait reprendre le reste de ses affaires avant de partir.

Car cette nuit, enfin, si tout se passait bien, et si le mage vert tenait bien sa promesse, il foulerait les pavés de la cité des Nuages.

On frappait à sa porte. Reydorn.

— Kell nous mijote un nouveau festin. Ah, tu m'en

diras des nouvelles ! Viens, on va d'abord boire un verre sur la terrasse. Les autres nous attendent.

Un dîner à ciel ouvert, éclairé de quelques chandelles sous la voûte étoilée. Kell leur servit un mijoté d'émincé de poulet aux champignons de la forêt, relevé d'épices, de poivrons et d'oignons, servi avec des brocolis caramélisés et du soja sauté. Marg apporta sa contribution en ajoutant une de ses spécialités. Du pain. Un pain lourd, croustillant, à la mie parsemée de noisettes, de figues et de noix. Un pain que Cellendhyll trouva véritablement délicieux. Reydorn lui servit une bière blonde, légère et rafraîchissante – il était hors de question pour le guerrier de s'enivrer. Les autres dégustèrent la sélection du mage vert, des rouges d'un incomparable bouquet.

Un repas somme toute assez simple dans sa définition, mais où chaque saveur était portée à son summum. Entre deux bouchées, Reydorn ne tarissait pas d'éloges sur les mérites de la cuisinière.

Le destin de Nérine et de Gwend'haïel semblait scellé. Assis à côté l'un de l'autre, une tresse similaire à la tempe, ils se touchaient souvent avec des gestes tendres. Ils ne se quittaient plus. Amusé, Gwerdh'ann veillait sur eux, caressant l'encolure du Rusé, son inséparable loup, couché à ses pieds.

Jamais, l'Adhan n'avait vu la Rhitan si épanouie. Elle était venue le voir avant que l'on serve le repas pour lui annoncer qu'elle allait accompagner les Fendyrs au sein de leur tribu. Qu'elle allait suivre Gwendh'aïel et l'épouser. Cellendhyll approuva cette décision qui l'arrangeait bien. Il se retrouvait enfin seul, libre de ses mouvements et de ses actes. L'atmosphère de détente, d'abandon, de confiance que Kell diffusait à l'intérieur de son domaine était grisante. Mais Cellendhyll, et lui seul, restait sur le qui-vive. Non pas qu'il se méfiât encore de son hôte. Elle avait prouvé sa bienveillance à son égard. Marg elle-même était devenue amicale et elle n'était pas du genre à feindre. Mais cependant, la soif de vengeance interdisait à l'Adhan de s'abandonner. Il se reposait, certes, mais sans oublier son but, car plus rien d'autre ne comptait. Son but. La cité de l'Aube. Sa mission. Et les retrouvailles avec les Compagnons du soir.

Si Reydorn tenait parole, il y serait largement dans les temps. Il rattraperait le retard accumulé.

Ils en étaient au café. Avisant l'attitude concentrée de l'Adhan, le mage sylvestre vint le rejoindre.

— Je vois que tu n'es pas vraiment avec nous. N'aie crainte ! Je n'ai pas oublié ma promesse. Dès ce soir, tu fouleras la capitale de la Lumière. Je suppose que tu es prêt à partir. Je vais laisser Nérine et les deux Fendyrs ici. Ils ne sont pas faits pour la ville. Et encore moins pour une capitale. Nous partirons d'ici deux ou trois jours pour le territoire fendyr. Le portail de Kell nous y téléportera. Sache également que le Don de Nérine pourrait lui attirer la bienveillance de ma maîtresse. Son focus est désorganisé mais puissant. Je l'aiderai à développer son pouvoir, et je m'engage sur mon honneur de mage à lui apporter mon entière protection. Chez ma reine, elle ne pourrait être plus en sécurité. D'ailleurs, à l'occasion, tu pourras nous rendre visite. Tu seras le bienvenu chez les Fendyrs. Oui, oui, je sais, je parle beaucoup trop. Allez, va chercher tes affaires !

Le départ fut tout aussi chaleureux que le repas. Les embrassades se succédèrent et, à sa grande surprise, Cellendhyll fut gratifié de trois baisers.

Nérine, la première, l'embrassa sur la bouche. Le baiser tendre d'une sœur. Elle lui dit :

— Tout est bien entre nous. Tu m'as donné une nouvelle vie. Merci ! Je serai toujours ton amie. Viens nous voir !

Marg, ensuite. Un baiser sauvage. Elle lui mordit la lèvre au passage, avant de lâcher :

— Je veux une revanche, mon joli. Où tu veux, quand tu veux...

Kell, enfin. Le partage d'une amante.

— Tu reviendras. Un jour. Il suffira de poser la main sur une des pierres de garde et de penser à moi. Pars en paix !

À la Rhitan, Cellendhyll répondit :

— Sois heureuse...

À Marg :

— Ne sois pas trop sûre de toi...

À Kell :

— Je doute que la paix s'attache un jour à mes pas. Mais je reviendrai, si je peux...

Reydorn l'attendait sur la plate-forme dans sa tenue de voyage, son bâton en main, son mana restauré, prêt pour l'aventure. Précédé du mage vert et de Kell, Cellendhyll descendit au plus profond de l'Arbre, au niveau de ses énormes racines qui s'enchevêtraient dans la terre nourricière du Bosquet.

À ce niveau, se trouvait une unique porte décorée de runes que Kell ouvrit d'un geste du doigt. Une salle voûtée, faiblement éclairée, baignée par l'humidité et par une odeur entêtante d'humus. Au centre, un piédestal de pierre lunaire. La Sylvaine se concentra quelques instants et ouvrit les bras. Le portail apparut dans un flamboiement de lumière sinople. Kell annonça :

— Tout est prêt, vous n'avez qu'à monter les marches et franchir le portail. Je vais lancer l'ouverture. À bientôt, tous deux !

Kell déclara qu'elle détestait les au revoirs, et plus encore les adieux. Elle remonta sans plus attendre.

Les deux hommes échangèrent un regard et avancèrent de concert pour s'engouffrer dans le téléporteur. Ils disparurent.

Chapitre 26

Plan Primaire, Territoires-Francs,
la cité des Nuages.

Le portail les transporta immédiatement à l'intérieur de la capitale de la Lumière sur le Plan primaire. Une atmosphère chaude, humide attendait les deux hommes. Ils se trouvaient entourés de plantes exotiques. Reydorn jubila :

— Comme je te l'avais dit ! On est dans la serre tropicale du jardin suspendu. À cette heure, elle est fermée. Tu vas pouvoir te repérer ?

— Je connais bien la ville. J'y ai vécu, il y a longtemps. Merci de ton aide, Rey', je ne l'oublierai pas.

Tout en parlant, ils avancèrent de quelques pas.

— Avant que nous ne nous séparions, mon ami, dis-moi... Qui es-tu vraiment, que viens-tu faire ici ? Je devine quelque chose d'important et je brûle de curiosité. Nos aventures t'ont démontré que tu pouvais me faire confiance. Si j'avais voulu te nuire, j'aurais déjà amplement pu le faire. Mon aide, que tu as toi-même évoquée, mérite bien cette petite récompense, non ?

L'Adhan hésita un moment avant de livrer la vérité. L'instinct l'avait emporté sur la raison :

— Mon vrai nom est Cellendhyll de Cortavar...

— De Cortavar..., l'interrompit aussitôt le mage vert en agitant les mains. Ce nom me dit quelque chose... De Cortavar... L'Ange de la Lumière ! Alors ça, c'est la meilleure ! Si je m'attendais... Une sombre affaire, si je me souviens bien. On avait annoncé ta mort, celle du Lige Coreyn, mais le Conseil a réussi à étouffer la chose sans jamais donner de détails. Toutes ces années... Où étais-tu donc passé ?

Cellendhyll se permit d'en dire plus – il ne se reconnaissait plus :

— J'ai vécu comme capitaine des Maraudeurs Fantômes, au service de la maison Eodh du Chaos. Depuis dix ans. Je suis aujourd'hui revenu démasquer le véritable assassin du Lige Coreyn. Le traître qui m'a fait accuser à sa place et qui a cru me tuer !

Reydorn siffla d'étonnement. Pendant quelques instants, lui d'ordinaire si volubile, ne parvenait à trouver ses mots, et dut se contenter d'agiter ses doigts en silence. Il parvint pourtant à retrouver sa contenance, la malice illuminant le gris de son regard :

— Par le Hibou Bleu du val d'Eyre ! Et puisque tout le monde te croit mort, personne ne devrait se douter de ton retour. Tu peux compter sur moi pour ne rien révéler ! Cela dit, j'ai bien envie de rester pour assister à la suite, qui risque d'être... *sportive* ! Je ne peux toutefois échapper à mes responsabilités. Je vais donc rentrer au Bosquet et emmener ma petite troupe dans les forêts du Nord. Faire mon rapport à ma reine. Et tout de suite après, je m'occuperai de Nérine et de son installation chez les Fendyrs. Si elle daigne m'accorder son attention, qu'il va être difficile de capter, je gage ! Et ça ne sera pas mieux avec Gwendh'aïel. On va bien rigoler en rentrant, Gwerdh'ann et moi. On pourra toujours jouer aux dés-dragons, encore qu'il ait retrouvé son loup... Tant pis ! J'en profiterai pour me reposer et réviser mes sorts. Je manque encore d'endurance.

Le mage vert ayant retrouvé sa faconde habituelle, il poursuivit sous le regard amusé de son interlocuteur :

— Je prends une telle confidence de ta part pour une marque de confiance, Cellendhyll. Elle m'honore. Sache que, de toute manière, je n'ai rien contre tes maîtres du Chaos. Le Chaos et la Sylve ne sont pas impliqués dans les luttes de Pouvoir, enfin pour ce que j'en sais. Nous sommes un peu des cousins, toi et moi, pourrions-nous dire. J'espère que lorsque nous nous reverrons, il ne sera question que de fêter cette chance !

Saisi d'une inspiration, Cellendhyll demanda :

— Dis, Rey', comment pourrions-nous nous contacter ? En cas de besoin...

— Excellente idée ! Donne-moi un objet à toi – tu devras me l'abandonner, je le crains. Je vais également avoir besoin d'un peu de ton sang.

Sans hésiter, cette fois, Cellendhyll se délesta d'une petite dague. Reydorn s'en servit pour lui entailler l'index. Il fit goutter le sang sur la lame de l'arme, sur laquelle il dessina une arabesque runique. Un éclair de mana vert sécha le sang, faisant apparaître un motif gravé. Reydorn enleva l'un de ses anneaux, dénué de magie, et le montra au guerrier Adhan. Forgé d'un métal mat, le bijou était serti d'une feuille en pierre d'émeraude stylisée. Le mage utilisa la dague pour à son tour s'entailler le doigt. Son sang fut dirigé sur l'anneau, la rune tracée, et Reydorn tendit l'objet à Cellendhyll.

— Cet anneau est mon symbole au sein du Cercle vert. Porte-le sur toi. Ainsi, je saurai si tu es vivant... Si tu as besoin de me contacter, réchauffe l'anneau dans ta main et concentre-toi sur mon image. J'établirai une liaison sûre. Et je pourrai également te joindre en cas de besoin, grâce à ta dague. Pas mal, hein ?

— Tu es un sacré personnage, Rey'. Prends garde à toi.

Cellendhyll rangea soigneusement l'anneau.

— Prends garde à toi, Ange du Chaos ! Surveille tes arrières. Tu vas mettre les pieds dans un sacré nid de Serpentères !

Le visage de l'Adhan s'illumina d'une joie sauvage, presque sanguinaire.

— Si tu savais comme j'ai attendu ce moment..., souffla-t-il. C'est mon obsession, depuis dix ans ! Mais c'est mon affaire. Va en paix, mage vert...

Avant que Reydorn ne puisse répliquer, Cellendhyll disparut dans un massif de fougères bleues des terres de Coruscante.

Le mage vert haussa les épaules devant cet adieu soudain. Il frémit, songeant à l'expression impitoyable qu'avait pris le visage du guerrier aux cheveux d'argent. À aucun prix, il n'aurait voulu se trouver à la place de ceux que le farouche Adhan tenait pour ses débiteurs. En aucune façon !

Il en avait fini avec la cité. Il lui tardait de se retrouver hors de ces murs, qu'en bon Sylvain, il trouvait aussi inutiles qu'étouffants. Il retourna au portail et se translocalisa sans plus attendre chez ses deux amies. Peut-être resterait-il un morceau de ce succulent gâteau ?

Chapitre 27

Sortant de la serre, Cellendhyll se retrouva sur la célèbre place de la Rotonde. S'élevant d'un terre-plein assis sur une immense dalle de marbre, en plein centre de la cité des Nuages, la place offrait le meilleur point de vue de la capitale.

Décorée de guirlandes, de drapeaux, de rubans et autres multiples décorations pour les dix jours du Festival, la cité blanche rayonnait comme une jeune mariée le soir de ses noces.

Cellendhyll de Cortavar était de retour là où tout avait débuté. Il allait pouvoir passer aux choses sérieuses. Enfin ! Longtemps jugulé, le désir irrépressible de vengeance qui couvait jusqu'ici prit de l'ampleur, étendit ses ailes griffues, vrillant chacun de ses nerfs. Sa mission d'agent des Ombres n'était plus si importante à présent. Elle se trouvait remisée au second plan, même si le guerrier du Chaos espérait encore accomplir l'une et l'autre. Les deux étaient liées, en effet. Elles faisaient partie d'une stratégie d'ensemble, élaborée par le seigneur Morion sur les suggestions de l'Adhan. Un dû pour Cellendhyll, en quelque sorte. Le jour de leur rencontre, Morion lui avait promis la vengeance. Le seigneur tenait enfin parole, après dix ans de loyaux services. Cellendhyll lui en avait longtemps voulu de lui avoir imposé cette longue attente. Mais les années passées l'avaient endurci et n'avaient fait que renforcer sa détermination à retrouver les traîtres responsables de son exil.

Serai-je capable d'aller jusqu'au bout, de mener de front ma vengeance et ma mission ? pensa-t-il. *Oh, que oui !*

Ici, l'air était nettement plus frais que dans le Bosquet Sylvain. Si les nuages hérauts de l'hiver avaient disparu, le printemps n'avait pas encore pleinement marqué son règne. Cellendhyll n'était pas gêné pour autant, ses nouveaux vêtements le protégeant efficacement du froid. L'Adhan prit quelques instants pour se repérer et constater qu'il n'avait pas oublié la configuration de la ville. D'ailleurs, le tracé ordonné de la cité des Nuages lui facilitait la tâche.

Au nord, les grandes portes d'entrée de la capitale ; les bâtiments ramassés en pierre abritant la garnison et le quartier du commerce formaient l'endroit le plus animé de la ville. À l'est, la ville-haute abritait riches et puissants. À l'ouest, la masse plus sombre et plus compacte de la ville-basse, le quartier du port et celui des entrepôts. Et au sud, la citadelle de la Lumière et le palais de Vérité où se trouvait l'objectif final de sa mission...

La citadelle où il avait fait ses classes d'aspirant-lige. L'endroit où tout avait commencé. Si proche et pourtant encore inaccessible. Chargée de souvenirs, de nostalgie. *Aujourd'hui*, se dit l'homme aux cheveux d'argent, *le passé rejoint le présent*. Et ce n'était nullement pour lui déplaire. *Le présent vengera le passé*, il en avait fait le serment.

Étrange tout de même, dut-il s'avouer, que de se retrouver ici après cet exil de dix années. Il se sentit soudain engourdi, désorienté. Mais une formidable exaltation chassa bientôt ce sentiment. Il était de retour ! Il allait enfin pouvoir régler ses comptes. Avec dix ans d'intérêts pour faire bonne mesure.

Après avoir rabattu le capuchon de son manteau sur son visage, sans plus hésiter, il descendit les larges marches du Jardin Suspendu et se dirigea vers les bas quartiers. Les larges pans de son manteau ondulaient derrière lui tels des serpents de noirceur. Il s'inséra à contresens dans le flot de promeneurs en route pour les tavernes du quartier commerçant. Les festivités battaient leur plein. Les larges artères du centre de la ville étaient parcourues par une foule joyeusement désordonnée et personne ne prêtait attention à sa haute silhouette. Malgré l'heure avancée, musiciens ambulants, camelots, jongleurs, fêtards se croisaient avec une bonne humeur contagieuse. Durant toute la durée du Festival, la fête serait la reine des jours et surtout des nuits. Tout en avançant, Cellendhyll scruta la foule. Elle était principalement composée d'Humains et de Nains. L'Adhan aurait aimé voir des sages et pacifiques Rhanns, de majestueux Egles, les membres du peuple ailé, ou encore de fiers et ombrageux Centaures. Mais depuis les Grandes Guerres, ces races ne quittaient plus que rarement leur territoire d'origine.

La ville-basse ne bénéficiait pas d'autant d'attentions que sa grande sœur : moins d'éclairage, moins d'apprêts, moins de sécurité. À elle seule, elle était aussi grande que la plupart des cités moyennes des Territoires-Francs. Avec ce qu'il fallait d'encombrement, de saleté et de désordre – les services de la voirie économisant leur zèle pour le quartier riche. Cellendhyll se souvenait d'un dédale d'immeubles de quatre ou cinq étages, penchés, de rues étroites, sinueuses, au pavage imparfait, où il valait mieux garder un œil derrière son épaule.

Jouxtant le quartier des entrepôts, devait, d'après ses instructions, se trouver l'officine d'un marchand nommé Perk. L'ultime maillon du réseau établi pour lui permettre de réaliser sa mission : rien de moins qu'abattre l'un des seigneurs du grand conseil de la Lumière !

La nuit était tombée. Après une bonne demi-heure de marche, Cellendhyll s'arrêta dans l'obscurité d'un bâtiment. La boutique se situait au coin d'une rue déserte. L'agent du Chaos attendit patiemment. À part quelques rats, les lieux étaient déserts.

Les vitres de la devanture avaient été peintes en noirs. On ne distinguait rien de l'intérieur. Après avoir baissé sa capuche pour découvrir son visage, Cellendhyll entra dans une pièce vide et souillée. Il plissa les narines, assaillies par des relents d'urine, de corps mal lavés et de nourriture gâtée.

Il poussa la porte du fond et pénétra dans une autre pièce. Une salle humide, aux murs couverts de tentures sombres, sans autre meuble qu'un vieux canapé cabossé dans un coin. Le propriétaire se moquait visiblement du confort de sa clientèle. Des lampes teintées de rouge diffusaient une lueur malsaine. À croire que l'Adhan avait pénétré dans l'antichambre d'un enfer particulier. Derrière un comptoir rustique se tenait une silhouette massive. Son contact, sans doute.

Chez ce corpulent personnage, la graisse se mélangeait pour une bonne part aux muscles. Aussi solide qu'un chêne, le commerçant avait un visage grossier, rébarbatif, une touffe de cheveux décolorés surplombant de petits yeux d'un bleu très pâle, injectés de sang, un nez court et retroussé, des oreilles minuscules, et une bouche lippue. Cellendhyll préféra ne pas s'attarder sur les effluves que dégageait le sinistre personnage. Il avait un mauvais pressentiment. Il s'avança néanmoins vers le comptoir.

— Salut, mec ! T'as eu raison de venir voir Perk. La voix du gros était ridiculement fluette comparée à sa masse. Qu'est-ce tu veux comme matos ? J'ai de tout. Du mithass, du nagga, noir et gris, de l'ambre, des perles de Kaa... Tout c'que tu veux ! En ce moment, j'fais un prix sur le pentii. Ça te tente ?

Un vendeur de stupéfiants. Pas si étonnant que cela de la part de Rosh. C'est le Rouquin qui avait été chargé d'établir le réseau en ville.

Cellendhyll s'avança encore en ôtant ses gants qu'il rangea dans sa ceinture De son regard pâle au pli assoupi, Perk le considérait toujours avec un net amusement.

L'Adhan fit un geste discret de la main gauche. Le signal de reconnaissance prévu pour la circonstance. Sauf que Perk resta sans réaction. Cellendhyll réitéra le geste. Aucun résultat. C'était pourtant bien le bon endroit... Que se passait-il ?

— Eh bien quoi ? dit l'Adhan, risquant le tout pour le tout. Je me suis identifié... c'est Rosh Melfynn qui m'a donné ton adresse, je viens de sa part.

Perk écarquilla ses petits yeux et pencha la tête sur le côté, tout en gardant Cellendhyll bien en vue. Il était bien réveillé, à présent.

— Rosh Melfynn ? Et où il est mon pote Rosh... ?

Un ami de Rosh, en plus ? Par l'Épée de Lachlann ! jura intérieurement l'Adhan. *L'affaire ne pouvait se présenter plus mal !*

— Rosh n'a pas pu venir, reprit-il. De toute façon, cela n'a aucune importance. Je suis son supérieur. C'est avec moi que tu dois traiter.

— Si, c'est très important au contraire ! glapit Perk, une lueur menaçante filtrant dans son regard. J'te connais pas, toi ! C'est Rosh qui devait venir, il me l'a bien répété... Si Rosh est pas là... j'annule l'affaire. Nib ! T'auras rien de moi. Et d'ailleurs j'aime pas ta tronche. Curieux d'ailleurs qu'il ne soit pas là, le Rosh... J'ai de la marchandise pour lui, une commande spéciale, du premier choix. Et celle-là, je sais que mon Rosh, il l'aurait loupée à aucun prix !

— Il doit y avoir un malentendu, poursuivit Cellendhyll d'un ton patient. Je ne viens pas pour de la marchandise. Rosh ne t'a rien dit à mon sujet ?

Le visage du vendeur de drogue se ferma définitivement avec la méchanceté comme rideau.

Effaré, Cellendhyll comprit que Rosh n'avait pas organisé le réseau selon les instructions. Quel incapable ! L'Adhan se retrouvait dans une belle impasse... Comment entrer dans le Palais, à présent ?

— Mec, elle pue, ton histoire, reprit Perk. Enfin, tu vas me dire où il est, le Rosh ?

— Je te l'ai dit, il ne viendra pas.

Cellendhyll eut un pressentiment. Les choses allaient déraper, ça n'allait pas louper.

— Tu veux me contrarier ? dit Perk en hochant la tête. Très bien, mon minet, à ta guise !

L'homme siffla. Deux escogriffes surgirent de derrière une tenture pour se ranger devant la sortie.

— Voici Slamh et Bergt. Mes p'tits cousins ! se rengorgea Perk.

Il avait glissé une main épaisse comme une enclume sous le comptoir.

Petits, les cousins ne l'étaient pas vraiment. Bâtis tous deux sur le même format que leur aîné, ils présentaient un air de famille. Slamh et Bergt agitèrent leurs grosses têtes dépourvues de tout poil. Leur hostilité était palpable.

Slamh était armé d'un gourdin cerclé de fer, son cousin d'un casse-tête.

— Mon minet, je crois que tu vas maintenant nous expliquer l'absence de Rosh !

— On ne peut pas régler l'affaire autrement ? J'ai de quoi vous payer, dit Cellendhyll en levant ses paumes en signe d'apaisement.

— Oh, moi j'suis tout pacifique ! Par contre, Slamh et Bergt, eux, j'suis pas trop sûr. Ils ont pris du niemh... Ça les excite, en général, le niemh. Ils ont des goûts bizarres, mes tout beaux. Mais j'suis mal placé pour leur reprocher, c'est moi qui les ai formés ! se vanta le revendeur avec une expression gourmande.

— Ouais ! scanda Bergt, avec un sens certain de la répartie. On aime bien les garçons ! Et on adore quand ça saigne !

— T'as raison, Bergt ! Et on aime bien quand ça crie aussi ! Hein, Perk ! surenchérit Slamh d'une voix rauque.

D'excitation, la brute lâcha un pet sonore.

— Tu vois, mon minet, conclut Perk, toute bonhomie retrouvée. On forme une chouette famille ! Ils sont un peu turbulents, les p'tits, pour sûr, mais on s'amuse bien, tous les trois...

Puis, Perk assena une grande claque sur le comptoir. Il n'avait plus envie de rire.

— Où est Rosh ? J'te le demanderai pas une aut' fois !

— D'accord, je vois bien que je ne fais pas le poids. À un contre trois... Je vais tout vous dire, lâcha Cellendhyll une expression craintive plaquée sur le visage.

Il devait les tuer. Il n'obtiendrait plus aucune aide de leur part et Perk avait vu le signe de reconnaissance... Sans compter qu'ils avaient l'intention de le torturer, de le violer et de le tuer. Pas forcément dans cet ordre.

Feignant une attitude soumise, Cellendhyll se pencha vers le comptoir. Restés derrière lui, les cousins ricanaient grassement.

Cellendhyll prit appui sur le comptoir. Il se pencha et lâcha quelques mots inaudibles.

— Comment ? j'comprends rien ! se plaignit Perk.

Il se pencha à son tour pour mieux entendre.

L'Adhan raidit ses doigts et projeta l'index et le majeur dans les yeux du gros commerçant, l'envoyant hurler de douleur contre le mur du fond. Sans attendre, Cellendhyll frappa Slamh d'un coup de pied arrière. Touché à la poitrine, ce dernier fut momentanément coupé dans son élan. Toutefois, sa corpulence lui permit de se rétablir. Il fut cependant dévié sur la trajectoire de son cousin, qui, en conséquence, dut freiner son assaut. D'une volte rapide, l'Adhan évita un coup de casse-tête, qu'il laissa passer au-dessus de sa tête. Il riposta d'un violent coup de coude, en plein dans le menton de Slamh. La mâchoire brusquement rabattue, ce dernier trancha sa propre langue, crachant l'appendice dans un irrépressible flot vermeil.

— Slamh, qu'est-ce que t'as ? Ça va pas ? grogna Bergt.

L'inquiétude suspendit ses gestes. Derrière le comptoir, Perk se frottait les yeux en jurant tout son saoul. Slamh se tenait courbé au-dessus du sol, émettant des borborygmes affolés. De ses grosses mains maculées de crasse, il tentait de contenir le flot de sang jaillissant de sa bouche, sans autre résultat que de se barbouiller d'hémoglobine. Bergt blêmit devant le spectacle, se tourna vers le responsable et chargea impétueusement.

Cellendhyll n'attendait que ça. Il devança l'attaque

de Bergt d'un coup de botte sur la rotule. Le bout ferré écrasa os et ligaments dans un bruit écœurant. Bergt saisit sa jambe à deux mains, le visage tordu par la douleur. Implacable, Cellendhyll releva la tête de son ennemi d'un coup de genou, lui brisant la mâchoire par la même occasion. Puis il saisit les testicules de Berk à pleines mains et serra de toutes ses forces. Un miaulement à consonance humaine retentit dans la pièce. À présent tassé sur le sol à côté de son cousin exsangue, Bergt ne constituait plus une menace.

— Je vais t'crever, menaçait Perk.

Armé d'un tranchoir, il avait contourné le comptoir à l'aveuglette. Son faciès déformé par la rage, il bavait de fureur.

— Je vais... couuch !

Cellendhyll brisa l'écart qui les séparait d'une foulée. Il frappa du tranchant de la main en plein sur le larynx de Perk. Il eut un rictus de satisfaction devant le visage violacé du gros, qui tentait d'aspirer un peu d'air dans sa gorge meurtrie. Le vendeur de drogue y parvint au prix de quelques secondes. Il se redressa, les yeux brouillés par les larmes. Cellendhyll avait dégainé sa dague mystérieuse qui vibra dans sa main. Puis, un grand sourire aux lèvres, seulement aux lèvres, l'Adhan avança sur Perk...

— À nous deux, *mon minet* ! susurra-t-il, la mort dans les yeux.

Lorsque le guerrier aux cheveux d'argent quitta l'officine, trois cadavres attestaient de son passage. Il avait brouillé les pistes en décorant leur front de la marque des Assassins. Que la Guilde ne soit pas implantée en ville, du moins à sa connaissance, ajouterait à la confusion. Rien ne pouvait le relier à cet endroit. Trois revendeurs de drogue sur le carreau ? La belle affaire ! Ni le Guet, ni les templiers n'allaient s'en plaindre et l'enquête n'irait pas bien loin.

Vitupérant contre l'incompétence de Rosh, dont les lacunes se faisaient de plus en plus dramatiques au fil du temps, Cellendhyll s'éloigna dans la nuit. Le visage caché sous sa capuche, il s'était éloigné du magasin et longeait à présent le quartier des Entrepôts.

Que décider ?

Selon le plan établi, Perk aurait dû fournir toute l'aide nécessaire à Cellendhyll pour pénétrer dans le Palais de Vérité, soigneusement gardé par les forces de la Lumière. Étape primordiale qui venait de s'écrouler comme un château de cartes.

Où trouver une aide efficace en si peu de temps ? Réfléchis, Cell'.

L'idée s'imposa bientôt. Cellendhyll retrouva son allant. Il savait quoi faire.

Chapitre 28

L'Adhan dirigea ses pas vers les pentes douces de l'ouest et s'enfonça profondément dans les bas quartiers. Il avait décidé de contacter une puissance à qui il avait déjà fait appel par le passé.

Tout d'abord, un peu de mise en scène. Déambulant au hasard dans les ruelles irrégulièrement éclairées, l'agent des Ombres se mit à singer la démarche erratique d'un homme pris de boisson. Il n'eut pas longtemps à attendre. Un homme ivre, bien vêtu, l'air égaré, constituait une proie trop tentante pour les rapaces à deux jambes qu'abritait la nuit.

Cellendhyll abordait le détour d'un pont de pierre enjambant un étroit bras de mer – il approchait du quartier portuaire.

Ils surgirent devant lui.

D'un pas confiant, un grand chauve au visage lunaire et un petit brun râblé, tous deux armés d'épées courtes, franchirent le pont à sa rencontre. Leurs capes foncées, malmenées par le vent, semblaient tourner en dérision par avance cette pitoyable tentative.

L'Adhan se retint d'éclater de rire. Ces incompétents auraient dû s'abstenir de se placer dos au vent. Avec la brise marine, leurs murmures portaient jusqu'à lui. Il les avait entendus bien avant de les voir. Et ils auraient mieux fait de se positionner plus intelligemment, un devant lui et un derrière, de manière à lui couper la retraite.

Cellendhyll s'avança et fut sur eux avant qu'ils ne puissent réagir. Il leur expliqua qu'il désirait obtenir leur collaboration en usant d'arguments... frappants. Avec, toutefois, bien plus de retenue et de miséricorde que chez le défunt Perk. Après tout, ces pauvres amateurs qui n'en voulaient qu'à sa bourse lui faisaient un peu pitié.

L'Adhan redressa le grand chauve sans douceur et l'adossa contre un mur. L'homme chancelait, le nez éclaté, peinant à retrouver ses esprits. Une odeur fétide, faite de vinasse, de fumée et d'urine, exhalait de sa personne. L'Adhan lui flanqua deux gifles qui retentirent sèchement dans la nuit.

— Toi, tu restes à terre ! cracha-t-il à l'autre. Écoutez-moi bien, les amis : vous vous êtes attaqués à bien plus dur que vous, et j'ai maintenant très envie de vous tuer pour avoir osé m'agresser ! Heureusement, il se trouve que vous pouvez me rendre un service et donc... peut-être éviter d'aller nourrir les poissons. Vous allez me conduire bien gentiment chez un membre supérieur de la Fraternité. Un *veillant*, par exemple. Et je vous laisserai en vie, avec cinq argents de plus dans les poches...

— Cinq argents chacun ou cinq pour les deux ? osa le plus petit des voleurs.

— Pousse pas ta chance, mon gars ! rétorqua Cellendhyll.

— Ta gueule, Delfigh ! intervint l'autre. C'que tu peux êt' con ! S'cusez-le, m'sire.

Plaqué contre la pierre, le grand chauve évitait de croiser l'intimidant regard vert de l'Adhan. Il reprit :

— Nous, m'sire, on connaît pas d'grosses légumes... On n'est pas affiliés à la Guilde...

Un sourire carnassier aux lèvres, Cellendhyll tira son stylet de sa manche, faisant sursauter Delfigh. Le voleur bafouilla, sans oser se relever, puis lâcha d'une traite :

— Mais on peut vous emmener voir un type. Hein, Ossua... un voleur, affilié ! Lui, il saura.

— Sûr que c'est vrai ! renchérit le chauve. Un vrai de la Fraternité, une pointure !

Cellendhyll rengaina sa lame. Mais pas son sourire glacé :

— Allons-y, les gars. Vous ouvrez le chemin.

Chapitre 29

Escortant les malandrins à trois pas d'intervalle, Cellendhyll parcourut d'autres ruelles sombres et très souvent désertes de la ville basse – Festival oblige –, cette fois vers le nord-est. Il restait attentif à son environnement, à la recherche de présences hostiles. Sans se fier aucunement à ses piteux guides, l'Adhan espérait ne pas à avoir à les éliminer. Les deux détrousseurs n'en valaient pas même la peine. Il avait retrouvé sa démarche de guerrier et cette fois aucun malandrin ne parut le trouver à son goût.

Après une petite heure de marche sans embûches, les trois hommes arrivèrent à destination. Un croisement chichement éclairé, composé de bâtiments anonymes. À gauche du croisement, dans un renfoncement, se dressait un vénérable tamaris, dont la dignité et la robustesse juraient avec la décrépitude ambiante.

Sous l'arbre planait un nuage dense de fumée d'un gris tirant sur le vert. L'odeur titilla ses sens. Une odeur prenante, familière. Du mithass, une drogue douce de bonne gamme. Gheritarish le Loki en usait régulièrement.

Les volutes de fumée formaient un rideau opaque, mouvant sous la brise, sans cesse nourri de nouvelles bouffées. L'Adhan abaissa son capuchon en arrière pour mieux voir.

— Il est là, messire ! L'vieux Rathe, annonça Ossua.

— J'espère que vous ne me trompez pas, les gars. Ce serait dommage... Pour vous, surtout...

La voix glacée du guerrier secoua l'échine des coupe-jarrets.

— Que non, messire ! se défendit Ossua. C'est Rhober Rathe ! Rathe le Corbeau, comme on l'appelle par ici. L'vieux Rathe, c'est un as. Sûr de sûr ! Hein, Delfigh ! Dis-lui donc...

— Sûr que oui, Ossua ! Rathe le Corbeau, l'est loin d'êt' maladroit, messire. On le respecte tous dans l'coin. C'est un de l'Ancien Temps. On dit vrai, parole !

Cellendhyll pouvait sentir suinter leur peur.

— Je vous crois, dit-il froidement. Tenez, voici votre argent... Maintenant, tirez-vous, et ne croisez plus jamais ma route. Compris ?

Les deux malandrins ne se le firent pas répéter. Ils décampèrent à toutes jambes.

L'Adhan vérifia que les voleurs aient bien disparu avant de s'avancer vers le nuage de fumée. À mesure qu'il approchait, prenant soin de montrer ses mains, l'une vide, l'autre tenant une bourse tintinnabulante, il parvint à distinguer une mince silhouette masculine, encapuchonnée de gris.

— Bouge plus ! T'es assez près, mon garçon. Qu'est-ce que tu me veux ?

Rendue rauque par l'abus de fumée, la voix de l'homme de la Fraternité des voleurs laissait transparaître une mesure d'agacement. Cellendhyll profita d'un assaut du vent pour découvrir braqués sur lui deux yeux couleur ardoise, voilés par le mithass et blasés par l'existence. Le toisant sans ciller. Le reste du visage était maigre, tout en méplats, avec un long nez pointu et une moustache poivre et sel assortie d'un bouc. L'Adhan ne voyait pas les mains de Rathe le Corbeau, mais il les devinait armées. D'une toute autre envergure qu'Ossua et Delfigh, le voleur ne montrait aucune crainte. Plutôt un certain ennui.

L'agent des Ombres répondit à la question par un geste précis, appris des années auparavant d'un chef de clan nain.

Rathe parut amusé.

— Ainsi, tu connais le *signe*... Pourquoi t'es là, guerrier ?

— Je me nomme Machallan. Je veux rencontrer un veillant...

— Hé, gamin ! Va voir ailleurs, je n'ai rien d'un garçon de courses. Tu me fais perdre mon temps, tu ne vois pas que je suis débordé ?

Avant que Cellendhyll ne puisse intervenir, le vieux voleur avait reculé dans le noir, sans le moindre bruit. Il s'avérait impossible de le repérer. L'Adhan lança pourtant :

— Quinze licornes d'argent pour lui parler. Trente, si ça se fait ce soir...

Rathe surgit pratiquement à deux pas de lui, sur la gauche, alors qu'il avait disparu à l'opposé. Les traits du voleur s'éclairaient à présent d'un intérêt subit.

— Donne...

— Tu me prends pour un bleu ? s'exclama Cellendhyll. Je te paierai quand je verrai le veillant. Et une dernière chose, ne crois pas me jouer un tour, Rathe le Corbeau. Tu le paierais de ta vie, comme tous ceux qui l'ont tenté.

— Par les couilles du Démon Cornu, je n'en doute pas une seconde ! Et tel n'est pas dans mes intentions. Quelque chose me dit que je vais bien m'amuser avec toi, gamin. Suis-moi !

Chapitre 30

Cellendhyll talonnait le Corbeau, mince silhouette recouverte de gris en marche vers la ville-haute. À mesure qu'ils remontaient vers l'est de la ville, la saleté refluait, les rues s'espaçaient. Plus de lumière, plus de gens, évoluant par groupes bavards. Des familles rentrant tranquillement se coucher ou, au contraire, de jeunes noctambules décidés à toutes les audaces.

Ils bifurquèrent vers le quartier des entrepôts. Cellendhyll en avait plein les bottes de battre le pavé. Pour chasser sa fatigue et apprendre à se repérer dans cette partie peu familière de la cité, il se mit à mémoriser des points de repères. De la capitale, il connaissait surtout la Citadelle où il résidait alors en tant qu'aspirant, les artères principales de la ville-haute et le quartier commerçant, où il descendait de temps à autre, afin de se distraire d'un entraînement harassant. Avec les *Compagnons du Soir.*

— Voici le bâtiment abritant une partie de l'état-major de la Fraternité, annonça Rathe avec une révérence ironique.

Il se tenait devant un immeuble de cinq étages, bâti en pierre grise. À l'entrée, un groupe d'hommes dépenaillés jouait aux dés-dragons.

— Nous n'entrons pas ? demanda Cellendhyll.

— J'aime pas les arrivées trop visibles, renifla le

Corbeau. Et puis, sache que j'ai une réputation à maintenir. Viens, on va passer par le côté. Pas de bruit, hein !

Bien que sur ses gardes, l'agent des Ombres ne percevait pas Rathe comme constituant un danger immédiat. Le voleur possédait une certaine ressemblance avec Nevlokh, chef d'un clan nain des montagnes neigeuses, au sud-ouest. Le même caractère bourru.

Cellendhyll suivit le voleur dans une ruelle adjacente. Montrant l'exemple, Rathe le Corbeau évoluait sans bruit au sein des ombres nocturnes. Il fit le tour du bâtiment pour s'arrêter à l'arrière. S'assurant que rien ne le dérangerait, il sortit un trousseau d'une de ses nombreuses poches. Il choisit une clé et s'en servit pour ouvrir la porte basse de l'immeuble d'en face.

— Tu ne la crochètes pas ? Moi qui te croyais Maître-voleur, dit Cellendhyll.

— Ignorant ! Je ne vois pas l'intérêt puisque j'ai la clé !... Et je suis effectivement un Maître-voleur !

— Ah ! Mais je croyais que vous autres voleurs...

— Crocheter une porte dont on a la clé ? le coupa Rathe. Non mais, quelle idée stupide ! maugréa-t-il dans sa barbe.

Ils entrèrent. Les lieux étaient déserts, couverts de poussière. Un entrepôt désaffecté, sans doute, empli d'un silence qui jurait avec l'agitation confuse du dehors. Ils s'engagèrent dans un escalier branlant pour monter jusqu'au toit. Rathe laissa le guerrier quelques minutes, le temps d'effectuer une brève reconnaissance.

Le Corbeau guida ensuite Cellendhyll jusqu'au bord du toit.

— Tu vois, c'est en face qu'on va. Personne ne remarquera notre arrivée.

— Cela me semble un peu loin pour sauter...

— Sauter ? Toi, t'es vraiment fissuré ! Sauter ? Et

puis quoi encore ! Pourquoi pas se jeter dans le vide et s'envoler jusqu'aux deux lunes, pendant que tu y es !

Rathe s'esquiva quelques instants pour revenir avec une grande planche de pin délavée.

— Tiens, aide-moi, au moins... Sauter ! C'est moi qui fume, mais c'est toi qui délires !

La traversée se révéla des plus aisées. Une fois sur le toit de l'autre bâtiment, Rathe retira la planche et la rangea dans un recoin sombre, sous une bâche.

— Hé, Rathe, tu passes par ici à chaque fois ? Comment tu vas faire la prochaine fois puisque la planche est de ce côté ?

— Réfléchis un peu, gamin. Il y a d'autres issues. Mais comme tu étais là, je ne pouvais choisir qu'un accès facile. Je remettrai la planche une autre fois. Tais-toi, à présent. On va descendre. Tu restes derrière moi, et tu ne dis rien. Le toit du bâtiment de la Fraternité s'avérait aussi déserté et poussiéreux que son voisin. Cellendhyll suivit Rathe jusqu'à une porte coincée entre deux tas de matériel de maçonnerie. Une porte épaisse, bardée d'acier.

— Celle-là, il va falloir que je m'en occupe. Ils changent la serrure toutes les semaines. Regarde faire le *maître*, gamin...

Rathe exhiba cette fois un croche-serrure. Il se mit à l'ouvrage, en sifflotant avec nonchalance. Le crochetage ne dura pas. Le voleur se redressa d'un air triomphant, la moustache frétillante :

— Onze secondes ! Et encore, je me suis pas dépêché, pour que tu puisses admirer. Avoue que t'es épaté !

— Oui... Ça me semble pas mal, effectivement, concéda l'Adhan, avec une moue peu convaincue.

En vérité, il n'avait jamais vu un voleur aussi habile. Rathe le Corbeau était digne de sa réputation. Cellendhyll se demanda s'il pourrait le recruter pour le compte de Morion. Un bon voleur pouvait se révéler un sacré atout dans le genre de mission qu'effectuait l'agent des Ombres.

— Pas mal ? *Pas mal !* renifla le Corbeau. Mais c'était une serrure piégée de classe trois-sept ! Avec une double alarme !

— Si tu le dis... répondit Cellendhyll avec un manque d'enthousiasme aussi flagrant que feint. Je trouve que ça fait bien des efforts pour pas grand-chose. On aurait pu entrer par-devant. Sans se fatiguer.

— La jeunesse ! Aucune compréhension des règles de l'art, du travail d'artiste. Aucun respect ! C'est le manque de respect qui gâche ce métier, je te le dis. Oui, le manque de respect !

Rathe bougonnait encore dans sa barbe tandis qu'ils s'engageaient à pas prudents dans l'escalier. Rathe dut s'arrêter plusieurs fois pour désamorcer une série de pièges. Deux étages plus bas, ils s'arrêtèrent sur un palier désert.

— Ici, y'a pas grand-monde à cette heure, chuchota Rathe. On y garde surtout nos annales et les chroniques des années précédentes. Une sorte de bibliothèque quoi ! Viens, nous, on va par là.

Il mena l'Adhan dans un couloir étroit, franchit une porte et pénétra dans une pièce tout à fait quelconque. Rathe traversa la pièce, ouvrit une paire de rideaux puis une fenêtre. Après quoi, il invita Cellendhyll à sortir sur le balcon en pierre.

De sa gibecière, le Corbeau tira d'une corde qu'il lia à un des piliers du balcon à l'aide d'un nœud de sa composition.

— On descend, chuchota-t-il.

— On pourrait pas faire plus simple ? demanda le

guerrier tout de même dubitatif devant tant de circonvolutions.

— Je te l'ai dit, fiston, j'ai une *réputation* à défendre. Et puis j'aime bien surprendre cet empoudré de Volpert. Ça l'énerve toujours et j'adore ça !

Ils prirent pied sur le balcon du dessous et, une fois de plus, Rathe déverrouilla la fenêtre en un temps record. Avant d'entrer, il récupéra sa corde qu'il avait pris soin de lier d'un nœud spécial. Sans un bruit, les deux hommes se glissèrent à l'intérieur, et arrivèrent derrière de lourds rideaux de velours lie-de-vin. Les yeux pétillants, la moustache presque retroussée, Rathe s'amusait réellement. Il écarta précautionneusement un pan de rideau afin d'examiner les lieux. Satisfait, il invita l'Adhan à l'imiter à son tour.

Cellendhyll avisa les murs pastels, le haut plafond, éclairé chichement par des candélabres de bronze forgé. Un divan chamarré de pourpre et d'or et une table basse en bois précieux étaient placées devant une cheminée allumée, sur laquelle trônaient trois statuettes antiques. Quelques rayonnages ornaient les murs non loin d'un coin pour se restaurer. La pièce ressemblait plus à un boudoir qu'à autre chose. Un parfum sucré flottait dans l'air.

L'attention de Cellendhyll se reporta sur l'unique occupant de la pièce, assis derrière un vaste bureau. Plus jeune que Cellendhyll, et donc que Rathe, le veillant principal Mélicio Volpert s'habillait avec recherche. Cependant, ses goûts en matière de couleurs laissaient à désirer. Son ample costume de velours formait un mélange criard de violet et de rouge, complété d'un foulard de soie verte qui jurait particulièrement avec le reste de sa tenue, et de pantoufles de satin noir.

Volpert prenait visiblement grand soin de sa chevelure blond-roux, aux boucles coquines et calamistrées.

Sa barbe courte brillait tant qu'elle devait être peignée quotidiennement. Ses ongles disparaissaient sous une laque d'un rutilant violet. L'homme affichait également un goût immodéré pour les bijoux. Il exhibait une douzaine de bagues ornementales et au moins cinq ou six bracelets, sans compter trois brillants à chaque oreille et différents colliers.

— T'as vu, chuchota Rathe, une véritable bijouterie ambulante, le Volpert !

Cellendhyll dut s'avouer qu'il se faisait une idée un peu plus virile d'un veillant de la Fraternité.

Installé à son bureau, le dénommé Volpert admirait un pendentif qu'il faisait rêveusement tourner à la lumière. Son regard était celui d'un prédateur, vif et combien avide. Le pendentif venait d'un cambriolage organisé par la Fraternité dans une des riches demeures du haut-quartier. En qualité de Veillant, Volpert l'avait prélevé sur le butin. Il raffolait des reflets ambrés du bijou et se demandait s'il n'allait pas le garder pour lui, plutôt que le revendre. Combien pourrait-il en tirer ? Il sortit un catalogue de pierres précieuses qu'il se mit à compulser minutieusement.

Absorbé par son inventaire, le Veillant ne s'aperçut de l'intrusion des deux hommes que lorsque Rathe fit un pas en avant. Surpris, Volpert sursauta. Il lâcha le bijou, le livre et faillit tomber de son fauteuil. Sa main replète vola vivement vers un tiroir entrouvert. Reconnaissant enfin le Corbeau, il se détendit quelque peu et reprit contenance, arborant une mine des plus hautaines.

Alors que les visiteurs se rapprochaient, le Veillant tenta vainement de chasser l'avidité de son regard.

— Rathe, tu ne peux pas entrer par la porte, te faire annoncer comme les autres ? les accueillit-il d'une voix indolente.

— Non, je peux pas ! Je suis pas « les autres »,

répondit le Corbeau avec une évidente mauvaise volonté.

Le vieux voleur traversa la pièce encombrée et s'adossa contre un coin de la cheminée.

Le Veillant n'entendait pas le laisser s'en tirer ainsi.

— Tu es en retard dans tes cotisations, d'après ce que m'a rapporté Sernyll...

— Sernyll est un faux cul doublé d'un incapable ! Je paye mes cotisations à temps. Depuis toujours, ajouta Rathe d'un ton sans réplique. Que ce rat pustuleux ose donc dire le contraire devant moi !

Après cette tirade, le Corbeau se confectionna un rouleau de mithass et l'alluma, laissant échapper un épais nuage de fumée gris-vert et odorante qu'il souffla vers le bureau.

Le Veillant agita sa main devant lui pour disperser la fumée qui l'incommodait. Après quoi, il tourna son visage fardé vers Cellendhyll.

— Et qui c'est, celui-là ? Il n'est pas de chez nous...

— Ce gentilhomme que tu vois là m'a payé pour rencontrer un ponte de la Fraternité. J'ai tout de suite pensé à toi, Volpert !

Cc dernier ne saisit pas l'ironie. Il afficha une moue contrariée.

— Et tu crois, Rathe, que je vais perdre mon temps à ce genre d'imbécillités ? Ce n'est pas un office de tourisme, ici !

— Ça m'étonnerait que ce mec se soit lâché de trente licornes d'argent juste pour une balade dans l'immeuble, lâcha Rathe entre deux vigoureuses inspirations de fumée. Tu devrais l'écouter. Si ça ne bouscule pas trop ton emploi du temps, bien sûr !

Rathe le Corbeau ne paraissait vraiment pas apprécier son supérieur.

— Que veux-tu, étranger ?

L'évocation de la somme d'argent avait insufflé une certaine énergie à la voix efféminée du Veillant. Un sourire apparut au coin de ses lèvres. Totalement factice.

Cellendhyll répondit d'un ton neutre :

— Je veux une planque sûre pour deux ou trois jours et des renseignements. J'ai de quoi payer... et je suis du genre à égorger ceux qui cherchent à me doubler.

L'Adhan fit une pause le temps de fixer le Veillant de son inquiétant regard vert. Volpert se tortilla nerveusement sur son siège et déglutit à grand bruit.

Constatant qu'il s'était fait comprendre, autant par les mots que par le ton employé, Cellendhyll sortit un papier de sa poche et le tendit à l'autre.

— Pour ce qui est des renseignements, voici la liste des personnes qui m'intéressent, annonça-t-il. Je sais qu'elles sont en ville. Ça ne doit pas être compliqué pour la Fraternité de les situer. Je n'ai besoin que de leur adresse. C'est dans tes cordes ?

Mélicio Volpert réussit à cacher sa surprise. Le document contenait les noms de Ghisbert de Cray, Ysanne de Cray, sa sœur, Valère d'Argonis, Igon de Mortemart et Sophien de Guerches. La cervelle en feu, il parvint tout de même à répondre avec assurance :

— Ça peut se faire. Pour peu que tu en aies les moyens, étranger. Pour la planque, facile. Rathe, tu vas l'amener chez Frenko. Tu sais comment faire... Qu'il prenne une chambre. Il paiera directement là-bas. Pour les renseignements, il faut que je voie... Ça te coûtera cent licornes d'Argent. Tu as de quoi assurer ?

— N'insulte pas mon intelligence, Veillant, si tu tiens à la santé. Tu auras cinquante licornes, pas plus. Et je paierai à la livraison. Pas avant.

Le ton froid de l'Adhan dissuada Mélicio Volpert de marchander.

— Oui, bon, se rembrunit-il. Eh bien, reviens demain, le Corbeau te conduira. Et cette fois, faites-vous annoncer ! Rathe, tu l'amènes pour le début de soirée, tu sais que je ne traite jamais d'affaires avant !

Les deux visiteurs se dirigèrent vers la sortie. Juste avant de franchir le seuil, Rathe lâcha :

— Ah, Volpert, au fait, inutile de consulter ton registre. Ton bijou vaut que dalle. C'est un faux, une vulgaire babiole ! C'était ça, ta part pour la cambriole d'hier soir ? Bravo !

Et le vieux voleur s'esquiva dans un rire grinçant.

Resté seul, Mélicio Volpert jeta le pendentif d'un air dégoûté. Il se mit à songer à cet homme à l'impérieux regard de jade. Quelle troublante présence ! Et ces magnifiques cheveux d'argent, songea-t-il avec jalousie. Que pouvait bien faire le rude guerrier avec ce vieux fossile de Rathe ? En tous les cas, sa demande méritait réflexion. Bien qu'il n'en ait rien montré, le Veillant connaissait les personnages notés sur le document, au moins de nom. Il fréquentait même l'un d'entre eux régulièrement. Ces individus faisaient tous partie de la cour de l'Empire. Voilà qui s'annonçait très prometteur ! Ce que voulait le guerrier aux cheveux d'argent à ces cinq personnes de qualité, il s'en moquait bien, du moment qu'il payait.

Inconsciemment, Volpert se mit à jouer avec ses bagues, le regard rêveur. Son esprit fertile échafaudait une de ses habituelles manigances. Après plusieurs minutes de réflexion, une fois encore, il décida qu'il aurait tout intérêt à jouer sur les deux tableaux pour doubler son bénéfice. Une habitude qui, pour peu qu'il prenne certaines précautions, lui avait toujours réussi.

Le Veillant tira sur un cordon placé à portée de sa main. Un frêle adolescent, vêtu de soie moulante entra, l'œil interrogateur et maquillé.

— Olmek, mon petit chou, ouvre-moi la fenêtre. Ça empeste le mithass ! Et allume donc une bougie. Une des grandes, à l'anis.

Pendant que le garçon s'activait, d'un tiroir, Volpert sortit de quoi écrire et rédigea un long paragraphe sur une feuille de vélin. Il cacheta la missive de son sceau privé et la tendit à son giton.

— Tiens, mon cœur : fais porter ça par Mynk au seigneur Valère d'Argonis. Mynk attendra sa réponse. Après, tu reviendras me voir. Au passage, préviens Lalli. J'ai besoin d'un petit massage.

Mélicio Volpert adorait les adolescents. Tout particulièrement les garçons. Presque autant que les bijoux. Il quitta son fauteuil pour aller s'allonger sur son canapé. Et s'il se teignait les cheveux en argent, lui aussi ? Voilà qui épaterait bien Synolya et Gargoshin, ses deux galants confrères.

De l'autre côté de la rue, en face de la Fraternité, un homme blond au grand front marchait courbé.

Il était de stature frêle, vêtu de riches habits de velours lie-de-vin, taillés à la dernière mode. Il se dirigeait lentement vers un luxueux carrosse laqué d'azur, d'or et d'argent, situé au carrefour suivant. Sa marche précautionneuse le faisait passer pour un vieillard. Il avait pourtant à peine dépassé la trentaine.

Juste avant de monter dans son véhicule, l'homme blond s'arrêta pour reprendre son souffle. Son visage émacié et crayeux détonnait parmi les faces réjouies des badauds, pour la plupart rougies par l'alcool. Il regarda machinalement autour de lui, et repéra Cellendhyll, tête nue, qui se détachait de la foule par sa haute silhouette et sa chevelure argentée.

Cette vision ébranla l'homme blond au plus haut point. Il dut se raccrocher au carrosse. Alerté par le soudain désarroi de son maître, le cocher s'empressa de l'aider à s'installer sur la banquette du véhicule. L'homme blond avait les yeux hallucinés. Passant rapidement la tête par la porte, il vérifia que Cellendhyll ne l'avait pas repéré. Rassuré, il se secoua pour ordonner :

— À la maison, Fredel. Ne traînez pas !

À peine en route, Sophien de Guerches déchira le paquet qu'il gardait serré contre lui. Il préleva une pincée épaisse de nagga noir – le plus fort – qu'il inspira désespérément. Avant que la drogue ne fasse effet, il s'allongea sur la banquette, l'esprit chaviré : *Il* était vivant. Et de retour ! Par tous les préceptes de la Lumière... *l'Ange* était vivant !

Chapitre 31

— Il va te trahir, tu sais... annonça Rathe.

— Tu parles de Volpert ?

— Oui. Oh, pas ce soir, il attendra de voir la couleur de ton argent. Mais demain, lorsque tu iras le voir, je pense que tu seras attendu par un comité de réception.

— Figure-toi que ça ne m'étonne pas. Mais pourquoi m'avertir ?

Les deux hommes marchaient tous les deux en direction de l'auberge indiquée par Volpert.

Rathe cracha un jet de salive noirâtre sur le sol poussiéreux.

— Je ne l'aime pas ! Un tas de types comme lui ont pointé leur nez dans la capitale, ces dernières années. De jeunes loups aux dents aiguisées, fardés comme des putains. Dépourvus du moindre honneur, de l'amour du métier. Ils ridiculisent l'esprit de la Fraternité ! Une véritable bande de lézards des marais... Oui, je parie qu'à l'heure qu'il est, Mélicio doit déjà avoir envisagé de te trahir de deux ou trois différentes manières. Et j'avoue que ça me débecte ! Un Veillant se doit d'être irréprochable, il est censé être le garant de nos traditions ! Tu l'as vu, le Mélicio Volpert ? Eh bien, lui et ses proches sont censés incarner les forces vives de la Fraternité. Quelle honte, pour nous voleurs !

Le Corbeau s'échauffait à mesure qu'il parlait :

— Et cette façon de s'habiller... Non, mais ! Un autre crachat souilla le sol. On n'est pas des *troubadours*, tout de même ! Non, j'aime pas vraiment ce gommeux. Il le sait mais il ne peut rien contre moi. Lui et ses mignons ont trop peur que je quitte la Fraternité pour monter un réseau parallèle. Avec les vieux de la vieille à mes côtés, ces jeunots ne tiendraient pas longtemps, crois-moi !

Il marqua un temps d'arrêt, et leva un index noueux.

— Attention ! Sous ses airs de grande folle, Volpert est un vrai tueur ! Ne le sous-estime surtout pas ! Mais quel manque d'honneur et quel manque de style... Non, par toutes les vérités, je ne peux pas l'encadrer !

— Nous sommes deux, rétorqua Cellendhyll, amusé malgré lui par cette véhémente tirade.

— Ah, rien que pour ça, la première tournée sera pour moi ! s'exclama le Corbeau. Tu commences à me plaire, gamin !

— Rathe... Si tu pouvais arrêter de m'appeler gamin... Mon nom est Machallan.

— Quoi, *gamin*... Tu as un problème ?

L'œil pétillant de bonne humeur, le voleur s'alluma derechef un autre bâtonnet à fumer, qu'il venait de rouler d'une seule main, et laissa se répandre l'odeur acre du mithass.

Cellendhyll préféra laisser tomber. Il pressentait que ce serait gaspiller sa salive que de vouloir dominer le vieux brigand dans une joute verbale. De plus, il se sentait incapable de s'emporter contre ce personnage somme toute sympathique. Aussi, plutôt que de répliquer, il emboîta le pas du Maître-voleur, admirant avec quel savoir-faire celui-ci s'appropria les bourses de deux bourgeois enivrés, affublés de colliers de fleurs et une bouteille de rhum ambré à la main.

Le Cygne Vert, l'auberge indiquée par Mélicio Volpert, ne présentait aucun attrait particulier. C'était un établissement bas de gamme comme tant d'autres, sans rien de remarquable. Une grande salle enfumée peuplée par la faune habituelle des noctambules. L'alcool coulait généreusement dans les gosiers mais les conversations se faisaient à voix basse.

L'écuelle de bœuf bouilli aux endives qu'on leur servit accompagnée d'une bière chaude et insipide, ne soutenait aucunement la comparaison avec la cuisine de Kell. Cellendhyll ne finit pas son assiette.

— Au fait, quelle est la situation en ville ? s'enquit l'agent des Ombres.

— Rien de particulier à signaler, rétorqua Rathe en haussant les épaules. Par contre, pour nous autres voleurs, tu imagines bien qu'avec cette affluence, c'est une période faste. On ne chôme pas mais nous faisons de sacrés bénéfices. *Viva el Festival !*

— Je parlais du Conseil, en fait, sourit l'Adhan.

— Ah ! Eh bien, tu choisis ton moment pour poser cette question... En apparence, toujours les mêmes luttes d'influence... On vote le budget. Le nouveau cardinal de l'Orage, le jeune Hégel, a tendance à faire du zèle. Il réclame de nouveaux privilèges pour les services de l'Inquisition mais le connétable Xavier s'y oppose farouchement ; le cartel des Marchands, dopé par les bénéfices à venir du Festival, demande également de nouveaux crédits. Il défend un projet pour faire élargir le port ; quant à l'administrateur Vaillence, il se démène comme il peut pour équilibrer les comptes. Heureusement, l'archevêque Auryel arrive en général à mettre tout le monde d'accord. La politique, quoi ! En tout cas, comme chaque année, ces nobles sires se préparent à rendre le Jugement, comme l'exige la Tradition. Bien que ces dernières années, aucun jugement de Droit n'ait été réclamé. Juste le tout-venant. De petites querelles commerciales ou territoriales, des disputes de famille... des broutilles.

— Tu as dit *en apparence* ?

— Ah, en effet ! Et je te signale au passage que je te livre ces informations *gratis* ! Ça mérite un bien meilleur dîner que celui-là et arrosé comme il se doit... Oui, messire ! Bon, je disais quoi déjà ? Oui, d'après mes informateurs, il se prépare quelque chose. Quelque chose à grande échelle, si tu veux mon avis. Les dispositifs de sécurité du Palais ont été multipliés. Les archidiacres usent de leur magie pour rendre certaines pièces impénétrables à nos guetteurs. De plus, depuis quelques mois, des troupes sont régulièrement acheminées ici, via le port. Par effectifs réduits, pour ne pas éveiller l'attention. À peine débarqués, les soldats sortent de la ville, sans même passer à la caserne, et disparaissent. Il y a plusieurs arrivages par semaine. Et tous ces traîneurs de hache à transiter comme ça, ils vont bien quelque part, non ?

Ainsi, se dit Cellendhyll, *la phase de conquête de la Lumière redoutée par les Ténèbres semble bien en cours de réalisation. Il est temps que j'intervienne...*

— Pourquoi m'aides-tu, Rathe ? demanda l'Adhan. Tu ne me parais pas du genre à te mêler des affaires des autres...

— Mon garçon, il y a plusieurs raisons : d'abord, je te trouve sympathique. Et puis, je déteste voir Volpert bafouer l'honneur de la Fraternité. Enfin, à vrai dire, je m'ennuie.

Le Corbeau jeta un coup d'œil désabusé à sa chope. Cellendhyll leva le bras pour commander une autre tournée.

— J'ai réalisé de très beaux coups, reprit le voleur.

Tiens, par exemple la nuit où avec la Fratrie – c'est le nom de ma bande –, on a interverti les meubles du Prévôt et ceux du Gouverneur... Quelle rigolade ! Et le plus drôle c'est que le Prévôt devait déjeuner le lendemain même chez le Gouverneur ! Ça, c'était un coup pour l'honneur de la Fraternité. Les jeunes, tu vois, ils n'ont aucun amour du métier bien fait. Aucun respect des valeurs. Ah, le profit, ça, le profit, ça les fait bouger ! Le profit, moi, je m'en fous. C'est pour ma fille, tu comprends ? Tous mes bénéfices sont pour elle. La petite étudie à l'université des guérisseurs de la Guelfe Blanche. Sur le Plan-maître de la Lumière. C'est pour ça que j'ai besoin d'argent. Pour qu'elle ne manque de rien. Sa mère est morte en la mettant au monde, elle n'a plus que moi, un vieux voleur solitaire. Elle est si douce. Comment un vieux mécréant dans mon genre a-t-il pu créer un tel miracle ? Je me le demande encore. Si tu la voyais...

Cet accès de vague à l'âme de la part du voleur gêna Cellendhyll. Il préféra détourner la conversation. Sortant de sa tunique son sachet médicinal, il en préleva un petit paquet rembourré qu'il tendit au voleur.

— Tiens ! Puisque tu sembles tant aimer fumer...

— De l'herbe-à-fumer loki ! Par le Bouc Noir à Trois Pattes ! Tu sais ce que ça vaut ?

Rathe caressa tendrement les petites fleurs séchées du bout du doigt. Ses yeux étincelaient devant un tel trésor.

— Il n'y a que des têtes, en plus !

Il rangea aussitôt son bâtonnet de mithass.

— Ce n'est pas mon truc, la fumée, rétorqua Cellendhyll, amusé devant l'enthousiasme du Corbeau. Comme je n'en ai pas l'usage, je te la donne...

— Et c'est tant mieux pour moi ! Je ne sais pas où tu as pu te procurer un tel trésor, mais je vais tout de suite le goûter, dit le voleur qui venait de retrouver tout son aplomb. Il ressortit son papier à rouler. Ses mains se mirent à œuvrer avec assurance, confectionnant un cylindre à fumer de forme impeccable qu'il s'empressa d'allumer. Tu vas me sentir ça ! s'exclama-t-il.

Mais Cellendhyll connaissait bien cette odeur, d'ailleurs pas désagréable. Friands d'herbes à fumer, les Lokis cultivaient une production renommée pour sa qualité. Composée de petites fleurs triangulaires couleur cèdre, avec des pétales bleutés, la loki produisait une douce euphorie. À force d'abus, cette euphorie pouvait cependant se transformer en intense torpeur. Une drogue idéale pour se détendre, aux effets moins pervers que l'alcool. Il suffisait d'un peu de sommeil pour récupérer et elle n'entraînait aucune accoutumance.

Pour sa part, l'Adhan était trop méfiant pour se laisser aller à ce type de plaisirs. D'ailleurs quels plaisirs se permettait-il de vivre ? se demandait-il de temps à autre. Jamais il ne s'abandonnait. Aucune drogue ni alcool, pas de femme pour le réconforter ou le faire oublier. Il n'y avait qu'en combattant qu'il se sentait vraiment vivre.

Cellendhyll, qu'as-tu fait de ton existence depuis ton exil, toi qui t'étais naguère promis un si brillant destin ? Servir le Chaos sur les champs de bataille, dans les ruelles sombres ou les landes sauvages ? Tu n'as aucune vie à toi, aucune compagne ni famille pour t'attendre. Tu risques ta vie et tu délivres la mort. Voilà qui peut le mieux résumer ton présent. Et tu t'es révélé plutôt bon à ce jeu-là, n'est-ce pas ? Très bon, même. Et ton futur, tu as bien du mal à te l'imaginer, hein ? Incapable que tu es de voir plus loin que la mission en cours. Ni rêves, ni projets pour te nourrir.

Quant à ton passé, il n'est source que de tourments et d'amertume, tu le sais bien. Aujourd'hui, tu as l'idée de vengeance pour te réchauffer, mais après ? Si tu réussis, que feras-tu ?

Assez ! se dit-il.

Sa vie, sa survie, en équilibre avec la mort qu'il réservait à ceux qui se dressaient sur son chemin. Voilà qui suffisait. Et il verrait bien où ça le mènerait.

Ignorant des pensées tourmentées de son interlocuteur, Rathe fumait béatement, exhalant la fumée en produisant des enchaînements de cercles parfaits.

— Machallan, tu es un frère. À partir de maintenant, tu peux compter sur moi ! Par la Fraternité que je garde en esprit, ma seule véritable maîtresse, j'en fais le serment !

Sur cette tirade, Rathe cracha sur le sol, étendit ses jambes et se rencogna dans son siège. Il se mit à créer une nouvelle géométrie, réussissant à produire des volutes imbriquées. Le spectacle de la fumée façonnée avait un effet hypnotique. Alors que le voleur tirait résolument sur son bâtonnet, Cellendhyll se secoua.

— Fais attention, tout de même. Elle est forte, il vaut mieux en avoir l'habitude.

— Tu me prends pour un novice ? T'inquiète ! sourit largement le Corbeau, les pupilles rétrécies par la drogue. Je l'ai coupée avec du tabac...

Et cependant que le voleur entreprenait derechef de se rouler un autre bâtonnet, Cellendhyll songea à ce qui l'attendait le lendemain. Une journée chargée, a priori. Les Compagnons étaient-ils conscients de son retour ? L'assassinat de Jhemar d'Althynès devait avoir été rapporté, à présent. Ghisbert devinerait-il ? Au fond, Cellendhyll espérait que oui. *Transpire un peu, Ghisbert, j'arrive. Oui, quoi que tu décides, j'arrive !*

D'autres questions l'interpellaient. Demain serait un jour décisif. Le Veillant aurait-il les renseignements demandés ? Un piège, peut-être ? Non, un piège, sûrement.

Cellendhyll n'avait pas besoin de la mise en garde de Rathe pour se méfier de Mélicio Volpert. Ce dernier paraissait bien du genre à avertir les Compagnons afin de doubler ses bénéfices. Et s'il y avait un traquenard à attendre, ce serait de la part de Valère... Valère d'Argonis. Raison de plus pour y aller. De toutes les manières, il avait besoin de ces informations pour sa vengeance.

Au bout d'une vingtaine de minutes, l'Adhan se rendit compte que le voleur ne disait plus rien, demeurant immobile à sa place, son deuxième cône à fumer entre ses doigts. Le regard vague fixé droit devant lui, il souriait d'abondance à un poteau.

— Alors, comment tu la trouves, la loki, finalement ? demanda Cellendhyll, le visage adouci par un bref, rare et réel sourire.

Les paupières à demi fermées, Rathe eut un geste flou de la main, accompagné d'un haussement des sourcils et d'un oscillement de la tête. Son faciès ébahi exprimait avec éloquence les mérites de l'herbe loki.

— Vieux fou ! lança Cellendhyll avec une bouffée d'affection inattendue. Bon, j'ai compris... C'est fini pour ce soir, on va se coucher.

Il parvint à faire monter le voleur jusqu'à sa chambre. Rathe grimpait les marches en gloussant. Cellendhyll le mit au lit. Le voleur se laissa faire tel un bébé. Il était plus lourd qu'il n'y paraissait. Et plus musclé. Un dernier gloussement s'échappa de sa bouche, alors que l'Adhan le bordait.

À peine redressé, Cellendhyll entendit un ronflement léger s'élever du lit. Même cela, Rathe le faisait discrètement.

L'Adhan dut s'avouer qu'il lui plaisait vraiment, ce vieux brigand. Sans savoir pourquoi, il se mit à songer à son père veuf, Athos de Cortavar. Plongé dans le déshonneur et la ruine, il était mort de chagrin. Et ça aussi, Cellendhyll allait leur faire payer.

L'agent des Ombres laissa le Corbeau à ses rêves. Il barricada la porte, ouvrit la fenêtre, et monta sur les toits pour effectuer une dernière ronde, avant de rentrer se coucher dans l'autre lit. Il le pressentait, le lendemain serait mouvementé.

Chapitre 32

La nuit se passa paisiblement. Cellendhyll se réveilla frais et dispos après un sommeil exempt de cauchemars. Rathe avait disparu. L'Adhan avait beau avoir un sommeil léger, il n'avait rien entendu.

Il terminait de s'habiller, quand il entendit un grattement léger à la porte de la chambre. Presque une caresse. Cellendhyll dégaina son stylet. Il ouvrit doucement la porte, en la bloquant avec le pied pour éviter qu'on ne force le passage.

Dans le couloir mal éclairé, il n'y avait qu'un nuage de fumée que Cellendhyll reconnut sans difficulté. Le nuage se dissipa. Rathe le Corbeau apparut, la silhouette à demi dissoute dans la pénombre ambiante.

— Viens, fiston, on doit parler de qui tu sais, entama le voleur. Mais pas ici. Habille-toi, on va aller manger un morceau.

Dix minutes plus tard, ils avaient quitté l'établissement. Après un solide petit déjeuner pris dans une gargote, les deux hommes s'engagèrent dans les rues de la capitale qui se révélaient tout aussi fréquentées que la veille. C'était une belle journée ensoleillée. L'air était froid mais sec. Plutôt agréable. Rathe avait l'air un peu embrumé mais il marchait d'un pas sûr. Il avertit Cellendhyll :

— J'espère que tu n'as rien oublié, parce qu'on ne reviendra pas à l'auberge. Si Volpert t'a vendu, comme je le pense, l'endroit est à éviter. Je te trouverai une meilleure planque. Pas chère, et plus sûre.

— *On* ?

— Bien sûr *on*. J'ai décidé de rester avec toi : on rigole bien et tu as de quoi payer.

— Je ne suis pas certain de vouloir d'un assistant, rétorqua l'Adhan.

— Un assistant ? *Moi*, un assistant ? Je préfère nettement le terme de « guide ». Comment tu feras, si Volpert t'a vendu et que tu es recherché par les yeux de la Fraternité dans toute la ville ? Moi, je peux t'aider. Penses-y.

— Combien ?

— Voyons, étant donné que je suis le meilleur voleur de la capitale, mais que je te trouve acceptable, je te fais un forfait : pas plus de soixante licornes d'argent pour la durée du Festival.

— Ma foi, tu es plutôt cher.

— Je te l'ai dit, c'est pour ma fille. D'ailleurs, Machallan, que t'importe ! Ça m'étonnerait que tu sois le genre bourse-serrée...

Un point pour lui, s'avoua le guerrier, qui effectivement se moquait fort de l'argent et de ses pouvoirs.

— Tu es sûr que ça va aller ? demanda Cellendhyll en pensant à la veille.

— T'inquiète. J'ai pris une claque, hier, c'est vrai. Mais j'ai une certaine habitude de ces petites douceurs. Je récupère vite... Voilà, c'est ici, *Les Trois Soleils* !

— Ici que quoi... ? demanda Cellendhyll, le sourcil haussé.

Rathe sourit et leva un index verdi par le mithass.

— Tu vois, notre ami Mélicio a un gros défaut : ses petites habitudes. Et dans notre profession, comme dans la tienne, les habitudes, ça tue. Volpert déjeune ici presque chaque jour. Toujours dans le même cabinet particulier. Au premier étage, le troisième sur la gauche. Je suis certain qu'il a déjà collecté tes informations. Ce serait intéressant que tu lui fasses une petite surprise, n'est-ce pas ? Tu as tout le temps d'explorer les alentours, avant d'y aller, Mélicio est un lève-tard, il ne vient jamais avant une heure. Je te laisse. Sois prudent. On se retrouve à l'endroit que je t'ai montré en chemin... Dis donc, une petite chose, je t'ai déjà parlé de mes cales ?

— Tes *cales* ?

Chapitre 33

— Ça suffit ! Sophien, je ne veux plus rien entendre de ce genre !

La voix de Valère d'Argonis claqua tel un fouet. Le grand brun vêtu de cuir noir se tenait les bras croisés. Son visage étroit aux joues grêlées était barré d'un sourire mauvais. Son regard pâle luisait de colère.

— Tu ne veux tout de même pas décevoir Ghisbert ? ajouta Igon de Mortemart. Tu sais ce qui arrive quand on déçoit notre ami !

Le colosse cachait mal son envie de cogner. Ses petits yeux bruns, furibonds, ne quittaient pas Sophien. Sa barbe touffue qui lui mangeait le visage frémissait de mépris pour l'homme blond.

— Sophien, il est mort, je te le répète, renchérit Valère. Dois-je te le rappeler ? Cellendhyll de Cortavar est mort... il y a dix ans ! Tu étais sur place...

Au premier étage de la luxueuse auberge de la Couronne, les trois hommes profitaient du confort d'un cabinet particulier. Sur la table, malgré l'heure matinale, plusieurs cadavres de bouteilles de Royal-Chassemont s'étalaient.

À l'aube, Sophien, qui n'avait pas fermé l'œil de la nuit, avait envoyé un message à Ghisbert de Cray. En conséquence de quoi, sur les instructions de ce dernier,

Valère d'Argonis avait provoqué une réunion extraordinaire des Compagnons du Soir, à l'auberge où ils se retrouvaient d'habitude pour leur déjeuner bi-hebdomadaire.

— Qu'en sais-tu finalement, Valère ? rétorqua Sophien de Guerches en passant une main tremblante dans sa chevelure blonde. Tu évoques ce fameux soir... Je m'en souviens parfaitement. Comment l'oublier ? Tu es sorti en même temps que moi de la cellule. Jhemar et Igon nous ont aussitôt suivis et alors Cellendhyll était encore vivant. Seul Ghisbert est resté et c'est lui qui nous a ordonné de sortir. Le lendemain, tout ce qu'on a retrouvé de l'Ange, c'est la veste d'uniforme baignant dans une mare de sang. On a cherché le corps dans toute la citadelle et on ne l'a jamais trouvé. Le conseil s'est contenté de classer l'affaire sans chercher à en savoir plus.

Pour une fois, l'homme blond faisait preuve de caractère.

— Qu'est-ce que tu nous chantes, Sophien ? Tu oses mettre en doute la parole de Ghisbert ? Tu as encore abusé de ton nagga ! Tu consommes trop de drogues... ou trop peu, cracha Igon.

Hérissé par l'attitude de Sophien, le colosse barbu secouait ses larges épaules, manquant de faire éclater son pourpoint turquoise décoré aux armes de Ghisbert de Cray, lige de l'empire de la Lumière.

— La drogue n'y est pour rien ! s'écria Sophien d'un ton buté, les yeux enfiévrés. Je l'ai vu, en face de moi, hier soir, à trente pas... *L'Ange !* C'était bien lui, Cellendhyll de Cortavar... dans les bas quartiers, à une rue de chez mon revendeur habituel. Vous devez me croire, l'Ange est revenu des morts pour se venger ! D'ailleurs, il a déjà eu Jhemar...

— Ghisbert n'y croit pas. Il a lu les rapports. Le meurtre de Jhemar n'a rien à voir avec tout cela, contra Valère.

— Ah oui, Ghisbert, le premier des nobles Compagnons, notre chef inspiré ! cracha le blond. De toute façon, depuis qu'il est lige, depuis qu'il s'est hissé dans les hautes sphères du pouvoir, il se fiche bien de vous comme de moi. Il est devenu bien trop important pour frayer avec nous autres, hein, Valère ! Qu'en dis-tu, toi qui exécutes ses basses besognes ?

La réaction du brun ne se fit pas attendre. Il se contenta de lever un index. Igon, qui n'en attendait pas plus, renversa une chaise dans sa hâte d'écraser le dos de sa main poilue sur la bouche du drogué.

La chaise vola dans une direction, la frêle carcasse de Sophien dans une autre. Écrasé sur le parquet, l'homme blond resta prostré, sans réagir. Sans même essuyer le sang de ses lèvres déchirées en train de goutter sur le parquet.

L'odeur de cire faillit le faire vomir. C'était la première fois qu'Igon le frappait. Mais le garde du corps attitré de Ghisbert se retenait depuis longtemps. Sophien le savait, Igon détestait la faiblesse sous toutes ses formes. Et celle de Sophien, en particulier. Oui, la faiblesse rendait le barbu encore plus hargneux que de coutume,

— Cela suffit, Sophien. Tu n'es pas assez solide pour résister aux coups d'Igon, alors n'exagère pas. Tu as l'air épuisé. Tu devrais te reposer. Aller respirer le bon air de la campagne. La drogue te rend fragile, mon ami, tu dois faire plus attention à toi...

La sollicitude soudaine de Valère ne trompa pas Sophien. Contrairement à ce que pensaient les autres, si son corps était effectivement dévasté par la consommation effrénée de nagga, son esprit avait gardé toute sa clarté. Sophien n'était pas dupe une seconde. C'est d'ailleurs pour cette raison qu'il se droguait. Malgré la drogue, il n'était dupe de rien. C'était tout le fond du problème, sa malédiction.

— Ma santé t'intéresse-t-elle vraiment ou c'est mon silence que tu désires ?

Un nouveau geste de Valère, et Igon s'avança pesamment pour redresser Sophien et le rasseoir sur sa chaise. Le blond retint un gémissement de douleur.

— Voyons, Sophien, ne sommes-nous pas camarades depuis l'Académie ? *Les Compagnons du Soir*. Te rappelles-tu nos folles nuits ? Alors que nous n'étions encore que des aspirants, jeunes et insouciants ?

Je m'en rappelle parfaitement, aurait voulu répliquer Sophien. *Nous étions six, unis par l'amitié et l'honneur. Nous avons trahi le meilleur d'entre nous. J'ignore encore pourquoi, et je n'ai jamais eu le cran de demander à Ghisbert...*

Au lieu de quoi, il répondit :

— Bien sûr, Valère. C'était la belle époque. Comme tu l'as dit, nous étions si *insouciants*... Je crois que je vais rentrer. Je ne me sens pas bien.

De fait, il transpirait à grosses gouttes.

— Bonne décision, approuva Valère d'Argonis. Igon, appelle Staxhar. Qu'il raccompagne notre compagnon dans sa demeure. Prends soin de toi, Sophien, et donne-nous de tes nouvelles.

Sophien de Guerches ne prit pas la peine de saluer. Il sortit, de sa démarche de vieillard, escorté par le dénommé Staxhar, un solide gaillard au crâne rasé et à la moitié du visage tatoué. Un des membres de l'équipe de Valère – autrement dit, un assassin.

— Maintenant que ce raseur de Sophien est parti, grogna Igon, on peut faire monter les putes, non ? J'ai besoin de me défouler !

— Eh bien, tu t'amuseras sans moi, répondit Valère. Ghisbert attend mon rapport. Profite de ton après-midi, tu n'auras qu'à me rejoindre au Palais.

Chapitre 34

L'heure du déjeuner approchait. Sans tarder, Valère avait rejoint le palais de Vérité. Il entra sans bruit dans les appartements de son seigneur.

Vêtu uniquement d'un pagne, un homme athlétique soulevait des poids dans une salle conçue pour la musculation. Ses membres se mouvaient harmonieusement, sans effort apparent, faisant monter et descendre la fonte.

Sans s'annoncer, Valère resta un long moment à contempler le corps magnifique en action, une étrange expression peinte sur le visage. Il pouvait rester ainsi des heures sans rien faire d'autre que de contempler la beauté virile de Ghisbert.

Ce dernier acheva sa dernière série de mouvements et saisit une serviette pour essuyer son torse. Ghisbert de Cray, l'actuel lige de l'Empire. Également héritier d'une de ses familles les plus illustres, car les seigneurs de Cray avaient participé à la création de la cité des Nuages.

Grand, large d'épaules, la taille bien prise, il avait un visage altier au teint parfait, des traits nobles, ciselés, encadrés d'une abondante chevelure ondulée d'un châtain lumineux. Il était le plus bel homme du royaume de la Lumière et il ne l'ignorait pas.

Ses yeux turquoise s'éclairèrent en constatant enfin l'arrivée de son homme de confiance.

— Valère, c'est toi ! Parle, mon ami... Comment se portent nos petites affaires ?

La voix du Lige était d'une tonalité élégante, profonde, enjouée. Valère gérait en son nom un important réseau de trafic de drogue et d'antiquités.

— Aucun problème de ce côté. Les bénéfices devraient augmenter de dix-sept pour cent. Il y a toujours une forte demande durant le Festival.

— Ah ! Excellent... Alors parle-moi donc de cette histoire, la réunion s'est-elle bien déroulée ?

Avisant l'air hésitant du grand brun, Ghisbert quitta son ton badin :

— Alors, qu'est-ce que c'est que cette histoire ? Crache ! Je n'ai rien compris aux élucubrations de Sophien.

— Sophien croit effectivement avoir vu l'Ange. Il venait de s'approvisionner, chez Blackie, le vendeur de nagga de la rue d'Escarpe, lorsqu'il l'a vu marcher dans la foule.

L'Ange... L'évocation de ce nom surgi d'un passé qu'il croyait définitivement enterré ébranla visiblement Ghisbert.

— Délire de drogué ! s'écria-t-il. Ses névroses le font divaguer. Il a cru voir un fantôme, c'est tout... Pauvre Sophien ! Lui autrefois si brillant. Inutile de s'inquiéter de ce pauvre fou.

— Je le croyais au début, rétorqua Valère, la mine grave. Plus maintenant, après lui avoir parlé. Je ne l'avais jamais vu dans cet état ! Sophien est devenu un débris, c'est d'accord, mais pas un imbécile. Et n'oublie pas la mort de Jhemar. C'était peut-être le premier de la liste... Mon instinct me dit qu'il se passe quelque chose.

— Il est impossible que ce soit l'Ange, répondit Ghisbert, nettement confiant. Cellendhyll est mort... de ma propre main. Je lui ai tracé un second et définitif sourire, si tu vois ce que je veux dire. Non, il doit y avoir une autre explication. Occupe-t'en. Je n'ai vraiment pas besoin de ça en ce moment, j'ai suffisamment à faire du Conseil ! La phase de conquête va bientôt démarrer. Il va falloir nous préparer à partir à la tête des Paladins Bleus, nous aussi.

De nouveau contrarié, Ghisbert de Cray jeta sa serviette à travers la pièce. Il reprit, les mâchoires serrées :

— Je déteste l'idée de quitter la capitale. Putain de conquête ! Et comment allons-nous faire pour notre réseau ?

— Le cas est réglé, Ghisbert. J'ai un homme qui veillera sur nos intérêts durant notre absence. Il a trop peur de moi pour tenter quoi que ce soit.

— C'est bien, Valère. Heureusement que tu es là. Je sais que je peux me reposer sur toi.

— Pour cette histoire d'Ange...

— Je t'ai dit que je ne voulais plus en entendre parler !

Valère était le seul homme capable de braver la colère du lige. Il continua :

— Je propose néanmoins que l'on parte du principe que c'est du sérieux, cette histoire. Car, si ce n'est pas *l'Ange*, il se pourrait tout de même que quelqu'un en ait après toi, non ? Et ce quelqu'un peut également avoir découvert des choses sur le passé. Il y va de ta sécurité, Ghisbert, et c'est mon devoir d'y veiller.

— Que proposes-tu ? Comment être sûr ?

Le lige avait pleine confiance en Valère. Valère avait réponse à tout. Bien souvent, une réponse définitive.

— Prenons des mesures pour te protéger, nous n'y perdrons rien, reprit l'autre. Je vais faire doubler la garde. Dorénavant, tu te déplaceras en carrosse avec une escorte ; Igon ne te quittera pas. Et je vais me charger de faire circuler le signalement de l'Ange en ville. Je sais qu'elle est bondée, mais on verra bien... Ça ne fera pas de mal à mes hommes de se remuer.

— Fais à ta guise. De toutes manières, le Conseil va occuper tout mon temps.

— Je vais mettre sur l'affaire mon contact de la Fraternité, Volpert. Il devrait nous trouver quelque chose. Tranquillise-toi, Ghisbert. Je m'occupe de régler cette affaire.

— Parfait, je suis soulagé. Viens me rejoindre, ce soir. Nous ferons quelques passes à l'épée. Et amène des filles. Des nouvelles. Ah, n'oublie pas de faire surveiller Ysanne. On ne sait jamais...

— Ce sera fait. Staxhar et ses hommes s'en chargeront. À ce soir... Et... oui, je sais... tu voudras aussi du vin de Ménélhas. Je m'en charge.

Depuis toujours, Valère d'Argonis devançait les moindres désirs de son maître. Même les plus pervers.

Valère avait décidé de ne pas parler du message qu'il avait reçu de Mélicio Volpert. Le signalement donné par le Veillant correspondait parfaitement à celui de l'Ange. Encore que n'importe quel homme de haute taille, aux yeux verts, pouvait se teindre les cheveux en argenté.

Ghisbert avait été clair. Il ne voulait plus entendre parler de cette histoire. Mieux valait donc ne plus inquiéter son maître avec ce problème. Ces temps-ci, le lige devenait de plus en plus irritable. Valère préférait le préserver. Il allait s'occuper de cet imposteur, ce soir même, chez Volpert. Et si c'était bien l'Ange... voilà qui promettait. Valère s'occuperait de son cas, il irait ensuite porter sa tête à Ghisbert. Il était prêt à tout pour lui. Pour l'un de ses sourires, pour obtenir son approbation. Ghisbert était sa raison d'être, son soleil. Ghisbert qu'il adorait d'une passion aussi incandescente qu'inavouée.

Après le départ de son second, Ghisbert de Cray annula sa leçon quotidienne d'escrime. Il se mit à faire les cent pas dans sa chambre, la mine soucieuse. Comment croire à cette éventuelle réapparition, pour le moins inattendue et pour le moins inopportune... C'était impossible ! Un frisson d'inquiétude le saisit, chassant un instant son habituelle assurance. Le lige se sentait soudain menacé. Il détestait cette sensation.

Devait-il en parler à *l'Autre* ? Non. Ils avaient instauré une certaine distance à mesure que leurs pouvoirs respectifs grandissaient au sein de la hiérarchie de l'Empire. Ils évitaient de se fréquenter, sauf quand *l'Autre* lui donnait une mission. En général, éliminer un gêneur. Alors, Ghisbert envoyait Valère.

En vérité, le lige se souciait fort peu de politique. Au faîte de son pouvoir, il avait préféré se plonger sans vergogne dans les divers plaisirs de la chair. Heureusement, un programme quotidien d'exercices de musculation et de massages lui permettait de conserver et d'entretenir sa splendide silhouette.

La longue période de paix lui avait permis de délaisser sa charge, tout en donnant le change. Mais à présent, la phase d'invasion balayait toute cette tranquillité. La guerre se préparait et Ghisbert allait devoir rattraper toutes ces années gaspillées en multiples plaisirs. Il devait mener le régiment d'élite des Paladins Bleus, au cœur des territoires fenaggas. Quelle responsabilité soudaine pour lui, lige de la Lumière !

Non, mieux valait ignorer cette inepte histoire d'Ange revenu des morts. Valère allait s'en charger.

Comme toujours... Ils se comprenaient si bien, tous les deux.

Ghisbert s'étira. Un bon massage lui ferait le plus grand bien. Il gagna sa chambre pour se dévêtir, passer une serviette propre autour de ses reins, et prit la direction de la salle d'eau.

Il s'arrêta à mi-chemin. Fit demi-tour, jusqu'au mur où reposait un râtelier d'armes pour y prélever un poignard damasquiné, qu'il glissa dans une autre serviette. Alors enfin, il repartit rejoindre son masseur.

Dorénavant, il ne se déplacerait plus sans une arme. Où qu'il aille.

Chapitre 35

Plan intermédiaire, zone neutre.

— Tiens, voilà tes informations sur la Maison Melfynn. C'est tout ce que j'ai pu trouver.

Estrée jeta un dossier soigneusement ficelé sur le lit.

— Mais c'est parfait, ma tigresse ! s'exclama Leprín.

Ils étaient de retour dans leur chambre d'auberge. Le légat s'empressa de ranger dans son manteau le dossier apporté par la jeune femme.

— Paye-moi, à présent ! cracha celle-ci.

— Tiens, voilà cinq sachets. Tu les as bien mérités.

— J'en veux sept ! annonça Estrée, les mains sur les hanches.

— Tu marchandes ? Fort bien. Mais tu devrais songer à ralentir un peu avec la bleue-songe.

— Mêle-toi de tes affaires, Leprín !

— Oh, je m'inquiète de ta santé, c'est tout...

— C'est ça, chante-moi une ballade romantique, pendant que tu y es ! s'énerva la jeune femme.

Le Ténébreux se moquait bien de la réaction de son amante. De même qu'il se moquait du prix qu'elle avait demandé. Plus elle consommerait de bleue-songe, plus elle s'enferrerait dans les tourments de la drogue. D'ailleurs, il trouvait sa résistance remarquable. Tout autre individu que la jeune femme serait déjà complètement asservi. C'était loin d'être le cas de la fille du Chaos.

Estrée rangea les sachets dans les poches de son pourpoint en agneau.

— Alors tu n'en prends pas, finalement ? demanda Leprín en cachant sa déception.

— Non, je préfère la garder pour plus tard, quand je serai seule, et tranquille, puisque tu veux tout savoir.

— Dis-moi... ces informations au sujet de la Maison Melfynn, tu peux en avoir d'autres ?

— Ce n'est pas impossible. Mais pas tout de suite. Je dois me faire oublier. Et puis, j'en ai marre de parler. Si nous passions à plus important ?

Elle se dévêtit tout en poursuivant :

— Trouve quelque chose de nouveau, dit-elle sans le regarder. J'ai besoin de me défouler, ce soir.

Une fois nue, sans attendre, Estrée s'allongea sur le lit, les jambes légèrement repliées. Elle entreprit de caresser les bords de son sexe rasé. Leprín la contempla un bon moment, se repaissant de sa nudité si sensuelle, de son comportement si provocant.

— Ça tombe bien, souffla enfin le Ténébreux. Parce que j'avais en tête pour ce soir quelque chose d'un peu *spécial.*

Il siffla entre ses doigts.

Comme s'ils n'attendaient que ce signal – ce qui était le cas – trois robustes gaillards firent leur entrée dans la pièce. Ils faisaient partie du service de sécurité de l'auberge. Le légat avait loué leurs services pour la soirée. Estrée leur fit tout de suite de l'effet. Attendant leurs ordres, les trois brutes ne pouvaient s'empêcher de dévorer du regard son corps dévêtu, sa fente rasée. Et surtout, la main de la jeune femme pénétrant doucement son intimité.

— Tiens donc, dit la jeune femme, après un léger

spasme de plaisir. Des renforts ? Cela veut dire que tu ne restes pas ?

— Non, ma tigresse. J'ai du travail en retard et le Père est un maître exigeant. Mais amuse-toi sans moi, ce n'est que partie remise ! Songe que je paierai généreusement de nouveaux renseignements sur ce que tu sais...

— Pour le moment, ce qui compte, c'est mon plaisir, répliqua la jeune femme, un sourire lascif aux lèvres. Et tant pis pour toi si tu rates ça !

Sa main s'activait toujours, provoquant de nouveaux spasmes. Le légat faillit se raviser et rester pour profiter des vices de son amante. Mais il ne pouvait pas. Il devait absolument rentrer voir son maître et trouver avec lui un moyen de vérifier les informations fournies par sa nouvelle espionne. Il soupira de frustration mais se morigéna. Il aurait l'occasion de se rattraper. Estrée était toujours prête à partager un nouveau vice.

— Les gars, s'écria-t-il, je vous laisse la place. Ne la ménagez pas surtout, elle aime ça !

Au moment où il franchissait le seuil de la chambre, il entendit résonner la voix chantante de la jeune femme qui s'élevait par-dessus l'épaule des brutes en train d'ôter frénétiquement leurs vêtements :

— Vous avez entendu, vous autres ? Allez-y franchement. À la dure !

Chapitre 36

Mélicio Volpert trottinait dans la rue, de fort bonne humeur, sa démarche dandinante laissant transparaître une profonde satisfaction. Pourtant, le début de la journée avait été chargé pour celui dont les grasses matinées représentaient le plus inoffensif des vices. Au moins, cela lui avait donné l'occasion de tester la nouvelle crème de jour recommandée par ce cher Synolva !

Ce matin, il avait été convoqué par Valère d'Argonis, suite à son message. Ensemble, ils avaient évoqué le cas de cet étranger à la chevelure gris-argent. Satisfait des propos du Veillant, Valère lui avait jeté une bourse d'or, avait donné ses instructions. Ce soir, quand le guerrier viendrait chercher ses renseignements, il aurait une mauvaise surprise, bien mauvaise.

Ensuite, Volpert s'était rendu à son bureau de la Fraternité pour apprendre de son comptable que le Festival s'annonçait des plus fastes pour la guilde des Voleurs – déjà vingt-huit pour cent d'augmentation des bénéfices, et la semaine n'était pas terminée !

Porté par cette vague de réussite, Volpert avait quitté son officine pour se rendre aux thermes. Ceux fréquentés par les gens de qualité évidemment, où il s'était longuement fait masser, puis raser. Ensuite, pris d'une impulsion, Mélicio s'était rendu chez son coiffeur où il s'était fait teindre les cheveux d'un divin blanc argenté.

À présent délassé, Volpert aspirait à un bon repas. En gourmet qui se respecte, il avait établi ses habitudes aux *Trois Soleils*, un des meilleurs restaurants de la capitale, dont il apercevait l'enseigne bleu, vert et or au bout de la rue. Après, il irait probablement rendre visite à ce cher Synolva et lui faire admirer sa nouvelle teinture.

Un peu en retrait marchaient deux hommes trapus, vêtus de justaucorps de cuir clouté, crâne rasé et barbe courte, blonde pour le premier, grise et torsadée pour le second. Hagard-les-Oreilles et Blèm' le Borgne, ses gardes du corps. Les anciens gladiateurs veillaient à sa sécurité depuis trois ans, avec une efficacité tout à fait satisfaisante.

Mélicio portait un de ses costumes les moins voyants. Le violine, qu'il avait choisi de porter avec son écharpe écarlate, ses bottines gris souris, son manteau d'hermine et son gros médaillon d'aiguemarra. Il n'était pas stupide, le Volpert, et savait que son apparence pour le moins outrancière – reflétant réellement ses goûts –, lui offrait un parfait camouflage. Qui aurait soupçonné cet homme replet, efféminé, d'être un des Veillants principaux de la Fraternité ? Connu comme marchand, Volpert était censé tenir un magasin d'antiquités, où il ne mettait en vérité que rarement les pieds.

Après avoir brièvement salué le restaurateur, le Veillant monta directement dans son cabinet particulier, laissant à ses gardes le soin de faire barrage en bas de l'escalier. Mélicio avait apporté le catalogue vestimentaire de Chiara, le célèbre couturier. Il avait décidé de renouveler sa garde-robe pour fêter le printemps. Quelles couleurs choisir pour aller avec l'argent de sa chevelure ? Et quelles matières ? Quelque chose de très fluide, évidemment. Des questions primordiales qui occuperaient son repas.

Après quoi, il devrait planifier la réception du guerrier. Bien sûr, il s'était bien gardé de dire à Valère d'Argonis qu'il comptait tout de même donner à l'homme aux cheveux d'argent les renseignements qu'il avait demandés. Mélicio ne livrerait l'étranger que lorsque celui-ci l'aurait payé. Double bénéfice !

Il espérait que Rathe ne serait pas trop abîmé dans l'histoire. Malgré son sale caractère, le vieux râleur représentait un trop bon élément pour les intérêts de la Fraternité.

Volpert s'installa confortablement sur la banquette. L'atmosphère feutrée du cabinet, ses tentures décorées de scènes de chasse et de paysages forestiers, l'odeur sucrée de l'encens qu'il préférait, celle du bois de pin verni des murs favorisaient à merveille son délassement. Le Veillant posa son catalogue à portée de main et s'abîma dans la lecture de la carte. Allait-il prendre l'aspic de tortue d'eau ou les rognons de griffons flambés ?

Une haute silhouette surgit de derrière une tenture. Mélicio sursauta de surprise, laissant échapper sa carte.

— Bien le bonjour, maître Veillant. Comment te portes-tu ? Je viens chercher mes renseignements. Oui, je sais, je suis un peu en avance. Je ne te dérange pas au moins ?

Interloqué, Mélicio Volpert ne sut que répondre. Il se mit à se tortiller sur son siège, cherchant vainement une échappatoire. Cellendhyll s'approcha de la porte d'entrée devant laquelle il s'attarda quelques secondes, avant de reprendre :

— Au fait, quelle belle teinture tu as choisi ! Je prends ça pour un compliment. Mais tu sembles bien nerveux, Veillant. Comment se fait-il que tu transpires ainsi ? Tu as des bouffées de chaleur ? Y aurait-il un problème ?

— Mais pas du tout ! se défendit le Veillant. Je... Je n'ai pas encore les renseignements que tu désirais. Ils sont dans mon bureau. Passe me voir ce soir, comme convenu.

De son inquiétant regard de jade, Cellendhyll transperça l'homme fardé. Son visage dur n'annonçait rien de bon.

— Tstt-tstt-tstt, ce n'est pas bien de mentir, Volpert. Et pas conseillé. Tu vas avoir grand mal à te maquiller si je te coupe les doigts...

— Non, euh... je plaisantais, bien sûr, déglutit le Veillant... J'ai ce que tu veux. Une enveloppe rose, dans ma sacoche.

De son pied botté, Cellendhyll plaqua le torse de l'homme contre le dossier de la banquette. Saisissant la sacoche, il trouva sans peine l'enveloppe, et en sortit un vélin parfumé qu'il lut. Les noms y figuraient, ainsi que les adresses, accolées. Celles de Sophien de Guerches et d'Ysanne de Cray n'avaient d'ailleurs pas changé. Il aurait pu s'en douter. Ghisbert résidait au Palais. Cela non plus n'était pas surprenant. Valère et Igon étaient censés partager un logement dans le quartier commerçant mais l'Adhan doutait qu'ils y passent beaucoup de temps. Ils devaient plutôt habiter dans les quartiers du Lige.

Toujours prisonnier de la botte de l'Adhan, Volpert suait maintenant à grosses gouttes, ruinant son maquillage. Que faisaient ses hommes ? Et les serveurs ? Ils allaient bien finir par entrer !

Un coup frappé à la porte, la poignée que l'on tourne. Sans succès. Un bruit de pas qui s'éloignent.

— Mes gardes vont venir, souffla le Veillant, en tentant de reprendre contenance.

Il tenta de repousser le pied de l'Adhan mais la charge s'avéra trop lourde pour lui.

— Cela m'étonnerait qu'ils parviennent à franchir cette porte, ricana l'homme aux cheveux d'argent. Je t'assure que nous ne serons pas dérangés.

En effet, Cellendhyll avait tout simplement bloqué l'entrée avec deux cales fournies par Rathe le Corbeau. Un procédé des plus sommaires mais combien efficace.

L'Adhan agita le papier devant le nez de Volpert et annonça presque joyeusement :

— Parfait, Veillant ! Ce sont bien les informations que j'attendais.

Il rangea le document dans son pourpoint. L'arrivée de plusieurs personnes se fit entendre sur le palier. Des jurons s'élevèrent derrière la porte que l'on tentait une nouvelle fois d'ouvrir. Celle-ci persistait à résister.

— Comme tu vois, j'ai tenu mes engagements, tenta Volpert. Tu vas donc pouvoir me payer.

— Oh non, je t'avais prévenu, Volpert. Tu as voulu me trahir. Je tue !

Tandis que les coups et les jurons redoublaient de l'autre côté de la porte, Cellendhyll se pencha sur le Veillant impuissant. Crochetant ses narines, il tira brutalement son nez vers le plafond. De son autre main, il tira sa dague de sa botte. La lame sombre qu'il brandit effectua un rapide arc de cercle avant de retrouver son fourreau. Elle ne passa qu'une seule fois en travers de la trachée offerte du Veillant mais cela suffit amplement. La mort de Mélicio Volpert se déroula sans aucune élégance. Vagissants, crachants et bavants, ses derniers instants se révélèrent plutôt lamentables.

La porte menaçait de céder. Plusieurs hommes devaient s'acharner dessus. L'agent des Ombres ouvrit la fenêtre et passa sur le balcon.

Cellendhyll courait dans la rue, les longs pans de son manteau volant derrière lui. Une dizaine d'hommes étaient à ses trousses. Des sbires de Volpert, de Valère ou du Guet. Peu importait pour l'instant. Les promeneurs s'écartaient prudemment sur son passage, peu désireux de se frotter à ce gaillard au visage si rébarbatif.

L'Adhan dépassa un croisement, puis un deuxième. Mais il manqua la rue qu'il avait sélectionnée comme voie de repli. Au lieu de quoi, il s'engagea dans une ruelle transversale. Mal lui en prit. Au bout d'une trentaine de mètres, un tournant. Après le tournant, une impasse.

Un sifflement venu des toits retentit. Cellendhyll leva la tête pour voir une corde à nœuds descendre du ciel. Une voix moqueuse, une voix connue, résonna du haut des murs de la ruelle :

— Alors, fiston, tu te dépêches ? C'est franchement pas le moment de faire la sieste !

Rathe était-il partie prenante du piège ? Malgré la sympathie qu'il commençait à éprouver pour le voleur, Cellendhyll ne pouvait pas ne pas se poser la question.

Il n'avait pas vraiment le choix, en fait. Cela lui ferait peut-être de la peine, mais si le voleur tentait de le trahir, il le tuerait sans hésiter. Un seul moyen de savoir. L'Adhan saisit fermement la corde et commença son ascension. Un bras maigre mais cordé de muscles fermes l'aida à prendre position sur le toit.

En pleine forme, Rathe tonitrua :

— Qu'est-ce que j'avais dit ! Volpert t'a vendu. Un de mes informateurs l'a vu ce matin sortir de chez Valère d'Argonis. Le sale empoudré ! J'espère que tu t'en es occupé ?

Cellendhyll arbora son sourire glacé et passa un

pouce en travers de son cou. Le voleur jugea la réponse suffisamment éloquente.

— À la bonne heure ! s'écria-t-il, ses moustaches relevées par un sourire sauvage. Le gros porc n'aurait pas dû ainsi bafouer la Fraternité. Ton acte relève l'honneur de la Guilde, Machallan... Tu sais, tu as de la chance que j'aie décidé de veiller sur toi et que je connaisse les toits comme ma poche ! Je me doutais que tu aurais besoin d'un coup de main. Viens, fiston, il est temps de changer de quartier.

Le vieux voleur roula sa corde qu'il fit disparaître sous sa cape grise. Il ajouta :

— Je passe devant. Si j'ai bien compris, tu vas vouloir rendre une visite dans la ville-haute. Je connais un chemin sûr. C'est par là.

Cellendhyll le suivit alors que s'élevaient des exclamations de rage venues d'en bas.

Chapitre 37

L'après-midi s'étirait paresseusement. Ysanne de Cray habitait dans un magnifique hôtel particulier à trois étages, demeure familiale située dans le plus beau quartier de la ville-haute, au sud-est de la capitale, proche des murs du palais de Vérité. Malgré le temps écoulé, Cellendhyll se remémorait bien le tracé rectiligne des larges avenues dallées de marbre précieux, où se croisaient quelques luxueux fiacres aux laques brillantes.

Bien moins fréquentés que le centre de la capitale, les hauts quartiers affichaient avec un faste certain la richesse de leurs propriétaires. Les architectes de la ville avaient fait preuve d'ingéniosité afin que chacune des opulentes demeures reflète un caractère unique tout en préservant l'harmonie de l'ensemble. La pierre de taille claire de la meilleure qualité, les sculptures de marbre blanc ou rosé, les façades travaillées à la main, les colonnades décorées, les jardins particuliers rehaussés d'arbres rares ou de statues antiques, les fontaines mélodieuses taillées dans le cristalune le plus pur rivalisaient d'esthétisme. Sans oublier la présence rassurante des patrouilles du Guet chargées de veiller à ce que rien ne dérange la quiétude des mieux lotis.

Fiacres et carrosses remplaçaient la foule bruyante du quartier commerçant. Avec sa tenue bien coupée,

Cellendhyll pouvait déambuler sans s'inquiéter, passant aisément pour un noble en promenade.

Le climat avait changé. Le soleil printanier brillait aujourd'hui d'une nouvelle ardeur, chassant les vestiges de l'hiver jusqu'à l'année prochaine. Cellendhyll rangea son écharpe et ses gants, baissa sa capuche, mais il se moquait du temps. *Ysanne.*

Il lui fallut dix minutes pour repérer les sentinelles postées discrètement autour du domicile de la jeune femme. Quatre hommes, des coupe-jarrets, dont la mise jurait avec la vêture soignée des résidents. Ils étaient manifestement peu motivés par leur tâche de surveillance. Cette négligence ne leur coûta que la vie.

L'Adhan étrangla le premier sous un porche. Planta son stylet dans la nuque du deuxième. Brisa les vertèbres du troisième. Et réussit à noyer le quatrième, un homme au visage tatoué, dans une fontaine. Le tout en moins de cinq minutes. Puis il dissimula les dépouilles.

Il profita d'une échauffourée dans la rue, provoquée par une bande d'ivrognes braillards – en réalité des comparses du précieux Rhober Rathe – pour entrer discrètement dans la propriété et se camoufler parmi les arbres. Il gagna l'arrière de la façade sans rencontrer personne et entreprit de grimper à la vigne vierge couvrant tout l'arrière de la façade.

Sous peu, les ivrognes s'esquiveraient, entraînant les éventuelles patrouilles sur leur passage.

Du toit d'ardoises soigneusement assujetties, Cellendhyll n'eut qu'à se laisser glisser sur un des larges balcons du dernier étage, où, il le savait, se situaient les appartements de la sœur de Ghisbert. Ainsi, la jeune femme n'avait pas quitté la demeure familiale.

Ysanne, son premier amour. Le seul.

Elle était bien là. Dans sa chambre, en plein rituel. Occupée à lisser sa longue chevelure d'or pâle, elle ne remarqua pas son arrivée. Un déshabillé d'étoffe moirée, évanescente, fluide, rehaussait la finesse de sa taille.

Cellendhyll ressortit de la pièce et visita l'étage à pas de loup sans rencontrer personne. Il ne prêta que peu d'attention au riche décor, vérifiant par contre que nul ne dérangerait leur tête-à-tête. Selon la tradition, la plupart des domestiques devaient avoir obtenu leur congé pour profiter du Festival. Les deux seuls serviteurs qu'il rencontra dans les cuisines, un couple inoffensif, il les boucla dans la cave, sans brutalité. Satisfait, il retourna à la chambre d'Ysanne.

Le souvenir que Cellendhyll avait gardé de son amour de jeunesse ne lui rendait pas justice. Toujours occupée à la même tâche, la jeune femme avait encore embelli avec les années. Malgré la trahison, l'Adhan dut s'avouer à nouveau conquis par son indéniable beauté. Ce visage ovale au teint de rose, ces traits d'une pureté inégalable. Et ces yeux semblables aux reflets d'un lac, un soir de lune...

Ysanne, muse de nombreux poètes, « l'Amie des Miroirs » comme on la surnommait à la cour.

De toutes les femmes croisées par le guerrier adhan, Ysanne était bien la plus belle. Seule Estrée, peut-être, pouvait rivaliser. La blonde Ysanne et la brune Estrée... Physiquement, il n'aurait pu les départager.

Contemplant son reflet, la jeune femme humecta sa bouche carmine, conçue pour offrir le baiser le plus doux. L'Adhan s'en souvenait encore de cette douceur exquise.

Des joyaux de grand prix – présents de ses nombreux admirateurs choisis parmi les cercles les plus influents –

étincelaient à ses oreilles, à son cou et à ses doigts, captant la lumière alors qu'elle bougeait avec une sensualité familière. Cellendhyll en avait les entrailles nouées.

Ysanne s'examina une dernière fois dans son miroir. Pleinement satisfaite, elle lâcha un rire cristallin. *Ce rire !* Catalyseur de tous ses malheurs, ce rire transporta l'Adhan dix ans en arrière. Au temps de l'innocence. Au temps des amis, et de l'Amour.

Les braises de l'amour, un amour qu'il croyait ruiné, dépassé, se ravivèrent. Il fit un pas en avant, sans pouvoir se contrôler.

La jeune femme se retourna. Le reconnut. Ses yeux gris s'écarquillèrent d'une surprise qu'elle parvint toutefois à maîtriser. Sa voix soyeuse électrisa Cellendhyll.

— Tu viens enfin me tuer ? Comme tu dois me détester...

Au contraire de Volpert, Ysanne s'exprimait d'un ton calme, ne trahissant aucune peur, aucune nervosité.

— Telle était mon intention, souffla Cellendhyll. Mais...

Il ne put terminer sa phrase.

Ysanne se jeta à ses pieds. L'échancrure de sa robe dévoila la naissance de sa poitrine ferme et rebondie.

— Oh ! Cellendhyll..., s'écria-t-elle, j'ai peine à croire que tu me sois revenu. Je suis si heureuse de te revoir. Si tu savais comme je m'en suis voulu... Je t'aime ! Depuis toujours ! Ghisbert m'avait forcée à te trahir. Il... Il... m'a fait des choses... c'était horrible. Mais peu importe puisque tu es vivant. La Lumière en soit remerciée !

Elle releva la tête, le suppliant de la voix et du regard.

— Pourras-tu me pardonner, mon aimé ? Le pourras-tu ? Nous étions si jeunes... Je ne savais pas ce que je faisais. Je n'ai compris qu'après, à quel point tu comptais pour moi. J'ai prié, tous les jours, j'ai chéri ton souvenir. Et à présent, tu es là... Oh. Lumière !

La belle jeune femme se rejeta en arrière, se détournant pour cacher ses pleurs.

Le Cellendhyll d'autrefois aurait pu tout oublier. Pardonner. Quand il était encore un homme bon, compréhensif, idéaliste, ne vivant que pour l'honneur. Si naïf, en définitive...

Avant.

Jusqu'alors aussi acéré que la hache de Milo Fléau-des-Griffons, l'austère visage de l'homme aux cheveux d'argent s'adoucit.

Constatant sa réaction, Ysanne enchaîna avec un rire cristallin :

— Oh, Cell', évidemment que tu vas me pardonner ! Car c'est le destin qui nous a finalement réunis. Ne le comprends-tu pas ? Il nous offre une seconde chance. Tu vas voir, je vais t'aimer comme jamais on ne l'a fait ! Tu vas venir t'installer ici avec moi. Non, mieux encore, nous allons partir dans la maison du lac. J'ai tant à te dire... À expliquer... Nous allons pouvoir rattraper le temps perdu.

Ysanne redoubla de son rire charmant. Ce rire particulier qui avait ponctué chaque cauchemar de l'Adhan. Ce rire autrefois adoré qu'il avait appris à haïr. Synonyme de la trahison qui avait bien failli entraîner sa mort, cette fameuse nuit d'autrefois...

Ce rire qui l'électrisait encore, malgré lui.

Cellendhyll se baissa pour empoigner la jeune femme et la redresser. Celle-ci en profita pour se lover dans ses bras, calant son bas-ventre contre la jambe de l'Adhan. Cellendhyll reconnut l'odeur de chèvrefeuille que laissait son baume pour les cheveux. Son désir pour elle s'attisa soudainement. Plaquée contre lui, Ysanne sentit son érection et ondula des hanches pour l'entretenir, un sourire éblouissant ourlant ses lèvres parfaites.

Sans prévenir, elle tomba à genoux. De ses mains fines, elle entreprit de dégrafer le pantalon de l'Adhan pour en sortir sa fière érection, qu'elle contempla les yeux brillants.

Cellendhyll caressa un moment sa blonde chevelure, les sens en feu, le regard perdu au loin. Finalement, il s'écarta d'elle et se rhabilla.

— Plus tard, dit-il en souriant. Je t'ai apporté un présent, Ysanne. À la mesure de mes sentiments pour toi !

Alors qu'Ysanne se relevait, intriguée, il fouilla dans les poches intérieures de son pourpoint, dévoilant une petite fiole de verre opalescent, hermétiquement fermée.

Cellendhyll fit lentement danser la fiole dans la lumière, expliquant à la jeune femme manifestement intéressée :

— C'est un présent très rare : une fleur de Thyrée... Il n'en existe pas de pareille sur les Territoires-Francs. Je l'ai trouvée il y a longtemps sur un autre Plan d'existence. Je l'ai cueillie pour toi, cette fleur, je l'ai soigneusement conservée, espérant qu'un jour j'aurais la chance de te l'offrir. Tu vois, moi non plus je ne t'ai pas oubliée.

De sa main libre, il caressa la joue soyeuse de la jeune femme. Telle une chatte, elle se prêta à son toucher mais son intérêt était capté par la fleur de Thyrée.

— Tu devrais la sortir de son flacon, sourit Cellendhyll. Elle est encore vivante, tu sais ? Vas-y, prends-la en main...

Happée par le magnétisme du délicat végétal, Ysanne ne vit pas l'Adhan reculer de deux pas. Elle ne voyait plus que la fleur de Thyrée. Habituée depuis sa tendre enfance aux égards et aux cadeaux, elle ne s'en lassait pas. Et cette fleur recelait un pouvoir si puissant !

Totalement captivée, Ysanne ne prêtait plus aucune attention à Cellendhyll. Ce dernier détourna la tête un instant, passant la main sur son visage, puis se redressa.

Ysanne ne put se contenir plus longtemps. Elle ouvrit la fiole et fit glisser la fleur dans sa paume. Une petite fleur chétive, aux pétales flétris d'un mauve teinté de bleu, dotée d'une tige spiralée d'un vert très vif.

Un mélange de fragrances subtiles, surprenantes, uniques, envahit la pièce.

— Elle est si belle ! s'extasia la jeune femme. Et ce parfum. Tu sens ?

Subjuguée, elle ne put s'empêcher d'approcher la fleur de son visage et de prendre une profonde inspiration.

À son contact, la fleur réagit imperceptiblement. Soudain ses couleurs se firent plus vives, elle parut se redresser, se renforcer. Ysanne poussa un petit cri ravi.

— Je vois, ma chérie, qu'elle te plaît, reprit Cellendhyll. Je m'en félicite... tu n'imagines pas à quel point ! Maintenant, assieds-toi. Là, en face de moi. Écoute...

Ils s'assirent sagement sur le lit, l'un face à l'autre.

D'une main, Ysanne gardait la fleur sur son cœur. Elle regarda Cellendhyll, manifestement étonnée par un tel traitement. L'espace d'un instant, sa mine altière se fit perplexe, puis calculatrice, avant de retrouver tout son charme.

— Voilà, Ysanne, poursuivit Cellendhyll. Tu vas tout savoir sur la fleur de Thyrée. Elle est vraiment très particulière, vois-tu. En vérité, lorsqu'elle rencontre sa proie, au premier contact, elle envoie des spores indétectables établir un relais dans le corps de cette proie, se mêlant ainsi à son flux vital. Si tu préfères, les spores permettent à la fleur de créer une connexion d'échange. Un transfert de vitalité, en quelque sorte. Dorénavant, vous allez respirer au même rythme. À partir d'aujourd'hui, chaque jour, cette fleur-vampire va pomper l'énergie de son hôte. En l'occurrence, toi. À jamais...

Cellendhyll sourit cruellement en voyant le si beau visage de son amante se décomposer. Elle avait compris. Elle leva sa main libre pour le frapper mais il bloqua aisément son mouvement et l'empoigna pour l'immobiliser. Il la tira vers lui sans ménagement et continua impitoyablement ses explications :

— Tu vas vieillir très vite, Ysanne. Dans un peu moins de deux ans, tu auras l'apparence d'une vieille femme et tu devras vivre le reste de ta vie de cette manière. Une longue vie, d'ailleurs. *Très, très longue*, car la fleur de Thyrée te protégera : tu ne seras plus jamais malade. En revanche, tu n'auras jamais d'enfants, ton symbiote n'autorise pas la concurrence. Tu ne pourras plus t'en séparer, ni la détruire. De quelque façon que ce soit... Même le suicide te sera refusé : la Fleur a le pouvoir de régénérer tes blessures. Et aucune magie, aucune prière ne pourront te rendre ta beauté, ni même en donner l'illusion.

Tétanisée par ce qu'elle venait d'apprendre, la jeune femme s'était figée.

— C'est ça, ma vengeance ! Ma chère Ysanne, elle est à la mesure de ta trahison. *De ce que j'ai souffert.* Au revoir, mon amour, ou plutôt adieu.

Et, sur cette tirade, Cellendhyll la rejeta sur le lit. Il quitta la pièce sans un remords, sans même un regard en arrière.

En descendant le lierre de la façade, il put entendre un hurlement féminin résonner par le balcon. Un trémolo d'horreur, de rage et de désespoir.

— Je te hais ! s'écriait Ysanne. Tu entends ? Je te hais, Cellendhyll de Cortavar... Sache que je ne t'ai jamais aimé ! Je me suis bien amusée à tes dépens, avec mon frère. Puisses-tu être englouti par les Ténèbres ! Noon ! Reviens... ! Dis-moi que ce n'est pas vrai !

Dans la rue, le guerrier jeta les tampons d'ouate qu'il avait pris soin de glisser dans ses narines pour se protéger... Il n'aurait surtout pas fallu gâcher la surprise d'Ysanne en se retrouvant esclave de la fleur à sa place.

Rathe le rejoignit non loin des grands escaliers qui descendaient vers le centre de la cité. Il annonça d'emblée :

— Personne ne te suit, j'ai vérifié. Au fait, ça s'est passé comme tu voulais, ta visite ?

L'Adhan se contenta de répondre :

— *Ça s'est passé exactement comme je voulais.*

Rathe n'était pas du genre à s'effrayer. Il avait affronté bien des périls dans son aventureuse carrière. Pourtant, la tonalité sauvage de sa voix, la fixité polaire du regard de l'homme aux cheveux d'argent lui donnèrent la chair de poule.

Constatant le recul de son interlocuteur, Cellendhyll ajouta d'un ton adouci :

— Trouve-nous un endroit tranquille... sous peu, le coin risque de grouiller de gardes.

Chapitre 38

Rhober Rathe, dit le Corbeau, Maître-voleur de son état, conduisit Cellendhyll à travers les méandres de la ville-basse. Ils dépassèrent le quartier des entrepôts, jusqu'à rejoindre celui du port, à l'extrême ouest de la capitale.

En traversant les deux derniers pâtés de maisons, Rathe échangea mine de rien différents signes avec des hommes à l'air peu commode postés méthodiquement aux coins des rues. Ils étaient vêtus de tuniques rayées de diverses couleurs, de bonnets assortis, et de pantalons courts.

Cellendhyll n'était jamais venu dans cette partie de la ville. Un quartier à part, de tradition populaire, réputé paisible. Les marins et leurs familles, quelques commerçants, et une bonne part d'ouvriers et de dockers y résidaient en bonne intelligence. Leurs salaires tirés des diverses marchandises convoyées par bateaux suffisaient amplement pour vivre décemment.

D'autres frets étrangers transitaient dans le quartier des Entrepôts, destinés à être acheminées à travers l'ensemble des Territoires-Francs. Le flux ininterrompu de ces produits, les taxes prélevées, contribuaient pour une bonne part à la richesse de la capitale de la Lumière. Richesse qui renforçait l'influence du Cartel, regroupant marchands et banquiers.

Après avoir descendu un escalier qui plongeait entre les hauts remparts, les deux hommes atteignirent la grande esplanade du port, dominée par le reste de la ville et offerte à l'air du large.

Même les grands navires au long cours avaient été apprêtés pour le festival. Dans les hautes mâtures, guirlandes et rubans s'agitaient selon les caprices du vent. À l'entrée du port, un groupe de musiciens régalait les promeneurs du son de leurs mandolines. Les enfants s'ébattaient joyeusement en se faufilant entre les groupes de badauds.

Cellendhyll remarqua nombre de pimpantes ménagères en route pour le marché aux poissons quotidien, nanties de leur progéniture, et munies de leurs paniers d'osier colorés. Il huma profondément l'air chargé d'iode. Rathe profita de cette pause pour expliquer :

— La caste des Mariniers est puissante et nous sommes sur leur territoire. Ni les Mignons de Volpert, ni l'Empire, ne pourront pénétrer dans le quartier sans que je sois aussitôt prévenu. Tu peux te détendre. Depuis plusieurs années, j'ai un accord avec les marins. Ils écoulent la marchandise « chaude » que je récolte, lors de leurs escales dans d'autres ports. Je suis protégé. Viens, on est presque arrivés.

Les deux hommes traversèrent l'esplanade, longeant des étals couverts des produits de la mer, des échoppes, trois tavernes. Le voleur s'arrêta devant un bâtiment à deux étages, aux balustrades au bois verni passé, ramassé entre deux immeubles. Un panneau de chêne d'un bleu délavé par les intempéries en ornait la façade, arborant la silhouette étirée d'un oiseau planant sur la crête des vagues.

— Tiens, c'est là. La taverne de la *Mouette Rieuse*. Je sais que ça ne paye pas de mine, mais la bière est délicieuse. Brassée maison ! Je viens ici quand je veux être vraiment peinard...

Le voleur poussa la lourde porte avec enthousiasme et entra, suivi par Cellendhyll.

Une série de marches irrégulières les conduisit directement au sous-sol, dans une grande salle carrée au plafond bas, meublée de tables rondes éclairées de chandelles et décorées de nappes à carreaux rouges et blancs. Le long des deux murs latéraux, des boxes taillés à même la pierre. Au fond, en face de l'escalier, un large vaisselier patiné rempli de bouteilles de toutes formes trônait derrière un long comptoir de bois piqueté par l'usage. À gauche du bar, une porte ouvrait sur les cuisines. À droite, un rideau sombre. Assis au coin du comptoir, un barde taquinait sa viole. La mine rêveuse, il improvisait un air en sourdine.

L'entrée des deux compagnons n'éveilla aucune attention particulière. À la *Mouette Rieuse*, on ne s'occupait que de ses propres affaires.

— On va se mettre dans une alcôve. Celle-ci, on sera bien. Tu vois le rideau, à côté ? C'est une sortie de secours, au cas où... Un tunnel qui t'amène à deux pâtés de maisons d'ici.

Très à l'aise, le voleur salua quelques habitués, des marins. Au passage, il commanda une tournée de bière.

À peine étaient-ils installés qu'une accorte serveuse vint leur apporter leurs boissons, servies dans des chopes glacées, accompagnées d'une large coupelle de pistaches fraîchement grillées.

Alors que l'employée s'éloignait, le voleur entama la conversation :

— Alors comme ça, Mélicio Volpert nourrit les vers ! Je ne peux pas dire que j'en sois fâché. Il a trop floué son monde. Je savais que ça le perdrait, un jour ou l'autre. À ta santé, Mélicio !

Rathe s'envoya une bonne rasade, avant de continuer, les moustaches humides de bière :

— Sûr que c'était un sacré enfoiré, ce coco-là ! Mais faut reconnaître que c'était également un excellent gestionnaire. Sa mort va créer un de ces bordels dans l'organisation de la guilde, je te dis pas ! Je crois qu'il va y avoir du changement. Synolva et les autres, les Mignons, ils ne vont pas être à la noce !

Le Corbeau s'interrompit pour savourer une autre gorgée de bière fraîche et se gratter la barbe. L'Adhan se dit qu'effectivement la bière valait le détour. Pensif, le voleur reprit :

— En fait, ce serait le moment idéal pour rallier mes vieux camarades et monter mon propre réseau. D'ici l'été, j'aurai réglé le compte des Mignons et je pourrai restaurer la Fraternité. La Nouvelle Fraternité des Voleurs... Ça sonne bien, non ? Ce rêve que nous sommes plusieurs à partager, moi et quelques autres !

— Qu'est-ce qui t'en empêche, alors ? demanda distraitement Cellendhyll, suivant le cours de ses propres pensées.

Sans aucun remords, il avait tourné la page sur Ysanne. Il avait connu un moment d'hésitation, il ne devait pas se le cacher. Mais elle avait détruit quelque chose en lui. Dès lors que sa vengeance avait été consommée, il avait remisé la jeune femme dans l'oubli. Au lieu de regretter son geste, il s'en trouvait apaisé. Dans une certaine mesure.

Rathe leva les mains au ciel, ramenant le guerrier à la réalité :

— Hélas, j'ai pas les moyens ! Tout ce que je gagne, je le garde pour payer les études de ma fille. Et je t'assure que les frais de scolarité de l'université de la

Guelfe Blanche, sur l'île de la Source, ça coûte la peau des fesses !

Le voleur sortit son étui à fumée. Tout en conversant, il se roula un nouveau bâtonnet d'herbe loki. Cellendhyll n'avait jamais vu un Humain supporter aussi bien ce type de drogue. Il songea un instant que Rathe composerait une sacrée paire avec Gheritarish.

Un nuage de fumée bleutée s'éleva au-dessus de la table et l'odeur caractéristique de la loki se glissa entre eux.

— Établir l'organisation que j'envisage demande une mise de départ assez élevée, poursuivait le Corbeau entre deux bouffées. Trop élevée. Même avec le soutien des anciens. Tant pis pour mon rêve ! Il devra encore attendre... Mais revenons au concret. Quels sont tes plans, à présent ? De quoi as-tu besoin, fiston ?

Cellendhyll devait se décider. Il lui fallait dévoiler une partie de sa mission. Estimant que Rathe avait fait ses preuves, il finit par lui révéler son objectif.

— Je veux pénétrer dans le palais de la Vérité. Pour le jour du Jugement. Mais sans passer par l'entrée principale.

— Mmm... Tu ne rigoles pas, toi. Voyons, je ne dis pas que c'est possible... mais je ne dis pas non plus que c'est impossible... Il faut que j'y réfléchisse un peu. Je vais devoir consulter certaines relations mais n'aie pas d'inquiétudes... Discrétion est mon deuxième prénom, ton identité ne sera pas évoquée. Je devrais pouvoir te donner une réponse demain soir. En attendant, quels sont tes projets ?

— Je te l'ai dit. Dès demain, je retourne dans les hauts-quartiers. Une surprise à faire ; des compagnons à retrouver.

— À voir ta tête, frissonna le voleur, je préfère que tu ne me comptes pas dans tes amis.

— C'est une amitié très particulière, annonça l'Adhan d'un ton étrange.

— Toi, tu as des comptes à régler ! Je m'en doutais un peu, après cette journée...

Son bâtonnet terminé, Rathe vida le reste de sa chope, d'un trait.

— Comme disait ma grand-maman, « ça fait du bien par où ça passe » ! Le soir va bientôt tomber. Si j'ai bien compris, tu n'as rien en vue pour la soirée. Et si on en profitait pour reprendre une autre tournée ? Accorde-toi un peu de détente. C'est que moi, je commence à avoir faim. On dîne ensemble ?

— Tu as une chambre pour moi ? s'enquit Cellendhyll. Je voudrais me coucher tôt. Une journée chargée m'attend demain.

— Tu as raison, il faut savoir se reposer quand on le peut. Alors voilà ce que je te propose : on dîne ensemble et après je te conduis à ta chambre. À l'étage au-dessus. On passera par les cuisines. Personne ne saura que tu es là-haut.

La tenancière des lieux arriva sur ces entrefaites. C'était une femme à la beauté pas encore fanée, au visage large, embelli par la générosité. Sa robe couleur mûre avait du mal à contenir sa silhouette plantureuse. Son opulente poitrine menaçait de jaillir de son décolleté à chaque inspiration et le vieux voleur semblait fasciné par cette vue plongeante, d'où fleurait un parfum de jasmin.

Secouant sa crinière couleur des blés d'été, elle s'adressa à Rathe, la prunelle malicieuse :

— Rathe le Corbeau, enfin de retour ! Qu'est-ce qui ferait plaisir à un habitué dans ton genre, Rathe ?

La voix langoureuse de la femme traduisait la véritable teneur de la question. Elle paraissait bien connaître Rathe. Très bien, même.

— Voyons, Mabhel, tu ne peux pas te calmer ? Je suis avec un ami...

— C'est à toi de me calmer, vieux brigand ! Bienvenue, guerrier. Si tu es un ami de mon Rathe, alors sache tu es ici chez toi. Je dirige la *Mouette Rieuse*. Ratheminou, je finis mon service à dix heures ! Si on allait chez moi fumer une de tes petites douceurs ? Et après, je fumerai un autre de tes trucs. Un plus gros...

Avisant l'embarras qu'elle avait provoqué chez le voleur, Mabhel lança un clin d'œil complice à Cellendhyll. Rathe s'étouffa à moitié dans son verre, et rougit devant le regard ironique de l'Adhan.

— Mabh', tu exagères...

— Non, non, aucun problème pour moi, le coupa Cellendhyll. Vas-y, Rathe. Comme je te l'ai dit, je veux me coucher tôt. Profite de ta soirée, tu l'as bien méritée. On dîne ensemble comme prévu, mais après tu as quartier libre. Tu me montres ma chambre et tu me laisses. On se retrouve ici demain matin. Nous ferons le point.

— C'est d'accord, mon gars. Ratheminou sera là, c'est promis ! clama Mabhel tout en assenant une grande claque dans le dos du voleur. Voici les menus. Je reviens avec une deuxième tournée. C'est la maison qui offre ! Je vous conseille la marmite de poissons. Tout frais de cet après-midi ! Rathe, j'espère que t'es en forme, mon petit voleur !

Elle les laissa en roulant voluptueusement des hanches, le rire au coin des lèvres.

— Tu m'as dit quoi, tout à l'heure ? demanda Cellendhyll. Un endroit où tu viens pour être vraiment *peinard* ? Je comprends en effet pourquoi tu as pris tes habitudes ici !

— Bon... soupira le Corbeau. Si tu pouvais garder ça pour toi...

— Tu as une réputation à préserver, je m'en souviens parfaitement, *Ratheminou* !

— T'es qu'un ingrat, fiston ! Quand je pense que je t'ai sauvé la vie, tout à l'heure... Et voilà que tu me récompenses par tes moqueries... Groumpfh... Aucun respect des Anciens !

Chapitre 39

Le lendemain, comme il l'avait annoncé, Cellendhyll retourna dans la ville-haute, pour se rendre dans une demeure encore plus belle et plus fastueuse que celle d'Ysanne de Cray. Elle appartenait à l'une des cinq plus riches familles de la capitale, dont Sophien de Guerches était l'unique héritier.

L'agent des Ombres ne détecta aucun signe de surveillance autour de la résidence. Surprenant, mais aucune trace des sbires de Valère. Ni de Rathe d'ailleurs. Cellendhyll avait beau savoir que le vieux voleur rôdait là, tout près, veillant sur ses arrières, il était incapable de le repérer.

Cellendhyll traversa le parc intérieur, une pelouse soigneusement tondue, longea l'allée de gravier, inspecta les marches du perron. Personne. Ce n'était pas forcément étonnant car Sophien avait affiché dès l'adolescence un tempérament de misanthrope.

Dans la demeure régnait le silence. Sophien n'utilisait qu'une partie des lieux. Il avait lui aussi donné congé à la presque totalité de ses serviteurs pour la durée du Festival, ne conservant que son valet et son cocher, tous deux installés loin de ses appartements, dans une autre aile du bâtiment.

Cellendhyll connaissait la demeure. Il avait partagé avec Sophien de Guerches un goût prononcé pour les livres. Rare privilège, l'homme blond l'avait souvent invité à profiter de la bibliothèque de son père, réputée pour ses trésors livresques. En passant devant la grande pièce, en apercevant les reliures des ouvrages dans les rayonnages, l'Adhan se sentit un peu mélancolique, plongé de nouveau dans le courant du passé. Cette maison éveillait chez lui une sourde nostalgie.

Dague au poing, il gravit l'escalier d'or forgé. De nouveau concentré. Il approchait de la chambre de Sophien.

Il y entra. Une pipe de nagga reposait sur le bureau, le fourneau noirci mais encore fumant. Aux murs, de multiples rangées de livres. Principalement poésie, philosophie et essais historiques. La pièce était décorée d'un mobilier en merisier sombre. Au sol, un épais tapis angarien anthracite. Recouvertes d'un voilage foncé, les fenêtres laissaient traverser une lumière spectrale. Un seul tableau pour habiller les murs, « La Mort du Prophète ». En bref, une lugubre atmosphère.

Et surtout, surtout, la pièce sentait la mort. Une mort récente à en juger par l'aspect du cadavre couché en travers du lit.

Cellendhyll eut du mal à reconnaître son ancien ami. Sophien était plus maigre que dans ses souvenirs. Décharné, même. Son teint, malsain. Sa chevelure, clairsemée. L'usage immodéré de stupéfiants avait perpétré des ravages. Et pourtant, indubitablement, le trépas lui octroyait une sérénité qu'il avait vainement cherchée de son vivant.

Sur la cheminée, l'Adhan avisa une lettre. Elle lui était adressée. *Pour l'Ange*. C'était bien l'écriture étroite de Sophien.

Il la décacheta et lut :

Tu vas venir Ange. Tu es même déjà là, tout près. Je le sens. Tu me cherches. Tu nous *cherches.*

Ainsi, tu as réussi à t'échapper des sentiers obscurs et solitaires de la Mort, traversé les limites du temps. Pour te venger Je le sais. Tout comme je sais qu'il est inutile de chercher à fuir ou à me cacher. À quoi bon ? Tu me retrouverais où que j'aille.

D'ailleurs, pourquoi vouloir te fuir ? Je te vois chaque nuit, dans mes songes désespérés. La drogue n'y peut rien. Elle m'aide au moins à passer la journée. À ne pas revivre encore et encore ce que nous avons perpétré. Revivre notre trahison. Envers toi !

Comment avons-nous pu en arriver là ? Nous fourvoyer ainsi sur les chemins du Mal ? C'est que j'en ignore toujours la raison.

Bien sûr, je pourrais me trouver des excuses, tenter de me disculper De cette soirée, je n'étais ni l'instigateur, ni même un exécutant. Je suis bien trop lâche. Je n'ai jamais porté la main sur toi ; je n'étais qu'un complice passif de cette horreur.

Ma conscience me dicte, me hurle que je n'en suis pas moins coupable.

Coupable de n'avoir jamais rien révélé de cette soirée, d'avoir cautionné ces mensonges qui ont détruit ta famille. Coupable d'avoir continué à partager leur sinistre compagnie, alors que j'abhorrais leur amitié.

J'ai toujours eu de l'affection pour toi, Ange du passé. Sinon plus. Toi, le meilleur d'entre nous. Le plus innocent.

Par la bienveillante Lumière, que t'avons-nous fait ?

Je ne cherche nul pardon. La Lumière jugera mes actes mieux que quiconque...

Et pourtant, pardonne-moi... si tu le peux.

Je t'attendrai, Ange, dans le monde des rêves, en te souhaitant de trouver ce que tu cherches.

Sain d'esprit, sinon de corps.
Par-devant la lumineuse Loi.

Sophien,
Comte de Guerches

Cellendhyll empocha la lettre qui aurait pu l'incriminer. Elle pourrait peut-être servir par la suite. Il contempla le corps de Sophien. Quelle ironie ! C'était le seul des Compagnons qu'il aurait peut-être épargné.

Il n'y pouvait rien. Il recouvrit le corps d'une couverture et quitta la pièce.

Estimant qu'il était préférable d'éviter la sortie la plus évidente, il opta pour le toit. Il s'esquiverait ensuite à travers le parc boisé. Rathe saurait le retrouver, il n'en doutait pas.

Ayant pris pied sur le toit, Cellendhyll constata qu'on l'y attendait. Un grand homme brun, au visage grêlé, au profil de faucon, s'y tenait, nonchalamment appuyé sur une cheminée. Cet homme, l'Adhan le connaissait bien. Il accueillit sa présence de son sourire sauvage, celui qui étirait ses traits, qui renforçait la brutalité de son visage.

— Valère. Après toutes ces années...

— L'Ange ! Alors, finalement, c'est bien toi. Tu es bien de retour... Ghisbert nous avait pourtant certifié ta mort. Je t'attendais, en fait, et je me doutais que tu sortirais par là. On connaît les mêmes trucs, toi et moi.

— Notre rencontre tombe bien, effectivement. Moi aussi, je voulais te voir, Valère. Tu as bonne mine, ma foi.

— Toi aussi... pour un mort en sursis !

Valère se redressa lentement. Il irradiait de malveillance.

— C'est toi qui as tué Sophien, ou il s'est vraiment suicidé ? demanda Cellendhyll.

— Quelle importance ? Il est mort, voilà tout.

Ils se faisaient face. Même taille, même musculature. Même inquiétante aura. Même assurance farouche, prédatrice, même promesse de mort.

En cet instant présent, ils étaient frères. Frères de violence.

Tout en parlant, ils se jaugeaient. Anticipant ce qui allait advenir.

En contemplant Valère, Cellendhyll se rendit compte que leur confrontation couvait depuis l'adolescence. À cette époque, cette pensée l'aurait rebuté. Il craignait alors Valère. Aujourd'hui, il n'avait plus rien du gentil Cellendhyll de naguère, celui que l'on surnommait l'Ange de la Lumière ; il s'en délectait.

Valère rayonnait d'une joie tout aussi malsaine. Il avait lu dans le regard de l'Adhan.

— Avec toi, on ne perd pas de temps, dit-il. Droit à l'essentiel, c'est bien...

Le brun avait reculé hors de portée pour retirer sa redingote et son gilet noirs. Il ne garda que son ample chemise blanche et son foulard turquoise.

Avec un mouvement lascif, Valère sortit d'un étui placé dans sa botte un étrange couteau à lame triangulaire, au tranchant légèrement dentelé. La garde était recouverte d'une coquille protectrice en maillage d'acier nain de la meilleure trempe. Des runes de précision gravées sur les faces de la lame augmentaient son pouvoir meurtrier. Valère avait rusé et combattu pour acquérir cette lame et, depuis, il ne tuait que mieux.

En même temps, tout en surveillant son adversaire du regard, Cellendhyll avait ôté son manteau, et dégainé sa dague sombre. *Quel vaniteux imbécile que ce Valère !* se dit-il. L'Adhan aurait pu au moins trois fois dégainer une dague de jet et l'abattre sans merci, en pleins préparatifs. Il n'en fit cependant rien. L'homme aux cheveux d'argent voulait ce duel. Il voulait contempler l'agonie de Valère. Et il voulait s'en délecter lentement.

Vision récurrente de ses cauchemars. *Après l'avoir martelé de coups de pieds, Valère s'était amusé à lui briser tous les doigts. Un par un. Avant de le marquer au couteau. Avant de l'offrir à Ghisbert.* Il avait fallu toute la science de Morion pour le sauver de la mort. Cellendhyll avait mis longtemps à guérir. Et à se souvenir. Très longtemps.

— C'était si facile de te faire saigner la dernière fois, se vanta méchamment Valère. Je vais adorer remettre ça !

— J'ai changé, Valère, et tu vas t'en rendre compte par toi-même, susurra Cellendhyll d'une voix pire que glaciale.

À présent, les deux hommes se dévisageaient, ayant adopté une posture de combat. Le toit en terrasse était suffisamment vaste pour qu'ils évoluent à leur aise.

Sans se consulter, chacun des guerriers éleva sa lame. Cependant, Cellendhyll contint les railleries qu'il brûlait de déverser pour mieux se concentrer sur son adversaire. Il tenait ses bras écartés parallèles au sol, sa dague dans la senestre, ses prunelles vertes et enfiévrées braquées sur l'homme brun. Tel son reflet inversé, Valère se mouvait avec la même aisance prédatrice.

— Approche, Cellendhyll, approche... Je vais finir le travail de Ghisbert. Et je lui apporterai ta langue en trophée.

— C'est trop tard, Valère, rétorqua l'Adhan, vous avez laissé passer votre chance. C'est mon tour à présent !

Ils se jetèrent l'un sur l'autre, haineusement. Le temps de l'observation était passé. Les mouvements, les attaques, les contres, les parades s'enchaînèrent trop vite pour un œil humain. Sous l'éclairage particulier du temps bleu, le zen, Cellendhyll constata vite que Valère était lui aussi un Initié, porté par sa propre danse.

Ils combattirent au mieux de leur forme et de leur talent. Sans que l'un prenne l'avantage sur l'autre. Ils se neutralisaient.

Oui, ils étaient frères. De force et d'habileté égales. Leur assurance respective se valait. Leur soif de sang également.

Le combat menaçait de s'éterniser et Cellendhyll ne pouvait se le permettre. Il décida d'user d'une autre arme que sa lame. Il profita d'une pause dans leurs assauts pour apostropher son adversaire :

— Tu aimes être aux côtés de Ghisbert, hein, Valère, après toutes ces années ! Un beau foulard que tu as là, dis-moi. Turquoise... C'est sa couleur, hein ! C'est donc que tu es toujours autant épris de lui ! Mais après tout ce temps passé ensemble, j'imagine que vous avez eu le temps de concrétiser. Valère, qui fait l'homme de vous deux ? Lequel fait couiner l'autre ? Tu peux bien me le dire... Il paraît que toute la cour jase à ce sujet !

Les mâchoires contractées par la fureur, Valère devint livide. Il explosa :

— Aaaargh ! Ange, je vais te découper !

Il bondit en avant et se mit à larder l'air de frappes puissantes, rageuses mais désordonnées. Altéré par le ressentiment passionné, le rythme de ses coups perdit de sa maîtrise, de sa fluidité. Déconcentré, Valère perdait le zen. C'est ce qu'attendait Cellendhyll, qui évitait ses coups désordonnés avec aisance. Il laissa passer l'orage, calmement enfoncé dans le zen, attendant le moment propice.

Valère avait perdu son sang-froid et continuait à faire des gestes trop amples. Laissant passer un revers trop appuyé, Cellendhyll détourna le bras armé de son adversaire, fit un pas en avant et lui planta sa lame dans la cuisse. Et comme avec le chef de horde ikshite, il laissa son arme dans la blessure.

Sans lui laisser le temps de réagir, il saisit la main armée de Valère, lui brisa le poignet d'un geste sec. Saisissant le poignard dentelé de son adversaire, il s'en servit pour l'éventrer du bas-ventre jusqu'à la gorge. La lame dentelée se fraya un horrible chemin dans la chair, déchirant les entrailles, provoquant une douleur que Cellendhyll n'aurait pas obtenue avec sa dague sombre au tranchant parfait.

Valère hurla longuement. Son cri se termina dans l'aigu.

Il hoqueta alors que ses viscères se répandaient hors de son ventre. Le désarroi avait pris possession de ses traits d'ordinaire si confiants. Il tenta de parler mais s'étrangla, se figea dans un cri ultime et muet, la bouche tordue par la souffrance. Impavide, Cellendhyll abandonna le zen et regarda son adversaire tituber en arrière, jusqu'au bord du toit. Valère buta contre le rebord, perdit l'équilibre et s'écrasa à plat dos sur la terrasse de l'étage inférieur, éclaboussant les dalles blanches de son sang.

Cellendhyll sauta le rejoindre. Se penchant sur lui, il récupéra sa dague magique. En sortant de la cuisse du vaincu, l'arme avait absorbé le sang qui la maculait.

Valère mit bien une demi-heure à mourir. Cellendhyll contempla son agonie jusqu'au bout. La détaillant délicatement, intensément, comme s'il dégustait un mets recherché, son visage éclairé d'une joie mauvaise.

Exit Valère. L'assassin avait connu une mort à la mesure des tourments qu'il avait infligés. Cellendhyll savoura particulièrement cette vengeance. Il inspira à grandes goulées libérées, récupéra son manteau et quitta les lieux, en sautant dans un vénérable chêne qui bordait la terrasse.

Il ne restait plus que deux des Compagnons d'antan. Le gros Igon de Mortemart et Ghisbert de Cray. Ghisbert, son meilleur ami.

Autrefois.

À nous deux, Ghisbert.

Si tu savais à quel point la vengeance est à la hauteur de mes attentes !

Chapitre 40

Au même moment, dans le palais de Vérité.

La salle de réunion privée du grand conseil de la Lumière bruissait d'agitation, mais cette atmosphère enfiévrée n'avait rien à voir avec le déroulement du Festival. Les valets en livrée rutilante s'activaient en tous sens, focalisés sur le confort des hommes en train de s'installer autour de l'immense table ronde. Ces derniers, les plus nobles des seigneurs humains de l'Empire, se réunissaient à huis clos pour décider de l'avenir des Territoires-Francs.

Chacun d'eux avait été nommé par le Patriarche – un des titres de l'empereur Priam – pour administrer les affaires de la Lumière sur le Plan primaire.

Le crâne rasé, le teint mat, les yeux cernés, l'administrateur Vaillence gérait les possessions matérielles de l'Empire. Une tâche ardue qu'il exerçait avec une compétence reconnue par ses pairs. Sa toge était froissée, ses doigts tachés d'encre. Ancien officier d'élite, c'est la perte de sa main d'épée qui lui avait valu cette reconversion tardive mais brillante. Respecté par ses pairs pour sa gestion rigoureuse, sans faille, il avait un don pour manipuler les chiffres comme un archimage le mana. D'aucuns insinuaient que l'homme le plus important du royaume après le Patriarche Priam, c'était lui. Le petit administrateur manchot.

Loué de tous, révéré par beaucoup, l'archevêque Auryel d'Esparre, de la Guelfe blanche, représentait le pouvoir religieux. Homme pieux, discret, reconnu pour sa sagesse et son intégrité, il était l'élément équilibrant du Conseil, le conciliateur des volontés. Émanation directe de l'autorité du Patriarche sur le Plan primaire, il possédait une réputation bien établie d'intégrité, tout dévoué à la Guelfe, et respectueux des traditions séculières. Son visage rond, où régnait un nez épais, encadré d'une abondante chevelure d'un blanc lustré, éclairé d'un chaleureux regard d'azur, respirait la bonté. Pipe en main, l'archevêque regardait ses pairs s'installer, les saluant avec sa bienveillance coutumière.

Responsable des forces armées de la Lumière, le connétable Xavier resplendissait dans son armure légère de mailles brillantes. Le haut-templier, ancien paladin, était un grand homme grisonnant, au visage sévère, buriné, balafré d'une longue cicatrice sur la joue droite et marqué d'une longue moustache en crocs. Avec son maintien athlétique, ses larges épaules, son regard d'un gris-bleu pénétrant, il semblait à peine marqué par le passage des ans. Brillant stratège, épéiste accompli, guerrier redouté, cavalier émérite, il ne comptait plus ses victoires. D'ailleurs, le connétable restait avant tout un homme d'action, plus à l'aise en pleine bataille qu'à la table du pouvoir.

Le gouverneur, Quentin de Bérune, était un homme de taille moyenne au visage et au corps mince, dont les longs cheveux châtains brillaient sous la lumière du cristalune. Il dirigeait le Cartel, alliance entre marchands et banquiers. Contrairement à l'administrateur Vaillence, il prenait grand soin de son apparence.

Devançant la mode, il avait revêtu un costume printanier, en soie légère bleu pâle, ainsi qu'une chemise immaculée à grand col, ouverte sur un médaillon d'or pur et de saphir, et des bottines en peau de chevreau. Sa canne en noyer rouge, cerclée de filaments d'or blanc et surmontée d'une grosse pierre de lune reposait à côté de son siège. Mais Quentin de Bérune n'était pas qu'un aristocrate à la mode, loin de là. Sous ses airs élégants, cultivés, voire pour certains un brin précieux, se cachait une intelligence aussi vive que le vol d'un Egle. Ses talents de négociateurs avaient maintes fois servi la ville et renforcé sa richesse. Quentin de Bérune était riche, plus riche que de raison, pourtant il œuvrait pour le bien de la cité avec une grande abnégation.

Restait le dernier et le plus jeune membre du conseil, pas le moins ambitieux et certainement pas le moins dangereux. Hégel, cardinal de l'Orage, maître de l'ordre redouté des sicaires, prêtres combattants de l'Empire. L'Orage que d'aucuns décrivaient comme une secte aux menées obscures. Hégel était un jeune homme doté d'un visage pâle aux joues creusées, aux maxillaires marquées, avec une bouche réduite à une mince fente, figée sur un pli perpétuellement désapprobateur. Ses cheveux étaient noirs, drus, coupés très courts. Il était vêtu d'une longue tunique de l'orangé du soleil couchant, aux larges manches décorées de fils d'argent, sur lesquelles était brodé un soleil d'or barré d'éclairs, insigne de son haut rang. Sa main droite était recouverte d'un gant en maillage de gemellite – une arme plutôt qu'un bijou. Une grosse bague runique, ornée d'une pierre jaune palpitante, ornait le médius de sa main gauche. Lambitieux cardinal n'était en poste que depuis trois ans. Élément particulièrement brillant, il faisait preuve d'un zèle redoutable – que certains jugeaient excessif – dans l'exercice de ses fonctions.

Mais le cardinal de l'Orage ne rendait de comptes qu'au Patriarche. Fervent pourfendeur des forces des Ténèbres, il les haïssait de toute son âme.

Un autre homme, cependant, assistait au Conseil. Le lige Ghisbert de Cray. Le beau Ghisbert, vêtu de blanc et d'azur. Le rôle prépondérant qu'il était censé jouer lors de la conquête expliquait sa présence exceptionnelle. Meilleur guerrier de l'Empire, le lige dirigerait en effet la force d'élite des Paladins Bleus au combat.

Tels étaient les membres les plus influents du puissant empire de la Lumière. L'un d'eux était un espion à la solde des Ténèbres. L'un d'eux était la cible de Cellendhyll de Cortavar.

Une fois les laquais exclus de la pièce, les portes bouclées, les protections magiques invoquées, Auryel sourit chaleureusement à ses pairs. Il entama la séance par l'habituelle prière à la Lumière. Après quoi, il poursuivit :

— Et maintenant, mes Seigneurs, que le Conseil débute. Je suis particulièrement heureux de vous voir aujourd'hui assemblés. Nous sommes à l'aube d'un grand jour, la date fatidique approche ! Le Patriarche m'a chargé de vous transmettre sa bénédiction et son soutien. Qu'il en soit loué ! Je laisse à présent la parole au connétable Xavier, responsable au premier chef de notre plan de conquête...

Xavier se leva. On abordait un sujet qui le fascinait depuis toujours : la guerre. Le haut-templier se plaça devant une grande carte colorée du Plan primaire, comprenant les possessions territoriales respectives de la Lumière, représentée en bleu ; celles des Ténèbres, l'ennemi abhorré, en rouge ; enfin, les royaumes libres des sept cités indépendantes, qui constituaient le cœur des Territoires-Francs, en blanc. Le Chaos avait des menées trop occultes pour figurer sur le document.

La voix grave de Xavier résonna dans la pièce :

— Scindées en escouades, nos troupes profiteront du printemps pour traverser les Territoires-Francs et gagner les contreforts de Hann. La belle saison leur permettra d'y établir une base solide où l'ensemble de nos régiments pourra opérer son rassemblement. À la date fixée, Ghisbert de Cray mènera les Paladins Bleus à l'intérieur des territoires fenaggas du sud. Ils seront le fer de lance de la Lumière en territoire ennemi. Les Paladins devront éliminer toute résistance de la part de ces tribus, avant qu'elles aient le temps de se mobiliser pour répondre efficacement à notre invasion. Le seigneur-lige sera épaulé par les escouades de l'ordre du Rosaire, dirigées par l'Orage. Suivront nos trois légions recomposées. Une fois la menace fenagga éliminée, l'armée de l'Aube restera en réserve, tandis que ses deux sœurs entameront leur marche. Telles sont les grandes lignes de notre plan d'expansion. À mesure de notre avancée, nous construirons des forteresses qui garantiront nos acquis stratégiques. Que la Lumière nous éclaire dans cette vaste entreprise ! J'ai d'ailleurs une fort bonne nouvelle... Selon les termes du traité d'alliance, le général Egle Aquilon Bec-de-Guerre nous appuiera de ses Ailes-de-Tonnerre, les Centaures de Karlaken, et de plusieurs escouades de cavalerie. Hélas, comme je le craignais, les pacifiques Rhanns ont invoqué leur Loi et refusé d'intervenir dans le conflit à venir, même pour ne prodiguer que des soins. Il fallait s'y attendre ! En revanche, nos alliés nains nous enverront un régiment de sapeurs et une escouade du génie : de quoi construire des positions inexpugnables en un temps record ! s'éclaira-t-il avec une joie toute militaire.

Le connétable prit le temps de lisser sa longue moustache, avant de se tourner vers le cardinal Hégel.

— Cardinal, sur place, vos hommes devront s'occuper des espions éventuels, ainsi que des interrogatoires. Nous devrons très rapidement en apprendre plus sur les forces ennemies basées au-delà des terres fenaggas. Savoir à quoi nous attendre en matière de résistance.

Hégel parcourut l'assemblée de ses yeux attentifs, aux prunelles d'un bleu presque noir qui paraissaient ne jamais ciller.

— J'ai mandaté six mains d'Orage, en plus de mes propres sicaires. Les Mains prendront la tête des chevaliers du Rosaire. Pour peu que vous leur fournissiez des prisonniers, mes hommes vous obtiendront toutes les informations nécessaires. Mes sicaires pourront également s'occuper de la menace des sorciers ténébreux. La Lumière nous guidera sur le chemin de la Victoire !

Le cardinal s'exprimait avec une componction irritante pour ses pairs. Il n'avait cure de leur opinion à son sujet. Seul pour lui comptait la défense des préceptes et surtout la lutte qui l'opposait aux forces ténébreuses.

Xavier opina, satisfait, et poursuivit :

— Plus que jamais, nous aurons besoin du soutien spirituel de vos moines-missionnaires, Archevêque Auryel. Comme nous l'avons déjà dit, il est indispensable, impératif, que les peuples des Territoires Francs que nous allons traverser puissent se rallier à la légitimité de notre action... Seuls les bienfaits de la Lumière pourront gagner leurs cœurs. Nous ne pouvons nous permettre de batailler avant d'entrer en terre fenagga. Les tribus auraient alors le temps nécessaire de se regrouper et d'enrayer notre avancée.

— Connétable, le soutien des missionnaires de la Guelfe vous est évidemment acquis, rétorqua Auryel d'Esparre en agitant doucement la main. Que le Patriarche en soit témoin ! Sa sainte Lumière éclairera l'âme de tous nos frères sur ces nouvelles terres. Tant d'âmes simples à défricher, à guider, pour notre plus grand bénéfice... Oui, vous pouvez sans nul doute compter sur la Guelfe Blanche, Xavier.

— Je m'en félicite, répondit le haut-templier avant d'entreprendre Vaillence. Administrateur, qu'en est-il de vos propres préparatifs ?

— Nous sommes prêts à établir les lignes d'approvisionnement. Les ambassades des régions concernées ont été prévenues. Si vos troupes parviennent à sécuriser les voies d'accès, il n'y aura aucun retard. Grâce à la générosité du Cartel, je me dois de le souligner...

L'appui financier du Cartel s'avérait en effet vital pour la bonne marche du plan de conquête. Vaillence hocha la tête en direction du gouverneur pour le remercier de sa collaboration enthousiaste.

Pour sa part, Quentin de Bérune avait pleinement conscience du rééquilibrage des forces qui s'opérait au sein du conseil. Si Vaillence lui accordait son intérêt, il y avait de fortes chances qu'il appuie également sa demande de subsides pour l'agrandissement du port. Quentin salua l'administrateur d'un petit sourire, se félicitant de s'adjuger ainsi un allié dont le potentiel restait à définir. Il décida qu'il lui faudrait inviter Vaillence à dîner, sous peu. De manière à voir s'il était possible de consolider cette alliance naissante.

Le connétable Xavier reprit la parole :

— Mes Seigneurs, j'ai fini. Je vous remercie de vos efforts. Nul doute que la Lumière vaincra ! Il me tarde d'être sur place, je vous l'avoue.

— Excellent ! s'exclama l'archevêque avec bonhomie. Tout est donc réglé. Il ne nous reste qu'à attendre...

— Et surtout à prier la Lumière de nous donner la force... intervint le cardinal Hégel.

— En effet, mon bon Hégel, en effet, sourit Auryel. À présent, passons aux affaires courantes. Administrateur Vaillence, je vous laisse la parole...

— Je vais commencer par le Festival. Voici le rapport établi sur les rentrées en cours. Je débuterais par les taxes prélevées sur le transit portuaire. Nos bénéfices voient une augmentation significative de...

Un seul des hommes présents se fichait comme d'une guigne de la conquête programmée et des licornes qui rentraient dans les caisses de la Lumière. Ghisbert de Cray se tortillait sur son siège, placé en retrait de celui du connétable, son supérieur hiérarchique. Il n'avait écouté que d'une oreille distraite. Malgré la grandeur du projet, il n'y prêtait aucun intérêt. Il n'avait qu'une idée en tête : que fichait ce damné Valère ? *Il aurait dû revenir depuis au moins deux heures !* s'inquiétait le lige.

Malgré l'assurance qu'il affichait, Ghisbert n'était rien sans Valère. Depuis son élection au rang de lige, Ghisbert jouissait de la vie facile que lui organisait Valère. Une vie licencieuse au possible, bien éloignée des préceptes que devait suivre un paladin. Ghisbert avait goûté à tous les plaisirs, à tous les vices. Et Valère veillait sur lui. Toujours. Il était devenu un confident, un guide, un compagnon de débauche. Un homme précieux, tout dévoué, dénué du moindre scrupule. Veillant au bien-être de son maître avec une attention systématique.

Valère, que la Lumière te brûle ! Où es-tu fourré ?

Depuis l'annonce du retour de l'Ange, Ghisbert de Cray avait découvert la saveur amère de la peur, amplifiée par les méandres de son esprit pervers.

Le temps avait balayé la complicité qui unissait jadis les Compagnons du Soir. Igon de Mortemart avait fait ses preuves. Il se chargeait efficacement de la sécurité, assistait à l'occasion Valère, mais il manquait par trop de subtilité et ses manières laissaient à désirer. Sophien de Guerches ne comptait que pour ses appuis politiques et sa richesse. Et encore, la drogue et les remords le rendaient de plus en plus ingérable... Mais de toute manière, Ghisbert ne le côtoyait plus que lors des réceptions officielles à la cour. Jhemar d'Althynès, pour sa part, cet imbécile avait lui-même provoqué sa déchéance, malgré l'intervention de Ghisbert, avant de périr au fin fond d'une campagne éloignée. Il y avait aussi l'inséparable, le fidèle et indispensable Valère. Ne restait que le cas épineux de l'Ange... *Avait-il réellement échappé à la mort que je lui destinais ? Et si oui, comment ? Et que pouvait motiver ce retour, après si longtemps ? Était-ce vraiment lui, en définitive ou un usurpateur ?*

Cette sarabande de questions ne cessait de harceler l'esprit du Lige, aussi hostiles qu'une centurie d'abeilles furieuses. Il ne parvenait à s'en défaire. *Ô Lumière, Valère, où es-tu ?* Sa disparition tenaillait Ghisbert, il recommença à se ronger les ongles. Il ne l'avait plus fait depuis l'adolescence.

À ces incessantes prières, Valère d'Argonis ne pourrait jamais répondre. Il gisait sur l'une des terrasses de la demeure de Sophien, ouvert en deux, souillé de son sang. Le foulard turquoise, symbole de son amour inavoué envers Ghisbert, n'était plus qu'un chiffon poissé d'hémoglobine.

Chapitre 41

Plan Primaire, Territoires-Francs,
la Cité des Nuages.

Alors que le conseil de la Lumière s'achevait, Rathe et Cellendhyll montaient les marches du Grand Escalier. En direction du sud, cette fois, vers le palais de Vérité.

— J'ai envoyé un jeune collègue traîner autour du palais. Avec l'agitation que tu as créée en ville, je ne doute pas que tes ennemis prennent des mesures. On va s'installer en terrasse et attendre tranquillement des nouvelles de mon p'tit gars... Ah, par la Grande Danse, quel beau soleil, aujourd'hui !

Quelques bières et un bâtonnet de mithass plus tard – le voleur avait annoncé qu'il conserverait la loki pour les grandes occasions – un gamin à la tignasse ébouriffée, maculé de crasse, au visage pétillant d'intelligence, s'extirpa de la foule en fête pour rejoindre leur table. Le guetteur de Rathe.

À peine arrivé, le garçon lâcha d'une voix enjouée :

— J'ai des nouvelles du palais, comme tu m'as demandé, Rathe le Corbeau ! Quel bordel, là-bas ! On r'cherche un grand type, un genre de guerrier aux cheveux blancs, avec les yeux verts. Les diacres et les questeurs ont été alertés. Chaque entrée du palais est filtrée... Sûr que ça les fait râler, les citadins... Le bordel, quoi ! Alors, t'es content de moi, Corbeau ?

Rathe jeta trois argents à son guetteur avant de le renvoyer d'un claquement de langue. Il caressa pensivement la pointe de sa barbe, avant d'ajouter, la mine assombrie :

— Ça va être dur pour toi d'y pénétrer sans te faire arrêter ! Ton physique n'est pas précisément anodin. Même si tu te colores les cheveux...

Depuis le matin, Cellendhyll gardait sa chevelure cachée sous sa capuche. Par orgueil, par défi, il avait décidé de ne pas la teindre.

— Ça ne va pas du tout avec ce que j'avais prévu, soupira le vieux voleur. J'avais un contact en cuisine qui pouvait te faire entrer mais maintenant, ça m'étonnerait qu'il soit d'accord pour tenter le coup. Il est pas du genre vraiment courageux, si tu vois ce que je veux dire...

— Figure-toi que je m'y attendais, rétorqua l'Adhan, le visage des plus sérieux. C'est précisément là que tu es censé intervenir, Maître-voleur ! À toi de me trouver une solution pour entrer au palais. Et d'ici demain, car je veux assister au Jugement.

— Mouuais...

Rathe tirait résolument sur le mithass. Son regard s'était fait méditatif.

— Y'aurait bien un moyen, fiston, annonça-t-il de sa voix voilée par l'abus de fumée, mais ça pourrait être dangereux.

— Dangereux ? Sois plus explicite.

— Je veux dire dangereux, même pour un mec comme toi. Je pense à un chemin qui passe sous les lignes de surveillance. Vaut mieux pas être claustro. Mais je dois d'abord demander l'avis de mes partenaires. Il y a des règles à suivre. Et je te préviens tout de suite, ça risque de coûter chaud...

D'un revers de la main, l'Adhan signifia que payer n'était pas son problème. Le Corbeau poursuivit :

— Je te donnerai la réponse ce soir. Cette fois, je ne suis pas le seul en cause. Je dois consulter la Fratrie. On se retrouve à la *Mouette Rieuse*. À la première heure de la nuit.

Ils se quittèrent. Cellendhyll avait du temps à perdre, pour une fois. Il descendit sur le port voir danser les navires, et contempla longuement les goélettes, voiliers, chalands, felouques, qui valsaient doucement sur une mer espiègle, parée d'un manteau bleu-vert ourlé d'écume, et surmontée d'une nuée de mouettes exubérantes. L'Adhan regardait ce spectacle sans véritablement le voir. Il songeait à ses plans.

Cellendhyll savait que le retentissement de ses méfaits en ville lui interdirait l'accès au palais. Ghisbert devait déjà s'être retranché derrière ses épais murs, étroitement gardé. Impossible de l'atteindre de front, comme les autres. Mais l'Adhan avait prévu cette possibilité. Pour confronter Ghisbert, il allait devoir employer une manœuvre moins directe et plus hasardeuse. Il repensa à ce qu'il avait prévu. Il n'aurait qu'une seule occasion d'approcher Ghisbert. Couronnée de succès, elle lui offrirait cependant une vengeance *totale*.

Tandis que son regard s'attardait sur les flots, un point grossit à l'horizon, venu de l'ouest, haut dans le ciel.

Un Egle ! Impossible de se méprendre sur la nature de l'être ailé qui planait sur un vent chaud. L'Egle quitta la hauteur des cieux et vint se poser au sommet des cordages d'un navire. Il lissa son plumage pendant quelques minutes avant de s'élancer à nouveau et de planer jusqu'à rejoindre le port. Alors qu'il n'était plus qu'à quelques dizaines de mètres du sol, son bec recourbé claqua à trois reprises, résonnant aussi fort que le son d'un fouet. Impressionnés, les promeneurs s'écartèrent pour lui laisser la place d'atterrir. À peine au sol, l'Egle rabattit ses ailes. Son corps était de forme humanoïde. Il était aussi grand qu'un Humain de taille moyenne et possédait de larges épaules, un long torse, un bassin étroit et des jambes courtes et noueuses. Sa tête ronde était celle d'un rapace. Elle s'agita de droite à gauche, comme si l'être ailé cherchait quelque chose. Ses yeux vifs, à facettes d'or et de brun, ne semblaient rien manquer de ce qui l'entourait.

Le haut de son corps était recouvert d'un plumage bleu acier, le bas, de plumes gris mat. Des bracelets d'argent ornaient ses avant-bras. Curieusement, l'Egle portait le surcot du cartel des Marchands. Mais Cellendhyll ne s'y trompa pas. Ses missions d'agent des Ombres l'avaient emmené sur bien des Plans, où il avait côtoyé maintes races et maints modes de vie. Il était l'un des rares sur l'esplanade, sinon le seul, à connaître les coutumes claniques du peuple ailé. La teinte rouge de sa crête révélait la nature de l'Egle. C'était un guerrier. Il n'avait aucune arme visible, mais l'Adhan savait que sous ses ailes repliées, dans son dos, se croisaient probablement les poignées d'un sabre long et d'un court. D'un pas dansant, l'Egle se rendit jusqu'à la terrasse d'une auberge qui donnait sur le port et y prit table. Il paraissait attendre quelque chose. De ses serres à quatre doigts, le guerrier ailé entreprit de mettre de l'ordre dans son plumage. Il renvoya sèchement le serveur qui se tassa devant l'allure martiale de son client.

Cellendhyll décida d'attendre de voir ce qui allait se passer. Il s'assit en terrasse d'une taverne voisine, et commanda un verre de bière légère qu'il sirota en surveillant l'Egle. Un quart d'heure plus tard, son attente fut récompensée.

Une autre créature ailée apparut, cette fois venant du nord. Il atterrit sur la terre ferme de même manière que son prédécesseur. Lui aussi avait une crête hérissée de rouge. Il se révélait un peu plus trapu que son congénère. À peine était-il à terre, que le premier l'interpellait du bec. Ils se saluèrent en se prenant l'avant-bras. S'assirent et se lancèrent dans une discussion caquetante.

Deux. Deux Egles, deux guerriers. Ils n'ont rien à voir avec le Cartel, ce n'est qu'un leurre. Si c'est bien ce que je pense, un troisième ne devrait pas tarder à arriver.

Confirmant les déductions de l'Adhan, un nouvel Egle fit son apparition au sud-ouest. Ce dernier avait également une crête hérissée, mais cette fois blanche. Un observateur. Il plana majestueusement jusqu'au sol et marcha sans attendre vers ses compatriotes. Il était beaucoup plus mince que les deux autres et sans doute plus agile.

Les Egles étaient trop loin de leur terre d'accueil, les Montagnes Blanches. *Deux guerriers et un observateur*. Trois, un chiffre significatif pour le peuple ailé. *Un Egle passe encore. Même un guerrier. Deux, soit. Mais pas trois*. Les Egles ne se montraient par trois qu'en période de guerre. C'étaient à n'en pas douter des éclaireurs membres du corps des Ailes-de-Tonnerre, créé et dirigé par le fameux général et héros de son peuple, Aquilon Bec-de-Guerre. Un allié de longue date de l'Empire de la Lumière. Depuis le jour où Priam avait donné les Montagnes Blanches au peuple ailé, sauvant ainsi la race des Egles d'un trépas inéluctable, tandis que son Plan d'origine se mourait, brisé, fissuré par la perte de sa Pierre-de-Vie. Le geste inespéré du monarque de la Lumière lui avait acquis l'amitié indéfectible du peuple Egle qui avait toujours appuyé les troupes de ses camarades humains.

Du ciel, ils faisaient de redoutables éclaireurs, surtout les observateurs. Et leurs guerriers maîtrisaient parfaitement l'usage de leurs sabres.

Les deux guerriers à crête rouge saluèrent respectueusement le dernier arrivant. Les trois Egles ne perdirent pas de temps en nouveaux palabres. À peine étaient-ils réunis qu'ils repartaient.

Ils se placèrent les uns derrière les autres, l'observateur en tête. Ce dernier leva la main gauche, le poing fermé, claqua du bec et s'élança vers le bord de la jetée. Les guerriers suivirent au même rythme, séparés par trois mètres d'intervalle.

Arrivé à moins de six pas de la mer, l'observateur étendit brusquement ses ailes. En plein élan, il frappa le sol de ses jambes musculeuses pour décoller. Sautant à deux mètres de haut, il offrit le vent à ses ailes. En vol plané parfait, sans effort apparent, il s'éleva alors au-dessus des flots et monta lentement vers l'ouest.

Les deux autres quittèrent le sol avec le même succès. Les Egles prirent de l'altitude pour gagner un courant chaud puis effectuèrent un demi-tour en direction du nord-est. Ils avaient adopté une formation en triangle, l'observateur en pointe.

Ils allaient probablement rejoindre les Ailes-de-Tonnerre, en train de se rassembler par groupes de trois, comme ceux-ci, au-delà de la région des Forts. Décidément, la Lumière préparait quelque chose. L'arrivée de ces Egles le confirmait.

Cela faisait au moins trois ans que Cellendhyll n'avait pas croisé de membres du peuple ailé. La vie terrestre ne les intéressait en général que fort peu. Les mâles ne vivaient que pour les airs. Si leurs ailes ne leur permettaient pas de véritablement voler, ils pouvaient en revanche planer sur de longues distances, portés par les courants chauds.

La pensée de la guerre et l'air iodé s'alliaient pour galvaniser Cellendhyll. Il brûlait d'agir. Un signe de nervosité. Aussi, il préféra rentrer dans sa chambre. Il se dévêtit avant d'effectuer ses exercices de concentration zen. Il se redressa et entreprit d'effectuer plusieurs enchaînements d'attaques en pointes et de parades des avant-bras. Au bout d'une heure, il acheva la séance par une longue série d'étirements suivie d'une légère transe de relaxation. Après un bain et un somme, le soir venu, il descendit à la taverne de la *Mouette Rieuse* retrouver Rathe et ses acolytes de la Fratrie.

Lors de sa sieste, il avait fait un curieux rêve.

Il courait sur une route poussiéreuse qui traversait une campagne peinte aux divers tons de gris. Aucune autre couleur pour égayer le paysage. Devant lui, au loin, une silhouette humaine courait, rapetissée par la distance. Il la poursuivait. Au fil de sa course, il croisa trois arbres successifs sur lesquels étaient suspendus les dépouilles sanglantes de Jhemar d'Althynès, Valère d'Argonis et Sophien de Guerches. Cellendhyll se rendit compte que le sang rubis qui coulait de leurs blessures se révélait être la seule couleur franche de son environnement. Il réalisa également une chose plus importante encore : c'était Ghisbert qui s'enfuyait devant lui. L'Adhan accéléra l'allure et Ghisbert se mit peu à peu à grossir dans son point de mire. Apparut Mélicio Volpert, les cheveux teints en argenté, qui bondissait nu, dans l'herbe haute. Le Veillant défunt poussait des cris stridents s'apparentant à ceux d'un goret et finit par disparaître derrière un rideau d'arbres aux feuilles presque noires. La poursuite se fit plus nerveuse. Cellendhyll s'était encore rapproché de Ghisbert et celui-ci jetait des coups d'œil inquiets pardessus son épaule.

La piste se fit moins linéaire. Au détour d'un tournant, elle s'interrompit brutalement devant la profondeur brumeuse d'un précipice sans fond. Ghisbert stoppa net et se retourna. Cellendhyll arrivait sur ses talons. Désespéré, Ghisbert sauta dans le vide. L'Adhan l'imita sans hésiter.

Cellendhyll se réveilla alors qu'il planait dans le vide, tel un Egle à la poursuite d'un ennemi. La tonalité de ce songe s'avérait bien moins dérangeante, douloureuse, que la vague de cauchemars qui assaillaient régulièrement l'Adhan. Il en fut soulagé. Une chose le frappa brusquement. Le Rire qu'il avait si souvent maudit n'avait sévi à aucun moment. Le Rire hanté avait définitivement quitté sa tête, il le pressentait.

Une fois dans la taverne, la patronne indiqua à Cellendhyll la plus grande des alcôves. Toujours vêtu de cuir gris, toujours en train de consommer un bâtonnet de fumée, Rathe salua son arrivée. Il était entouré de quatre hommes, trois Humains et un Nain. Sur la table, un long plat fumant de boudin épicé, servi avec des chopes d'épaisse bière rousse.

— Ah, te voilà, fiston ! s'écria le Corbeau avec une emphase manifestement avivée par le mithass. Mes doux sires, voici le personnage dont je vous ai parlé ! Puisqu'il s'est occupé du cas de Volpert, je le juge digne de vous côtoyer. Prends place, fiston. Prends place au sein de la Fratrie, partage notre repas. Camarades de la Fratrie, je vous présente Machallan !

L'Adhan s'installa à côté de Rathe, dos au reste de la salle.

— Ma bande, annonça fièrement le voleur à Cellendhyll, la crème de la Fraternité : le gros, là, dans son pourpoint émeraude, c'est Barrowmer Dés-Agiles, notre spécialiste des jeux ; celui-là – il désigna un homme maigre, dégarni, doté d'un front bombé et d'un long nez – c'est Nifold le baratineur, ancien professeur de philosophie comparée, négociateur de talent qui s'occupe du matériel et de la revente de nos larcins. En jaune, derrière ses petites lunettes, voici Renfro le chapardeur, dit Doigts-de-Velours. C'est l'homme le plus pacifique du groupe. Il ne cause pas beaucoup, mais ses mains sont encore plus habiles que les miennes. Et lui, le petit costaud renfrogné, c'est Milo le Nain, notre force de frappe. Milo Fléau-des-Griffons, ancien chasseur, ancien Porteur de Hache de la garde souterraine des monts Bhalder, exilé pour des motifs qui ne concernent que lui. Voilà, Machallan, tels sont mes partenaires. Ils ont fait leurs preuves, je leur accorde une totale confiance !

Liés par une évidente complicité, forgée par les ans et les aventures, les quatre voleurs dévisagèrent l'Adhan sans aménité. Tels Rathe, ils avaient tous dépassé la cinquantaine, mais dans leurs regards circonspects, brillait une éternelle jeunesse.

Cellendhyll était installé entre Rathe et Nifold. À peine était-il en place, que Barrowmer, un homme large et ventru, à l'abondante barbe blonde, lui remplissait une chope à ras bord. L'atmosphère incitait à une certaine détente et l'Adhan se sentit tout de suite à son aise au sein du groupe formé par ces hommes d'expérience. Il trempa ses lèvres dans le breuvage frais et mousseux. Une saveur forte et fruitée vint prendre possession de son palais.

— À présent que les présentations sont faites, j'en viens à ton affaire, reprit le Corbeau. Tiens, goûte le boudin, il est fameux. Et cette bière ? Pas encore vidée ? Renfro, roule-moi donc un peu de loki. Tu as fumé tout seul, sacripant ! Qu'est-ce que je disais... Nous, les anciens, la Fratrie de la Fraternité, un jour qu'on était en repérage, on a trouvé un passage sous la ville. D'anciennes galeries naines abandonnées courant sous une bonne partie du territoire. On peut y accéder par les égouts. À un point donné de ces galeries, figure-toi, on a découvert un accès direct sur le puits du Jardin Intérieur. Et le Jardin est situé à l'intérieur du palais, comme tu dois le savoir. En à peine trois semaines, Milo s'est chargé d'aménager cet accès, puis d'en cacher l'entrée.

Une gorgée de bière vint interrompre son discours.

— Nous cinq sommes les seuls à en connaître l'emplacement. Je peux t'y conduire, cette nuit même. Mes camarades sont d'accord, annonça-t-il en englobant ceux-ci de sa main pourvue du bâtonnet à fumée. Le prix sera de cinq cents licornes d'argent.

À l'énoncé de la somme, Cellendhyll haussa un sourcil.

— Hé, ce n'est pas moi qui l'ai décidé, plaida Rathe, les mains ouvertes devant lui. Après tout, ça ne fait que cent pour chacun de nous !

— Je n'ai pas un tel montant sur moi, rétorqua Cellendhyll. Mais je peux vous donner une lettre de crédit ; j'ai un sceau de certification.

— D'habitude, on prend que les licornes ou les bijoux, mais pour une telle somme, les gars, je crois qu'on peut consentir à un p'tit effort, non ? Je me porte garant de lui, plaida Rathe.

Le vieux voleur s'était pris d'affection pour Cellendhyll et en outre, il désirait manifestement connaître le fin mot de cette aventure.

— Allons-y tous ensemble, la Fratrie réunie ! clama

Barrowmer, sa large face réjouie quelque peu congestionnée par l'abus de bière.

— Eh, Barrow', c'est pas une balade, les anciens tunnels ! lâcha Milo de la voix typiquement rocailleuse des Nains. Les gars, je vous rappelle que ça fait plus d'un an qu'on n'y a pas mis les pieds. Y'a des *choses* qui vivent là-dessous, ne l'oubliez pas !

Nifold exhiba un petit carnet bleu, qu'il se mit à compulser en caressant son menton pointu.

— Voyons... annonça-t-il d'un ton docte, cet hiver, Offrim-Akh et Salteck Œil-Noir ont traversé les tunnels. Ils n'ont rien signalé de spécial.

— Ça ne veut rien dire, se renfrogna Milo en tirant sur l'une de ses tresses noires. À cette époque, même dans les souterrains, la plupart des créatures hibernent. Et c'est maintenant qu'elles se réveillent, au printemps... Le ventre vide, si vous voyez ce que je veux dire. Et regardez-vous, mes amis. Vous avez vieilli, et toi, comme tu as grossi, Barrowmer ! Je suis pas certain que tu puisses suivre, en bas... Non, on ferait mieux de partir à deux, Rathe et moi, pour accompagner son nouvel ami. Ce sera plus sage, foi de Nain ! Beaucoup plus sage...

— Milo, t'es vraiment qu'un rabat-joie ! Si je ne fais pas partie de cette expédition, alors je vote contre ! annonça le joueur d'un ton buté. Il venait de vider une chope et levait déjà le bras pour commander une autre tournée. Et vous n'y pouvez rien, ajouta-t-il en faisant les gros yeux. C'est notre loi !

Les yeux caramels de Renfro souriaient à tout le monde à travers ses petites lunettes cerclées d'or. Un bâtonnet de loki à la main, prélevé sur les réserves de Rathe, il acquiesçait à la moindre phrase, avec l'air un peu étonné de l'éternel adolescent qu'il était. Légèrement en retrait, Nifold fumait une pipe de simple tabac.

Le Baratineur n'avait mangé que du bout des lèvres, plus intéressé par la conversation que par la bonne chère. En réalité, il conceptualisait en esprit les modalités de l'expédition.

— D'accord, puisque c'est comme ça, qu'il vienne, capitula Rathe. On ne va pas argumenter toute la nuit, le temps file... Et puis, ça le fera peut-être maigrir, ce gros paquet de lard !

— Rathe, tu dis ça parce que tu es jaloux de mon potentiel esthétique !

— Si Barrowmer peut y aller, nous aussi, lâcha timidement Renfro.

— La vérité ruisselle de tes lèvres, Doigts-de-Fée, renchérit Nifold le Baratineur. L'aventure pointe son nez exquis et nous devrions rester en arrière ? Nonsens !

— D'accord, les gars, soupira Milo. Je m'incline. Vous l'aurez voulu. On y va tous, je le sentais venir ! Mais souvenez-vous de ce que je vous ai dit. À vos risques et périls ! souligna le Nain d'un doigt épais comme une des saucisses qu'il s'apprêtait à croquer.

À lui seul, il avait englouti un bon tiers du boudin.

— Quand part-on ? demanda Cellendhyll, impatient.

— Voyons d'abord la question du règlement. Montre voir ton sceau, répondit le Nain. Il essuya ses grosses mains dans sa barbe tressée. Le sceau tendu par l'Adhan disparut dans sa dextre. Hum... il a l'air vrai... Tiens, Nifold, c'est toi l'expert. Qu'est-ce que t'en dis ?

— Nul doute sur sa provenance, ce sceau brille de l'authenticité la plus parfaite. L'affaire peut être conclue sous les meilleurs auspices, je n'ai pas peur de l'affirmer ! s'exclama le négociateur.

D'un geste élégant, ce dernier fit mander un papier, une plume et de l'encre. Cellendhyll rédigea la lettre de crédit promise, marquée du sceau inviolable. La lettre de cachet serait payée dans n'importe quelle banque de renom de la ville. Morion avait des comptes bancaires approvisionnés dans la plupart des grandes cités, justement destinés à résoudre ce genre de cas.

— Je vous remettrai la lettre dans le Jardin Intérieur, indiqua l'Adhan. C'est *ma* loi !

— Par le Lancé parfait, y'm plaît, ce mec ! beugla Barrowmer.

— Nifold ? Pour le matos ? s'enquit Rathe, sans prêter attention aux manifestations excessives du joueur.

— La cache numéro quatre nous fournira tout le nécessaire. Nous prendrons le matériel en passant. Pour la barque, Renfro s'en chargera dès qu'il sera redescendu parmi nous autres terriens. Cela va-t-il, mon cher Renfro ? Il semblerait que tu aies de la buée sur les lunettes...

L'intéressé opina vigoureusement, chamboulé par l'effet de la loki.

— La Fratrie, c'est parti ! beugla encore Barrowmer avant de glisser et de choisir Nifold pour amortir sa chute.

Milo fourragea dans son épaisse crinière de jais et lâcha un long et profond soupir.

Le même soir, dans ses luxueux appartements, Ghisbert écoutait le rapport d'Igon de Mortemart, en charge de sa sécurité :

— Les ordres de Valère ont été transmis, Ghisbert. Le signalement de l'Ange circule, les entrées sont gardées. Impossible qu'il pénètre dans l'enceinte du palais.

— Et ma sœur ? Elle l'a bien reconnu ? demanda le lige, les yeux enfiévrés par le trouble.

— Il a bien été la voir, acquiesça le colosse. Il a

éliminé tous les hommes que Staxhar avait laissés en surveillance. Mais Ysanne, il l'a laissée tranquille, d'après ses dires. Pour ce que j'ai constaté, elle est en bonne santé, bien que choquée. Elle n'a rien voulu me dire de ce qui s'est passé entre eux. Elle était tellement pressée de partir dans votre propriété du Lac ! Elle m'ajuste confirmé que c'était bien Cellendhyll. Je l'ai trouvée très agitée. J'ai envoyé deux douzaines de gardes pour veiller sur elle.

— Très bien ! Du moment qu'elle est en vie... Elle a bien fait de partir. Je ne comprends pas comment l'Ange peut être en vie... Et Valère ? Il n'est toujours pas rentré ?

Le gros visage d'Igon se contracta. Il marqua un temps d'hésitation avant de lâcher :

— Ghisbert, Valère a été assassiné. Je suis désolé. On l'a retrouvé sur la terrasse de la maison de Sophien, éventré. Selon les traces relevées par le Guet, il y a eu un duel sur le toit, entre Valère et un autre. Sophien est également mort. Un suicide, apparemment. Ce ne peut être que l'Ange !

— Nooon ! Ce n'est pas possible, tu mens ! hurla le lige. Valère, se faire tuer en duel ? Je ne peux y croire. Le Cellendhyll que nous avons connu n'aurait pu le vaincre. Je ne comprends pas ! s'écria-t-il, les mains plaquées sur les tempes.

Le sort de Sophien, Ghisbert s'en moquait bien. Mais Valère !

— Je l'aurai, Ghisbert. Je l'aurai et je le tuerai pour toi, je le jure !

La mine du colosse, mélange de colère, de tristesse et de désarroi, convainquit Ghisbert mieux que les paroles d'Igon. Toutefois, le lige ne répondit pas. Il s'obligea à oublier momentanément cette terrible nouvelle pour songer à la situation dans son ensemble.

Le rapport effectué par Igon se révélait catastrophique ! Les Compagnons du soir se faisaient assassiner par l'Ange, visiblement en quête de vengeance. Staxhar et ses spadassins également éliminés. Mélicio Volpert, le contact de Valère à la Fraternité, égorgé. Les profits de Ghisbert allaient s'en ressentir. Et tout cela arrivait au pire moment. Le plan d'invasion était trop important, et trop imminent pour que le Lige s'occupât d'autre chose. Il ne connaissait même pas le nom de l'homme que Valère avait prévu pour gérer leur contrebande. Igon, hélas, malgré sa fidélité, n'avait pas le talent nécessaire pour diriger les affaires. Et par-dessus le marché, *l'Ange avait survécu* ! Était-ce vraiment lui ? Il n'arrivait toujours pas à s'en persuader. Après tout, Ysanne avait très bien pu décider de mentir, juste pour lui nuire. Leurs rapports s'étaient détériorés avec les années et sa sœur avait pris de la distance. Depuis trois ans, elle refusait farouchement de continuer à partager son lit. C'était l'une des raisons pour laquelle Ghisbert s'était installé au Palais, avec Valère. Une autre justement était Valère. Ysanne et lui se détestaient...

Le lige se massa encore les tempes. L'élancement caractéristique d'une redoutable migraine pointait à l'arrière de son œil.

Que de problèmes, soudain ! Et tout devait être réglé avant son départ prévu pour la guerre. Comment faire ? Son univers sécurisé s'effritait, le laissant nu, impuissant devant les réalités qui le menaçaient.

Ghisbert congédia sèchement Igon.

Il était dépassé par les événements. Pour les affronter, il saisit une bouteille de vin et entreprit de la vider.

Valère, tu m'as abandonné. Que vais-je devenir sans toi ?

Chapitre 42

Plan intermédiaire, zone neutre.

Estrée l'attendait dans la chambre de l'auberge. Dès que Leprín fut entré, elle se leva de son siège. Elle désigna le lit où était posée une liasse de documents et annonça sans ambages :

— Tiens, voici un nouveau dossier. Sur la Maison Tremayne.

— Mais comment fais-tu donc ? s'étonna le légat des Ténèbres.

— Cela ne te regarde en rien, répondit-elle d'un ton sec.

Estrée empoigna son long manteau de cuir fin et moulant et s'en revêtit.

— Tu t'en vas déjà ? s'étonna le marquis.

— Oui, répondit-elle en évitant de croiser son regard.

— Mais j'avais prévu un petit dîner entre nous... et après, une de ces fêtes dont nous avons l'habitude !

— Une autre fois. Je n'ai pas envie, ce soir. De toute façon, je suis attendue. Mon père a organisé une réception, ma présence est requise.

— Ah...

Leprín ne pouvait cacher sa déception mais la jeune

femme ne paraissait nullement s'en soucier. Elle semblait absente. Son charisme habituel n'opérait pas.

— Estrée... souffla le légat.

— Quoi ?

La fille d'Eodh continuait d'éviter le regard de son amant. Le Ténébreux demeura quelques instants sans rien dire, la bouche entrouverte.

Il se secoua et ravala les paroles qu'il s'apprêtait à prononcer.

— Non, rien, souffla-t-il. J'ai ton paiement. Là, dans cette sacoche. Tu n'as qu'à la prendre, je n'en ai pas besoin.

— Fort bien. Je te ferai prévenir pour notre prochaine rencontre.

— N'y manque pas.

L'héritière d'Eodh quitta la pièce sans plus rien ajouter, sans même un baiser ou une rapide étreinte. Resté seul, Leprín tourna comme un fauve en cage, lèvres serrées. C'était la première fois que la fille du Chaos se dérobait et ce refus le frustrait d'avantage qu'il ne l'aurait imaginé. Dès qu'il avait un peu de temps libre, la vision d'Estrée prenait possession de son esprit et le légat devait se faire violence pour l'en chasser. Tout à l'heure, il avait été à deux doigts de lui révéler qu'il trafiquait sa drogue. Et cet inexplicable, inexcusable accès de franchise le déconcertait au plus haut point. C'était bien la première fois que Leprín connaissait ce genre de tourment et il ne savait comment gérer cette attirance de plus en plus conquérante.

Il tenta de se consoler en songeant que, peu à peu, les services de renseignements du Roi-Sorcier parvenaient à vérifier la teneur des éléments qu'offrait Estrée. Tous s'étaient révélés exacts. Et si pour le moment aucun d'entre eux n'offrait d'avantage décisif en cas de conflit ouvert avec le Chaos, ils permettaient de mieux se rendre compte du pouvoir masqué de cette mystérieuse Puissance et de la teneur de son influence sur les Territoires-Francs.

Le légat ne s'étonnait pas plus que cela que la jeune femme ne montre aucun scrupule à livrer les secrets du Chaos, même ceux d'une autre Maison que la sienne. Non, cela ne l'étonnait vraiment pas. Il ne la côtoyait pas depuis très longtemps mais dans une certaine mesure, prétendait bien la connaître. Estrée s'était révélée exempte de tout sentiment d'honneur ou de noblesse. Rebelle à toute autorité, elle n'avait que son propre intérêt en tête. Et rien, jamais, ne prévalait.

Leprín cessa ses va-et-vient désordonnés et s'allongea sur le grand lit, les bras calés derrière sa tête. Un jour ou l'autre, s'il agissait avec assez de doigté, nul doute que la jeune femme vendrait des informations sur Eodh, sa propre Maison, et sans se soucier des conséquences.

Estrée sortit de l'auberge sans perdre de temps. Elle avait perdu toute l'assurance qu'elle affichait face à son amant. Son front était trempé alors que la nuit était plutôt fraîche. Elle leva une main tremblotante pour masser le haut de son nez. Une lancinante migraine battait son crâne. Elle laissa passer une vague de nausée.

Il lui fallait absolument une dose de bleue-songe. Cela faisait trois jours qu'elle en manquait et qu'elle se battait pour résister. Elle avait tout de même réussi à leurrer le légat sur son état. Il était hors de question que Leprín apprenne cette dépendance. Toute inconséquente qu'elle pouvait se montrer, elle n'avait aucune confiance en lui. C'était un Ténébreux, et rien que ce fait s'avérait une excellente raison pour se défier de lui.

Elle devait tenter de se sevrer, voilà ce qu'elle se

répétait depuis quelque temps, mais rien qu'à cette pensée, elle était prise de sueurs froides.

Mais tout allait bien, à présent, elle avait une sacoche pleine. Elle avait le choix entre attendre d'être arrivée à la Forteresse ou bien...

Non, impossible d'attendre. Estrée se dirigea à grands pas à travers le pré qui séparait l'auberge de la forêt. Elle se mit à courir, éclairée des pâles lumignons de la lune grasse et blafarde qui dominait ce Plan intermédiaire.

Le manque l'avait fragilisée et son effort la vida de toute énergie. C'est en trébuchant qu'elle atteignit la lisière des bois. À peine arrivée sous les arbres, elle se laissa glisser sur le tapis de feuilles et s'adossa à un tronc. Elle n'en pouvait plus. Elle était brûlante alors qu'un froid humide régnait sur la canopée. Fébrilement, elle ouvrit sa sacoche, fouilla pour en sortir une dose. Elle déchira l'enveloppe sans perdre une seconde. La porta à ses narines. Et inspira avidement sa ration. Chavirée par la morsure de la drogue, elle s'affala contre le tronc d'arbre. Ses sens exacerbés s'apaisèrent.

La fille du Chaos glissa encore jusqu'à se retrouver sur le dos, les yeux grands ouverts. Bercée par les ondulations que provoquait la drogue, elle se laissa emporter. Son souffle s'apaisa. La bleue-songe chassait la fatigue et avec elle les manifestations du manque.

Sa vue se troubla. Un visage naquit de ce tourbillon. Celui de Cellendhyll de Cortavar.

Cellendhyll aux cheveux d'argent. Depuis le premier jour où elle l'avait vu, elle l'avait désiré. Et ce désir n'avait fait qu'empirer avec le temps.

Malgré ses diverses tentatives, l'Adhan était resté de marbre, ne lui offrant jamais plus qu'une attention polie. Elle lui plaisait, au moins physiquement, elle l'avait constaté. Pourtant, rien. Il restait le seul homme à lui avoir résisté.

Au début, seul l'orgueil avait motivé ses tentatives de séduction. Estrée avait habilement interrogé son père le duc au sujet de Cellendhyll, – Morion avait énergiquement refusé de livrer le moindre renseignement sur lui – et avait appris que le soi-disant capitaine des Rangers était en réalité l'un des mystérieux agents des Ombres. Cette nouvelle n'avait fait qu'aviver la curiosité de la jeune femme.

Le guerrier aux traits durs représentait un défi de plus en plus troublant. Elle pensait fréquemment à lui. Dans ses moments d'intimité, surtout.

Au moins ne fréquentait-il aucune de ses rivales à la cour du Chaos, elle avait fait son enquête. Et ce malgré les nombreuses postulantes des autres Maisons. *Les chiennes !* Lorsque Cellendhyll apparaissait à l'une des nombreuses manifestations inter-Maisons, il était régulièrement le centre des attentions féminines. Mais il accordait à toutes le même traitement : une politesse un peu froide. Il paraissait méfiant de toutes ces attentions féminines et ne se départissait jamais de ses manières distantes. Il n'avait cédé à aucune. Et pourtant, il n'était pas du genre à préférer les hommes, elle l'aurait senti.

Elle avait tenté de le rendre jaloux, s'était plusieurs fois affichée aux bras de ses propres soupirants. En pure perte.

Mais un beau jour, elle aurait sa chance. Et si jamais elle ne pouvait l'avoir, aucune autre non plus. Non, aucune autre ne lui ravirait l'Adhan, elle se l'était juré !

La jeune femme resta ainsi un bon moment, à songer à l'homme aux cheveux d'argent. Une bagarre éclata sur le perron de l'auberge, la tirant de ses pensées. Veillant à bien refermer la précieuse sacoche qu'elle glissa sous son manteau, Estrée se releva, encore un peu tremblante. Elle laissa passer une vague de vertige et remit de l'ordre dans sa tenue. Elle se sentait mieux, bien mieux, à présent. D'un pas affirmé, dansant, elle quitta les bois et disparut le long de la route qui la mènerait au portail de retour.

Chapitre 43

Plan Primaire, Territoires-francs,
anciennes mines.

La cache numéro quatre avait offert tout l'équipement nécessaire à l'expédition souterraine. Eau, nourriture, torches, cordes, lampe sourde et armes. Chacun s'équipa selon ses préférences. En Nain qui se respecte, Milo s'était ceint d'une hache de bataille à double tranchant. Il avait en outre revêtu une curieuse cuirasse, en acier nain évidemment, composée de mailles souples et de pièces de métal renforcées. Un casque à nasal renflé, des gantelets et des bottes ferrées parachevaient sa tenue.

— Il en jette, hein ! se moqua Rathe. C'est sa tenue de chasseur de griffon. Il l'a dessinée lui-même.

— Cette *tenue*, comme tu dis, m'a sauvé la vie plusieurs fois, vieille fripouille ! Et la tienne par la même occasion. Bon, la Fratrie, vous mettez tous une cotte de mailles. Pas d'histoires ! Je ne transigerai pas sur ce point. On ne sait pas sur quoi on risque de tomber là-dessous.

— Fais pas ton rabat-joie, Milo, rétorqua Barrowmer qui peinait à enfiler sa cotte. Ça va être une vraie promenade de santé !

— Tu veux que je te rappelle ce qui s'est passé, Barrowmer, la dernière fois que tu as dit ça ?

Renfro et Nifold s'étaient armés d'arbalètes à deux coups, qu'ils maniaient avec une aisance qui surprit Cellendhyll. Barrowmer opta pour une épaisse masse d'arme qu'il fit tournoyer sauvagement, manquant d'arracher la tête de Rathe. Celui-ci dut bondir hors de portée en glapissant. Milo se rangea à trois pas de Barrowmer et pointa un gros doigt sur le barbu, sans rien dire, se contentant de le foudroyer de ses prunelles aussi noires que sa chevelure. Ses sourcils épais se rejoignaient presque au-dessus de son nez épaté. Le gros barbu rangea prestement son arme et se dandina sur lui-même comme pour échapper à l'attention courroucée du Nain.

L'Adhan déclina l'usage de la cotte de maille. Il préférait la vitesse d'exécution à la protection. De plus, un tel poids risquait de le gêner s'il décidait de faire usage du zen. Il avait hésité à s'armer d'une épée mais Rathe l'en avait dissuadé. Trop peu d'espace dans les souterrains. Du reste, aucune des lames longues que recelait la cache ne valait sa dague sombre.

Enfin équipés, ils avaient *emprunté* une barque à fond plat pour se lancer dans les égouts, accédant à ceux-ci par le niveau du port. Sans être dérangés par autre chose que quelques bandes de rats craintifs et un trio de chauve-souris, ils avaient navigué sur les eaux sales, abrités par d'épais foulards enduits d'onguent protecteur.

Arrivés sur un terre-plein sableux, ils avaient abandonné leur barque pour s'engager dans un souterrain de pierre. Renfro et Rathe s'étaient chargés à tour de rôle des verrous. Torches allumées, en silence, ils suivaient les épaules contractées de Milo Fléau-des-Griffons, le seul à apprécier l'endroit.

En file indienne, ils descendirent une succession d'escaliers et de passages en pente douce pour s'enfoncer dans les profondeurs souterraines.

Au bout d'une heure de marche, chacun avait roulé son manteau ou sa cape et l'avait rangé dans son paquetage. Sèches et chaudes, les larges galeries basses bâties jadis par les Nains n'abritaient plus que poussières et souvenirs.

Quoique manifestement peu satisfait d'avoir quitté la ville, Rathe évoluait avec sa discrétion coutumière. Fidèle à son habitude, il exploitait les nombreuses zones d'ombre pour passer inaperçu. On sentait sa présence, sans pouvoir vraiment le repérer. Arbalètes au dos, Renfro et Nifold portaient les torches. Le gros Barrowmer s'occupait de la lampe.

Quant à Cellendhyll, handicapé par sa taille, il s'était déjà cogné la tête à plusieurs reprises sur les aspérités traîtres du plafond. Constamment voûté, il commençait à avoir des crampes dans les épaules.

Leur périple prit du temps et de l'énergie, bien qu'effectué sans la bonne humeur annoncée à la taverne. Il se déroula sans problème, jusqu'au moment où...

... Arrivé à un nouveau croisement, Milo se figea, fronçant ses gros sourcils charbonneux. Trois tunnels plongeant dans le noir les attendaient. Des rides de contrariété plissèrent le front du Nain. Il dégaina sa hache de son fourreau d'épaule.

Les autres s'alertèrent. La nuque de Cellendhyll s'était mise à le démanger. Mauvais signe. Il posa son sac sur le sol. Sa main se rapprocha de sa botte armée.

Au moins, le plafond était plus haut, il n'avait plus à se courber.

— Ça pue ! Ça sent... la *bestiole* ! grogna Milo.

En effet, à l'odeur de poussière, omniprésente, s'ajoutait à présent un relent musqué. L'atmosphère souterraine semblait différente, chargée de menaces occultes. Oppressante. Les zones sombres paraissaient étendre leur emprise et préparer la voie à leurs ennemis. La tension gagna les membres de l'équipée.

— La bestiole ? grimaça Rathe. C'est quoi, pour toi, une *bestiole* ?

— T'es bien un citadin, toi. Bestiole, c'est un terme de chasseur pour parler des serpentères. Sans doute des Verts ; ils sont sauvages.

Cellendhyll se raidit. Il se disait bien avoir déjà senti cette odeur musquée. Vraiment mauvais signe.

— Tu dois te tromper, des serpentères, y'en a pas dans la capitale de la Lumière, annonça Barrowmer, péremptoire.

— Écoute, gros malin, rétorqua le Nain, tout aussi sûr de lui. Déjà, on n'est pas dans la capitale mais *en dessous*. Là-haut, t'es peut-être un cador avec les dés, mais ici, c'est mon domaine. Et je sais ce que je dis, foi de Nain ! Y'a des serpentères dans ces boyaux. Et tu devines ce que ça mange, une bestiole de cette taille *affamée* ?

— Si Milo dit qu'il y a du danger, il vaudrait mieux se préparer, messieurs, ajouta Rathe.

En dépit de réactions parfois déconcertantes, les voleurs vérifièrent leurs armes en véritables professionnels.

Cellendhyll n'aimait pas ça. Pas ça du tout. Les serpentères, fidèles aux Ténèbres, comme les squazz, n'avaient rien à faire dans ces lieux, normalement sous le contrôle des forces de l'Empire. L'Adhan songea à ce Mordrach. Les serpentères avaient-ils été envoyés à sa poursuite par le sorcier ?

— Et si on faisait demi-tour ? demanda Barrowmer, peu rassuré. On peut prendre un autre chemin ?

— Si j'ai pu sentir leur odeur, la réciproque est vraie, ils ont un meilleur flair que le mien. Et s'ils sentent qu'on a peur, ils vont nous charger. Je préfère les voir arriver de face que par-derrière... De plus, si nous faisons front, les errants hésiteront à s'attaquer à une bande armée comme la nôtre.

Milo cracha par terre, avant de reprendre :

— Allez, la Fratrie, plantez-moi ces torches pour qu'on aie de la lumière. et écoutez-moi bien. En cas de bagarre, les bestioles courent sur leurs quatre membres, et vite, mais peuvent se dresser brusquement sur leur grande queue. Celle-ci peut également leur servir de fouet. Et faites gaffe à leurs griffes. Elles ont des dents aussi, beaucoup de dents. Le meilleur moyen de les éliminer, c'est de leur couper la tête.

Cellendhyll ajouta :

— Leur cœur n'est pas au même endroit que le nôtre. Il se trouve sous le bras droit, juste au-dessus des côtes.

— Ouaip, c'est vrai ! renchérit le Nain en jetant un coup d'œil appréciateur au guerrier adhan. Il suffit d'un coup de lame bien placé et elles s'écroulent. Encore faut-il pouvoir approcher... Je vois que toi aussi, tu les as combattues... grimaça-t-il en vérifiant pour la quatrième fois le tranchant parfait de son arme.

— Uniquement à la surface. On avait plus de place...

Milo reprit pour ses camarades :

— Surtout, les gars, ne montrez pas d'hésitation ou d'inquiétude, quel que soit leur nombre ! Les Verts ne sont pas très courageux. Une troupe comme la nôtre, ça représente un gros morceau pour eux. Ça devrait bien se passer. Vous me laissez parler. Nifold, Renfro, sur les côtés, et, surtout, montrez bien vos arbalètes. Ça les fera réfléchir. Barrowmer, tu restes en arrière et surtout tu ne me gênes pas. Rathe, comme d'habitude.

Dans la pénombre du couloir, à la lisière de la lumière irrégulière produite par leurs torches, ils pouvaient à présent apercevoir une masse indistincte, grouillante, d'où provenaient crissements d'écailles et sifflements furtifs.

Milo brandit sa hache et se campa au milieu du souterrain. Sa voix rocailleuse enfla, rebondissant sur la pierre :

— Halte, les Verts. Plus bouger ! Nous guerriers. Avons armes d'acier.

Une des créatures reptilienne avança au devant de ses congénères, en ondulant. Elle se redressa à la verticale en se haussant à l'aide de sa queue.

— Verts faim ! Deux-pattes donner manger.

La voix du serpentère avait des accents sifflants et la tonalité d'un enfant. Elle contrastait fortement avec celle du Nain. Ce dernier répondit en agitant son arme.

— Pas bouger, Verts ! reprit Milo. Nous pas à manger. Moi, Milo Fléau-des-Griffons ! Nous bien armés, nous grands guerriers. Faire mal. Tuer Verts, si Verts avancer.

Le serpentère oscilla sur sa queue pour manifester son indécision. Le nom de Milo semblait craint au sein de sa race et la morsure de sa hache tout autant. Les créatures vertes éprouvèrent le même sentiment que leur porte-parole. Un reflux s'amorça dans le couloir. Les créatures rebroussaient chemin.

— Ça marche, souffla Barrowmer. Milo leur a fichu la frousse !

C'est alors qu'un sifflement impérieux issu de la

pénombre se fit entendre, derrière les rangs des créatures, les clouant sur place. Les reptiles se raidirent et s'écartèrent pour laisser passer l'un des leurs. Un serpentère d'au moins deux mètres, aux écailles uniformément blanches. Les autres le traitaient avec une déférence servile.

Dressé sur ses pattes arrière, le serpentère blanc avança parmi les siens et toisa les Humains et le Nain de son regard de braise. Il examina chacun d'eux avant de se fixer sur Cellendhyll.

Un rictus de triomphe dévoila une rangée de dents effilées. Il désigna l'Adhan d'une patte à quatre doigts, munie de longues griffes, et sortit une langue jaunâtre, bifide :

— Deux-pattes Cheveux-de-Lune ! Rashkas'hh veut Cheveux-de-Lune !

— Un Blanc ! On est mal barré ! lâcha Milo. C'est une meute.

— Qu'est-ce qui t'arrive, Milo ? chuchota le gros joueur. Je t'ai jamais vu agité comme ça !

— Un Blanc, Barrow'... un Blanc, c'est un seigneur de meute. Il mène les autres sur leurs territoires de chasse. Ils sont rusés, ces Blancs. Les Verts, c'est de la piétaille, à côté.

— Cheveux-de-Lune. Ksst-ksst ! psalmodiait le Blanc. Rashkas'hh veut Cheveux-de-Lune pour le *Maître* ! Ksst-ksst !

Excitées par les ordres du seigneur de meute, quatre créatures reptiliennes se lancèrent à l'attaque.

Propulsées par leurs quatre pattes griffues et leur queue épaisse, en trois bonds, elles se jetèrent à la rencontre du groupe de voleurs. Nifold hoqueta devant leur vitesse. Barrowmer jura. Renfro partit d'un petit rire incompréhensible.

Mais Milo veillait. Lèvres retroussées par un rictus

courroucé, le Nain laissa parler l'ardeur guerrière propre à sa race.

D'un ample moulinet remonté, la hache brillante de Fléau-des-Griffons coupa proprement le premier serpentère en deux, à hauteur du torse.

Les deux moitiés n'en continuèrent pas moins à s'agiter et Milo dut lui trancher la tête pour en finir véritablement avec cette menace. Le négociateur parlait bien et visait juste. Nifold cloua le second de deux traits d'arbalète consécutifs en plein front. Le troisième fut éliminé par Rathe qui surgit d'une zone obscure, armé de deux dagues.

Apparaissant en retrait du Vert, Rathe le Corbeau frappa par-derrière, deux coups successifs et adroits sous le flanc droit de la créature ténébreuse. Touché en son point faible, le Vert s'abattit en sifflant, le corps saisi des tressaillements de l'agonie. Cellendhyll s'occupa du dernier. Il fit jaillir de sa manche une dague de lancer qui fila dans les airs avant de se ficher dans l'œil du quatrième serpentère.

Cette première escarmouche doucha l'ardeur des Verts. Avec des sifflements de dépit, ils reculèrent dans le noir, repoussant le Blanc derrière eux pour le protéger. Avant qu'il ne disparaisse, le seigneur de meute eut le temps de plonger ses prunelles écarlates dans celles de Cellendhyll. Ils se toisèrent et l'Adhan comprit que la créature en avait véritablement après lui. Elle n'abandonnerait pas.

— Milo, dit-il d'un ton sifflant, trouve-moi un endroit où je peux me battre. J'ai besoin de plus d'espace.

— Ramassez les torches et la lampe, les gars. Venez. Pas loin, il y a une ancienne salle de garde. On va s'y réfugier et faire le point.

Le Nain courut dans le couloir de gauche, suivi par

les autres. Au passage, Cellendhyll récupéra son paquetage. Du souterrain central s'éleva un bruit diffus, produit par un frottement d'écailles sur le sol. Des murmures complexes croissaient dans le noir.

La voix du Blanc continuait néanmoins à se démarquer :

— Cheveux-de-Lune ! Ksst, ksst ! Maître veut Cheveux-de-Lune...

Sans gaspiller de temps, Cellendhyll et les voleurs prirent possession de la salle de garde. Renfro se servit de sa torche pour allumer les lampes fichées dans les murs. Ils se débarrassèrent de leurs sacs à dos. La pièce carrée, aussi poussiéreuse que les galeries, comprenait deux coffres de bois moisis, deux longues tables et quelques bancs en pierre, des râteliers d'armes vides. Derrière eux, le bruissement d'écailles de la meute serpentère se fit plus distinct.

Milo passa la tête dans le couloir avant de rabattre la double porte qu'il boucla à l'aide d'une grosse barre de bois, trop poreuse à son goût.

— Pute-à-Vérole ! s'exclama-t-il. Y a vraiment un Blanc parmi eux, je ne rêve pas ! Un de ces putains de Blancs ! jura-t-il encore avant d'essuyer le fil de son arme taché de sang jaune.

— Et puis quoi ?

Les autres de la Fratrie ne semblaient pas comprendre.

— Comment vous expliquer ?

Milo se gratta le front. Cellendhyll vint à sa rescousse :

— Les Blancs ne naissent pas naturellement. Ils sont conçus par mutation contrôlée à partir d'œufs de Verts. Un procédé que seuls peuvent pratiquer les sorciers des Ténèbres.

— Ouais, c'est ça, reprit Milo. Qu'on trouve quelques Verts, trois ou quatre, à l'état sauvage, oui, je veux bien. Ils se baladent un peu partout dans les sous-sols des Territoires-Francs et même à la surface, quand il fait pas trop chaud. Mais un Blanc ? Ici ? Par la barbe du Roi Gelé, j'aime pas ça du tout ! C'est pas normal. Les Blancs, c'est des mauvais, plus malins que les Verts et plus forts. Des Maîtres-de-traque. Et leur gibier, c'est nous. Ils ne nous lâcheront pas.

Milo se tourna vers l'Adhan et toisa sa chevelure argentée.

— *Cheveux-de-Lune !* Il t'a clairement désigné. Et par ma barbe, il a l'air de t'en vouloir ! Il a parlé d'un maître... Je crois que tu t'es fait un sacré ennemi chez les Ténébreux, mon gars !

Cellendhyll garda le silence. Il avait fait les mêmes déductions que le Nain mais n'avait aucune réponse à fournir. Pourquoi depuis ces derniers temps, les Ténèbres s'acharnaient-ils à causer sa perte ? Il ne pouvait pas y avoir de rapport avec sa mission d'agent des Ombres. C'était impossible, le Chaos était le seul à pouvoir enrayer la menace qui pesait sur les Ténèbres. Ceux-ci n'allaient pas sacrifier leur dernière chance d'éviter une invasion. Celui qui en voulait à Cellendhyll ne savait rien de son rôle d'agent spécial, sans quoi il aurait différé ses attaques. Non, c'était autre chose, mais quoi ? Qu'avait pu faire Cellendhyll pour s'attirer ainsi l'ire de la puissance des Ténèbres ? Il n'en savait fichtrement rien !

— D'après toi, Milo, quelle est la ligne de conduite à tenir ? demanda calmement le pragmatique Nifold.

— Ils sont trop nombreux. Il faut tuer leur chef, c'est le seul moyen de les faire fuir. Sans le Blanc pour les mener, les Verts risquent de se débander... Sans ça, ils nous poursuivront dans les tunnels. Ils ont l'air en nombre suffisant pour bloquer nos voies de repli. Les Blancs ont une mémoire phénoménale, celui-ci connaît sûrement les lieux bien mieux que moi.

— Ils risquent ? C'est tout ? Ils *risquent* de s'enfuir ? s'exclama Rathe, le visage entouré de fumée.

L'accalmie avait offert au Corbeau le répit nécessaire pour rouler un bâtonnet de mithass qu'il partageait à présent avec Renfro.

— Si tu as une meilleure idée, C'Rathe, je t'écoute, s'esclaffa Milo.

— M'appelle pas comme ça, espèce de hibou rabougri ! s'indigna le Corbeau.

— T'énerve pas, vieux râleur, c'est mauvais pour ta tension...

— Milo, si t'étais pas...

— Du calme, la Fratrie, les coupa Nifold. Les circonstances ne sont pas propices à de telles chamailleries. Le danger nous menace, rangez vos futiles querelles.

— Ça me rappelle la fois où on était coincés dans la tour du sorcier Olivarès, commenta Barrowmer.

— Ollh'Ni-Gar'Ese, corrigea Renfro qui enfin prenait la parole. C'était le sorcier Ollh'Ni-Gar'Ese, répéta-t-il de sa voix paisible.

— Y a-t-il d'autres issues ? intervint Cellendhyll pour les ramener à l'essentiel.

— Laisse-moi réfléchir, répondit le Nain. Ça fait un bout de temps que je suis pas venu dans le coin.

En retrait des autres, Nifold étudiait la disposition de la pièce. Après quelques instants de réflexion, il héla Barrowmer. Arbalète en main, impavide, Renfro montait la garde en face de la porte. Nifold et le gros joueur renversèrent la table et les bancs dans un des coins de la pièce opposé à l'entrée, constituant ainsi un semblant de rempart.

Approbateur, l'Adhan les regarda faire. Les voleurs avaient visiblement une certaine habitude de ce type de situation. Un maigre rempart, certes, mais en l'occurrence, le moindre avantage comptait.

Des coups s'abattirent sur la porte. De plus en plus puissants. De plus en plus furieux.

— La barre ne résistera pas, annonça Milo en crachant d'un air dégoûté. D'abord, les arbalètes. Visez bas, ils vont s'avancer baissés à quatre pattes. Surtout, ne passez pas de l'autre côte de la table. Ils vous submergeraient. Et rappelez-vous, attention à leur queue !

La barre céda, tombant sur le sol, brisée en deux. La porte était toujours fermée, mais dorénavant, la moindre pression suffirait. Les assaillants ténébreux signalèrent leur satisfaction d'un concert de chuintements agressifs. Un bruit particulièrement éprouvant pour les assiégés.

Vint le silence, lourd de funestes présages et tout aussi éprouvant.

— Cornebouc ! s'exclama Barrowmer. Qu'est-ce qu'elles foutent tes bestioles ? Cette attente, ça me brise les nerfs !

— *Ollh'Ni-Gar'Ese*. C'était Ollh'Ni-Gar'Ese, rappela Renfro, tout à fait hors de propos.

Enfin, la porte s'ouvrit brusquement et une marée écailleuse s'écoula à toute vitesse dans la salle. Terrifiante vision que celle d'une meute de serpentères en train de charger.

Le claquement sec des arbalètes marqua le début du combat.

Ondulant au ras du sol, les serpentères constituaient des cibles difficiles à atteindre. Les reptiles se mouvaient en changeant brusquement de direction pour éviter les projectiles. Resté sur le seuil, le seigneur de meute exhortait ses congénères par des sifflements agressifs.

Bientôt, Cellendhyll et les voleurs furent submergés par le nombre. Le temps du combat rapproché était venu. Un corps à corps obstiné, désespéré.

L'Adhan avait pris un des coins ouverts de la barricade, la position la plus exposée, laissant soin à Milo de tenir l'autre. Barrowmer se tenait au milieu, Nifold et Renfro sur ses côtés, en retrait, pour contenir les tentatives d'encerclement. Pour sa part, Rathe évoluait en franc-tireur. Avec une agilité surprenante pour un homme de son âge, il évitait les coups de griffes, de crocs ou de queue. Il frappait vivement de ses dagues, se retirait de la mêlée et bondissait à un autre endroit pour frapper à nouveau. Derrière le couvert de la table, même le gros Barrowmer faisait sa part. Soufflant, inondé de sueur, il assenait par-dessus la table de grands coups enlevés de sa masse d'armes, fracassant la chair écailleuse des créatures qui se risquaient à sa portée. Encadrant le joueur, Renfro et Nifold lâchaient leurs carreaux. Le sang jaune se mit à gicler sur les parois et sur le sol. La Fratrie se battait le juron à la bouche.

Seul Cellendhyll évoluait en silence. Plongé dans le zen de l'Initié. Assoiffée de sang ténébreux, sa dague sombre faisait des ravages.

Découpe, tranche, larde, entaille...

Les corps des reptiles s'amoncelaient à ses pieds.

Ayant épuisé tous ses carreaux, Renfro dégaina son sabre court et s'avança derrière Barrowmer aux prises avec un serpentère. La créature avait réussi à sauter par-dessus la table, à l'intérieur de leur périmètre défensif. Renfro s'approcha trop près du reptile. Sans même tourner la tête vers lui, le Vert projeta sa queue latéralement et le percuta de plein fouet.

Frappé aux reins, le petit homme s'envola de l'autre

côté du meuble. Au-dehors de la barricade. Il tomba lourdement et perdit ses lunettes par la même occasion. À quatre pattes, il entreprit de tâter le sol autour de lui pour les retrouver. Une présence devant son nez lui fit dresser la tête. *Une odeur musquée, une masse pâle et floue, si grande...* Renfro retrouva soudain ses précieuses lunettes, les remit sur son nez.

En face de lui, se tenait le serpentère blanc, les crocs luisants, griffes levées. Le Maître-de-traque saisit le petit voleur entre ses pattes griffues et le souleva en lui plaquant les bras le long du corps. Le reptile albinos marqua un temps d'arrêt pour bien s'abreuver de la terreur de Renfro, totalement immobilisé. Enfin, le serpentère plongea ses dents acérées dans la gorge du voleur, faisant jaillir sang et hurlements. Renfro se débattit du mieux qu'il pouvait mais il n'était pas assez fort pour résister. Le sang s'échappait de la blessure à gros bouillons, comme sa vie le quittait. Exsangue, il se tut et son corps devint flasque.

Le seigneur de meute releva son visage barbouillé pour toiser Cellendhyll quelques secondes avant de replonger dans la blessure avec une inhumaine frénésie. Le carnage recouvrit le bas de sa face, ses bras et son torse d'un voile fumant d'hémoglobine.

— Renfro ! Non ! hurla Milo Fléau-des-Griffons.

La colère d'un Nain sur le champ de bataille pouvait s'avérer une chose impressionnante. Cellendhyll avait affronté la vindicte des Sanghs, partagé l'ardeur des Lokis au combat, combattu squazz et Mantes. L'ancien Porteur de Hache du mont Bhalder les valait bien.

Sans hésiter, ce dernier quitta sa position défensive. Il se propulsa en avant, à la rencontre du serpentère blanc. Sans ralentir, il projeta presque négligemment sa hache à droite ou à gauche, tranchant dans la chair écailleuse pour dégager son chemin. Chaque frappe était parfaitement dosée, abattant au minimum deux reptiles à chaque fois.

C'est un Initié, comprit Cellendhyll.

Mais Milo n'en resta pas là et son armure dévoila ses secrets. De ses points renforcés jaillirent des lames aux pointes affilées. Le guerrier nain hurla le cri de guerre de son clan et sauta dans la masse des serpentères. Chacun de ses mouvements hachait ou tranchait la chair écailleuse des créatures ténébreuses qui tentaient de s'en prendre à lui. Sans temps d'arrêt, Milo abattait sa hache, latéralement ou de biais, pour dégager le chemin qui le menait au Blanc.

Nifold combla la brèche laissée par Fléau-des-Griffons. Les larmes coulaient sur son visage mais ses coups de sabre n'en étaient que plus assurés. Il en était de même pour Barrowmer. La mort de Renfro l'avait galvanisé. Les serpentères payèrent le prix de leur colère.

De son côté, Cellendhyll continuait à contenir son lot de créatures. Le zen huilait ses mouvements et ralentissait les créatures reptiliennes qui apprenaient à craindre la morsure de sa dague magique et de son stylet. La lame sombre se gorgeait de leur essence. Aspirant sang et âmes, elle rougeoyait de contentement, sa puissance renforcée. L'Adhan se battait sous la lumière bleutée de la transe, chacun de ses gestes était parfait, chacune de ses cibles se détachait d'orangé. Il souriait, mais son expression était glacée. Étrécis par la concentration, ses yeux ne cillaient plus. Ses deux lames ne se croisaient jamais.

Bientôt, les reptiles ténébreux massés devant lui reculèrent.

Chacun à sa manière, Milo et Rathe se rapprochaient du serpentère blanc.

Constatant que ses troupes commençaient à fléchir

devant la fureur déchaînée de leurs adversaires, le Maître-de-traque proférait des sifflements belliqueux pour relancer ses congénères à l'attaque. Il ne pouvait se permettre de reculer, sans quoi les autres serpentères risquaient de se débander.

Pendant ce temps, Milo avait poursuivi son approche du reptile. Il n'était plus qu'à cinq mètres de lui et il ne restait que deux Verts pour lui barrer le passage.

— Maintenant, Rathe ! s'écria le Nain.

Rathe répondit à l'appel de son camarade. Comme sorti de nulle part, le Corbeau apparut juste derrière le seigneur de meute. Le vieux voleur planta ses deux dagues dans la queue du Blanc, la clouant au sol. Puis, sans attendre, il disparut de nouveau derrière un pilier environné d'ombres.

Aussitôt, Milo hurla du plus profond de son âme :

— MOROOOÏNN !

La puissance extraordinaire de son cri, le pouvoir qu'il recelait, figea les créatures qui se tenaient devant lui, seigneur de meute compris.

Non, ce n'est pas un Initié, mais un Adepte ! comprit l'homme aux cheveux d'argent.

Un adepte, un Initié supérieur, capable de transformer son Talent. De le focaliser en énergie. En l'occurrence, un cri de guerre paralysant.

Sans arrêter sa progression, Milo lança sa hache. L'arme tourna sur elle-même en fredonnant la promesse de l'acier avant de toucher sa cible et de trancher une des pattes postérieure du reptile blanc, à la jointure du genou. Une gerbe de sang jaune arrosa le mur.

Bien que désarmé, Milo ne s'arrêta pas pour autant. Au contraire, il accéléra encore l'allure, droit sur le meurtrier de Renfro. Au passage des lames qui sortaient au niveau de ses coudes, il lacéra les deux Verts qui se dressaient devant lui. Ne restaient plus que deux mètres d'intervalle avec le seigneur de meute.

Celui-ci sifflait de douleur, de colère et de dépit. À l'aide de sa queue, il tentait de maintenir son équilibre.

Un mètre.

Milo Fléau-des-Dragons bondit dans les airs, planant quelques instants à l'horizontale.

Tentant de garder son aplomb, le serpentère blanc ouvrit les bras pour l'accueillir. Mais juste avant l'impact, Milo effleura un coin de son casque. Une pointe d'acier luisant, longue comme une dague, apparut sur le haut du couvre-chef.

Transformé en projectile vivant, le Nain percuta le Blanc. Portée par les deux cent vingt-six kilos du Nain, la pointe du casque s'enfonça de toute sa longueur dans la poitrine du Maître-de-traque. Touché gravement, ce dernier s'écroula, poussant une plainte inhumaine. Sans perdre de temps, Milo se releva, récupéra sa hache et, d'un seul revers, trancha la tête du Blanc.

Saisis d'effroi, désorganisés par la mort de leur seigneur, la meute des serpentères reprit le cri du Blanc, deux fois, avant de déserter la pièce et s'enfuir dans les couloirs.

Une chape de silence tomba sur la pièce.

La bataille était terminée.

Les voleurs se rassemblèrent autour du corps de Renfro et s'y recueillirent en silence, leurs visages ravagés par la tristesse, et soulagés, tout de même, d'avoir survécu à l'attaque des Ténébreux.

Cellendhyll ne les rejoignit pas. Ce n'était pas sa place, il le savait. Il gagna la porte et sortit vérifier que les reptiles avaient bien fui. Ce qui s'avéra être le cas, les serpentères ayant déguerpi sans demander leur reste.

L'Adhan en profita pour essuyer la lame de son

stylet. Sa dague sombre n'avait pourtant nullement besoin d'un tel traitement. Son tranchant noir aux reflets rougeâtres se révélait parfait. Il avait absorbé toute trace de sang. Le guerrier aux cheveux argentés s'inspecta. Il ne souffrait que de griffures et d'estafilades. Son allonge supérieure et le zen l'avaient sauvegardé des attaques des serpentères.

Cellendhyll chercha à comprendre les raisons de cette attaque sans y parvenir. Une chose était sûre, à présent. Un Puissant des Ténèbres s'acharnait à sa perte. *Eh bien ! qu'il vienne*, jura intérieurement l'Adhan, *et ma dague réglera le problème une bonne fois pour toutes !*

Il retourna dans la salle et rejoignit les autres. Les yeux rougis par la peine, Rathe s'ébroua.

— Allez, on repart. On n'a pas fini la mission, dit-il en jetant un dernier regard pour Renfro qu'ils avaient recouvert de son manteau. On reviendra le chercher pour prendre soin de sa dépouille et le pleurer comme il le mérite.

— Tu as raison, acquiesça Milo de sa voix grave. De toute façon, les bestioles ne risquent pas de revenir dans cette pièce. Et l'odeur du cadavre du Blanc dissuadera d'autres créatures d'entrer.

Après avoir porté le corps de Renfro à l'écart, ils reprirent leur périple. Hache en main, Milo menait le groupe. Nifold avait récupéré son arbalète. Barrowmer marchait en sanglotant. Cellendhyll se porta au niveau de Rathe.

— Je suis désolé pour Renfro. Sincèrement.

— Les risques du métier, fiston, soupira le vieux voleur. Tu n'y es pour rien. Si quelqu'un doit s'en vouloir, c'est moi. Milo nous avait avertis, j'aurai dû refuser d'emmener Renfro. De tous, c'était le moins apte au combat. Enfin... c'est comme ça. Allez, on y va.

La peine avait chassé l'insouciance. Le groupe progressa sans encombre durant une bonne heure dans les galeries. Avant de s'arrêter devant une paroi semblable à toutes les autres.

— On y est, Machallan. Regarde !

Milo apposa sa grosse main poilue sur un léger renfoncement dans la paroi. Il poussa trois autres marques à la suite, selon un ordre précis.

Un passage s'ouvrit dans la roche, découvrant un couloir pentu, au plafond bas. Cellendhyll s'engagea à la suite des autres, obligé une nouvelle fois de se courber. Milo referma derrière lui. Le couloir menait à une salle sèche, ronde, fermée à l'opposé par un pan de roche percé d'un trou bas. L'Adhan pouvait entendre l'eau couler, de l'autre côté de la paroi.

La salle avait été aménagée de quelques litières. Des caisses de bois renfermaient des réserves de provisions, d'armes, de vêtements. De l'une d'elles, Barrowmer sortit de quoi soigner leurs blessures.

Portant le deuil de leur ami, les voleurs restaient silencieux. Une fois les soins achevés, Rathe roula un peu de loki qu'il dédia à Renfro. Chacun des voleurs vint tirer au moins une bouffée de fumée. Cellendhyll resta à l'écart jusqu'à ce que le bâtonnet de loki ne soit plus que cendres.

Alors, Milo sortit de sa gibecière un gros trousseau comportant des clés de toutes sortes. Il en sélectionna une de forme allongée, en pierre, l'inséra dans la fente en bas du mur et tourna. Le mur rentra dans la paroi et le chant de l'eau se renforça. Milo passa dans l'ouverture, une torche à la main, qu'il ficha dans un trou prévu à cet effet, éclairant par la même occasion un parapet qui ouvrait sur un conduit vertical. De l'autre côté du conduit, Cellendhyll put distinguer des barreaux de métal, enchâssés dans la pierre.

Rathe prit la parole :

— Cette ouverture donne directement sur le puits du Jardin Intérieur. Nous nous trouvons à présent sous le palais de Vérité. Remonte ces barreaux, ils te conduiront à destination. Tu vois où c'est ?

— Parfaitement, répondit Cellendhyll.

Pour lui, justement, tout avait démarré dans le Jardin.

— Tiens, poursuivit-il en tendant la lettre de cachet au voleur, voici le paiement convenu. Votre aide m'a été précieuse. Je regrette pour ton ami...

— L'affaire est réglée, le coupa Rathe encore visiblement ému. On te laisse là, fiston, il est temps de s'occuper de ramener Renfro. Je crois toutefois que j'assisterai au Jugement. J'ai l'intuition que ça va se révéler particulièrement intéressant, cette année. Nous nous reverrons, Cellendhyll de Cortavar, je le sais. Alors, inutile de se dire adieu !

— Un instant. Tu connais mon véritable nom ? Depuis quand ?

— Depuis le début... sourit malicieusement le vieux voleur. Vois-tu, j'étais présent lors de ta nomination comme lige. J'étais venu à la cour pour voler les bijoux de la comtesse de Mauvencin. Ton physique est plutôt facile à reconnaître, fiston, et je n'oublie jamais un visage. Je pense que tu as un compte à régler avec Ghisbert de Cray et je veux voir ça de mes propres yeux. Et sache également, si tu ne l'as pas encore compris, que j'ai apprécié notre collaboration...

Pris d'une inspiration, Cellendhyll prit le voleur par le bras. De son autre main, il esquissa un mouvement des doigts, une figure précise qu'il effectua d'abord lentement puis plus rapidement.

— Tu vois ce signe, Rathe... tu le reconnaîtras ?

Bien. Si quelqu'un t'approche en faisant ce signal, tu sauras qu'il vient de ma part. On ne sait jamais... j'aurai peut-être à nouveau besoin de tes services. Merci pour tout, Rathe, moi aussi, ça m'a bien plu. À te revoir.

L'Adhan salua Milo, Nifold et Barrowmer et s'engagea sur le parapet. Il saisit fermement l'un des barreaux et entama sa montée.

J'arrive Ghisbert. Je suis tout près, à présent !

Chapitre 44

Plan Primaire, Territoires-Francs,
palais de Vérité.

L'ouverture arrivait à mi-hauteur du puits. Il n'eut donc qu'une trentaine de mètres à remonter pour déboucher au milieu du Jardin Intérieur du Palais de Vérité.

Après avoir prudemment passé le haut du visage pour vérifier qu'il était seul, Cellendhyll se hissa sur la margelle pour sauter sur l'herbe mouillée de rosée. L'aventure souterraine lui avait pris la nuit.

L'aube se levait. À cette heure, la majorité des occupants du Palais dormait encore. S'il restait prudent, il ne devrait pas être découvert.

Le Jardin Intérieur était bien vide de présence humaine. Cellendhyll se camoufla dans un bouquet d'arbres. Il prit quelques bonnes inspirations d'air pur et frais. À cet instant, cela valait pour lui toutes les récompenses. Les souvenirs affluèrent, malgré le temps écoulé. Il avait apprécié ce jardin, pour y avoir passé bien du temps à lire, durant ses périodes de repos. Jusqu'au jour, ou plutôt jusqu'au soir, le soir de la cérémonie, où Ysanne de Cray l'avait invité à la rejoindre sur ce banc, là, à côté du bosquet de menthe. Après ces dix ans d'exil, Cellendhyll se souvenait parfaitement de ce soir-là :

Ils se pourchassaient à travers les arbres, et le rire cristallin et envoûtant d'Ysanne volait dans la nuit pour électriser ses nerfs. Le brouhaha du bal dans la grande salle et la musique leur parvenaient assourdis. Il était lige ! L'apprenti du vaillant Coreyn d'Aquéras, seigneur des Paladins Bleus, qui venait de le choisir comme successeur. Lige de Lumière. Son rêve de toujours !

Et pour que son bonheur soit véritablement parfait, Ysanne de Cray, la sœur de son ami Ghisbert, lui portait son intérêt. Elle l'avait ravi à son cercle d'admiratrices et l'avait conduit ici, dans le Jardin Intérieur du palais.

Il la suivait joyeusement dans les méandres du Jardin, jusqu'à la clairière cernée de lilas. Elle l'attendait sur un banc, alanguie, le visage délicieusement rougi par la course. Son cœur battait fort, gonflant par à-coups le velours doré de sa robe. Les yeux brillants, elle le dévisageait étrangement.

— Ysanne, dit-il simplement.

Comme il aurait pu dire Amour, Joie, Bonheur. À cet instant plus rien ne comptait plus qu'Ysanne, pas même son nouveau rang de lige. Elle incarnait à ses yeux la plus belle chose qui puisse lui arriver. Elle rit encore. Elle l'appela. Sa voix pure contenait une telle promesse !

Il s'approcha lentement de la blonde, buvant des yeux sa jeune beauté. Il lui prit la main, la baisa tendrement. Ysanne rit encore avant de plaquer sa bouche sur la sienne et y plonger sa langue conquérante. Il était presque saoulé de sensations. Le baiser terminé, Ysanne se mit à genou devant lui. Dégrafa son lourd ceinturon, défit l'attache de son pantalon qu'elle fit glisser sur ses mollets. Ses doigts frais se mirent à caresser sans vergogne son membre aussitôt dressé. Il hoqueta de plaisir. Ysanne s'interrompit et leva son délicieux visage vers lui, le temps de lui décocher un sourire d'une sensualité troublante, suivi d'un regard énigmatique.

Elle détourna la tête vers le bas, et, de ses lèvres humides, happa son sexe congestionné de désir. Il faillit crier tellement c'était bon. C'était la première fois...

Ils jaillirent alors des fourrés, l'insulte aux lèvres.

Cellendhyll eut le temps de reconnaître Igon et Valère, le visage convulsé par quelque chose qui s'apparentait à de la haine. Il n'eut pas le temps de parler à ses compagnons. Et dans sa posture, dans son état, impossible pour lui de se défendre. D'autant qu'Ysanne lui emprisonnait brusquement les jambes entre ses bras.

Un solide coup de matraque asséné par Valère sur le coin de sa tête le jeta au sol, la tête en sang.

À peine à terre, il dut se rouler en boule pour se protéger. Les coups de pieds pleuvaient sur lui. Jhemar, Igon et Valère s'acharnèrent jusqu'à le conduire à la limite de l'inconscience. À travers une brume rougeâtre traversée par les moqueries de ses tourmenteurs, il apercevait l'image déformée de Sophien qui assistait au supplice, la main sur la bouche, le visage tordu par l'horreur et la pitié. Puis, Sophien disparut de son champ de vision et le timbre élégant de Ghisbert résonna dans la clairière :

— Parfait, les gars. Bien joué, petite sœur ! Tu as fait ce qu'il fallait. Maintenant, laissez-moi seul avec lui quelques instants. Après, vous l'emmènerez. Vous savez où... Ysanne, tu restes.

Malgré ses côtes cassées, Cellendhyll réussit à se retourner sur le dos.

Debout devant lui, Ghisbert et Ysanne le contemplaient. Ghisbert reprit la parole :

— Alors, tu croyais filer le parfait amour avec ma sœur ? Toi, le pauvre petit provincial ? Tu croyais qu'elle t'aimait ? Tu n'es qu'un pauvre naïf, Cellendhyll ! Sache que ma sœur t'a attirée ici ce soir, sur mon ordre. Elle n'est nullement intéressée par toi. Elle qui collectionne les amants par dizaines, qui me raconte ses moindres aventures, ses moindres étreintes...

Ghisbert marqua une pause le temps de plaquer Ysanne contre lui et de l'embrasser sauvagement, tout en lui pétrissant les seins. La jeune femme répondit à ses attentions avec ardeur. Mais l'étreinte ne dura pas et à nouveau, Ghisbert se pencha sur l'Adhan.

— Tu vois, ma sœur, c'est moi qui l'ai déflorée lorsqu'elle avait treize ans !

Cellendhyll n'eut pas le loisir de répondre. Un dernier coup de pied à la tête le plongea dans l'inconscience, bercé qu'il était par le rire cristallin d'Ysanne de Cray.

Le chant scandé d'un coucou fit sursauter l'Adhan. Il s'extirpa difficilement de ses pensées. Mais ce n'était plus qu'un souvenir, pas un cauchemar, et cela ne fit qu'accroître sa résolution.

Aujourd'hui, Cellendhyll de Cortavar allait inverser la roue du Destin et Ghisbert de Cray allait enfin rendre compte.

Le guerrier aux cheveux argentés ouvrit son sac à dos et en sortit un vêtement soigneusement plié.

Dénichée dans la cache des voleurs au milieu d'un tas de vêtements divers, la robe de lin des missionnaires de la Guelfe Blanche, avec son ample capuche, le travestirait suffisamment pour qu'il n'éveille pas l'attention. Il devrait juste continuer à se courber un peu pour éviter que sa haute taille ne le trahisse.

Sans plus se laisser gagner par la nostalgie qu'éveillait son retour d'exil, Cellendhyll sangla son sac à dos et prit la direction des thermes. À cette heure plus que matinale, il aurait tout loisir de se laver, de se raser et de changer sa tenue souillée du sang serpentère. Il tenait à faire bonne figure devant le conseil de la Lumière. La réussite de ses plans en dépendait.

Au même moment, cinq étages au-dessus, Ghisbert regardait par les fenêtres de ses appartements. Il aperçut la silhouette d'un missionnaire de la Guelfe traverser le Jardin Intérieur en direction des thermes. Il n'y prêta aucune attention particulière.

Il n'avait pas dormi de la nuit. Ses yeux rougis le piquaient. Une migraine terrible battait son crâne. Après le départ d'Igon, qui avait triplé les mesures de sécurité et diffusé le signalement de l'Adhan aux entrées du palais, Ghisbert avait cherché consolation dans le vin, beaucoup de vin qu'il but jusqu'à voir le lever du jour. Avant de tout vomir.

Où es-tu, Ange ? Ghisbert avait peur. Il ne pouvait plus se défiler devant ses responsabilités, mais sans Valère, il se savait pourtant incapable de les assumer. Son Valère, mort ! Lui pourtant si fort, si capable, indispensable. Ghisbert ne savait plus que faire pour affronter la réalité. Il avait besoin d'un appui. La maîtrise des choses lui échappait.

Dans la nuit, plongé dans les brumes de l'alcool, le lige avait pris une décision.

Ce soir, après le Jugement, il se débrouillerait pour parler à *l'Autre*. Après tout, ce dernier était concerné au premier chef par le retour de l'Ange. Tout ceci, d'une certaine manière, était de sa faute à lui.

Ghisbert décida qu'il avait grand besoin d'un bain de vapeur. La journée du Jugement serait longue et il devrait y faire bonne figure. Il fit convoquer son masseur personnel et rappeler Igon. Désormais, il ne se déplaçait plus sans sa garde complète. Et qu'importent les ragots. De toutes manières, la guerre qui se préparait allait très bientôt retenir l'attention générale.

Sa toilette faite, ayant nettoyé au mieux ses affaires, sauf son pourpoint lacéré qu'il avait dû jeter, et volé une tunique propre dans les vestiaires, Cellendhyll sortit des thermes, toujours déguisé de sa robe de missionnaire. Il se risqua jusqu'aux cuisines en imitant la démarche d'un vieillard. Malgré l'heure matinale, les préparatifs du petit déjeuner devaient aller bon train. Les servantes n'auraient pas le loisir de s'intéresser à lui.

Son statut de moine itinérant, dont la pauvreté était proverbiale, lui offrit un coin de table près d'une des trois cheminées allumées. On lui offrit des galettes au miel et aux noisettes, un bon bol de café et une assiette de figues vertes. *Loué soit le Festival ! Et cette robe miraculeuse*, pensa Cellendhyll.

Il ne s'attarda pas. Pas la peine de trop forcer la chance. Grommelant un remerciement suivi d'une prière à peine esquissée, il quitta les cuisines. Il allait devoir se reposer des embûches de la nuit. Le Jugement ne commençait qu'au début de l'après-midi. Il avait donc la matinée pour recouvrer ses forces.

Il approchait de son but... Le dernier acte de sa vengeance. L'avant-dernier de sa mission.

Cellendhyll savait vers où diriger ses pas. Singeant toujours le train hésitant d'un vieil homme, il monta au deuxième étage du palais. Croisant quelques personnes ensommeillées qui ne firent que le saluer distraitement, il s'éloigna tout au fond de l'aile ouest.

Sans se presser, il gagna une enfilade de couloirs précédant la vieille salle des Trophées. Tout le long de la salle, des arches de pierre creusée à quinze mètres de haut abritaient les statues de marbre à l'effigie des Héros de la Lumière. L'aspirant-paladin Cellendhyll de Cortavar avait passé beaucoup de temps à les contempler. À les admirer, brûlant d'intégrer cette remarquable fraternité.

Sans hésitation, il se dirigea vers celle de Coreyn d'Acquéras, l'idole de sa jeunesse. L'Adhan observa l'immense statue du plus grand Lige de l'Empire. Qu'il était accusé d'avoir assassiné. *Toi aussi, Coreyn, tu vas obtenir justice...*

S'aidant des reliefs du mur, il se mit à escalader celui-ci. Parvenu jusqu'à la niche de Coreyn, il posa la main sur la statue grandeur nature de celui qui aurait dû devenir son mentor.

— Nous serons vengés, Coreyn, jura-t-il à voix basse. Sur mon honneur.

Après quoi, il se glissa derrière le socle de bois qui soutenait la sculpture. Le renfoncement lui offrait une indétectable cachette. Personne ne penserait à chercher dans un tel lieu. La poussière accumulée dans la niche indiquait qu'on ne devait même jamais y monter.

Cellendhyll s'allongea et se servit de son sac comme d'un oreiller. Il programma mentalement son réveil et s'endormit aussitôt, confiant.

L'Ange de Lumière allait protéger l'Ange du Chaos.

Chapitre 45

Cellendhyll s'éveilla comme il l'avait prévu. Frais et dispos. Excité même par ce qui l'attendait. Le dernier chapitre de ce qui serait soit son triomphe, soit sa déchéance.

Il redescendit de sa cachette, abandonnant derrière lui son sac à dos. Il n'en avait plus besoin. Capuche sur sa tête inclinée, veillant à se tasser comme un vieillard, il traversa le palais jusqu'à retrouver le flux de visiteurs venus assister au Jugement.

Le palais était bien réveillé, à cette heure. Telle une ruche bourdonnante, il débordait même d'activité. Pages, valets, servantes, adjoints, messagers, et une foule d'autres couraient d'une pièce à l'autre. Cellendhyll se servait toujours du flot des visiteurs pour masquer sa présence. Il y avait beaucoup trop de gardes en poste à son goût. Mais comme l'avait escompté Cellendhyll, il y avait trop d'affluence, trop d'allers et retours, sans compter le manège tourbillonnant des serviteurs et celui plus posé des résidents, ambassadeurs et leurs escortes, invités et leurs suites. Malgré leurs instructions et leur vigilance, diacres et questeurs s'avouèrent vite dépassés. Comment retrouver un seul homme au sein de cette foule incessante, mouvante et bruyante ? C'était là une tâche impossible.

Cellendhyll pénétra donc sans mal dans la salle où serait rendu le Jugement. Au milieu des visiteurs, il se tenait toujours penché, le visage camouflé sous son capuchon. Jouant des coudes, il parvint à se placer au deuxième rang, sur le côté. De manière à voir tant le conseil que les voies d'accès.

L'Adhan avait toujours comparé la salle du Jugement à une cathédrale. De même apparence, de mêmes proportions, elle possédait des propriétés similaires sur l'âme des contemplatifs. Le plafond avait la forme d'un immense dôme en cristalune transparent qui avivait la lumière. Composé de délicates tesselles de marbre blanc et azur, le sol était gravé en son centre du Soleil flamboyant d'or aux reflets orangés, symbole de la Lumière. Autour de ce soleil, un cercle d'étoiles mouvantes en nacre bleu foncé. Le Cercle immémorial sur lequel avait été bâti cette splendide et imprenable cité humaine. Le plus fier bastion du pouvoir de l'Empire sur le Plan primaire. Aux quatre coins de l'immense pièce, on avait disposé des grands trépieds de cuivre forgé où brûlaient des coupelles d'encens, diffusant une douce fragrance de jasmin. L'acoustique, minutieusement étudiée, faisait enfler et résonner les sons qui se mélangeaient pour le moment dans un ballet de tonalités diffuses. Cette marée sonore ajoutait au caractère impressionnant de l'endroit. Conforme à son souvenir, la salle de Justice avait donc bien conservé sa beauté majestueuse et impressionnante. Tant mieux, se dit l'Adhan, sans trop savoir pourquoi.

Autour de lui, les gens s'installaient dans un brouhaha bon enfant. La salle se remplissait. Des gradins laqués garnis de coussins sur tout un mur attendaient les riches spectateurs. Une aire avait été dégagée et marquée par des cordes de velours bleu foncé pour accueillir le tout-venant. Dont Cellendhyll.

C'est qu'en ce jour saint, par respect des traditions, le public se massait pour voir officier le fameux conseil de la toute-puissante Lumière. Comble, la salle d'audience recevait un large éventail de visiteurs de tous bords, pour la plupart Humains. Des croyants venus, comme chaque année, assister au Jugement comme à une messe, des curieux désireux de découvrir l'événement, des promeneurs ayant tout simplement suivi la foule. Parmi elle, nombre de femmes, jeunes ou non, ne venaient que pour contempler le lige, l'éblouissant Ghisbert de Cray. Toujours célibataire, selon les commérages en vigueur au sein de la gente féminine.

En face du public, l'estrade officielle sur laquelle se tenaient les membres du Conseil, impeccables et dignes dans leurs costumes chamarrés. À leurs pieds, au centre du Soleil stylisé, au centre de la salle, on avait placé pour l'occasion un pupitre en cèdre clair pour les plaignants, défendeurs et témoins des affaires à juger. Au mur, derrière les pairs de la Lumière, resplendissaient les étendards géants, aux couleurs avivées par magie, qui représentaient les seigneurs humains de l'Empire.

Cellendhyll examina les étendards. La Rose blanche sur champ d'or et d'azur représentant la Guelfe, l'ordre saint de l'archevêque Auryel d'Esparre ; la Tour d'or sur fond blanc, l'administrateur Vaillence ; le Cor, l'Épée et le Destrier bleu sur fond de soleil levant pour le connétable Xavier et l'ordre des Templiers ; le grand Navire aux voiles rouges et bleues filant au vent sur fond de cormorans du cartel des Marchands pour le gouverneur Quentin de Bérune ; la Main mauve enserrant une couronne d'éclairs pour l'ordre de l'Orage dirigé par le cardinal Hégel. Enfin, le Soleil levant du lige sur fond d'or pâle pour Ghisbert de Cray.

En voyant ce dernier arborer le surcot blanc à liseré azur dévolu à son rang, surcot que Cellendhyll aurait dû porter à sa place, le guerrier aux cheveux d'argent serra les poings et les mâchoires. Pour cela aussi, cet usurpateur de Ghisbert allait payer !

L'Adhan, cependant, se morigéna. L'heure n'était pas à de tels égarements. Il contint sa colère. Durant son exil, il avait maintes fois passé la scène à venir en esprit. Imaginant cent variantes. Il ne devait absolument pas perdre son sang-froid. Aujourd'hui, il allait enfin connaître le véritable dénouement.

Il ne lui restait qu'un dernier barrage à franchir pour entrer dans le Cercle, barrage formé par deux diacres revêtus de leur robe mauve et armés de leur bâton de combat. Une fois ce barrage franchi, il verrait alors la valeur de son plan.

Allez, il ne te reste plus qu'un pas, Cell'. Le dernier !

C'est alors que trompettes et cors retentirent, annonçant le début de séance. Tout d'abord, la prière. Chacun s'agenouilla pour écouter l'archevêque Auryel entamer la litanie familière. Nombre de gens la murmurèrent avec une dévotion marquée. Puis le héraut intercesseur du conseil, vêtu d'une tunique pourpre à liserés d'or, ordonna le début de séance.

Cellendhyll se contraignit à une patience nécessaire. Il devait encore attendre. Son dessein requérait l'effet de surprise. Et cet effet serait renforcé s'il survenait lors de la toute dernière session du conseil. Lors du rite du droit de Justice. Tout reposait sur le rite...

Bercé par les voix des officiants, Ghisbert réprima un bâillement. Ce genre de cérémonie l'ennuyait terriblement. Il ne siégeait aujourd'hui que par souci du décorum. Sa nomination provisoire au conseil ne comptait que pour la question de la conquête à venir avec les Ténèbres. Aucune affaire ne demanderait d'arbitrage de sa part. Le lige se replongea dans ses pensées.

Il avait suffisamment ressassé la mort de Valère. Il n'était que trop temps de se ressaisir. Aussi, Ghisbert préféra se concentrer sur ce qu'il réservait à l'assassin de son meilleur ami. Lorsqu'il tiendrait l'Ange entre ses mains. L'Ange ou son usurpateur. Il songea qu'il devait également rencontrer *l'Autre* et définir d'une ligne de conduite générale. Pour la guerre et pour le reste. *L'Autre* lui devait bien ça. Qui s'était sali les mains, cette nuit fatidique, sinon Ghisbert ? Qui l'avait couvert et détourné les soupçons, *l'Autre*. En vérité, c'était *l'Autre* l'instigateur de tout ce qui s'était produit ce soir-là. Ghisbert n'avait fait qu'exécuter ses suggestions.

Allez, dépêchez-vous ! Ghisbert n'en pouvait plus de rester assis. Sa migraine l'avait harcelé toute la matinée et lorsqu'elle disparut, elle fut aussitôt remplacée par le souffle rance et moite de la peur. Le lige gardait ses gants pour cacher ses ongles, rongés jusqu'au sang depuis son réveil.

L'après-midi s'achevait. Après avoir jugé les affaires communes, le conseil abordait la dernière partie de la séance. Pour la forme, le héraut demanda clairement si quiconque voulait réclamer le droit de Justice.

La tradition, toujours la tradition, en cette période particulière. Elle requérait que chacun, quelle que soit son extraction, puisse en ce jour précis demander réparation. Même si, depuis plusieurs années déjà, le droit de Justice n'était plus invoqué.

Le silence se fit. Personne ne répondait. Au moment où le héraut allait clore la séance, un début de désordre à l'entrée suspendit son geste.

Deux diacres voulaient empêcher un individu d'entrer

dans le cercle. Vêtu d'une robe de missionnaire, celui-ci ne s'en laissa pas conter. Quelques mouvements rapides de sa part et les diacres s'écrasèrent à terre, sous les rires de la populace, toujours prête à se divertir.

L'inconnu rejeta sa capuche pour se dévoiler : un homme élancé aux cheveux blanc argenté, au port de guerrier, au visage dur. Son profond regard vert de jade balaya l'estrade des pairs du royaume. L'homme s'avança vers l'assemblée, les mains grandes ouvertes selon l'habitude consacrée pour signifier que ses intentions étaient pacifiques.

Cellendhyll de Cortavar rentrait d'exil. Un exil long de dix années.

Chapitre 46

L'intervention de l'Adhan prit tout le monde au dépourvu. Et la surprise provoquée lui octroya le temps nécessaire pour lancer d'une voix claire, décidée :

— Messeigneurs, je suis Cellendhyll de Cortavar et je réclame mon droit de justice ! Injustement accusé d'être un Ténébreux, j'ai été spolié de mes droits, de mes biens et laissé pour mort. Comme me l'autorisent les Préceptes, je demande réparation par le Jugement des armes. Que la sainte Lumière soutienne ma demande !

Sans attendre la réponse du conseil, il s'agenouilla sur le Soleil flamboyant et, bras écartés, prit la position du suppliant, respectant à la lettre la formule originelle. Dans sa position, au centre de l'étoile, il disposait d'une immunité temporaire, certes, mais bien réelle.

Un silence général, épaissi par la stupéfaction, s'établit dans la grande salle.

Cellendhyll maintenait la position consacrée. Interloqués par cette demande passée de mode, les membres du conseil, le public, la garde, personne ne bougeait. L'ébahissement était total. L'Ange avait tout misé sur cet état de fait. À présent, il devait attendre, espérer une réaction favorable des seigneurs de la Lumière. Lui, plus à l'aise avec les armes qu'avec les mots, devait absolument les convaincre. La vengeance, la mission, sa survie, tout en dépendait.

— Impossible, ce ne sont que des mensonges, de vils mensonges... clama Ghisbert de Cray, crevant le silence et la stupeur, la voix chargée d'indignation. Cellendhyll de Cortavar est mort !

Un brouhaha enfiévré suivit sa déclaration. La populace n'y comprenait rien. Qui aurait pu se souvenir de faits survenus si longtemps auparavant et dont l'ampleur avait été étouffée par décision du conseil ? La grosse voix du connétable Xavier dut s'élever pour ramener un semblant de calme. Des diacres furent convoqués pour contenir le public derrière le cordon.

— Que savons-nous de cette prétendue mort, justement ? intervint l'administrateur Vaillence. Le cadavre de Cellendhyll de Cortavar n'a jamais été retrouvé.

— Je pense pour ma part que cet homme ment, siffla le cardinal Hegel en parlant de Cellendhyll. Ce n'est qu'un misérable usurpateur ! Envoyé par les Ténèbres, sans aucun doute. Je propose de convoquer une main d'Orage pour s'assurer de lui.

— Du calme, tempéra Vaillence. Il m'apparaît à moi que cet homme semble tout prêt à s'expliquer. Il ne sera donc nul besoin de vos inquisiteurs, mon cher Hégel. Les réponses qu'ils obtiennent sont parfois *indéchiffrables*, dirais-je.

Un rire moqueur parcourut la foule. Hégel contint son énervement. L'affront était trop mineur pour qu'il le relève.

— Écoutons-le au moins, renchérit Quentin de Bérune avec l'accent du bon sens, décidé à soutenir Vaillence. Nous n'y perdrons rien. Si les propos de cet homme ne nous satisfont pas, il sera toujours temps pour l'Orage de s'occuper de lui. Mais au contraire, s'il est bien Cellendhyll de Cortavar, il serait particulièrement intéressant d'apprendre sa version des faits, ne croyez-vous pas ?

Le gouverneur marqua une pause avant d'ajouter :

— Curieuse attitude pour un traître, je trouve, venir de lui-même se mettre à notre merci !

— Traître, tu viens à nouveau manigancer un de tes tours ! cracha encore Ghisbert, dressé sur l'estrade. Messeigneurs, comment pouvons-nous écouter ce félon ? Il est tout de même responsable de l'assassinat du lige Coreyn d'Aquéras, mon prédécesseur !

— Il se pourrait qu'il prépare une vilenie. Je suis d'accord avec le lige Ghisbert. Méfions-nous... intervint Hégel. Laissez-moi m'en charger. L'Orage saura lui faire cracher la vérité !

L'archevêque Auryel prit la parole :

— J'avoue être troublé par l'intervention de ce jeune homme. Peut-être devrions-nous ajourner la séance et nous concerter à huis clos sur cette affaire, mes amis...

À nouveau, le tumulte prit possession de l'assistance. Certains soutenaient l'idée du cardinal, mais la plupart, dévorés par la curiosité, brûlaient d'entendre le demandeur.

— Du calme, seigneurs Ghisbert et Hégel, tonna Xavier, à la surprise de ses confrères – le connétable intervenait rarement pour prendre position en dehors des questions militaires. J'ai fort bien connu le lige Coreyn, c'était un ami. Cette affaire m'intéresse donc au plus haut point. Les circonstances entourant sa mort sont restées partiellement inexpliquées et j'aimerais écouter ce que cet homme a à dire.

— Tout à fait, renchérit Quentin de Bérune. Le moins que nous puissions faire est de peser les faits, en tout état de cause, sans nous emporter. Nous avons pour responsabilité de démêler cette délicate affaire. N'est-ce pas pour mener à bien cette tâche que nous sommes réunis en ce jour saint de Justice ?

Les traits secs du cardinal Hégel étaient clairement

réprobateurs, mais il n'argumenta pas plus avant. L'archevêque Auryel pour sa part semblait indécis.

La voix sereine de Vaillence s'éleva une nouvelle fois :

— Je suis tout à fait d'accord avec Xavier et Quentin. De plus, à présent que j'ai eu le temps de l'examiner, je le reconnais. Cet homme est bien Cellendhyll de Cortavar ; bien que son apparence se soit quelque peu modifiée au fil des ans. Comme tout le monde, je le croyais mort... Relève-toi, Cellendhyll. Par ma voix et mon honneur, que la Lumière te reconnaisse ! termina le petit homme en adressant un sourire franc à l'Adhan, presque paternel.

Sans s'émouvoir du désordre qu'il avait provoqué, l'Adhan se redressa. Il trouvait bien là le soutien qu'il espérait. Il n'avait pas oublié l'amitié qui liait Vaillence à son père. Vaillence achetait des étalons à sa famille pour le compte des paladins de l'Empire.

Toujours hésitant, l'archevêque Auryel contempla le visage de ses pairs. L'administrateur, le connétable et le gouverneur voulaient entendre cet homme. Seul Hégel semblait lui dénier le droit de s'expliquer. L'opinion de Ghisbert ne comptait pas, puisqu'il n'était que membre honoraire du Conseil. L'archevêque s'inclina :

— Soit, dit-il gravement. La majorité l'emporte. Le demandeur sera écouté ! Que la clairvoyance du Patriarche nous inonde de son pouvoir infini.

Reprenant son office, le héraut s'exclama :

— Le Conseil va juger ! Que l'on fasse silence ! La Lumière nous assiste !

La salle reprit en chœur la dernière phrase. Ghisbert le fit du bout des lèvres. Il s'était rassis et dévisageait Cellendhyll sans retenir sa haine, serrant les bras de son fauteuil de toutes ses forces. L'Ange était là, à quelques pas ! Il n'avait plus rien de ses airs de jouvenceau, mais c'était bien lui. Le lige ne comprenait toujours pas comment l'Adhan pouvait être vivant.

Il l'avait pourtant bien égorgé cette fameuse nuit, sur les conseils de *l'Autre...*

— Où étais-tu passé depuis cette regrettable affaire, Cellendhyll ? interrogea Vaillence.

— Je reviens des cours du Chaos où, durant toutes ces années, j'ai servi la Maison d'Eodh en tant que maraudeur.

Quoi ? Vous avez entendu ? Le Chaos ?

Dans le public, les questions fusèrent. Plusieurs cris également.

— Silence dans la salle ou je fais évacuer ! intima sévèrement Xavier.

— Vous voyez, cet homme avoue de lui-même travailler pour l'ennemi ! ricana Hégel.

— Vous pourrez constater que je parle avec la Vérité. Je ne cache rien, contra Cellendhyll, et j'ai beaucoup à dire. Mais il me faut tout d'abord retracer le contexte. Plaise au Conseil d'être patient et d'écouter mon histoire jusqu'au bout... Tout débute avec l'histoire d'un jeune noble de la modeste province de Cortavar, sur les marches de l'Ouest, située bien loin, en terre adhane, sur le Plan-maître de la Lumière... Un jeune homme pétri d'idéaux, plutôt naïf, qui rêvait depuis sa plus tendre enfance d'un héroïque destin : devenir le lige de la Lumière ! Grâce aux quelques relations de son père, un homme respecté, le jeune provincial fut admis à l'académie d'élite des Paladins, ici, à la cité des Nuages. Le lige en poste à l'époque s'appelait Coreyn d'Aquéras. Notre jeune aspirant ne tarda pas à faire ses preuves. Malgré sa jeunesse, il excellait dans bien des domaines. Toujours humble, toujours respectueux des usages et de ses camarades, il étudiait les arts militaires avec acharnement. Jamais il ne fit montre d'orgueil ou de paresse. Si bien qu'on le surnomma l'Ange, *l'Ange de la Lumière*. À l'époque, il y a dix ans, cet Ange fréquentait une bande d'amis, surnommée les Compagnons du Soir, aspirants tout comme lui. Une saine concurrence l'opposait à l'un d'eux, son meilleur ami, Ghisbert de Cray. Du moins le pensait-il.

À l'évocation de son nom, Ghisbert de Cray tenta vainement de masquer sa nervosité. Le rappel de cette période enfouie par le temps n'annonçait rien de bon. Le passé le rattrapait et Ghisbert ne savait que trop bien où les menait ce récit. Impuissant devant ce déballage, il ne voyait pas comment intervenir sans s'attirer la suspicion des membres du conseil.

L'*Autre*, quant à lui, laissait faire les choses. Il semblait aussi surpris que le reste de l'assistance.

Ghisbert se rassura. Quoi que Cellendhyll dévoile, ce serait sa parole contre la sienne. Il n'existait aucune preuve tangible, estima-t-il avant d'entreprendre de se gratter le dos de sa main gantée, sous le couvert de l'estrade.

— ... À la fin des classes, messeigneurs, poursuivit l'Adhan d'une voix pleine de gravité, ce jeune homme de Cortavar – moi-même, vous l'aurez compris –, termina premier de sa promotion. Juste derrière lui venait Ghisbert de Cray... Je me souviens de cette époque. Le monde me tendait les bras. Ivre de bonheur, j'allais pouvoir réaliser mon rêve : devenir paladin, et non seulement « simple » paladin, mais lige, car Coreyn m'avait choisi comme apprenti ! Le soir des nominations, il y eut une grande cérémonie suivie d'un bal pour célébrer les affectations. Lors de ce bal, Ysanne de Cray, la propre sœur de Ghisbert, m'aborda pour me féliciter et, à ma grande surprise, me donna rendez-vous dans le Jardin Intérieur. Je dois préciser que j'étais follement amoureux d'elle, mais que je n'avais jamais eu l'occasion de lui déclarer ma flamme. Toujours est-il que je la suivis au Jardin. Alors apparurent les Compagnons, Ghisbert à leur tête. Sans raison, ils m'insultèrent, me frappèrent jusqu'à me plonger dans l'inconscience.

— Calomnies, vibra le lige en pointant un doigt furieux sur son accusateur. Allons-nous laisser ce suppôt du Chaos débiter ses mensonges ?

— Taisez-vous, Ghisbert, intervint Xavier d'un ton sans réplique. Le Conseil juge. Et je dois avouer que ce récit me paraît tout à fait passionnant... Continue, Cellendhyll.

Ce dernier se retenait à grand-peine de sauter à la gorge du lige. *Encore un peu de patience*, se tempéra-t-il. *Un tout petit peu.* Il poursuivit :

— Je me réveillai dans une geôle. Un sinistre endroit, digne du pire cauchemar. Je ne comprenais rien à ce qui m'arrivait. Les Compagnons ne tardèrent pas à me rendre visite, et sans répondre à mes questions, se remirent à me frapper tout en m'injuriant. Je m'évanouis une nouvelle fois... Je repris conscience baignant dans mon sang. Ghisbert était là, seul, assis à mes côtés. Il m'annonça que durant ma période d'inconscience le lige Coreyn avait été assassiné avec ma propre épée. Que j'étais le coupable présumé. Depuis toujours au service des Ténèbres, comme en attestait la pierre-de-contact trouvée dans ma chambre. On me refusait le droit de me défendre devant le conseil, et on avait décidé ma mort. Et Ghisbert se chargea d'appliquer cette sentence en m'égorgeant.

La foule ne put se contenir plus longtemps. Une implosion de voix agitées de sentiments contradictoires s'épanouit jusqu'à la voûte de eristalune qui couronnait le plafond.

— Silence dans la salle ! tonna le connétable Xavier. Silence ou par la Lumière, je fais évacuer et le Jugement se fera à huis clos !

Les spectateurs reprirent contenance, tant bien que mal.

Ghisbert, lui, en fut incapable :

— Calomnies ! hurla-t-il. Que cessent ces mensonges ! Devrais-je supporter de voir mon honneur souillé par ces accusations ridicules ? Cet homme est un dément ! Il n'a aucune preuve !

Le lige se dressa face aux autres seigneurs. Toujours plein de superbe. Cependant, quelque chose d'indéfinissable déparait sa mise.

— Contenez-vous, messire lige, lui répondit le gouverneur. Cet homme me semble tout à fait maître de ses propos, au contraire. Et il n'a pas terminé. Poursuivez, de Cortavar. Poursuivez.

Les membres du conseil dévisageaient Ghisbert avec sévérité. Douché, ce dernier se rassit de mauvaise grâce.

— J'étais donc abandonné en train de mourir, reprit Cellendhyll dont l'attitude paisible contrastait avec celle du lige. Je sentais la vie s'échapper de moi et recommandais mon âme à la Lumière. Alors que je priais, une clarté aveuglante m'interrompit. Un portail se matérialisa dans la cellule et un être indistinct en sortit... Dans mon agonie, je ne pouvais le détailler. J'imaginais que la Lumière venait à mon aide, en réponse à mes prières. Je me trompais ! Un homme s'approcha de moi, me saisit dans ses bras et m'emporta à travers le portail sur un autre Plan. Cet homme était Morion, Puissance du Chaos.

Une nouvelle fois, Cellendhyll fut interrompu par le vacarme issu de l'assistance.

Le héraut du conseil eut fort à faire pour rétablir le calme. Un petit groupe de spectateurs trop bruyants fut évacué sans ménagement par les diacres qui s'étaient à présent déployés sur toute la longueur de la salle.

Profitant du retour au calme, Vaillence proposa à Cellendhyll de quoi se rafraîchir. Les membres du Conseil, Ghisbert excepté, se montraient captivés par ses propos, et même le soupçonneux cardinal Hegel se taisait. La gorge desséchée, l'Adhan but goulûment un grand verre d'eau fraîche. Il n'avait pas l'habitude de s'exprimer si longuement et devant une telle assistance. Sa vie était en jeu et ce genre de combat n'était pas pour lui. Il préférait ô combien laisser ses lames parler à sa place.

D'un bref signe de tête, il remercia le page qui lui avait apporté son eau et reprit :

— Je me suis réveillé sur le Plan-maître du Chaos. Soigné efficacement, je n'ai pas tardé à guérir... Du moins, les blessures infligées à mon corps se sont-elles cicatrisées. Lorsque je fus remis sur pied, Morion m'a convoqué. Sans faire de manières, ii m'a proposé d'entrer à son service. J'ai accepté.

Une exclamation retentit dans le public, vivement réprimée d'elle-même. L'assistance voulait entendre la suite.

— Que faire d'autre ? se défendit l'Adhan. Un Puissant sur ses propres terres est réputé indestructible. Et même si j'avais pu vaincre Morion et sa garde, ce que je savais impossible, je ne suis pas mage. Comment aurais-je pu m'échapper de ce Plan dont je ne savais rien ?

Ses questions restèrent sans réponse. Cellendhyll s'empressa de poursuivre :

— Morion m'avait sauvé la vie et je dois avouer qu'il fut un maître compréhensif car jamais il ne m'a demandé d'agir contre la Lumière. Ces années à son service, je les ai surtout passées à combattre les Ténèbres en tant que maraudeur. Le plus souvent sur les champs de bataille des Plans intermédiaires. Je n'ai jamais remis les pieds sur le Plan primaire, encore moins sur celui de la Lumière. Morion y veillait.

Cellendhyll marqua une pause.

— Je vous ai promis la vérité, Seigneurs, je ne cacherai donc rien. Deux choses m'avaient décidé à accepter l'offre de Morion. Le désir de vengeance, tout d'abord, je dois l'avouer. Mais également la possibilité d'étudier le Chaos de plus près. Quelle opportunité j'avais à saisir ! Je me disais qu'un jour, avec l'aide de la Lumière, je pourrais rentrer chez moi et rapporter mes connaissances nouvellement acquises. Qui peut prétendre connaître les voies mystérieuses du Chaos ? J'ai donc feint d'avoir changé d'allégeance et j'en ai profité pour engranger un savoir important, tant sur les manœuvres de mes soi-disant maîtres que sur celles des Ténébreux, que j'affrontais. Vous devez bien comprendre que ce savoir accumulé pourrait se révéler inestimable pour le Patriarche. De quoi lui conférer un avantage décisif dans la lutte des Puissances, je vous l'affirme.

Lancés en pleine campagne de conquête, les membres du conseil saisirent immédiatement l'intérêt que présentaient les propos de Cellendhyll. Tant en matière de stratégie que de politique. Leurs regards étaient rivés sur le guerrier aux cheveux d'argent.

— J'ai attendu, espérant l'occasion... souffla celui-ci, l'occasion de revenir sur les Territoires-Francs et de m'échapper. Mais cette opportunité ne s'est jamais présentée. Pas avant aujourd'hui. Par la sainte Lumière, si vous saviez comme j'ai prié pour qu'enfin arrive ce jour : mon retour !

L'Adhan se signa et se tut.

— Quelles stupéfiantes révélations ! s'exclama le gouverneur. Qu'allons-nous décider ?

— Avant de penser au Chaos, intervint Vaillence, il faut tout d'abord en finir avec le passé et régler le problème de cette ancienne accusation. Qu'en est-il de cette prétendue culpabilité de Cellendhyll de Cortavar dans le meurtre de Coreyn ? Ne l'avons-nous pas jugé à tort ?

Cellendhyll produisit alors la lettre de Sophien de Guerches. Il la donna au héraut qui la transmit à son tour aux membres du conseil.

— Ce n'est qu'une preuve indirecte, Messeigneurs, j'en suis fort conscient. Mais il est néanmoins possible de saisir certains faits. Cette lettre confirme mes propos. Sophien avoue tout à mots couverts. Il faisait partie d'un groupe de conspirateurs. Menés par Ghisbert de Cray, ici présent !

La voix de l'Adhan prit de la force, soutenue par une fureur glacée. Il se tourna vers le lige et plongea son regard vert, aussi acéré qu'une flèche fendyr, dans les yeux de celui qui se proclamait naguère son meilleur ami.

— Ghisbert de Cray, je t'accuse d'être coupable du meurtre du lige Coreyn d'Aquéras ! Coupable de m'avoir fait accuser à sa place ! Coupable d'avoir tenté de m'assassiner ! Coupable d'avoir ruiné mon père et d'avoir entraîné la perte de ma famille !

Implacable, il pointait son doigt sur la personne du lige.

— Faites-le taire ! cria ce dernier. Vous ne voyez pas qu'il essaye de vous monter contre moi ? Il est le jouet du Chaos, leur fieffé serviteur !

Mais les membres du conseil le toisèrent froidement. Était-ce les propos de l'Adhan, était-ce la lettre ou encore l'attitude tourmentée de Ghisbert ? Toujours est-il qu'ils le regardaient à présent avec une certaine suspicion.

Cellendhyll poussa son avantage. Il se redressa de toute sa taille. L'éclat de jade de ses prunelles s'alluma d'un feu exalté, surnaturel, lorsqu'il s'exprima d'une voix claire, dans laquelle on pouvait percevoir une pointe de défi sauvage :

— Qui que je sois, d'où que je vienne, je reste un natif de la Lumière. Comme quiconque ici, j'ai le droit aujourd'hui, en ce jour saint de Justice, de réclamer le combat du Juste. J'invoque les Préceptes sacrés : je demande à affronter le lige ! Que la bienveillante Lumière soit notre juge, je n'ai pas peur de son Regard...

Ainsi s'achevait le récit de l'homme aux cheveux d'argent. Tout était dit. Le moment qu'il attendait tant serait décrété ou non dans les secondes à venir.

— C'est intolérable, cessons cette mascarade, s'égosilla Ghisbert. Je suis lige et nul ne peut remettre en cause mon immunité. Je refuse de me prêter à cette ridicule requête.

L'archevêque Auryel déclara :

— Personne ne peut aller à l'encontre des Préceptes de la sainte Lumière, dont je suis ici le dépositaire. Je suis désolé, mon cher Ghisbert, mais, en ce jour saint de Justice, le lige est un homme comme les autres. Votre immunité s'avère nulle.

— Je proteste ! postillonna Ghisbert, les traits déformés.

— Dans cette affaire, vous n'avez pas voix au chapitre ! annonça le connétable Xavier, inébranlable d'autorité. Alors, mes amis, que décidons-nous ? Je propose que le Conseil accepte la demande de Cellendhyll de Cortavar. Le combat du Juste ! La Lumière sera juge et garante de la Vérité, selon la tradition.

Auryel scruta l'attitude des autres seigneurs. Leur

avis s'affichait franchement sur leurs visages. Même Hégel donna son accord, d'un hochement de tête, à la demande de l'Adhan. L'archevêque réfléchit quelques instants avant de s'exclamer :

— En ce jour de Jugement, le demandeur sera entendu !

— Qu'il en soit ainsi ! psalmodièrent en cœur les seigneurs et les membres de l'assistance.

Auryel fit un signe au héraut. Celui-ci fit résonner son bâton de commandement. Trois fois puis encore trois.

— Que le combat du Juste ait lieu. Il opposera Ghisbert de Cray à Cellendhyll de Cortavar. La Lumière nous contemple ! Commencez les préparatifs, ordonna-t-il à ses subordonnés.

— Une seconde, Messeigneurs, si vous permettez, reprit Cellendhyll. Ghisbert a suivi un entraînement de lige. Il est donc capable de créer un bouclier protecteur de mana. Or, je n'ai quant à moi jamais eu l'occasion de bénéficier d'un pareil atout. Selon les règles du duel, Ghisbert n'a pas le droit d'user de cet avantage contre moi.

— Parfaitement exact. Je m'en occupe, acquiesça Xavier.

Le connétable, ancien officier supérieur des Paladins Bleus, rassembla son mana et traça une rune de suspension en direction de Ghisbert. Au grand mécontentement de ce dernier qui, cependant, ne pouvait rien tenter pour s'y opposer.

— C'est fait. À présent, seul le pouvoir des armes vous départagera, et le jugement de la Lumière, bien sûr !

Dans le public, les conversations allaient bon train. Des paris s'entamèrent. On débattit avec ardeur des duellistes. On soupesa leurs chances respectives. On détailla leur allure, leur humeur.

L'Autre assista aux préparatifs du combat sans manifester plus d'émoi que ses pairs. Les choses avaient pris un tour qu'il n'avait pu maîtriser. Mais il n'y avait aucune inquiétude à avoir. De toute manière, quelle que soit l'issue du combat, il en ressortirait gagnant.

Ghisbert de Cray était sans nul doute favori. Un lige représentait ce qui se faisait de mieux en matière de guerrier. Chaque année, Ghisbert remportait les joutes organisées tant sur le Plan-maître de la Lumière que sur celui des Territoires-Francs. Tout comme chaque année, il bénéficiait du meilleur entraînement qui soit. Sa maîtrise était légendaire et la manière dont il saisit son arme dénotait une aisance peu commune.

Quant à Cellendhyll, c'était un inconnu pour la presque totalité de l'assistance. Mais son maintien, son air rude traduisaient un guerrier expérimenté.

Ghisbert était favori, certes. Mais, en tous les cas, ça allait être un formidable spectacle ! estimèrent les observateurs.

Tandis que l'Adhan ôtait sa robe et sa tunique – ainsi le voulaient les usages du duel de justice – le lige entreprit de descendre de l'estrade. En même temps que ses vêtements, Cellendhyll dut se défaire de ses lames. L'officier de la garde chargé de les conserver poussa un sifflement d'étonnement et d'admiration devant leur nombre. Sa dague sombre, l'Adhan ne s'en dessaisit qu'avec répugnance. Sans elle, il se sentait nu. Cependant, l'arme magique n'éveilla aucun intérêt. Puisant dans son pouvoir, elle avait usurpé l'apparence d'une arme tout à fait banale et aucun sort ne pourrait percer son déguisement.

À son tour, Ghisbert se mit torse nu. Ne lui restaient qu'un pantalon blanc à parements azur et or et des bottes de daim beige. Cellendhyll avait son pantalon bleu nuit et ses cuissardes de cuir noir. Un assistant fut désigné pour chacun d'eux. Le pupitre fut enlevé. Tradition oblige, le combat se déroulerait dans le cercle d'étoiles.

Face à face dans le cercle, séparés de dix pas, Ghisbert et Cellendhyll se dévisageaient. Le premier disposait d'une musculature plus puissante, et Cellendhyll en comparaison paraissait maigre.

Puis, les épées de duel furent apportées. Elles étaient conservées dans un étui de bois précieux. C'étaient deux lames jumelles, bâtardes à double tranchant. On pouvait les manier d'une ou des deux mains. L'acier nain des épées brillait dans la lumière. Le héraut leur présenta le coffret. À l'Adhan tout d'abord, puisque c'était le plaignant, à Ghisbert ensuite. Chacun des guerriers saisit son arme. Le héraut sortit du cercle. Il frappa trois, puis trois fois encore de son bâton de commandement.

— La Lumière jugera vos cœurs et, par vos épées, rendra sa sentence. Le Juste vaincra ! Vous êtes prêts ?... Combattez !

Les deux duellistes ne se lancèrent pas tout de suite à l'assaut. Ils entreprirent tout d'abord de tourner à l'intérieur du cercle, se jaugeant mutuellement. Ghisbert avait retrouvé sa confiance et son maintien conquérant. De son épée, il salua la foule à plusieurs reprises, tentant de s'attirer ses grâces. La mine indéchiffrable, Cellendhyll ne quittait pas son adversaire de ses yeux étrécis.

Lorsqu'ils étaient jeunes aspirants, Ghisbert était sans conteste le meilleur épéiste des deux. Le meilleur de sa promotion voire de l'Académie. À présent que sa vie et son honneur se trouvaient en balance, il entendait démontrer que c'était toujours le cas. Car depuis sa nomination comme lige, il avait haussé son talent pour atteindre le rang d'Initié. Ghisbert sentait sa confiance naturelle le submerger, sa puissance s'accroître. Souriant de toute la blancheur de ses dents, le lige lança différentes bottes. Essayant différents styles. Lentement tout d'abord, puis de plus en plus vite.

Cependant, quelles que furent ses tentatives, l'Adhan les para ou les esquiva toutes. Sans répliquer. Sur la défensive.

Fin des préliminaires. Ghisbert invoqua le zen et s'y abandonna totalement.

Son épée empoignée à deux mains, il se mit à accabler Cellendhyll d'assauts fougueux, mais également maîtrisés. Il voulait clôturer cette mascarade au plus tôt. Et se défaire une bonne fois pour toutes de cet homme qu'il haïssait et enviait tout à la fois. D'ailleurs, sa puissance lui permit immédiatement de prendre l'avantage. Son corps splendide produisait son effort et Cellendhyll ne pouvait que parer les attaques, sans pouvoir placer la moindre riposte.

À travers le voile bleu du zen, Ghisbert ressemblait à un spectre dont la silhouette s'ourlait d'un halo de lumière orangé. Cependant, même si ses assauts laissaient une traînée de feu dans son sillage, elles n'avaient rien de fantomatiques et sa force supérieure se ressentait dans le moindre de ses mouvements.

Les formidables coups d'épée résonnaient dans la salle, repoussant sans cesse l'Adhan sur les bords du cercle étoilé. Sans toutefois parvenir à l'en faire sortir, ce qui aurait signifié sa défaite. Totalement concentré sur la défensive, Cellendhyll réussissait néanmoins à se replacer, de justesse, avant de reculer à nouveau.

La foule ne s'y trompait pas, elle assistait à un formidable spectacle. Haletante, respectueuse, elle dévorait les mouvements des adversaires de ses yeux multiples.

Mais si Ghisbert avait beau mener le combat, si Cellendhyll pliait, certes, il ne rompait jamais. Le visage impassible, le corps souple, il se défendait inlassablement. Sans montrer le moindre signe de contrariété, de peur ou d'impuissance.

Rathe était confortablement installé dans les gradins avec Milo. Il ne leur avait pas été trop difficile de convaincre *amicalement* les occupants légitimes d'aller se choisir un autre point de vue. Le vieux voleur suivait le combat avec passion. Un duel d'Initiés dans lequel le « gamin » se débrouillait fort bien. Décidément, mieux valait l'avoir à ses côtés, cet Adhan. Rathe se demanda un instant ce qu'il donnerait comme gendre.

Milo avait engagé des paris avec un groupe de ses congénères, qui profitaient du spectacle pour se partager, avec plus ou moins de discrétion, un cruchon d'alcool de leur fabrication. Milo avait attendu que Ghisbert prenne le dessus pour miser sur Cellendhyll. L'ancien Porteur de Hache avait vu l'ami de Rathe à l'œuvre contre les serpentères. Il estimait que l'Adhan ne pouvait perdre ce duel.

Le son clair du métal qui s'entrechoquait ponctuait le combat tandis que les deux duellistes recréaient la sempiternelle symphonie du guerrier avec ce qu'elle pouvait avoir de plus passionné. Captivée, hypnotisée, l'assistance retenait son souffle à chaque assaut.

Diagonales hautes et basses, tentatives d'estoc, assauts retournés, feintes, parades, revers, contres. Un enchaînement complexe, brillant de maîtrise. Danse hypnotique et meurtrière, renforcée d'une soif irrépressible de vaincre, de tuer. Arabesques en fusion, traits d'acier argentés, étoiles filantes au touché assassin, les longues lames se paraient de vif-argent lorsqu'elles accrochaient la lumière vive engendrée par la voûte de cristalune chapeautant la salle.

Portés tous deux par le zen, les deux guerriers d'élite s'acharnaient l'un contre l'autre. Déterminés à se découper, à se pourfendre, ils luttaient sans répit aucun. Un guerrier de moindre force aurait depuis longtemps succombé à la fatigue. Eux parvenaient encore à s'agiter sans faiblir.

Un cri d'encouragement crevait par instant le silence qui régnait parmi l'assistance. Le nom des deux hommes était parfois scandé avec espoir. Celui de Ghisbert, presque exclusivement. Il était plus connu, plus charismatique, et sa renommée d'épéiste déjà légendaire.

La mort planait au-dessus des débats, avide, préparant ses rets impitoyables. Une tension incroyable s'installa, et seuls les éminents membres du Conseil parvenaient à conserver une impassibilité de façade.

Le visage de Cellendhyll ne montrait rien. Sinon une inhumaine dureté. Cependant, ses yeux de jade flamboyaient, rayonnaient telle une force magmatique proche d'exploser. Dix années à attendre ce moment précis. Ce tête-à-tête meurtrier, cette intimité sauvage. Maintes fois, l'homme aux cheveux d'argent s'était préparé pour cet instant où il croiserait l'acier avec Ghisbert. De longues heures répétées inlassablement à l'entraînement, étirées, avec l'image fantomatique de Ghisbert devant lui pour l'aiguillonner, le motiver à parfaire ses capacités, à se surpasser. Ce qu'il avait fait jusqu'à devenir Initié. Et une fois ce rang atteint, l'Adhan s'était encore longuement entraîné pour affiner son talent. Avec toujours le même cauchemar pour l'aiguillonner.

Cellendhyll reprit connaissance dans une cellule humide. Son corps lui faisait mal à en hurler. Il était affalé par terre, sur un matelas de paille moisie. Ils entrèrent. Les Compagnons. Sur les ordres de Ghisbert, les autres se mirent à le corriger. À nouveau. Hormis Sophien en retrait, qui assistait au supplice, tétanisé.

La correction terminée, Ghisbert congédia les autres et se pencha sur Cellendhyll. Il le crocha par la chevelure pour lui relever la tête et lui annoncer :

— Laisse-moi t'apprendre certaines choses, mon petit Ange... Ce soir, pendant que l'on te transportait ici, j'ai assassiné le lige Coreyn d'Aquéras. Avec ta propre épée. De plus, une pierre-de-contact sera sous peu retrouvée parmi tes affaires. Ainsi, il ne fait nul doute que tu seras déclaré coupable. Mais comme il est hors de question que l'on puisse entendre ta défense, j'ai été chargé de m'assurer de ton silence, ce que je vais faire avec un grand plaisir !

— Pourquoi ? eut juste la force de demander Cellendhyll. Pourquoi, Ghisbert, me hais-tu à ce point ?

Ghisbert colla son visage contre le sien. Il postillonna :

— Pourquoi ? Tu oses demander pourquoi ? Toi qui avais l'outrecuidance de te croire mon ami ? Mais comment un pauvre petit rustaud dans ton genre, à peine décrotté de sa minable province, en serait-il digne ? Tu n'étais en réalité que mon bouffon, et je ne te côtoyais que pour mieux me moquer de toi avec les autres Compagnons ! Et puis, tu t'es mis en tête de

devenir lige. De me déposséder de cet honneur qui me revient de droit. J'avoue que je ne t'en pensais pas capable, mais cette dernière année, tu m'as surclassé dans toutes les disciplines, hormis à l'épée. Je n'ai jamais laissé personne entraver mes projets et ce n'est pas toi qui vas commencer. Toi, tu n'es plus rien !

Ghisbert termina sa diatribe en lui crachant au visage. Enfin, le visage altéré d'un sourire sardonique, il dégaina sa dague et sans merci, trancha la gorge de Cellendhyll.

— Adieu, pauvre naïf, s'esclaffa-t-il avant de quitter la pièce.

Cellendhyll fut laissé misérable et agonisant, le sang formant peu à peu une mare qui poissait ses vêtements. De toute son âme, il pria la Lumière d'accorder son aide à l'un de ses anges les plus méritants. En dépit de sa sincérité, rien ne vint pour le sauver. Privé de tout espoir, de toute énergie, l'Adhan sombra dans la léthargie qui précédait la fin, jusqu'à ce qu'une étrange lumière naisse dans la cellule, et qu'apparaisse la silhouette de Morion du Chaos.

Oh oui, par la grande épée de Lachlann, Cellendhyll était fin prêt pour ce combat !

Soutenant ses efforts, l'adrénaline chantait pour lui. Une musique si forte et si douce à la fois. Si chargée de sens. L'homme aux cheveux d'argent se sentait tour à tour brûlant, glacé mais combien vivant ! Oui, *vivant*, alors que jusqu'alors il n'avait fait que survivre. Sans rêve d'avenir, sans but particulier. La haine était mauvaise conseillère, prédisait le dicton. Chez l'Adhan, au contraire, elle se révélait un puits incandescent dans lequel il puisait l'énergie dont il avait besoin. Il tiendrait, jusqu'au bout. Par contre, Ghisbert allait faiblir, il le sentait.

Du haut de la tribune, l'Autre se rendait compte de ce retournement du destin. Et pour lui peu importait la défaite de son complice. Ghisbert de Cray avait fait son temps. Il ne lui servait plus à grand-chose depuis déjà quelques années. Et en vérité, l'Autre n'aurait rien pu faire pour empêcher ce duel, sans risquer d'éveiller la méfiance de ses pairs. Que Ghisbert se débrouille ! L'Autre n'interviendrait en aucune façon. Il aurait plus à perdre qu'à gagner en agissant ainsi. Ghisbert ne pourrait le trahir sans avouer, se compromettre, et le lige n'avait aucune preuve pour l'impliquer. Si besoin était, l'Autre se faisait fort de démonter ses accusations qu'il tournerait aisément en ridicule. Aucune preuve. En fait, ce combat allait lui permettre d'en finir avec un complice de plus en plus encombrant. Par contre, l'Autre allait devoir décider du sort à venir de Cellendhyll de Cortavar, l'Ange revenu d'entre les morts. Il avait eu du mal à cacher sa surprise, tout à l'heure, lorsque l'Adhan s'était démasqué. L'Autre ne comprenait pas. Il avait pourtant parfaitement orchestré sa mort. Du moins, c'est ce qu'il avait cru, cette fameuse nuit, selon les affirmations de ce pitoyable Ghisbert.

Non, l'Autre se sentait serein. D'autant que l'Adhan, lors de son discours au conseil, n'avait nullement parlé de lui. C'est donc qu'il ignorait son existence, et la part qu'il avait jouée dans le complot d'antan.

Ledit Ghisbert de Cray n'était plus confiant, plus du tout. Jamais le lige n'avait eu à combattre aussi intensément, aussi longuement, lors un duel. Aucun de ses adversaires, si talentueux soient-ils, même des Initiés comme le Guerrier Gris ou encore Qhayl Main-Noire, ne l'avaient forcé à puiser autant dans ses réserves d'endurance. Le lige regretta ses récents écarts. Vins, femmes et drogues réclamaient leur dû au plus mauvais moment. Le sourire charmeur qu'il affichait depuis le début des hostilités céda la place à un net dépit, puis, pour les plus attentifs, à une certaine détresse. Sournoise, l'ombre de la peur saisit Ghisbert. À force de voir contrarier ses attaques, ses efforts se révéler inefficaces, une grosse veine se mit à palpiter en travers du front de l'héritier des Cray. S'y ajouta un tressaillement de paupière, puis un rictus haineux qui dépara sa mâle beauté.

Comme Cellendhyll l'avait escompté, le combat changeait de physionomie. L'austérité d'une existence âpre, gouvernée par le danger, avait doté l'Adhan d'une endurance qui commençait à porter ses fruits. Le guerrier aux cheveux d'argent trouvait son second souffle et conservait toute sa vitesse d'exécution, alors que Ghisbert, ruisselant de sueur malodorante, perdait de sa fluidité, malgré le zen.

Bien cruelle pouvait s'avérer l'âme du peuple et bien illusoire le statut qu'elle pouvait accorder à ses élus. À mesure que le duel prenait un autre visage, voyant l'Adhan prendre le dessus, la foule changea de favori. Le nom de Ghisbert fut hué par ceux-là même qui l'avaient acclamé quelques instants plus tôt. Cellendhyll en aurait goûté l'ironie s'il en avait eu le loisir. Mais il restait tout entier concentré sur les mouvements de son adversaire.

Son corps en phase avec son âme, l'Adhan ne pouvait être plus dangereux. Combattre était pour lui plus qu'une nécessité, ou même un talent. C'était comme respirer.

Et ce n'était pas n'importe quel combat. Vraiment pas. Une partie de la conscience de Cellendhyll, détachée, revoyait sa vie passée et présente. Son passé flétri, foulé au pied par Ghisbert, Ysanne et les Compagnons.

Toute la rancune, toute l'amertume, toute la haine accumulées trouvaient libre cours aujourd'hui dans ce duel. Mais l'Adhan avait trop d'expérience pour se laisser emporter par ses sentiments passionnés. Cette haine glacée, forgée, canalisée par le tamis du zen qui le soutenait, il prenait appui dessus. Il la jugulait pour y puiser une détermination supplémentaire et affiner la précision de ses gestes. La vengeance, quel puissant levier !

Apparut alors sur son visage rude le grand sourire avide de combat. Celui qui transfigurait son visage d'une joie purement guerrière. Ses cheveux d'argent s'auréolaient d'un feu de lumière pâle alors qu'il évoluait sous le dôme transparent du plafond. Le regard de ses prunelles vert jade fendait l'air devant lui pour se caler dans celles de Ghisbert. Il avait tant voulu ce duel !

L'épée de Justice, entre ses mains, paraissait vivante. Porté par le zen, il laissait ses membres décider des gestes à effectuer pour se concentrer sur le visage de Ghisbert.

Sous le malaise grandissant de celui-ci.

Le lige haletait comme un poisson chassé hors de l'eau. Son style parfait s'en ressentit. Jamais il n'aurait pensé avoir à combattre aussi longtemps et avec une telle débauche d'énergie. Cellendhyll de Cortavar se battait comme un démon. Il avait bien changé, l'honorable Adhan, et perdu sa douceur d'antan. Il était bon, trop bon. Ghisbert se mit à respirer les affres de la défaite. Il rassembla son énergie pour tenter d'en finir. Il effectua un large arc de cercle avec son épée pour faire reculer son adversaire, effectua une boucle en l'air pour changer l'orientation de sa lame et s'élança d'un bond en avant.

L'Adhan accueillit sa tentative de son sourire si froid, si dur, et d'un barrage d'acier. Ses yeux de jade étincelaient d'une joie sauvage. Elle était là, la vengeance, à pointer son mufle sanguinaire.

— Alors, Ghisbert, qu'en dis-tu ? s'exclama-t-il tout en contrant les tentatives de son ennemi juré. La Lumière ne semble plus t'accorder ses faveurs !

— Je *crache* sur la Lumière et toi, l'Ange, je vais te découper... tu vas mourir une bonne fois pour toutes !

Cellendhyll lui répondit de son généreux sourire de tueur.

Rassemblant toutes les forces qui lui restaient, Ghisbert hurla de rage et s'élança dans un ultime assaut, lame haute. Cellendhyll attendit le dernier moment pour réagir. Et pour ce faire, il choisit le « Salut des Ténèbres ». Quelle meilleure occasion que celle-ci ?

Le Salut... *Une botte apprise d'un ennemi, lors de la bataille de Nemh'Pellas. Sur un autre Plan. Les hasards du combat l'avaient éloigné de son groupe de maraudeurs et confronté à un maître épéiste des Ténèbres. Un homme sans armure ni cotte de maille, tout de soie rouge vêtu, à la peau noire. Un homme maigre, émacié même, dont les bras démesurés touchaient presque le sol. Le Maître-d'épée le salua élégamment avant de se mettre en garde. Le duel s'engagea, sans qu'il fût besoin de mots. Le guerrier ténébreux se battait le visage exempt de toute émotion. Sa longue épée à lame orangée fendait l'air avec une maîtrise et une vitesse effrayantes. C'était pour le moins un Initié. Un Adepte peut-être...*

Dès le début de l'affrontement, Cellendhyll avait compris qu'il n'avait aucune chance. Son adversaire était trop rapide et bien supérieur en talent. D'ailleurs, au bout d'à peine cinq minutes, l'épée du Ténébreux lia la sienne. Une force supérieure imprima un mouvement de torsion et l'arme de Cellendhyll lui fut arra-

chée des mains. Elle s'envola avant de retomber dans un fossé, hors d'atteinte. Déjà, l'épée orangée enchaînait une surprenante volte pour revenir vers lui, dans un coup de taille oblique. D'un sursaut désespéré, Cellendhyll se rejeta sur le côté pour éviter cette mortelle riposte. Il réussit. De très peu. La lame ténébreuse effleura sa poitrine et le guerrier aux cheveux argentés constata que sa cotte de maille en acier nain avait été sectionnée sur toute sa hauteur. Tranchée aussi facilement qu'une feuille. Il s'en défit et la jeta au sol.

L'Initié ténébreux salua une nouvelle fois. Faisant preuve d'un sens de l'honneur surprenant, il alla de lui-même récupérer l'arme de Cellendhyll, dans le but de la lui rendre afin de lui offrir une seconde chance. Le Maître-d'épée sauta donc dans le fossé, et se baissa pour ramasser l'épée. En quelques bonds, il fit demi-tour. À peine avait-il remonté à la hauteur de l'Adhan qu'un sifflement aigu l'accueillait. Un objet sombre, aux reflets rouge foncé, mortellement effilé, traversa l'espace en produisant un gémissement affamé. Suivit un bruit spongieux, écœurant. Celui d'une lame qui se plante dans la chair.

À cette époque, Cellendhyll n'était pas encore un Initié. Toutefois, déjà, il avait sa dague sombre. Faisant fi de l'honneur, il l'avait dégainée tandis que le Ténébreux lui tournait le dos et l'avait lancée au moment précis où son adversaire serait le plus surpris. Son geste ne lui causa aucun remords. Sa survie en dépendait. Et cette survie, Cellendhyll en faisait bien plus grand cas que l'honneur.

Incrédule, le Maître-d'épée ténébreux toucha le pommeau de l'arme en train de boire son sang et son âme. Il jeta un regard réprobateur à l'Adhan, jugeant sa manœuvre bien peu respectable. Il esquissa néanmoins un salut à son encontre, contempla pendant quel-

ques secondes les reflets du ciel enflammé par la guerre, s'affaissa sur lui-même et mourut.

Cellendhyll n'avait pas oublié cette surprenante botte secrète qu'il avait nommée « le Salut des Ténèbres » et qu'il avait répété inlassablement jusqu'à la maîtriser parfaitement.

La tentative de l'Adhan fut couronnée de succès. Son épée se dressa pour intercepter celle de Ghisbert qu'elle lia et rejeta avant de l'envoyer résonner sur le sol. Hors du cercle. Cellendhyll poursuivit son assaut pour délivrer sa première attaque depuis le début du duel. La première et la seule. Sa lame remonta vers le ciel pour capter un dernier éclat de lumière et plongea d'un mouvement fluide vers sa cible. Grâce au zen parfait qui décomposait l'écoulement du temps en un fractionnement ralenti, l'Adhan avait le choix. Il pouvait passer son épée au-dessus des bras encore tendus de son adversaire et frapper au visage. Ou bien passer par en dessous et ainsi atteindre le ventre.

Cellendhyll préféra la deuxième alternative. Le résultat serait bien plus douloureux et Ghisbert mettrait plus de temps à expirer.

Son choix fait, l'homme aux cheveux d'argent orienta le mouvement continu de son arme d'un léger coup de poignet vers le bas. La lame obliqua et mordit l'abdomen de Ghisbert sur toute sa longueur. Éventré debout, ce dernier eut un sursaut de surprise. Il avait soudain si froid au ventre !

Il délaissa Cellendhyll pour se tourner vers l'estrade. Il étendit une main suppliante vers les membres du conseil. De l'autre, il tenta vainement de refermer sa blessure. Sous la lumière particulière du zen qui dominait Cellendhyll, la gerbe de sang s'écoulait au ralenti de la plaie béante.

— *Vous m'aviez promis...* grimaça Ghisbert, la main pointée devant lui.

Le lige essaya de poursuivre mais ses paroles s'étranglèrent entre ses lèvres, submergées par un flot de sang.

Enfin, Ghisbert s'effondra lourdement sur le sol. Son agonie prit plusieurs minutes. Elle fut infiniment douloureuse, comme put en attester son visage ravagé par des spasmes. Cellendhyll en savoura chaque seconde.

Non, il n'avait décidément pas frappé au hasard.

Un mutisme général accueillit la fin du duel et le trépas de Ghisbert. Le public n'osait s'exprimer. Un « bravo, fiston, t'es le meilleur ! » s'éleva pourtant de l'assistance, avant que le connétable Xavier ne réagisse. Il se leva de son siège et ordonna aussitôt la clôture de la séance, et l'évacuation immédiate de la salle. Ce qui allait se décider à présent devait l'être à huis clos. L'archevêque Auryel adoucit cette annonce en promettant aux spectateurs une déclaration officielle pour le lendemain. Ceux-ci manifestèrent bien une ébauche de dépit mais le cardinal Hégel éleva la voix, menaçant de faire intervenir une Main d'Orage pour calmer les mécontents. La menace s'avéra suffisamment dissuasive et, tandis que la salle se vidait, le corps de Ghisbert fut emporté, le sol lavé et l'air parfumé.

Rathe et Milo quittèrent les lieux comme les autres. Ils partirent rejoindre Nifold et Barrowmer à la Mouette Rieuse. Leur soirée fut consacrée au récit du duel, au partage du bénéfice réalisé par le pari de Milo, à boire en l'honneur de Renfro, de Cellendhyll, à fumer et à chanter.

Chapitre 47

Cellendhyll de Cortavar quitta la transe de l'Initié, laissant la temporalité reprendre ses droits. L'Adhan dut repousser une vive vague de lassitude. S'il n'avait pas aussi bien récupéré de son périple dans la forêt d'Yspal grâce aux bons soins de Kell, la Sylvaine, nul doute qu'il serait tombé inconscient. Épuisé par le contrecoup d'un usage aussi intensif du zen.

Sur un geste de Xavier, un page se rua vers le guerrier pour lui reprendre son épée, un autre serviteur pour lui offrir de quoi se rafraîchir. Cellendhyll se contrôla pour ne pas se jeter sur ce simple verre d'eau. Et s'obligea à boire à petites gorgées. Elle était fraîche, si fraîche. En cet instant, cette eau valait largement le meilleur des grands crus.

Ce moment si doux, arraché au temps, fut trop vite terminé car le verre était vide. Mais le page se permit de lui faire un clin d'œil et le resservit. Cellendhyll le remercia d'un signe de tête et but lentement, avec délice. Il se sentait mieux, bien mieux. Pas seulement physiquement mais également libéré d'un poids. Un poids qui l'avait accablé durant toutes ces longues années d'exil. Restait en suspens sa mission d'agent des Ombres.

L'Adhan rendit le verre. On lui laissa le temps de s'essuyer à l'aide d'une serviette et de revêtir une tunique d'épais coton blanc, tendue par le page, juste avant que celui-ci ne disparaisse avec les autres.

Enfin prêt, Cellendhyll contempla fièrement les membres du conseil. Il avait gagné cette manche mais la suivante se révélait encore plus ardue. Ce n'est pas avec l'acier qu'il allait se battre mais avec les mots. Et cela s'annonçait, pour le guerrier qu'il était, un combat bien incertain.

Il se retrouva seul. Seul avec les seigneurs de l'Empire qui le toisaient depuis l'estrade. De sa voix chargée d'autorité martiale, Xavier fit boucler les portes. La pièce fut protégée contre les oreilles indiscrètes, même d'essence magique.

— La Lumière a jugé ! entama l'archevêque Auryel d'Esparre. Ghisbert de Cray était donc un traître ! Que le Patriarche lui pardonne... Une des plus grandes familles de l'Empire plongée dans le déshonneur, quelle tristesse, soupira-t-il encore.

— De Cortavar a donc fait reconnaître son bon droit... et la vérité ! affirma avec force l'administrateur Vaillence. Cellendhyll, tu étais donc innocent de ces regrettables accusations, d'évidence orchestrées par ce suppôt des Ténèbres. Jamais nous ne l'aurions soupçonné de cette vilenie. Quel gâchis !

— À propos de gâchis, en voici un autre, reprit Xavier... Un problème urgent qu'il convient de régler au plus tôt. Nous n'avons plus de lige pour mener notre projet, messeigneurs. Qui mènera les Paladins Bleus au combat ? Leur rôle, je vous le rappelle, est tout de même prépondérant.

— C'est un problème facile à résoudre, intervint Quentin de Bérune. La solution me paraît évidente. Cellendhyll de Cortavar, Ange de Lumière, veux-tu, au nom de l'Empire, accepter cette charge qui t'est due, pour notre bénéfice à tous ? demanda abruptement le responsable du cartel des Marchands.

À part peut-être le cardinal Hégel, qui le regardait pensivement, aucun des autres seigneurs ne mettait plus en doute la loyauté de l'Adhan. Le Jugement de la Lumière lui avait conféré la légitimité qu'il avait tant espérée.

Après avoir pesé sa réponse, Cellendhyll répondit :

— Gouverneur... Messeigneurs, si vous saviez... j'ai attendu cet instant toute ma vie ! Mais je dois pourtant refuser : sachez que je n'en suis aujourd'hui pas digne.

— Bien sûr que si, Cellendhyll de Cortavar. Inutile d'être si modeste après un tel combat !

— Ce n'est pas cela... L'Adhan prit une inspiration avant de poursuivre. Durant ces années au contact du Chaos, mon âme a été souillée. J'ai dû commettre des actes dont je ne suis pas fier, bien éloignés des Préceptes Sacrés... Avant de songer à mon avenir, je dois me laver de cette influence pernicieuse. Je vous demande donc, Messeigneurs, de m'autoriser à faire le Pèlerinage jusqu'à l'île de la Source, sur le Plan-maître de la Lumière. Comme il se doit vêtu de la robe des suppliants, selon les anciennes traditions. Lorsque j'aurai obtenu le pardon du Patriarche, alors je pourrai accepter le poste de lige.

— Et quels sont ces *actes* que vous avez évoqués ? susurra Hégel, soudain penché en avant. J'aimerais en savoir plus sur vos agissements passés...

Il va falloir que je me méfie de celui-là, se dit Cellendhyll. Malgré le Jugement, le cardinal de l'Orage ne se départissait pas d'une pointe de défiance à son égard. Et cette inimitié naissante se révélait réciproque.

— Hégel, s'il vous plaît, intervint l'archevêque avec douceur, quittez donc vos manières d'inquisiteur. Mon jeune confrère, il est inutile d'importuner ainsi Cellendhyll de Cortavar. La Lumière l'a jugé et innocenté, dois-je vous le rappeler ? Nous sommes rassemblés ici pour servir la même cause et nous aborderons la question du Chaos et de ses mystères, soyez-en assurés. Cela dit, plus j'y pense, plus je me dis que notre empereur, notre loué Priam, doit avoir la primeur de ces révélations...

— C'est vrai, intervint Vaillence, l'Empereur est le seul capable de lui apprendre à se servir efficacement de ses pouvoirs de lige. N'oubliez pas notre grand projet... notre Ange de Lumière n'aura pas le temps nécessaire pour suivre la formation habituelle de paladin bleu.

— Je suis d'accord avec vous, opina alors Quentin de Bérune. Avant tout, Priam doit entendre Cellendhyll et l'instruire. Et comme notre maître ne quittera pas sa sphère de pouvoir, son île... c'est à notre futur lige de s'y rendre.

— Voici de sages paroles ! renchérit Auryel. Je partage également cette opinion.

— Êtes-vous donc d'accord, Messeigneurs ? s'enquit Vaillence. Xavier ?

— Ma foi, répondit l'homme de guerre, on peut toujours lui trouver un suppléant pour diriger la première phase. Il y a bien le jeune Ghabriel de Blancmaison à qui je pourrais confier cette rude tâche, mais il manque encore d'expérience.

— Eh bien, flanquez-le du meilleur de vos sous-officiers, recommanda Vaillence qui n'avait rien perdu de ses facultés d'analyse stratégique... Un soldat qui connaît bien les terres fenaggas. Votre Ghabriel s'appuiera sur ses conseils. D'ailleurs, vous voyez à qui je pense, non ? Rodoch' Brise-Mâchoire ! s'exclama-t-il, le regard malicieux.

Rodoch' Brise-Mâchoire, une légende des Territoires-Francs. Le fameux Fléau-des-Fennagas, ancien chef de clan des montagnes de l'Est, qui avait quitté les siens pour venir former le paladin Coreyn d'Aquéras. Rodoch' grâce à qui Coreyn devint lige de Lumière. Xavier avait jusqu'alors prévu d'affecter le Nain à la supervision de l'établissement des forteresses en territoire ennemi. Mais il jugea que d'autres pourraient se charger de cette tâche.

Satisfait par cette solution, le connétable se lissa les moustaches et sourit largement.

— Vaillence, j'aurais dû y penser moi-même ! Ainsi, dès son retour de l'île du Patriarche, Cellendhyll pourra rejoindre nos troupes et prendre ses fonctions aux côtés de Rodoch'. Ghabriel de Véronèse deviendra son second... Oui, c'est une alternative tout à fait valable, j'y adhère sans réserve.

Pour sa part, Hégel se contenta d'un reniflement de désapprobation mais il avait la majorité contre lui. Le regard rapide, bouche pincée, qu'il lança à Cellendhyll indiquait néanmoins qu'il ne le tenait pas quitte de soupçons pour autant. Qu'il n'attendait qu'une erreur de sa part pour faire intervenir le pouvoir de l'Orage.

Ce point réglé, l'archevêque reprit :

— Cellendhyll de Cortavar, il y a bien longtemps que je n'avais vu un homme suivre aussi rigoureusement les Préceptes que toi. Après ce que tu as vécu, c'est tout à ton honneur... Quel exemple pour nous tous ! Je suis persuadé à présent de la justesse de notre choix : tu dois absolument devenir notre lige. Considère-toi dès à présent comme pèlerin, ton jeûne est commencé ! Tu partiras dès demain par portail sur le Plan-maître. Tu entreprendras aussitôt ton pèlerinage jusqu'à rejoindre Priam. Dès que le Patriarche en aura fini avec toi, tu reviendras sans perdre de temps assumer ta charge.

Sur ces mots, l'archevêque se rassit. Xavier convoqua l'un des serviteurs qu'il chargea de mener l'Adhan jusqu'à ses nouveaux appartements.

— Laisse-nous, maintenant, Cellendhyll de Cortavar, ordonna-t-il. Tu as besoin de repos et nous devons finaliser ce changement de stratégie et préparer une déclaration officielle sur les événements d'aujourd'hui. Ce page va te conduire à ta chambre. Cette nuit te permettra de préparer ton âme pour le Pèlerinage. Et par ma voix, je me fais l'écho de tous : bienvenue chez les tiens !

Chapitre 48

Le calme était revenu au sein du palais, vidé de ses visiteurs. Cellendhyll avait été traité avec un grand respect. Il disposait d'appartements privés dotés de tout le confort nécessaire, où il put se laver et se détendre sinon se sustenter, puisque son jeûne avait débuté.

Ses maigres possessions avaient été empaquetées en vue du Pèlerinage, ses lames lui avaient été rendues, à son grand soulagement, même s'il devrait de nouveau les abandonner provisoirement une fois sur le Plan-maître de la Lumière.

Après l'exaltation du combat, de la vengeance achevée, Cellendhyll se sentait soudain tiraillé.

Le plan qu'il avait conçu n'avait que trop bien fonctionné et la proposition du conseil résonnait encore à ses oreilles. Son honneur avait été restauré en même temps qu'avait été prouvée son innocence. On lui offrait tout. Tout le destin qu'il avait désiré. Que décider pour la suite, à présent qu'il avait un avenir, un avenir si longtemps attendu ? Il lui restait toujours sa mission d'agent des Ombres à accomplir et il se demandait si cela en valait la peine. Rien ne l'empêchait plus de reprendre son allégeance à Morion. De quitter son service pour retrouver sa place parmi les siens.

Et malgré tout, quelque chose le dérangeait.

Cellendhyll s'assit en tailleur sur le parquet. Se

plongea dans la transe du zen passif dont il se nourrit. En profita pour affiner sa mémoire, pour revoir au ralenti ce qu'il avait vécu depuis son arrivée au palais. Son intervention pour demander le Jugement. Le combat. L'entretien avec le conseil... Un détail titillait son subconscient.

À force de concentration et de volonté, grâce à l'état de transe martiale, il trouva. Oui, c'était là... étiré par le zen. Peu avant que Ghisbert ne meure. Aidé du zen, Cellendhyll se repassa la scène. La révélation l'emporta comme une feuille ballottée par la tempête. Cellendhyll quitta la transe et se releva. Puis se rassit. Et réfléchit longuement. Reliant plusieurs faits, du passé et du présent. Tout s'imbriquait maintenant. Le regard de l'Adhan se durcit.

Son choix était fait. Il savait ce qu'il lui restait à faire. Plus aucun doute pour l'entraver.

Par-dessus un pantalon propre tiré de sa nouvelle garde-robe, ses cuissardes et une tunique toute simple, bleu pâle, le guerrier aux cheveux d'argent revêtit la robe des pénitents, tissée de lin clair. Déterminé, il saisit son paquetage et quitta ses appartements. Sa dague sombre, qui avait retrouvé son apparence naturelle, était glissée dans sa botte gauche.

D'un pas tranquille, Cellendhyll s'engagea dans le palais. Après une quinzaine de minutes de marche, il finit par longer un long couloir, désert, percé de colonnes, éclairé par des torches fichées en hauteur.

Il avançait trop confiant, désarmé de son habituelle prudence.

Au milieu du couloir, une masse énorme jaillit de derrière l'un des piliers et vint le percuter sur le côté, l'envoyant bouler contre un mur, tel un pantin désarticulé. La puissance avec laquelle Cellendhyll avait été frappé le laissait à la limite de l'inconscience, sans défense.

— Traître, tu les as tués ! cracha une voix de baryton, emplie de fureur. Ghisbert, Valère et les autres, tu les as tués ! J'ai juré de te faire payer !

Cellendhyll reconnut cette voix de basse. Igon de Mortemart. Le robuste Igon avec qui il avait partagé tant de prières, qu'il avait patiemment aidé dans ses devoirs de stratégie militaire. L'Adhan avait totalement oublié le dernier des Compagnons du Soir et cette erreur risquait de lui coûter la vie.

C'est alors qu'une autre présence se manifesta. Une autre voix connue s'éleva, au timbre encore plus grave, qui changeait la donne et redonnait espoir à l'Adhan.

— Hé, le gros joufflu ! Tu veux jouer ? Et si tu choisissais un adversaire à ta taille ? Ça serait beaucoup plus amusant, non ?

Gheritarish ! Mais que faisait-il ici ?

Entre l'Adhan et Igon, s'était interposé le solide Loki. Malgré ses vertiges, Cellendhyll profita de ce répit miraculeux pour se redresser et s'appuyer contre le mur.

Sa chevelure hérissée au-dessus de son crâne en de longues mèches sombres, Gheritarish gronda en signe de défi. Igon, cependant, ne recula pas. Il était embrasé par l'appel frénétique du combat. Il voulait voir couler le sang, le goûter. Sentir la chair s'écraser, se fendre sous ses poings avides. Entendre les os craquer. Se repaître des plaintes et des gémissements de son adversaire.

Des poches de son pourpoint, il sortit deux protège-poings garnis de pointes rugueuses, qu'il passa à ses gros doigts. Deux de ses armes favorites, conçues pour infliger de terribles blessures.

— Dégage de là, sous-homme ! s'écria Igon. Ou je vais t'arracher la couenne !

— Aaah, sourit largement le Loki, encore un petit vantard d'Humain ! Viens jouer avec moi, gros tas !

Ramassé sur lui-même en une boule compacte de muscles bandés, il attendait, dévoilant sa nature de fauve.

Face à lui, Igon écarta ses énormes bras et baissa la tête. Il chargea avec toute la force de ses cent trente kilos.

Gheritarish attendit l'impact avec une gourmandise manifeste. Au dernier moment, il bondit sur le côté, sauta sur le mur qui lui servit d'appui, à deux mètres de haut, et retomba dans le dos d'Igon. À peine au sol, le Loki frappa. À deux reprises. Deux crochets vicieux, dévastateurs, destinés à mutiler les reins. Igon s'effondra au sol en grondant sourdement tel un ours blessé.

— Alors, *Humain*, c'est tout ? Je suis déçu.

Gheritarish s'approcha de son adversaire en secouant la tête d'un air peiné. Un coup de poing recouvert d'acier jaillit du sol pour entailler profondément sa joue. Malgré la douleur irradiant ses lombaires, Igon avait répliqué. Il se releva d'un bond, profitant de l'effet de surprise pour sauter sur la créature du Chaos, l'étouffant de tout son poids, les mains plaquées sur sa gorge, pesant de toute sa masse. Écarlate d'effort dans sa tentative d'étranglement. Un réseau de câbles tendus gonfla le cou du Loki pour résister à cette menace.

Cellendhyll assistait à la scène sans pouvoir réagir. Encore sonné, il était incapable de se relever pour aider son ami. Il jura.

Chapitre 49

— Tu rigoles moins, à présent, pourriture de sous-être ! ricana Igon, en étranglant son adversaire.

— Au contraire, c'est la fête ! réussit à articuler ce dernier avec un sourire étrange, empreint de folie.

Une ride de perplexité apparut sur le front massif d'Igon. Il n'avait jamais vu quelqu'un résister à son étreinte meurtrière. Il serra encore, de toutes ses forces conjuguées. Son visage était cramoisi par l'effort. Mais le Loki vivait toujours. Il contre-attaqua même.

Toujours plaqué au sol par la masse du colosse, Gheritarish leva ses bras, ouvrit les mains et claqua sèchement les oreilles de son adversaire de ses paumes. Les tympans saturés, Igon eut un tressaillement de douleur, un sursaut, un mouvement de recul. Gheritarish saisit alors ses poignets. Et sans à coups, se mit à écarter les bras d'Igon. Lentement, jusqu'à réussir à briser son étreinte. Alors, se redressant d'un coup, le guerrier loki lui flanqua un violent, très violent coup de tête au visage. Puis un autre. Puis encore un troisième.

Le son produit était horrible à entendre. Le nez d'Igon n'était plus qu'un débris d'os et de sang, sa face défigurée par la violence des coups.

— Tu ne dis plus rien, mon gros, ça ne va pas ? Une petite migraine, peut-être ? Je vais arranger ça !

Et d'un ultime coup de tête, Gheritarish mit fin à

l'affrontement, frappant avec tant de force qu'il tua Igon sur le coup. Le cerveau défoncé, celui-ci tomba sur le côté, inerte.

Le Loki se redressa en inspirant fortement :

— Pas mal, pour un Humain, après tout. Pas suffisant, mais pas mal ! jugea-t-il en massant sa gorge déchirée.

— Gher' ? Que fais-tu là, par l'Épée de Lachlann ! s'écria Cellendhyll en soufflant de soulagement.

— Eh bien... je suis venu voir comment tu t'en tirais, Petit Homme... Ça va ?

Le Loki saisit l'Adhan pour l'aider à se relever. Son sang bleu indigo coulait d'une plaie profonde à sa joue. Néanmoins, la blessure ne semblait pas l'incommoder outre mesure... tout autre que lui aurait eu la mâchoire fracassée.

Gheritarish entreprit de remettre en ordre sa chevelure encore hérissée d'agressivité.

— Tu n'es pas là par hasard, souffla Cellendhyll. Pas ici. Pas dans le palais de Vérité. Tu me caches quelque chose, Gher', je le sens.

L'Adhan scruta intensément son ami qui ne put que baisser les yeux devant l'éclat de son regard de jade.

— Parle, tu me suis depuis le début, c'est ça ? cracha l'homme aux cheveux d'argent.

Penaud, le Loki baissa la tête. Il n'eut pas l'occasion de voir venir le coup qui le rejeta en arrière. Une droite sèche directement assénée sur sa joue blessée.

— Excrément de Sangh ! s'exclama Cellendhyll, le poing levé. Tu m'as donc laissé affronter les brigands de Gar-o-Gar, les Ikshites, et le sorcier ! Tu aurais pu me donner un coup de main, non ?

— Et toi, tu as une idée de ce que j'ai dû affronter pendant que tu prenais du bon temps chez la Sylvaine ? riposta le guerrier loki. Et puis figure-toi que j'avais des ordres stricts : n'intervenir qu'en dernière extrémité. Personne ne devait découvrir ma présence et le Chaos ne devait être impliqué sous aucun prétexte, tu connais la chanson !

— Qui t'a donné ces ordres... Morion ? demanda l'Adhan, plutôt surpris par cette information.

— Non, son père, le duc lui-même. Je sais que ce n'est pas courant de le voir intervenir dans une mission, mais il est tout de même le maître d'Eodh. De plus, comme Elvanthyell s'est personnellement engagé vis-à-vis des Ténèbres, son honneur est directement en cause. Même moi, je ne pouvais refuser.

— Oui, très efficace, au fait, Gher', ta manière de me protéger. Une vraie balade de santé, cette mission !

Gheritarish cracha un jet de sang sur le front d'Igon, voilant ce dernier d'indigo.

— Oh, arrête Petit Homme, tu es en vie, non ? Tu as bien su te débrouiller pour survivre, comme tu l'as toujours fait. Alors, cesse un peu de te plaindre ! Sache que je ne me suis pas précisément amusé, moi non plus. Le squazz, qui crois-tu qui s'en est chargé ? Et tes petits copains, les templiers ? Non, non, on a encore laissé à Gheritarish le soin de se taper le sale boulot et de rattraper tes erreurs. Ce squazz, mon petit, jamais tu n'aurais dû le laisser en vie ! De toutes manières, il t'aurait suivi puisqu'il avait mémorisé ton odeur. Et son essence ténébreuse libérée n'aurait pas tardé à rameuter les troupes de l'Empire de toute la région. Mais rassure-toi, le vieux Gher' veille au grain ! J'ai eu une petite discussion avec cette pourriture des Ténèbres... Le squazz n'inquiétera plus personne.

Le Loki cracha un nouveau jet de salive bleutée. Il avait certains comptes en souffrance avec les Ténèbres.

— Après cela, poursuivit-il, j'ai réglé le compte d'une bande de détrousseurs en train de vous préparer une embuscade. Et puis j'ai joué à cache-cache avec une escouade de lanciers qui commençait à vous approcher d'un peu trop près. Ils doivent toujours fouiller la forêt d'Yspal, ces imbéciles ! Après il y a eu cette foutue tempête qui m'a fait perdre ta trace et ton odeur. Lorsque je les ai retrouvés, j'avais un sacré problème : ne pas me faire repérer par les Fendyrs, sans parler du mage sylvestre... Ce qui soit dit en passant n'est pas un mince exploit ! se rengorgea-t-il avec son orgueil coutumier. J'ai dû te lâcher lorsque tu es entré dans le Bosquet sylvain. La maîtresse des lieux n'aurait pas manqué de me sentir sur son territoire. Comme je savais que tu ne risquais rien sur place, tu n'avais plus besoin d'un chaperon. Je me suis dit que le mieux serait de te retrouver ici, dans la capitale, puisque telle était ta destination. J'ai eu raison. Preuve en est, je suis intervenu à temps pour te sauver, tu me dois une vie, Petit Homme !

— Il y a de sérieuses lacunes dans tes explications, mais je n'ai pas loisir de creuser maintenant. Il me reste de la besogne. Mais laisse-moi tout de même te dire une bonne chose, Boule-de-Poils : si on commence à faire le compte des vies que l'on se doit, on n'a pas fini de compter ! Et je ne suis pas certain que le résultat te soit favorable, d'ailleurs... Juste une chose, avant d'y aller, par curiosité : comment as-tu réussi à entrer dans la Cité, sans te faire repérer par les gardes de l'entrée ? Les Lokis ne sont pas précisément bien vus des autorités impériales...

— Ben... j'ai attendu la nuit et j'ai escaladé les murailles extérieures. C'était marrant !

Gheritarish annonçait la chose tranquillement, avec une fausse modestie presque parfaite. Gheritarish le Loki, un être pour qui escalader plus de cent mètres de muraille polie à la simple force de ses bras, dans la nuit noire, n'était qu'un simple amusement.

Après avoir enfin réussi à lisser sa longue crête de cheveux, il passa sa main noueuse sur sa joue blessée. Déjà le sang avait cessé de couler. Ses anneaux d'oreilles accrochèrent la lumière d'un éclat doré tandis que Gheritarish penchait la tête de côté et souriait avec la malice d'un enfant.

Cellendhyll soupira en secouant doucement la tête avant d'arborer un sourire léger mais franc. Il était impossible de lui garder rancune. Pas à Gheritarish, pas lui. Ils avaient trop partagé.

— Bon ! Qu'est-ce qu'on fait maintenant ? demanda le Loki, qui bouillonnait encore de l'énergie du combat.

— On va cacher le corps d'Igon dans le Jardin Intérieur. Et après, je dois avoir une petite discussion avec quelqu'un... Tu crois pouvoir me suivre au Jardin sans te faire repérer ?

— Pour qui me prends-tu, Petit Homme ? Je suis un Loki !

— Ne pousse tout de même pas la discrétion jusqu'à me laisser étriper, hein ! railla encore Cellendhyll.

Gheritarish soupira :

— Je crois que je vais entendre parler longtemps de cette histoire...

Les lèvres de sa blessure avaient perdu leur teinte violacée et d'ici demain, il aurait cicatrisé. Avantage indéniable de cette race issue de magie pure que le don de régénérer ses blessures.

— Ça, tu peux y compter, Boule-de-Poils !

Les deux guerriers du Chaos atteignirent le Jardin en évitant toute rencontre. Le corps d'Igon fut jeté dans le puits par le Loki ; il ne devrait pas être découvert de sitôt.

— C’est à moi de jouer à présent, reprit Cellendhyll. Toi, tu restes ici. Attends-moi deux heures et surtout tâche de ne pas te faire repérer. Si je ne suis pas revenu dans le délai donné, retourne à la Forteresse et annonce à Morion que les projets de conquête de l’Empire sont bien concrets, le conseil me l’a confirmé en personne. Les régiments se rassemblent déjà mais je ne connais pas les détails de leur offensive. Je te retrouve ici dès que j’ai fini et on verra pour la suite.

— Dis donc, Cell’, au fait, s’esclaffa le Loki, laisse-moi te dire que tu es bien mignon dans ta jolie robe blanche !

— Dis donc, Gher, tu veux te prendre un autre direct ?

— J’ai idée que ça te rend hargneux, les robes, ricana son interlocuteur. Allez, trêve de plaisanterie, ajouta-t-il d’un ton nettement plus sérieux, sois prudent, Petit Homme.

— À tout à l’heure, dit Cellendhyll avant de s’engager sur le sentier qui menait hors du jardin.

Il avait récupéré de l’attaque surprise d’Igon. Il ne lui restait plus qu’une dernière confrontation à mener, une toute dernière, avant de pouvoir songer à son propre destin.

Deux heures à attendre. Tandis que l’Adhan s’éloignait en silence, Gheritarish grimpa dans un épais noisetier où il se camoufla pour s’octroyer le plaisir d’un gros cigare de loki, agrémenté d’une ample poignée de noisettes fraîches.

Chapitre 50

Cellendhyll rentra dans le palais et gravit l'escalier principal. Les templiers en faction le saluèrent respectueusement. Les quelques personnes qu'il croisa n'osèrent l'importuner. Les rumeurs circulaient déjà. Cellendhyll de Cortavar, l'homme aux cheveux d'argent. Celui qui avait remporté le combat du Juste. Le très probable prochain lige de la Lumière.

Au troisième étage, l'Adhan rencontra un nouveau quatuor de gardes, qui n'agirent pas autrement que leurs prédécesseurs, et s'engagea dans l'aile ouest. Les murs étaient richement décorés, de lourdes et coûteuses tentures de brocards violets et or, des meubles rares, au bois sombre finement ouvragé et laqué. Une épaisse moquette outremer étouffait les pas de l'Adhan alors qu'il s'avouait fort étonné de la facilité avec laquelle on pouvait ainsi accéder aux appartements privés d'un des personnages les plus importants du royaume. Seuls la semaine de festivité et surtout son nouveau statut pouvaient expliquer cet état de fait.

Après avoir franchi deux intersections, remonté un autre couloir, il arriva devant sa destination. Une porte décorée du symbole de la Guelfe Blanche. Personne dans les parages. Cellendhyll se mit à inspirer lentement, se plongeant quelques instants dans un zen léger destiné à lui faire retrouver toute sa lucidité. Trois minutes plus tard, il frappa à la porte et, sans attendre la réponse, entra.

Malgré l'heure tardive, l'archevêque Auryel d'Esparre était tranquillement assis derrière son bureau, en train de classer des papiers officiels. En avisant son visiteur, il retourna rapidement le document qu'il tenait en main. Cellendhyll fit comme s'il n'avait rien remarqué. Il avait toutefois reconnu le sceau secret du grand conseil.

— Votre éminence, souffla Cellendhyll d'un ton respectueux, puis-je retenir votre attention ? Je sais qu'il est tard, mais je vais débuter mon pèlerinage. Avant de quitter le palais, je voudrais bénéficier de votre bénédiction. Vous demander la faveur de me confesser avant de rejoindre le Plan lumineux. Je dois partir le cœur libre de toute haine, en attendant que le Patriarche puisse délivrer mon âme tourmentée.

Le guerrier adhan avait quitté son manteau de dureté, d'assurance, pour prendre celui des humbles. Un peu surpris, l'archevêque le détailla quelques instants, le visage impénétrable, les mains croisées devant lui.

— Louable intention, mon fils, finit par dire l'ecclésiastique, un noble sourire éclairant ses traits. Vraiment louable... Je ne peux rien te refuser. Tu es notre nouvel ange de Lumière, notre Espoir et ton désir de rédemption te fait honneur ! Accorde-moi tout de même quelques instants. Ces derniers jours ont quelque peu perturbé mon emploi du temps. Permets-moi de finir de préparer ces documents et je suis à toi. Cela ne prendra pas longtemps, j'ai presque fini. Tiens, assieds-toi sur ce fauteuil, en face de moi.

Alors que Cellendhyll obtempérait, il profita de ce que l'archevêque apposait sa signature et son sceau sur la pile de papier devant lui pour détailler les appartements privés de ce dernier. L'endroit donnait une solide impression de sobriété mais également de confort. Le bureau était une vaste pièce ornée de tapisseries représentant les paysages féeriques de l'île de la Source, berceau de l'ordre de la Guelfe Blanche et lieu de résidence de l'empereur Priam, le Patriarche de la Lumière. Au sol, d'épais tapis en laine de mouflon. Une large cheminée abritait un vif foyer. En face des tentures, une grande bibliothèque. À côté, un autel de prière en bois clair. Poussée contre un mur, une table ovale, encadrée de lourds fauteuils choisis pour le bien-être des visiteurs. Le grand bureau, taillé en bois de rose marbré, était plutôt bien rangé malgré la présence de nombreux dossiers. S'y trouvaient également une carafe de liqueur de violette, un verre presque vide en cristalune, une pipe en bois ocre incrustée de minuscules pierres de lune et un cendrier en cuivre ciselé. Deux ouvertures au fond de la pièce donnaient sur un couloir ouvrant sur une série de chambres, et sur une salle de méditation. Cellendhyll mobilisa ses sens dans cette direction et d'instinct, il sentit que ces lieux étaient vides.

La voix douce de l'archevêque mit fin à l'examen des lieux :

— J'ai fini. À présent, mon fils, je suis à toi. Je t'écoute...

— C'est que... hésita Cellendhyll, je n'ose me confier... si quelqu'un d'autre que vous m'entendait ?

— Tu peux parler en toute liberté, assura Auryel en ouvrant chaleureusement les mains. Mes serviteurs ont quitté leur service. À cette heure avancée de la nuit, nous ne serons pas dérangés, je te l'assure.

L'archevêque se repositionna dans son fauteuil pour une meilleure écoute, croisant ses mains potelées sur sa tunique longue, d'un blanc immaculé à parements de fils d'or. De tout son être émanait une aura débonnaire, paternelle. L'homme d'église passa un bout de langue pointue le long de ses lèvres pleines. Il fixa Cellendhyll de ses prunelles grises, prêt à entendre ses confidences.

— Voici ma confession, votre éminence... entama Cellendhyll. Contrairement à ce que j'ai affirmé au conseil, je ne suis pas revenu pour réclamer mon héritage et devenir lige de Lumière. Non, c'est bien trop tard. Si je suis revenu ici, chez les miens, c'est pour me venger ! Car voyez-vous, Éminence, ce n'est que ce soir que j'ai enfin compris qui était l'instigateur de toute cette mascarade. Et finalement, ce n'était pas Ghisbert, le véritable responsable, malgré les apparences... Non, tout ce qui s'est produit ce soir-là, c'était par ta faute, Auryel ! s'exclama l'Adhan.

Il avait retrouvé toute sa froideur, toute sa dureté naturelle et sous le poids de son regard vert où bouillonnait une colère à peine maîtrisée, Auryel d'Esparre recula jusqu'à se cogner le haut du crâne contre le dossier de son siège.

Cellendhyll se redressa et poursuivit, la voix plus dure encore :

— J'ai compris tout à l'heure, en repensant au duel. Ma mort n'était qu'une partie d'un plan plus global. L'assassinat de Coreyn d'Aquéras était le but principal des comploteurs. Et Ghisbert, en tout cas, n'avait aucun grief contre Coreyn, il n'en n'avait qu'à mon égard. Il voulait devenir lige à ma place, Coreyn était là pour le former... Et cette mystérieuse pierre-de-contact d'essence ténébreuse qui a servi à m'incriminer pour le meurtre du lige ? Ce n'est pas non plus Ghisbert qui se l'est procurée. Je l'ai suffisamment fréquenté pour savoir qu'au moins il n'avait aucun intérêt pour les Ténèbres. Cette pierre magique, qui d'autre qu'un véritable agent des Ténèbres pouvait s'en servir ? Ghisbert avait donc un complice à la solde du Roi-Sorcier, il l'a d'ailleurs laissé entendre avant de me trancher la gorge. Et ce complice qui le manipulait, c'est toi ! Avant de mourir, Ghisbert a jeté un regard désespéré en direction du conseil. Il cherchait un soutien. Il l'a interpellé et ses paroles étaient faciles à interpréter, Ghisbert voulait l'aide de son complice. Dans son champ de vision, il n'y avait que le cardinal Hégel et toi... J'ai réfléchi... le cardinal me parait plutôt hostile à mon égard, mais il n'était pas en poste dans la capitale, il y a dix ans. Toi, si, Auryel. Tu étais déjà là, comme évêque de la Guelfe Blanche, j'en suis certain. C'est toi que Ghisbert a regardé lors du duel. C'est toi, son complice. Non, n'essaie même pas d'y penser. Tu penses vraiment pouvoir atteindre ce cordon, là, derrière toi ? Avant que je ne puisse te planter ma dague dans la nuque ? Et si jamais tu réussis à m'échapper, que vas-tu raconter aux gardes ? Que je délire, que je suis fou ? Le connétable Xavier sera-t-il aussi crédule que tu sembles le penser ?

L'homme aux cheveux d'argent s'exprimait avec une douceur soyeuse et menaçante. Agrippant les accoudoirs de son siège, Auryel était livide.

— Mon fils, tu divagues en effet, balbutia-t-il. Tu dois être exténué par tes épreuves pour m'accuser de la sorte. Je conçois qu'après la trahison de Ghisbert, tu sois un peu paranoïaque, mais tout de même ! Quelle absurde théorie !

À mesure qu'Auryel s'exprimait, sa voix retrouva de l'assurance, enfla et acquit juste ce qu'il fallait de dédain, mâtiné de juste indignation.

— Silence ! s'exclama Cellendhyll d'un ton si glacé que le simple mot figea l'archevêque. Ta misérable existence ne vaut plus rien ! Et personne ne viendra te sauver. Vois-tu, il n'y a pas que ma vengeance qui entre en compte. D'autres que moi en veulent à ton auguste personne !

— D'autres ?

La mine soucieuse de l'ecclésiastique se teinta de stupeur. Il tenta néanmoins de reprendre le contrôle de la conversation :

— Voyons, mon fils, tu devrais te calmer. Je ne comprends rien à tes paroles, Morion du Chaos a dû pervertir tes pensées. C'est sans doute une habile manipulation de sa part. Il faut t'examiner, briser son influence sur toi. Tu dois me faire confiance, je suis le seul à pouvoir t'aider...

La voix de l'archevêque avait changé, empruntant de chaudes inflexions, aussi suaves, aussi chargées d'effets que les caresses d'une prêtresse benayim. Mais l'effet persuasif, hypnotique de son timbre laissa son interlocuteur de marbre. Cellendhyll le dévisageait les yeux étrécis et toujours aussi glacés.

L'ecclésiastique parut soudain avoir chaud, très chaud. Il ouvrit le col de sa tunique pour mieux respirer.

— Tu ne sembles pas avoir compris, Auryel... souligna Cellendhyll. Sache que les Ténèbres ont ordonné ton trépas. Un des légats du Roi-Sorcier l'a directement commandité auprès de la Maison d'Eodh ! Je vais donc avoir le privilège de régler d'un seul coup de dague et ma vengeance, et ma mission. Prépare-toi à payer !

L'archevêque était écarlate. Il se mit brusquement à hoqueter, à tousser. La toux se fit plus forte, chargée. Auryel se pencha en avant et rota plusieurs fois bruyamment sous l'œil étonné de Cellendhyll. L'ecclésiastique se rencogna dans son fauteuil, baissant la tête sur sa poitrine en murmurant une suite de mots inaudibles. Lorsqu'il se redressa, Cellendhyll ne put s'empêcher de sursauter. Le visage d'Auryel avait gonflé, il était devenu marbré, les veines de ses tempes battaient à tout rompre et la sueur inondait son front. Son torse se mit à gonfler, sa gorge enfla. Un nouveau rot et Auryel se jeta bouche en avant, droit sur l'Adhan, pour éructer sur lui un nuage compact de mucus immonde, composé de filaments d'un noir profond, surnaturel, s'agitant en une masse gesticulante. Le crachat des Ténèbres, une arme interne, indétectable.

Cellendhyll leva ses bottes et frappa de toutes ses forces le coffrage du bureau. L'élan généré lui permit de faire basculer son fauteuil en arrière. En tombant, il vit la vague d'ichor passer juste au-dessus de lui, une odeur formidablement délétère dans son sillage. Le nuage continua sur sa lancée pour s'écraser sur les tentures dressées derrière l'Adhan. Rongés par l'ichor, les tissus se transformèrent aussitôt en cendres poisseuses, dégageant un relent nauséabond.

Cellendhyll ne prit pas le temps de penser à ce qu'il serait advenu de son visage s'il avait été atteint par le crachat meurtrier. Galvanisé par une colère trop longtemps différée, il se redressa, empoigna son fauteuil pour le jeter à la face d'Auryel. Un glapissement de douleur et un bruit de chute annoncèrent que le tir avait porté. Sans attendre, l'agent des Ombres sauta pardessus le bureau. Il saisit l'archevêque par les pans de sa tunique et le hissa vers lui, si violemment qu'il déchira son superbe vêtement.

L'Adhan découvrit alors un Auryel métamorphosé. L'ecclésiastique avait perdu toute sa bonhomie, son visage s'était mué en un masque rigide, composé de calcul et de férocité. Sa chevelure neigeuse était devenue un réseau de cheveux filasses, trempés de sueur. À la place du doux regard gris, des yeux jaunes aux prunelles ensanglantées, fendues de noir, qui contemplaient Cellendhyll avec une haine mêlée d'inquiétude.

Si l'Adhan avait eu des doutes, ils auraient été instantanément balayés. Ces yeux de nature ténébreuse valaient toutes les confessions. Seul un Maître-espion pouvait user d'une métamorphose si parfaite, aussi longtemps, et garder secrète sa véritable apparence, sa véritable nature, au sein même du grand conseil de l'Empire.

Cellendhyll eut un rictus. Sans prévenir, il fracassa le nez de l'archevêque d'un coup de tête. Auryel s'écroula en gémissant de plus belle.

Furieux, l'homme aux cheveux d'argent le gratifia d'une série de coups de bottes dans l'estomac et les côtes. Jaillissant de la tunique de l'espion, sa queue de Ténébreux gifla l'air, sa pointe triangulaire dressée pour frapper. Cellendhyll ne lui laissa pas le temps d'attaquer. D'un geste aussi souple que rapide, il saisit sa dague sombre, se pencha vivement sur le côté, et, d'un revers, il trancha l'aiguillon d'os qui le menaçait, à mi-hauteur. Auryel hurla. À présent inoffensive, l'extrémité armée de sa queue continua à gigoter sur le sol, traçant sur l'un des tapis des arabesques de sang jaunâtre.

— Ainsi, tu as tombé le masque, Ténébreux ! J'avais vu juste : l'archevêque Auryel d'Esparre, membre du grand conseil humain de l'Empire, est donc bien en réalité un espion du Roi-Sorcier. Ce cher Priam ne va jamais s'en remettre lorsqu'il l'apprendra !

Auryel passa la langue sur ses lèvres pour avaler le sang coulant de son nez brisé. Depuis qu'il avait lâché son crachat et perdu la pointe de sa queue, il était désarmé.

— On peut sûrement s'arranger, essaya-t-il. Trouver une solution... Je suis riche, très riche...

— Tu m'as volé ma vie ! Tu as détruit ma famille ! Et tu veux qu'on *s'arrange* ? M'offrir ton vulgaire argent ? Tu crois que tu vas t'en tirer avec un ignoble marchandage ?

L'expression qu'arborait Cellendhyll valait toutes les potences. Auryel d'Esparre s'affaissa, terrassé par l'agressivité du guerrier. Il eut un sursaut désespéré et joua son dernier atout en lâchant d'une seule tirade :

— C'est vrai, je suis ou plutôt j'étais un Maître-espion des Ténèbres ! J'ai éliminé le véritable Auryel d'Esparre et pris sa place dès son arrivée dans la capitale. Plus tard, j'ai organisé le meurtre du lige Coreyn et orchestré ton implication pour te perdre... Selon les instructions du Père de la Douleur, qui estimait que Coreyn d'Aquéras devenait beaucoup trop entreprenant dans sa lutte contre les Ténèbres. Le paladin avait entrepris de créer un ordre d'élite que tu étais censé intégrer et mener. J'ai fait tuer Coreyn par Ghisbert, qui s'est servi de ton épée. Ghisbert s'est ensuite chargé de ton cas tandis que je plaçais la pierre-de-contact dans tes affaires. Il a été très facile de manipuler les Compagnons du Soir. La jalousie que Ghisbert éprouvait pour toi constituait un levier bien suffisant. Sans compter qu'il faisait pour nous un lige parfait, beaucoup plus intéressé par les plaisirs qui accompagnaient sa vie dissolue que par ses nouvelles responsabilités. Deux liges éliminés d'un coup.

Auryel reprit sa respiration avant de poursuivre docilement. Il avait perdu toute pugnacité, toute ruse.

— Tu l'as compris, j'étais effectivement au service du Père de la Douleur et durant toutes ces années, je l'ai servi du mieux que je pouvais. Puis, il y a quelques mois, j'ai décidé de reprendre ma liberté. La vie d'archevêque de la Lumière s'avère bien plus agréable à vivre que celle d'espion. Alors, à force d'usurper son identité, je suis véritablement *devenu* Auryel d'Esparre. Depuis presque six mois, je sers la Lumière comme l'aurait fait le véritable archevêque. Tu vois, j'avoue tout. Mais je t'en prie, épargne-moi !

— Tu penses encore pouvoir t'en tirer la vie sauve ? s'étonna Cellendhyll. Juste parce que tu as avoué tes méfaits ?

— Je sais des choses, beaucoup de choses, poursuivit Auryel. Emmène-moi à ton maître, plaida le Maître-espion des Ténèbres. Je parlerai si tu m'emmènes en sécurité ! Je t'en supplie !

Voyant que l'Adhan ne paraissait pas convaincu, l'espion lâcha d'une nouvelle traite :

— J'ai un renseignement qui te concerne au premier chef, je te l'échange contre ma vie sauve !

— Ne joue pas avec moi ! cracha Cellendhyll.

Il plaqua l'espion contre le mur et appuya fermement son coude en travers de sa gorge, de manière à l'immobiliser. Il saisit le nez cassé de son captif et le tordit sans pitié, provoquant les geignements de douleur du supplicié.

— À présent, parle ! Quelle est cette si précieuse information ?

— Non, jure d'abord sur ton honneur ! Tu peux me faire mal, très mal, tu peux me tuer, soit. Mais je suis un Maître-espion, la torture ne suffira pas à me faire parler, tu dois le savoir.

Intéressé malgré lui, l'Adhan dut maîtriser sa soif de sang. Et ce ne fut pas tâche facile, il se voyait déjà vider la panse d'Auryel de sa dague magique. Toutefois, il pesa soigneusement ses options. Après tout, il était en train d'outrepasser ses ordres et devait trouver une solution convenable.

— Fort bien, Auryel, j'accepte, décida-t-il finalement, mais si tu penses que tu peux me manipuler comme Ghisbert, tu risques une sacrée désillusion. Et si j'estime que ton information ne vaut pas le coup, ou si je sens que tu mens, je t'égorge sans attendre.

— Tu engages ton honneur ? Tu me laisseras vivre ? souffla le Maître-espion, sans pouvoir cacher son espoir.

— Oui, moi Cellendhyll de Cortavar, je jure de te ramener en vie au Chaos, sur mon honneur de guerrier. Ça te va ? Parle, maintenant !

— Voilà, je ne sais pas si tu vas me croire mais le Père de la Douleur en a après toi, expliqua Auryel. Ce n'était pas le cas il y a dix ans. Si tu as été choisi à cette époque, c'était parce que Ghisbert voulait ta peau... Non, l'intérêt du Roi-Sorcier à ton encontre est beaucoup plus récent... Il y a sept mois de ça, environ, juste avant que je ne décide de changer d'allégeance, j'ai reçu un message direct de mon maître : je devais rassembler tous les éléments sur toi, Cellendhyll de Cortavar, et sans perdre de temps. Évidemment, j'ai trouvé cette demande troublante. Comme tout le monde ici, je te croyais mort. Je n'ai en fait rien trouvé d'intéressant à rapporter sur ton compte. Tout ce qu'on savait de toi datait d'avant ta disparition et je n'ai rien trouvé qui permette de penser que tu avais survécu à notre complot. Je ne sais rien de plus à ce sujet, car le mois suivant, j'ai détruit tout ce qui pouvait me rattacher aux Ténèbres, notamment mes pierres-de-contact. Je n'ai donc plus aucun moyen de communiquer avec ceux que j'ai reniés.

— Mais pourquoi ? s'interrogea Cellendhyll qui estimait que son interlocuteur lui disait la vérité, malgré ses propos des plus surprenants. Que me veut le Roi-Sorcier ? Je ne le connais même pas...

Le Maître-espion haussa les épaules.

— Je n'en sais rien. Cela a rapport avec une prophétie, mais je n'en sais pas plus. La seule chose que je peux ajouter, c'est que le Roi-Sorcier semble avoir peur de toi. Et jamais je ne l'ai vu craindre quoi que ce soit auparavant !

Quoi que lui veuille le Père de la Douleur, ce ne devait sûrement pas être très amical. Cela pouvait au moins expliquer la chasse des Ikshites et de Mordrach, ainsi que l'assaut des serpentères, se disait l'Adhan. Bien que peu réjouissante, l'information de l'espion valait son pesant d'or. Cellendhyll allait devoir se montrer très prudent à l'avenir. Et devenir encore plus méfiant qu'avant. Il devait en parler à son maître. Morion pourrait peut-être l'aider au sujet de cette mystérieuse prophétie. Tout à fait le genre d'énigme que le Puissant appréciait.

— Bon, dit l'Adhan, je verrai ça plus tard. En attendant, tu viens avec moi. Mon maître décidera lui-même de ton sort. Sois sage et tout se passera bien...

Cellendhyll délaissa son prisonnier le temps d'aller jusqu'aux épais rideaux de velours doré, d'en défaire les cordons et s'en servir pour lier les mains d'Auryel dans son dos. Il revint se placer devant l'autre et plaqua ses yeux dans les siens avant de dire d'un ton suave :

— Ah, Auryel, il reste un point à régler ! Tu as oublié ? Nous devons encore solder notre petit compte, à tous les deux.

L'homme aux cheveux d'argents empoigna sa dague sombre avec un sourire carnassier. Il s'approcha de l'archevêque sans défense. La dague magique avait pris une teinte uniformément écarlate, pulsante. Elle vibrait dans sa main, réjouie de ce qu'elle allait perpétrer. Le Maître-espion des Ténèbres faisait une victime de tout premier choix.

— Nooonn... s'écria Auryel, tu as juré de ne pas me tuer ! Aahh !!!

L'horrible hurlement que poussa le Ténébreux fut suivi d'un gargouillis. Puis, du son déplaisant de la chair incisée. Enfin, d'une série de gémissements presque inaudibles.

Après avoir accompli sa sinistre tâche, Cellendhyll se releva pour aller se laver les mains dans le cabinet de toilette de l'archevêque. Ce dernier s'était évanoui sous la douleur. L'Adhan ne craignait pas d'être dérangé. Insonorisé pour garantir que les entretiens de l'ecclésiastique restent confidentiels, les appartements garderaient le secret sur ce qu'il venait de commettre.

L'Adhan examina les documents sur le bureau d'Auryel. Y figurait un dossier que l'espion avait tenté de cacher : une copie du plan de conquête de l'Empire avec tous les détails nécessaires. L'agent des Ombres l'empocha aussitôt en se félicitant de sa chance. Les informations secrètes en révélaient suffisamment pour pouvoir anticiper les manœuvres des troupes de la Lumière et, ainsi, au besoin, briser leur tentative d'invasion sur le plan militaire. Ce dossier se révélait également d'une grande importance stratégique pour le Chaos. Des plans établis par la Lumière, Morion tirerait une manne de renseignements sur l'organisation de ses armées, l'étendue de ses ressources, ses options tactiques, le nom de tous les officiers supérieurs en poste, et probablement encore bien d'autres richesses.

Les autres papiers ne présentant aucun intérêt pour l'Adhan, il les jeta dans le feu avec le bout de queue qu'il avait coupée à l'espion.

Auryel poussa un gémissement, il revenait à lui.

Dépouillé de ses vêtements, bijoux et parures, les épaules parcourues de spasmes, le Maître-espion frémissait, choqué et meurtri. Son visage était recouvert d'un linge assombri par le sang frais. Quant à la blessure de sa queue, elle avait déjà cicatrisé. Une nouvelle pointe lui pousserait d'ici quelques mois.

Cellendhyll se rendit dans la première chambre, jusqu'à la garde-robe, pour y prélever un ample manteau brun, anonyme, qu'il revint passer à son prisonnier, rabattant la capuche sur son visage. Une écharpe servit à le bâillonner. Auryel entreprit de se débattre, mais Cellendhyll l'assomma d'un coup de coude dans la nuque.

En dépit des apparences, l'agent des Ombres tenait sa promesse. Il ramenait Auryel dans la Forteresse du Chaos, en vie. Sans avoir renoncé à sa vengeance.

Il avait agi selon sa propre morale, son propre code. Le passé était enfin mort pour lui. Il en avait finalement rompu les attaches corrosives. Il renaissait. Il était libre, libre de forger sa destinée. Et comme il l'avait annoncé à l'archevêque, il avait choisi de servir un autre maître que le Patriarche.

L'Ange de Lumière disparaissait une bonne fois pour toutes, de sa propre volonté. Remplacé par l'Ange du Chaos...

L'Ange du Chaos. Le surnom donné par Reydorn lui allait bien. Il sonnait juste.

Chapitre 51

L'Adhan vérifia que personne ne traînait dans les couloirs avant de sortir, chargé du corps inanimé d'Auryel. Plutôt que de prendre le même chemin qu'à l'aller et se faire arrêter par les gardes, Cellendhyll emprunta l'escalier dévolu aux serviteurs, désert à cette heure. Il connaissait suffisamment le palais pour rejoindre le Jardin Intérieur sans être importuné.

— Eh, Petit Homme ! s'écria Gheritarish en sautant de son perchoir, son cigare de loki à la main. Tu as réussi, à ce que je vois !

Cellendhyll posa son fardeau avant de répondre :

— En effet. Dis, donne-moi un peu de ton truc...

— Tu veux fumer de la loki ? Je rêve ou quoi ? Tiens, ami, c'est de la bonne, vas-y doucement !

Dommage que Rathe ne soit pas là ! Contrairement à ses habitudes, Cellendhyll prit une ample bouffée de fumée, qu'il relâcha par la bouche pour aussitôt l'inspirer par les narines. La loki fusa dans son corps, remplaçant la tension accumulée par une vague de délassement et d'euphorie. Il se sentait soudain tout léger.

— Par tous les Dragons, je n'en crois pas mes yeux ! s'exclama Gheritarish, fort surpris de ce comportement. Rends-le-moi, à présent. Tu vas être malade si tu continues. Bon, eh bien, je te salue compagnon. On se voit dans quelques jours...

— Tu ne rentres pas avec moi ?

— Écoute, Petit Homme, tu es vivant, et à voir ta tête, ta mission est un succès. En conséquence, la mienne également. Alors, je vais profiter d'être ici pour traîner un peu en ville. J'ai envie de découvrir les plaisirs proposés par la capitale de l'Empire. J'ai grand faim, tout d'abord. Et puis, on m'a donné l'adresse d'une certaine *maison*. Il paraît que les filles y sont fantastiques !

Gheritarish adressa à l'Adhan un clin d'œil égrillard. Celui-ci répliqua :

— Pas la peine d'entrer dans les détails, espèce d'obsédé ! Mais que dira Morion de ton retard ?

Le Loki haussa ses larges épaules.

— Oh ! Il a l'habitude... S'il te pose une question à mon sujet, dis-lui que je rentrerai dans deux ou trois jours faire mon rapport. Ce ne sera pas la première fois.

Les Lokis et l'autorité ? Un mélange impossible !

Les deux compagnons se saisirent l'avant-bras, échangeant le salut des frères de bouclier.

Gheritarish fit quelques pas pour s'éloigner avant de se retourner.

— Cell' ?

— Oui ? Gher' ?

— Même tactique qu'à Durango ? demanda le Loki.

Cellendhyll adressa à son camarade un sourire aussi authentique que rare. Ce simple nom évoquait maints souvenirs pour les deux guerriers. Rien de moins que leur rencontre, la naissance de leur amitié. Cette phrase était une sorte de mantra, le gage et le rappel de cette amitié.

— Même tactique qu'à Durango ! répéta doucement l'homme aux cheveux d'argent.

Et Gheritarish prit congé de sa démarche bondissante, disparaissant sans un bruit dans un bosquet dont il ne fit même pas frémir une feuille.

L'Adhan leva les yeux et s'abandonna quelques instants à contempler la voûte étoilée qui régnait sur la nuit printanière.

Reviendrait-il ici un jour ? Il en doutait. Nul doute que sa disparition et celle d'Auryel allaient causer un grand choc au palais. Sans lige et sans archevêque, le plan de conquête de la Lumière allait connaître un net recul, sinon un abandon pur et simple. Serait-il pour autant tenu pour responsable ? Pas évident. En bon agent des Ombres, il n'avait laissé aucun indice pour l'incriminer. Le crachat des Ténèbres détournerait les soupçons. Il avait remporté le combat du Juste, ce qui lui conférerait au moins pour un temps une certaine immunité. Il serait sans doute plutôt considéré comme une victime.

Au moins, une chose était sûre, c'est sans regret qu'il allait quitter ces lieux. Sa vengeance assouvie, plus rien ne le retenait ici. Il ne savait pas de quoi serait fait son avenir, mais à présent qu'il avait brisé les chaînes du passé, il était enfin à même de vivre pleinement son existence.

Grâce à un anneau magique précieusement gardé pour la circonstance dans la doublure de son ceinturon, l'Ange du Chaos activa le portail de téléportation qui le ramènerait directement à la Forteresse de la Maison d'Eodh.

Il souleva son prisonnier, toujours inconscient, le cala sur son épaule tel un vulgaire sac, et franchit l'arche de transfert, d'un pas décidé, sans un regard en arrière. Le halo de lumière scintilla dans la nuit, précédant la fermeture du portail. Le jardin fut laissé désert sous le regard hiératique des deux lunes lointaines, la fière Yrénas la Blanche et la douce Felleyran la Bleue.

Le jardin ne resta pas désert bien longtemps. Quelques minutes à peine après la disparition du portail, un son étrange, semblable à celui d'une étoffe que l'on déchire, retentit dans la nuit.

La trame de la réalité se déchirait effectivement, laissant apparaître un halo entouré d'éclairs crépitants, ourlé d'argent et d'orangé. Hégel le cardinal de l'Orage et les cinq sicaires constituant sa Main passèrent le portail qui les menait dans le jardin. La *Main de l'Orage*, cinq hommes au teint pâle, bien découplés, vêtus de robes orange et de longs gilets de protection en mailles dorées. Chacun des sicaires portait à la main droite un bâton court laqué de noir et illuminé aux deux extrémités d'énergie crépitante. Les redoutables bâtons d'éclairs. Les sicaires se placèrent en éventail, prêts à couvrir leur supérieur, écrans protecteurs activés, le bâton pointé dans la ligne de leurs regards vigilants.

La Main d'Orage déployée derrière lui, la puissance de l'éclair contenue dans le gant de gemellite qui recouvrait sa dextre, prête à frapper, Hégel invoqua un treillage de mana qu'il agrandit pour sonder les lieux. Personne. Le cardinal siffla de dépit. Il leva son avant-bras gauche, le poing fermé, et l'agita à trois reprises. Sur son ordre, les cinq sicaires s'égaillèrent dans le Jardin à la recherche d'indices. Ils revinrent l'un après l'autre, bredouilles. De plus en plus irrité, Hégel les renvoya, après avoir ordonné à l'un d'eux, son favori, Agervas, d'activer le réseau de renseignement de l'Orage. Le signalement de Cellendhyll serait diffusé sur l'ensemble des Territoires-Francs. Une fois repéré, les affiliés de l'Ordre avaient l'ordre de le surveiller en gardant leurs distances et de prévenir séance tenante leur cardinal de sa localisation.

Plus tôt dans la nuit, Hégel s'était rendu dans les appartements de l'Adhan pour lui arracher quelques informations avant que celui-ci ne parte pour l'île de la Source. Cellendhyll de Cortavar avait disparu. Plus tard, le réseau de défense magique qui protégeait le palais l'avertit. Une manifestation ténébreuse avait été détectée dans l'enceinte. Après recoupements, il s'avéra que cette manifestation venait des appartements de l'archevêque Auryel d'Esparre. Hégel s'y était rendu avec sa Main pour découvrir les traces laissées par le crachat ténébreux, les meubles renversés, les papiers brûlés dans la cheminée, la disparition de l'archevêque et de son exemplaire du plan d'invasion des Ténèbres.

Hégel sauta aux conclusions et ses soupçons se transformèrent en certitude. Cellendhyll de Cortavar avait menti sur toute la ligne. Homme voué aux Ténèbres depuis le début, probablement même l'un des favoris du Roi-Sorcier, il était réapparu pour assassiner à nouveau un lige de l'Empire. Également pour enlever Auryel et ainsi porter un rude coup aux projets de conquête de la Lumière.

Cette histoire de Chaos n'était qu'un habile mensonge destiné à appâter les membres du conseil. Le mystérieux Chaos, dont on ne savait rien ou presque. Fadaises qu'avaient gobées les autres seigneurs !

— Tu as trompé les autres, mais pas moi, Cellendhyll de Cortavar ! Tu as choisi de trahir les tiens, de tourner le dos à la Lumière. Fort bien. À présent, tu as des comptes à me rendre. À présent, l'Orage gronde après toi !... Cours, Ange, cours te cacher de ma colère ! Je te débusquerai et tu paieras. J'en fais le serment sur mon honneur, tu n'auras aucun répit !

Pour valider son vœu, Hégel traça dans l'air la rune

de confirmation et d'engagement. Sur cette tirade, le cardinal de l'Orage retourna dans le portail qui l'avait amené et disparut avec celui-ci.

Enfin, le jardin retrouva un semblant de calme. Pas tout à fait, cependant. Car cette fois, Estrée apparut soudainement en plein centre du Jardin.

Une combinaison moulante de cuir noir magnifiait sa renversante anatomie, soulignant la moindre de ses formes fuselées. Elle s'était fait minutieusement épiler tout le corps pour l'occasion, excitée par la caresse du cuir sur sa peau plus que nue.

Indétectable, insoupçonnée, indétectée, Estrée venait d'assister au départ de Cellendhyll ainsi qu'au serment d'Hégel. Avec le manteau d'opacité qu'elle avait créé à l'aide de son mana, elle n'avait rien à envier en matière de furtivité aux agents spéciaux du Chaos. Personne ne l'avait repérée. Pas même Gheritarish.

La sublime jeune femme affichait un sourire moqueur.

— Eh bien, mon beau Cellendhyll, tu as le chic pour te faire de bien dangereux adversaires ! Te voici écartelé entre le Père de la Douleur et le cardinal Hégel. Entre les Ténèbres et la Lumière. Et moi, que vais-je te réserver ? Mais non, tu n'as rien à craindre de moi, je veillerai sur tes arrières. Un jour, tu sauras ce que tu me dois... Mon bel Adhan, nos destins sont liés, car je l'ai décidé, bien que tu ne le saches pas encore. Bientôt, tu seras mien !

Estrée n'invoqua pas de portail pour rentrer sur le Plan-maître du Chaos. Elle avait d'autres projets. *Ce vieux Gheritarish a raison. Autant profiter des plaisirs qu'offre la capitale de Lumière. J'ai grand faim de luxure, moi !*

Pour descendre dans la ville, elle préféra ne pas se

servir de son manteau de camouflage. Elle trouvait bien plus excitant le risque de se faire arrêter.

Tandis qu'elle sortait subrepticement du jardin et s'engageait dans le palais, elle songea qu'il ne lui restait plus que deux sachets de bleue-songe. De quoi tenir trois jours, quatre si elle se rationnait. Elle allait devoir contacter Leprín afin qu'il la ravitaille. Elle avait tenté de trouver un autre fournisseur mais avait échoué. Aucun de ses contacts n'avait pu lui fournir de bleue-songe. Celle-ci restait une création exclusive des Ténèbres. Et il était hors de question de s'adresser à un autre sujet du Roi-Sorcier. Hors de question d'avoir fait tout ça pour rien ! Elle avait trop investi en Leprín pour tout recommencer, avec un autre de son acabit, probablement beaucoup moins fiable. De surcroît, le légat s'était avéré un amant intéressant et sa marchandise se révélait toujours de bonne qualité. Deux points qui comptaient plus qu'ils n'auraient dû, elle en était parfaitement consciente.

Estrée se trouvait à présent à danser sur le fil du rasoir. Mais elle s'était engagée d'elle-même sur cette voie et il était trop tard pour reculer. Elle devrait aller jusqu'au bout et ce qui pourrait lui arriver, elle refusait d'y songer.

Au moins, sa quête de renseignements concernant les Maisons du Chaos se déroulait avec une troublante facilité. À intervalles espacés, Estrée profitait des absences de son frère pour piller ses précieux registres. Elle faisait preuve de prudence, ne copiant qu'un dossier ou deux à la fois. Cependant, elle n'avait rien trouvé concernant les agents des Ombres. Impossible de remettre la main sur leurs propres registres. Morion les avait sans doute déplacés. La jeune femme avait beau connaître la clé alphabétique régissant le classement général des documents, il lui manquait le mot-clé pour les retrouver.

Il fallait veiller à un point, cependant. Soigneusement distiller les informations traîtresses qu'elle livrait à son amant ténébreux. Le noyer dans un flot de renseignements intéressants, certes, mais pas décisifs. De quoi nourrir sa curiosité, tout en dévoilant le moins de secrets possibles. Combien de temps pourrait-elle tenir ainsi ? Chaque visite au bureau de son frère augmentait les risques qu'elle soit découverte. Morion ne s'absentait pas de sa pièce favorite plus d'un couple d'heures dans la journée et, la nuit, les glyphes de garde qu'il posait dissuadaient tout espoir d'intrusion.

Tôt ou tard, Leprín réclamerait des informations plus valables, plus appétissantes, et Estrée devrait prendre une décision. Aller plus loin ou faire cesser le marchandage. Toutefois, elle ne se leurra pas. La jeune femme savait très bien qu'il était trop tard pour faire marche arrière.

Brusquement, elle éprouva un besoin presque irrépressible de bleue-songe. Rien qu'à l'idée de se refuser ce plaisir, elle fut saisie de sueurs froides. Elle eut beau se raisonner, impossible d'attendre. Alors, elle dégrafa le haut de sa combinaison moulante pour sortir un sachet plié en deux et glissé entre ses deux seins.

— Que faites-vous là ? Je suis Agervas de l'Orage. Qui êtes-vous ?

L'homme qui l'interpellait ainsi venait de jaillir de l'ombre d'un escalier. Le crâne rasé, il était grand, athlétique, vêtu de la robe et du gilet de maille des prêtres combattants. Et armé de son bâton d'éclair.

— Rien... je... j'allais me repoudrer, balbutia la jeune femme sur la défensive.

Déconcentrée, obnubilée par la drogue, surprise, Estrée avait perdu tous ses moyens.

— Vous avez l'air bien suspecte, vous... Qu'avez-vous entre les mains ? Donnez-moi ça et mettez-vous contre le mur !

Estrée repoussa l'appel de la bleue-songe au fin fond de son esprit et retrouva une part de ses moyens. Elle se garda bien d'obéir et sourit tout en gonflant sa poitrine. L'étincelle qui brillait au fond des prunelles du sicaire lui fournit une stratégie. Estrée humecta ses lèvres et regarda l'homme droit dans les yeux.

— Tout doux, bel officier ! Justement, j'avais besoin d'aide.

— Je ne suis pas officier, mais membre de la main d'Orage du cardinal Hégel.

— Le célèbre Hégel ? Encore mieux ! On le dit bel homme... est-ce vrai ?

La voix de la jeune femme enserrait l'homme de ses caresses lascives et celui-ci perdit sa concentration. Son bâton d'éclairs s'abaissa sans qu'il s'en rende compte. Toujours maître de son regard, la jeune femme se rapprocha d'Agervas, au point de le toucher. Estrée se plaqua contre lui, ajustant son bassin contre le bas-ventre du sicaire. Puis, la main de la jeune femme descendit, et vint se poser sur le membre qu'elle savait trouver déjà dressé. Agervas poussa un soupir surpris qui se transforma en gémissement de désir difficilement contenu.

Estrée sourit pour elle seule. *Les hommes sont si prévisibles, si faibles dès lors que l'on sait les manier !*

Sa caresse se fit plus appuyée. Les mains plaquées sur les seins de la jeune femme, l'homme s'abandonna totalement. Mais il hoqueta brusquement tandis que la senestre de la fille du Chaos venait d'enserrer ses testicules. La jouissance qu'il ressentait se changea soudainement en une douleur effroyable aiguë. D'une poigne aussi traîtresse qu'impitoyable, Estrée était en train de lui broyer les parties intimes.

L'homme poussa un hurlement silencieux. Estrée leva les mains et saisit la tête d'Agervas. Elle le maintint d'une prise impitoyable et, d'une torsion du buste, le fit basculer. L'homme tomba lourdement sur le dos. D'une vigoureuse torsion des mains, Estrée lui brisa la nuque.

La fille d'Eodh tira le cadavre démantibulé dans un recoin sombre. L'homme serait probablement porté manquant et son cadavre retrouvé sous deux heures. Mais d'ici là, la jeune femme serait loin. En sécurité, confortablement installée avec les trois meilleurs amants professionnels que la ville avait à offrir.

Voilà qui n'allait pas arranger l'opinion de Hégel à l'encontre de Cellendhyll. À coup sûr, l'Adhan serait soupçonné du forfait.

Estrée respirait mieux à présent. Le combat, si bref fut-il, avait repoussé son besoin de drogue et les symptômes afférents – souffle court, palpitations, sueurs froides puis brûlantes, tremblements suivis de vomissements. La fille du Chaos s'en félicita. Elle n'aurait pas besoin de se restreindre avant deux jours. Ses réserves de bleue-songe, elle les avait déjà fait durer tant qu'elle pouvait.

Elle lâcha un rire, marqué par la musicalité habituelle des Eodhs laissant percer cependant des notes discordantes de nervosité.

Car avant le lendemain, elle n'en avait aucun doute, l'appel de la drogue résonnerait à nouveau, faisant trembler son corps, palpiter son cœur et même son âme. Lorsqu'elle avait débuté la prise de bleue-songe, elle avait cru pouvoir y résister sans problème. Or maîtriser l'addiction que provoquait cette drogue demandait un effort presque impossible. C'était bien la première fois qu'un stupéfiant, si puissant soit-il, avait un effet si pernicieux.

À peine arrivée dans les rues de la ville, Estrée annula son manteau d'invisibilité. Elle se mêla à la foule des fêtards, s'attirant les sifflets appréciateurs de nombreux représentants de la gent masculine.

Disparue, l'angoisse. Menacée par les dangers qu'elle avait elle-même provoqués, la jeune femme se sentait de nouveau vivre avec intensité, elle qui craignait l'ennui plus que tout. L'avenir lui paraissait certes incertain mais cependant combien envoûtant, chargé de multiples promesses.

Le rire de la jeune femme résonna une nouvelle fois. Embaumé à présent d'une satisfaction sans partage. Estrée allait s'oublier dans les plaisirs de la chair. Plaisirs qu'elle concevrait vertigineux et dans lesquels elle se perdrait jusqu'au surlendemain. Après, elle verrait bien.

Chapitre 52

Plan-maître du Chaos,
la Forteresse de l'Ombre.

Le portail magique qui transporta Cellendhyll le mena directement dans la Forteresse de l'Ombre, résidence principale de la maisonnée d'Eodh.

L'Adhan apparut dans l'une des habituelles pièces de transfert. Une salle nue, lardée de sorts protecteurs et percée de meurtrières qui permettaient d'accueillir les visiteurs indésirables d'une nuée de traits d'arbalètes. Son arrivée avait déclenché le signal attendu. Toujours encombré de son fardeau, Cellendhyll attendit que l'on ouvre la grosse porte bardée de fer et de charmes, la seule issue à présent que le portail s'était refermé.

— Machallan, que fais-tu là ? Qui est cet homme ?

Le ton avec lequel on l'accueillait était rien moins que cordial.

Un homme tatoué, encore plus grand que l'Adhan, à la musculature sèche, se tenait sur le seuil. Il entra. Il était vêtu de cuir clair, d'un gilet sans manches, d'un kilt et de bottes lacées, sans armes apparentes. C'était un Tucin et Cellendhyll l'avait toujours trouvé particulièrement laid, avec son visage lunaire aux cernes soulignés, tout en méplats, son nez busqué et ses oreilles poilues aux lobes démesurés. En guise de chevelure, l'homme portait en haut du crâne un unique toupet de cheveux bleu foncé. Entièrement glabre, le reste de son corps dont la peau tirait sur l'ocre pâle, s'ornait – ainsi que son visage – de remarquables tatouages bleus et rouges qui figuraient un canevas de lignes ondulées, se suivant sans jamais se croiser.

— Sasht'eh... se contenta de saluer l'homme aux cheveux d'argent sans daigner répondre aux questions de l'autre.

Bien que servant le même bord, les deux guerriers ne s'appréciaient guère.

— Morion est là ? reprit Cellendhyll, sur ses gardes, comme à chaque fois qu'il croisait Sasht'eh.

— Le seigneur Morion travaille dans son bureau, répondit le Tucin d'une voix au timbre sifflant. Je t'ai demandé ce que tu faisais là, avec cet homme !

— Aurais-tu bénéficié d'une promotion qui me place sous ton autorité ? Non, hein ? Alors mêle-toi de tes affaires, Sasht'eh, répondit sèchement Cellendhyll en haussant un sourcil en signe de contrariété. Je vais voir Morion et tu n'as pas besoin d'en savoir plus.

— Le *seigneur* Morion ! tança Sasht'eh.

Dévisageant l'Adhan d'une hostilité non dissimulée, le Tucin refusait de lui laisser libre passage. Le regard de Cellendhyll s'étrécit, sa voix devint aussi coupante que sa dague.

— Sasht'eh, ne me cherche pas. Déjà, avec les gens que j'aime bien, je ne suis pas très patient... Et toi je ne t'aime pas. Si tu tiens à tes peintures, dégage !

Ramassé sur lui-même, le Tucin jaugea la silhouette de l'agent des Ombres, encombré de son fardeau. Un rictus dévoila une rangée de petites dents taillées en pointe. Il passa à l'attaque. Soudainement éclairées d'une énergie intérieure, les lignes rouges de son corps se mirent à onduler. Sasht'eh leva les mains, sur le point d'invoquer la magie contenue dans ses tatouages. Mais malgré son fardeau, Cellendhyll réagit à toute vitesse. En à peine une demi-seconde, sa dague sombre apparut dans sa senestre en rougeoyant de colère et, d'un geste fort précis, fut plaquée juste sous l'oreille droite du Tucin. À l'un des rares endroits vierges de toute teinture.

— Vas-y, surtout fais-moi ce plaisir, susurra Cellendhyll, ses traits éclairés de son inquiétant sourire de tueur. Tente un de tes tours et je te découpe le visage ! Tu sais ce que cette dague va faire à ta magie ?

La rapidité d'exécution de l'Adhan, associée à sa menace, dompta le Tucin. Les tatouages rouges s'éteignirent et retrouvèrent leur immobilité. Sasht'eh lâcha d'une voix rauque :

— Le seigneur Morion n'aimerait pas que nous nous battions.

— On va dire ça. Maintenant, dégage de mon passage !

Sasht'eh s'exécuta de bien mauvaise grâce, sa mine renfrognée indiquant clairement qu'il aurait sa revanche. Cellendhyll lui jeta un regard méprisant et quitta la pièce, fermant la porte d'un coup de pied. Il ne rengaina sa dague qu'après s'être assuré que le Tucin ne le suivait pas.

L'Adhan le soupçonnait depuis quelque temps de jouer un double jeu. Sasht'eh, le Tucin, espionnait pour le compte d'une autre des Maisons du Chaos, il en était presque sûr. Peut-être la Maison Melfynn, dirigée par l'ambitieuse Mharagret, mère du haïssable Rosh le rouquin, depuis toujours jalouse du rang d'Eodh. Cellendhyll attendait d'en avoir la preuve pour agir. Et ce, de façon définitive. Mais en attendant, heureusement pour Eodh, bien qu'étant un tueur de premier ordre, Sasht'eh n'avait pas les dons nécessaires pour intégrer les services secrets de Morion. Il avait un rôle moindre dans son organisation et ne disposait pas d'informations sensibles.

Chassant le Tucin de ses pensées, Cellendhyll s'engagea dans le petit couloir qu'il avait maintes fois emprunté. Une intersection, à gauche, un escalier à monter, une porte. Son fardeau commençait à peser. À remuer, même. D'un mouvement d'épaule, Cellendhyll cogna Auryel contre un mur, replongeant l'espion dans l'inconscience.

L'agent des Ombres franchit à la suite plusieurs postes de surveillance, visibles et invisibles, jusqu'à l'entrée de l'aile où résidait Morion. Son grade officiel de capitaine des Maraudeurs Fantômes – Morion gardait l'identité des agents des Ombres secrète même au sein de ses propres forces – lui garantissait le libre accès. Plusieurs gardes de sa connaissance, combattants éprouvés, le saluèrent avec un respect cordial. Depuis qu'il avait quitté le Bosquet sylvain, Cellendhyll se sentit enfin en terrain sûr.

Il longeait à présent un couloir décoré d'une unique fresque aux dominantes de violet, de gris clair, d'orangé et de bleu. Rehaussant son fardeau, il s'arrêta pour la contempler. À chacun de ses retours de mission, il renouvelait ce rite. Sans savoir pourquoi, l'Adhan trouvait la vue de cette toile apaisante. Une parfaite démonstration de l'art pictural allavencien, choisie par Morion. Esthète reconnu, ce dernier s'adonnait par pur plaisir au rôle de mécène.

Le couloir se révélait désert. Bien qu'ici, les apparences ne voulussent pas dire grand-chose.

Cellendhyll reprit sa marche jusqu'au bout du couloir, fermé d'une grande porte. Elle marquait l'entrée du bureau de Morion et malgré l'heure tardive, Cellendhyll savait que, son arrivée annoncée, il était censé le retrouver là. Taillée dans une écaille de dragon rouge à l'éclat sombre, luisante d'énergie, sans poignée ni serrure, la porte était marquée en son centre d'un œil fermé.

Cellendhyll se plaça devant celui-ci et attendit. L'œil s'ouvrit et le fixa de sa pupille qui tournait sur elle-même, constituée d'un cercle de couleurs pulsantes, rouge, bleu, vert, violet et gris. L'organe se ferma à nouveau et la porte disparut sans bruit, remplacée par un rideau de lumière diffractée.

La voix suave de son maître, inimitable, clairement détentrice de pouvoir, lui intima d'entrer. Cellendhyll pénétra dans l'antre de Morion d'Eodh, maître des Mystères et prince des Apparences. Celui qui lui avait sauvé la vie, alors qu'il avait perdu tout espoir, et modelé son destin.

Resté seul dans la pièce de téléportation, Sasht'eh se figea totalement, esclave d'un pouvoir qu'il ne pouvait combattre. Son regard noir se troubla avant de s'éteindre, expulsé par une volonté étrangère. Et les yeux jaunes aux prunelles de sang, fendues de noir, trahissaient parfaitement la nature de cette emprise. Des yeux à l'éclat malveillant, remplis de hargne et de colère. Des yeux qui annonçaient que les Ténèbres avaient leurs entrées dans la citadelle du Chaos.

Une voix grêle et malfaisante, à l'âge insondable, s'éleva dans la pièce, pleine d'un ton emphatique, chargée d'une rancune intemporelle qui déformait les lèvres de Sasht'eh :

— Tu as survécu au sorcier, aux Ikshites et à mes

serpentères, Cellendhyll de Cortavar. Soit, mais tu ne sauras pas m'échapper longtemps. La Prophétie d'Arasúl ne sera pas ! Par mon nom secret, jamais je ne le permettrai !

Enfin, le Père de la Douleur, Puissant des Ténèbres, relâcha son impérieuse emprise.

Brusquement libéré, Sasht'eh recouvra ses sens, et son regard retrouva en partie sa netteté. Il n'avait aucun souvenir de ce qui venait de se passer. Un peu hébété, il décida de rejoindre ses quartiers, ce qu'il fit d'une démarche vacillante. Le contact avec le Père de la Douleur l'avait vidé, comme à chaque fois.

Depuis plus d'un mois, le Tucin était la victime d'inexplicables transes dont il ne gardait qu'un souvenir trop diffus pour comprendre ce qui lui arrivait. Il ne se risquerait pas à en parler à quiconque, d'ailleurs. Avouer ce genre de faiblesse à son entourage ne lui apporterait au mieux que de la méfiance, au pire, la mort.

Le Père de la Douleur quitta l'état de transe qui lui avait permis de contrôler le Tucin et se retrouva assis sur son trône. Le contrôle n'en était qu'à ses débuts, et l'emprise restait imparfaite. Mais elle se renforcerait avec le temps. L'assassin tucin n'était pas encore véritablement asservi mais cela viendrait. D'ailleurs il avait déjà prouvé son importance en dérobant le gant appartenant à Cellendhyll. Gant qui avait permis à Mordrach et aux Ikshites de le retrouver dans la forêt d'Yspal. Mais le Roi-Sorcier avait digéré cet échec.

Le souverain des Ténèbres avait deux alternatives : tenter de soumettre Cellendhyll de Cortavar à sa volonté ou l'éliminer. N'ayant trouvé aucun élément pour faire pression sur l'Adhan, le souverain des Ténèbres jugeait préférable de le faire tuer. Une solution radicale à ce qui, d'après les dires d'Arasúl, le menaçait.

Tout à l'heure, le Père de la Douleur avait cru saisir l'occasion, en poussant le Tucin à s'attaquer au guerrier aux cheveux d'argent, handicapé par le poids d'Auryel. Le Ténébreux crut un instant que sa marionnette allait réussir mais l'Adhan avait été trop rapide. Ce n'était que partie remise.

Le Roi-Sorcier ignorait l'identité du prisonnier que ramenait l'Adhan. Tout comme il ignorait le véritable rôle de l'Adhan au sein du Chaos et la mission qu'il venait d'achever.

S'il l'avait su, sa réaction aurait probablement été toute autre.

Toujours aux trois quarts caché sous les plis de sa longue robe d'un rubis prononcé, le maître suprême des Ténèbres se rencogna dans son trône. Son rire aigrelet s'éleva des plis de sa robe et se mit à résonner dans la grande salle de sa forteresse. Un rire qui fit frémir les puissants gardes sanghs qui gardaient l'entrée de la salle principale. Qui fit pleurer les esclaves en route vers leur sinistre destin. Qui fit s'agiter une patrouille de Mantes et siffler une meute de serpentères dressés dans leurs cages.

Le rire dérangeant finit par s'éteindre. Le Père de la Douleur se calmait pour se plonger dans ses pensées et se métamorphoser en ce qui ressemblait à une statue de noirceur maligne.

Chapitre 53

Assis dans son fauteuil favori en train de lire un dossier, Morion avait encore changé la décoration et les dimensions de son bureau. Le prince des Apparences était dans une période épurée.

La pièce était beaucoup plus vaste que lors du dernier rapport de Cellendhyll. Le plafond était plus bas. Les murs de pierre avaient perdu leurs couleurs éclatantes pour devenir gris clair. L'un des deux était rehaussé de trois tableaux de Kall'ahaan, deux Violets et un Jaune. Une bibliothèque montant jusqu'au plafond, consacrée aux arts magiques, couvrait un autre mur. Le troisième mur avait disparu, remplacé par une large baie de cristalune qui donnait sur la vaste et profonde forêt de Streywen, fréquentée par le peuple loki. Le dernier des murs était nu. Mais l'Adhan avait appris à connaître les méthodes de son maître, Morion gardait bien des choses cachées derrière ce mur.

Le Puissant avait supprimé deux cheminées pour ne garder que celle qui ornait le centre de la pièce, percée de part et d'autre de niches creusées, abritant une série de sculptures d'un peuple aujourd'hui éteint et dont Cellendhyll n'avait jamais réussi à prononcer le nom. Sur le parquet de merisier parfumé, trois grands tapis luxueux, immaculés. Peu de meubles. Une table basse taillée dans du bois-ventien et deux agréables canapés bas, blancs, placés autour de la cheminée, en face du bureau de Morion. Bureau comme toujours recouvert d'un fouillis qui jurait avec le caractère ordonné du propriétaire des lieux – Morion menait une dizaine de projets personnels simultanément, sans compter la sécurité de la maison d'Eodh, dont il avait la maîtrise.

À peine avait-il fini son examen que Cellendhyll jetait l'archevêque sans connaissance comme un vulgaire sac, sur le tapis favori de Morion. L'indigo, en laine de Licorne.

Morion se leva de son siège, les sourcils froncés. Un geste qui dévoilait son irritation, chose peu courante. Le Puissant prit cependant le temps, d'un geste complexe de la main, de tracer un glyphe supplémentaire pour protéger la pièce des écoutes potentielles.

— Cellendhyll, que fait cet homme ici ? Il saigne sur mon tapis préféré, en plus ! Ne devais-tu pas le tuer ? Qu'est-ce qui te prend de contrarier mes instructions ?

Ce qu'il y avait de bien avec Morion, c'est qu'il ne perdait pas son temps en circonvolutions. Son Œil avait aisément démasqué l'identité du prisonnier.

Et si son mobilier, sa décoration, avaient changé, pas lui. Toujours le même maintien élégant, la même grâce, les mêmes traits fins d'adolescent, avec, au menton, la fossette propre aux héritiers d'Eodh. Toujours les mêmes petites lunettes rondes aux verres fumés dissimulant ses yeux.

Et surtout, bien au-delà des apparences, toujours le pouvoir sous-jacent qui s'exprimait notamment dans les tonalités de sa voix élégante. Malgré son fragile aspect, sa mine de jouvenceau, il émanait de Morion une aura d'énergie peu commune. Cellendhyll l'avait vu un jour soulever un assassin sangh acharné d'une seule main, et le lancer contre un mur, à trois mètres de là. Le

Sangh, un prédateur affûté de trois cent cinquante kilos, ne s'était pas relevé.

Morion d'Eodh, maître des Mystères et prince des Apparences...

Cette nuit-là, le Puissant portait une tenue sobre, d'évidence très coûteuse. Une chemise impeccablement blanche, une écharpe de velours violet, un pantalon gris en gabardine de laine sylvaine, et des bottines en agneau impeccablement cirées. Un béret blanc, penché sur sa tête, atténuait toutefois cette étiquette de classicisme.

D'aucuns seraient tétanisés d'avoir mécontenté un Puissant du Chaos, mais Cellendhyll répondit sans s'émouvoir. Il avait quelques éléments à faire valoir et savait que son maître lui laisserait avancer ses arguments, avant de prendre une décision.

L'homme aux cheveux d'argent conta donc à son maître le détail de ses aventures en omettant toutefois deux points : sa nuit avec Kell et son amitié pour Reydorn. S'il était impossible de mentir au maître des Mystères, de là à lui dévoiler son intimité... Cellendhyll de Cortavar n'était pas du genre à s'épancher.

L'Adhan présenta ses arguments tandis que Morion l'écoutait, tranquillement installé dans son fauteuil, derrière son bureau, un verre de liqueur de menthe poivrée à portée de main.

— ... Ainsi, poursuivait Cellendhyll, pour répondre à la demande des Ténèbres, vous m'avez ordonné de faire disparaître cet Auryel. J'ai obéi, puisqu'il est ici, captif, en votre pouvoir... Et personne ne pourra faire le lien avec le Chaos, je n'ai laissé aucun indice. En revanche, la souillure provoquée par le crachat dans les appartements de l'archevêque va orienter les recherches du côté des Ténèbres...

— Ainsi ce bon Archevêque Auryel est un Maître-espion ténébreux ! le coupa Morion. Mais alors pourquoi les Ténèbres nous ont-ils demandé de le supprimer ? Quelle est ton opinion, Cellendhyll ? Non, attends, notre *ami* va tout d'abord nous laisser.

Morion claqua des doigts pour que l'on transfère l'archevêque dans l'une des cellules privées, totalement à l'abri des curieux. Il servit ensuite un verre à son agent. Il avait depuis longtemps oublié son tapis.

— Ma théorie, seigneur, est la suivante, répondit l'homme aux cheveux d'argent. Si les Ténèbres nous ont engagés, c'est effectivement parce qu'ils étaient incapables d'approcher Auryel pour le tuer. Ils voulaient supprimer cet homme, c'est un fait, dans le but de faire échouer la phase de conquête qui les menace. Mais il y a une autre raison, peut-être plus importante. Car ils auraient très bien pu choisir un autre des membres du Conseil, non ? En tant que membre de la Guelfe, Auryel n'est pas concerné au premier chef par la guerre. Le connétable Xavier, par exemple, aurait fait une cible bien plus évidente puisque c'est lui qui dirigera les armées de l'Empire. Non, je pense que les Ténébreux ont spécifiquement décidé la perte de l'archevêque. Parce qu'il les dérangeait. Parce qu'il avait des velléités d'indépendance. Ce qu'Auryel m'a confirmé, si tant est que ses propos soient fiables, ce qui est loin d'être sûr.

— Soit, Cellendhyll. Tu as donc débusqué un agent des Ténèbres pour me le ramener. Et maintenant ?

— Plus qu'un simple agent, seigneur. Un *Maître-espion* ! Qui dirigeait la Guelfe Blanche ! Membre direct du conseil humain de la Lumière... disposant donc de nombreux secrets sur celle-ci. Et sans oublier le Père de la Douleur ! Je suis persuadé que si les Ténébreux se sont bien cachés de nous révéler que l'archevêque était leur espion, c'est qu'Auryel a bien plus de valeur vivant que trépassé. Auryel était acculé quand il a déclaré détenir des informations importantes au sujet du Roi-Sorcier, c'était sa dernière carte, la plus importante. Ce *savoir* qu'il s'est déclaré prêt à vous transmettre pour sauver sa peau pourra sans aucun doute vous être profitable... J'ai soupesé les faits et me suis adapté, jugeant qu'il était plus intelligent de vous le ramener, plutôt que de le tuer. Malgré mon désir de vengeance... Si Auryel a menti, il sera toujours temps de lui faire regretter. Si vous en décidez ainsi, je m'en chargerai avec plaisir, proposa l'Adhan, avec une certaine gourmandise.

— Non, rétorqua Morion tout net en éclusant son verre.

Il se resservit dans la foulée avant d'ajouter :

— Il est plus utile effectivement de le garder vivant en mon pouvoir. Toutes mes félicitations, Cellendhyll ! Tu as bien agi, ou réagi devrais-je dire. La Lumière déstabilisée dans ses rêves de conquête et Auryel qui représente un atout sur les Ténèbres dont les limites restent à cerner... Morion plissa son jeune visage. Humm... Il reste toutefois un point à régler. Que vais-je présenter en guise de version officielle ? Hors de question que quiconque apprenne qu'Auryel est en notre pouvoir et je dois donner la preuve de sa mort à mon père qui devra à son tour transmettre à son commanditaire... Je suis sûr que tu as pris cette donnée en compte. Qu'as-tu prévu comme parade ?

Le regard du maître des Mystères pétillait, même à travers ses petites lunettes.

— Eh bien, sourit tranquillement Cellendhyll, vous n'aurez qu'à lui donner ceci !

L'Adhan dévoila un petit sachet de peau qu'il jeta sur le bureau de Morion. Taché d'une substance que le seigneur analysa d'un coup d'œil comme du sang humain. D'une main fine, il ouvrit le sachet et contempla son contenu, sourcils haussés.

— Ses yeux ? Ce sont réellement *ses* yeux ?

Cela, son Œil n'avait su le détecter.

— Je pense, Seigneur, que cela suffira amplement. Les Ténèbres n'ont aucune raison de douter de votre parole. Et pour vous, la valeur de cet homme reste intacte puisqu'il peut encore parler. *En ce qui me concerne, moi, j'ai complété ma vengeance*, pensa Cellendhyll. De toute façon, si vous changez d'avis, je peux vous offrir sa tête... Ce sera avec plaisir ! insista-t-il.

— Tstt, tstt, tstt, mon cher Cellendhyll, tu as décidément la vengeance tenace et spectaculairement sanglante, soupira Morion. Je veillerai à ne pas l'oublier. Vraiment, voilà qui ne ressemble pas aux préceptes enseignés par la Lumière ! se moqua le Puissant.

— Mais, monseigneur, je n'ai plus rien à voir avec la Lumière. C'est le Chaos que je sers, rétorqua l'Adhan avec le plus grand sérieux.

— Mon père, le Duc, apprendra tôt ou tard cette duperie. J'espère le plus tard possible. Mais que lui dirai-je alors ?

— Et depuis quand un Puissant du Chaos ne peut-il plus mener son propre jeu ? Vous n'avez commis aucune traîtrise envers votre père ou envers Eodh. Il vous a demandé de faire disparaître l'archevêque, d'enrayer l'attaque de la Lumière. Cela a été fait. Auryel ne siégera plus au Conseil. Sa disparition, la mort de Ghisbert, le scandale provoqué suffiront à reporter, voire à annuler le plan de conquête de la Lumière. Et si ce n'est pas le cas, ce document que j'ai découvert sur le bureau de l'archevêque permettra de prévoir tous leurs mouvements. Vous saurez mieux que moi en tirer parti. Ainsi, nous sommes couverts, quoi qu'il arrive... D'ailleurs, vous ne devez strictement rien aux Ténébreux. Au contraire, ce sont eux, qui, à présent, sont nos débiteurs. N'est-il pas vrai, Seigneur ?

Et je vous rappelle que leur attitude est suspecte, ils ont menti en omettant de nous dire qu'Auryel était leur espion au conseil.

Morion saisit le papier que lui tendait Cellendhyll et le lut aussitôt. Quelques secondes lui suffirent pour mémoriser le projet d'invasion dans ses moindres détails.

— Ah, Cellendhyll, quelle rhétorique ! Avec de tels arguments, je suis paré pour répondre à Père. Pour tout le monde, Auryel sera mort.

— Oui, renchérit l'Adhan. Et libre à vous de le cuisiner. Encore faut-il que vous arriviez à le faire parler. En tant que Maître-espion, il est immunisé contre la torture.

— Oh, il parlera ! s'exclama Morion. Pas tout de suite, mais il parlera et j'apprendrai ce que je désire savoir. Je ne suis pas pressé.

Le Puissant se leva, manifestement réjoui. Il fit quelques pas, les mains dans le dos, avant de se rasseoir et de toiser son subordonné.

— Tu as réponse à tout, décidément. Ton esprit d'analyse se révèle des plus précieux. Peut-être devrais-je te garder à mes côtés comme conseiller.

L'Adhan fronça les sourcils et répondit en usant de son ton le plus convaincant :

— S'il plaît à monseigneur... Évitez-moi la politique, je suis un agent des Ombres, formé comme tel par vos soins. Vous m'avez voulu ainsi et c'est ainsi que j'ai appris à vivre. Je serai plus utile sur le terrain. Et bien plus heureux.

Morion se caressa le menton, soupesant la réponse de son interlocuteur.

— Tiens donc, tu ne sembles vraiment pas apprécier la politique, Cellendhyll ! Et tu as bien tort car elle mène le monde, en grande part... Ma foi, puisque tu le veux, tu resteras donc un de mes *agents*. Je te dois bien ça. Pour cette histoire de prophétie, laisse-moi m'en charger. Je ne sais pas ce que le Père de la Douleur peut bien te vouloir, mais je vais creuser la question. En attendant, tant que tu restes dans la Forteresse, je pense que tu ne crains rien.

— Deux choses encore, si je puis me permettre, Seigneur... La première concerne Rosh Melfynn. Ses mauvais penchants ont bien failli faire capoter la mission. Et ce n'est pas la première fois. En toute franchise, je ne sais pas si je pourrai m'empêcher de le tuer si je dois de nouveau travailler avec lui.

— Tu vas devoir te contenir encore un peu, Cellendhyll, ordonna le Puissant. Malgré ses travers, Rosh m'est utile. Je sais parfaitement qu'il m'espionne pour le compte de la Maison Melfynn, du moins essaie-t-il, mais cela convient admirablement à mes projets. Alors tu devras patienter. Enfin, si tu le croises fortuitement et que tu l'abîmes un peu, je ne t'en tiendrai pas grief... Tu lui as salement cassé le nez la dernière fois... Rosh médite actuellement sur ses erreurs en nettoyant les latrines de la Forteresse et comme j'ai temporairement neutralisé ses pouvoirs de guérison à l'aide d'une stase, son visage lui fait toujours le plus grand mal !

— C'est toujours ça ! ricana pleinement Cellendhyll avant d'ajouter plus gravement : Je tâcherai de résister, seigneur, mais de grâce, évitez de me le faire côtoyer.

— Cela est possible, opina Morion. Quoi d'autre ?

— L'homme qui m'a épaulé dans la cité... Rathe le Corbeau, le Maître-voleur... je crois qu'il pourrait s'avérer utile. La Fraternité n'est pas au mieux de sa forme dans la cité des Nuages. Rathe a le projet de monter un réseau concurrent. S'il en a les capacités, il ne lui manque que les fonds. Je me suis dit que vous pourriez investir dans un tel projet. Que diriez-vous d'avoir l'appui d'un réseau de voleurs au sein même de la capitale de la Lumière ? Les voleurs disposent d'excellentes informations, et Rathe est un homme d'honneur, du genre à vous plaire.

— Brillant, mon cher Cellendhyll, très brillant ! s'exclama Morion. Dès que les choses se seront tassées dans la cité des Nuages, j'enverrai Morfis. Il s'occupera de contacter ton Corbeau et de régler les détails. Il n'y a aucune raison pour que cela ne nous soit pas profitable.

— Dites à Morfis d'apporter de l'herbe loki. Rathe en est friand. Cela devrait faciliter la prise de contact... Il n'aura qu'à faire le signe de reconnaissance commun et souffler mon nom.

Morion entreprit une série d'allers-retours méditatifs dans la pièce. Il se mouvait avec une remarquable élégance. De retour à son siège, ses traits avaient perdu toute trace de gaieté.

D'instinct, l'Adhan se tendit. Dans sa botte gauche, sa lame sombre se mit à vibrer contre sa jambe, comme pour l'avertir d'un danger.

— Dis-moi, Cellendhyll, entreprit Morion d'une voix douce, trop douce... Je songe à un autre point. Une fois ton honneur retrouvé, tu aurais pu fort bien rester sur place. Et profiter d'avoir retrouvé ton statut de lige pour entamer une belle vie parmi les tiens ? Oui, je sais... tu as changé d'allégeance. Mais devenir lige était ton rêve, n'est-il pas vrai ? Tu pourrais donc...

Le Puissant du Chaos s'avança sur son fauteuil pour fixer intensément son agent.

— Oui, mon cher Cellendhyll, j'y songe en vérité, qui me dit que tout ceci n'est pas la plus habile manœuvre jamais réalisée par Priam et dont tu serais l'instrument ? Es-tu devenu son espion ? Es-tu revenu pour travailler à ma perte ? N'est-ce pas là la mission que t'a confiée le Patriarche pour prouver ta fidélité envers la Lumière ?

Cellendhyll s'obligea à ne pas baisser les yeux devant le regard scrutateur de Morion, irradiant de pouvoir malgré le couvert foncé de ses lunettes.

— Vous le verriez, tout de suite, monseigneur, souffla l'Adhan. On ne peut rien cacher au maître des Mystères, et surtout pas sur son propre Plan d'existence. Sondez-moi, vous saurez que je dis vrai !

Morion fit appel à son mana pour examiner longuement Cellendhyll. Son pouvoir inquisiteur semblait avoir rempli la pièce. L'air était chargé d'énergie. Cellendhyll sentit son âme fourmiller alors que le maître des Mystères plongeait son Regard en lui.

Au bout de quelques minutes, Morion arbora une moue satisfaite et reprit :

— C'est exact, tu me restes fidèle... Mon Œil le confirme. Je ne suis pas réellement sûr de comprendre tes motivations, de comprendre pourquoi tu as choisi de tourner le dos aux tiens, alors même que tu avais la possibilité de tout recommencer, mais je sais que tu es sincère. Cela me suffit amplement.

Tout en continuant de fixer l'Adhan, Morion prit le temps de prendre quelques gorgées de liqueur. Il ne s'excusa pas d'avoir injustement soupçonné son subordonné.

Cellendhyll se sentit néanmoins le besoin de répondre :

— En vérité, seigneur Morion, j'avoue que je ne sais pas vraiment moi-même ce qui a motivé ma décision de vous revenir. Toute ma jeunesse, je n'ai pensé qu'à une chose, devenir lige de Lumière. J'ai tout sacrifié pour ça. Et vous savez comment cela s'est terminé... soupira-t-il. Oui, j'aurais pu accepter l'offre du conseil et accepter de devenir lige. Mais aujourd'hui, ce rêve n'a plus aucune substance, je m'en suis bien rendu compte. Cette nuit-là où vous m'avez sauvé, j'ai prié à m'en arracher l'âme pour que la Lumière me sauve. En vain. J'ai mobilisé tout mon amour, toute ma foi, et j'ai attendu l'intervention du Patriarche. Le seul à être venu, c'est vous. Alors comment croire en la Lumière, à présent ? Et comment la servir sans croire en elle ? Mon salut, je ne le dois qu'à vous, et à moi-même. Durant toutes ces années à votre service, les honorables aspirations que je m'étais forgées, mes croyances religieuses, se sont éteintes. De surcroît, tenir le rôle d'Ange de Lumière m'a soudain fait songer à une belle cage dorée dans laquelle je me serais morfondu jusqu'à en devenir fou. Je n'ai aucune envie de politique, de pouvoir. Je suis un agent des Ombres et je suis un Initié. J'aime l'action, j'aime le danger. Et je n'ai rien d'autre. Du reste, j'ajouterai que vous avez toujours été bon envers moi, j'estime que vous méritez mes services... Voilà tout ce que je peux dire.

Morion avait écouté avec une grande attention. Il hocha la tête et déclara :

— Tu m'as particulièrement bien servi dans cette affaire, Cellendhyll de Cortavar. Je vais donc te récompenser selon tes mérites... Lève-toi et mets-toi torse nu.

Plutôt surpris mais sans inquiétude, l'homme aux cheveux d'argent s'exécuta.

Morion vint se placer devant son agent et ôta ses lunettes. Ses yeux diffusaient une palette de couleurs changeantes, impossible à définir, qui émirent un vif rayonnement éblouissant. Aspiré par leur éclat sans pouvoir se défendre, Cellendhyll se sentit immobilisé aussi efficacement qu'avec des chaînes forgées par le peuple nain. Morion sourit doucement devant le désarroi de son agent.

— Tu es inquiet, Cellendhyll ?

— Seigneur Morion, je vous ai dit la vérité. Sur mon honneur, je vous suis loyal ! plaida l'Adhan qui ne comprenait goutte à l'attitude de son maître.

Il ne pouvait strictement rien faire pour se libérer. Une fois encore, il sentit sa dague sombre frémir doucement contre sa jambe. Impuissante, l'arme magique paraissait frustrée de ne pouvoir jaillir de sa botte.

— Oh, mais rassure-toi, sourit doucement le Puissant. Je n'ai aucun doute sur ta loyauté...

En dépit de ces paroles rassurantes, Morion ne fit rien pour libérer son prisonnier. À la place, il fit glisser une main sous le rebord de son bureau, jusqu'à un endroit précis. Un claquement sec retentit et un tiroir secret s'ouvrit brusquement dans le meuble. Morion en sortit un coffret en bois laqué aux tonalités vert sapin, scellé d'une série de glyphes de garde. De l'index et du majeur, Le Puissant traça les runes appropriées pour annuler les sorts de protection. Il ouvrit le coffret et saisit un objet de forme sphérique, de la taille d'un poing serré et enveloppé dans une étoffe irisée.

Morion vint se placer devant Cellendhyll, l'objet dans la main droite. L'Adhan ne pouvait toujours rien faire pour se libérer mais ce n'était pas son genre de supplier. Il avait beau réfléchir, il ne comprenait pas ce qui lui arrivait et luttait pour se réveiller de ce cauchemar éveillé.

Concentré sur ce qu'il accomplissait, le Puissant du Chaos ne prêtait plus attention à son captif. Il leva sa senestre et ferma les yeux. Il resta ainsi une longue minute avant d'agiter doucement sa main levée en formant de légers mouvements circulaires. Enfin, il se figea et rouvrit les yeux dont l'iridescence continuait de sévir.

À cet instant précis, les deux hommes furent baignés par la lumière pâle et chatoyante de Valistar, la lune du Nord qui régnait sur le Plan-maître du Chaos. Envoûté, surnaturel, amplifié par l'appel de Morion, l'étincellement lunaire les inonda avec autant de puissance que cent torches.

Le Puissant ouvrit sa main gauche, toujours brandie, et puisa dans le mana qu'offrait Valistar, nécessaire à ce qu'il accomplissait – se servir des réserves de la pierre-de-vie du Chaos aurait vidé celle-ci d'une trop grande part de ses énergies.

La paume de Morion se mit à miroiter et s'orienta vers Cellendhyll, avant de relâcher le mana – transformé, asservi par la volonté du Puissant – directement sur le torse de l'Adhan. Cellendhyll ne put se retenir de hurler, tandis que le jet d'énergie magique émis par Morion le brûlait jusqu'aux tréfonds de son être, tandis que le sortilège le maintenait debout et immobile. Il ne pouvait même pas se débattre.

L'Ange du Chaos ne put combattre cette effroyable douleur. Accompagné du rire distingué de son seigneur, Morion d'Eodh, Cellendhyll de Cortavar sombra debout dans un néant accueillant.

Morion baissa sa senestre, tandis que la lumière restait asservie à sa volonté. Il dévoila enfin ce que recelait son autre main : cela ressemblait à une gemme noire. Morion leva la mystérieuse sphère et la posa contre le torse de Cellendhyll, du côté droit. Au contact de la peau de l'Adhan, la gemme s'alluma d'un feu rouge et pulsant. Morion sourit et la noblesse de ses traits fins se para d'une jubilation triomphatrice. Il releva sa main gauche. L'étincellement de Valistar s'accentua encore, illuminant la pièce entière. Les deux silhouettes disparurent, absorbées, englouties par l'astre dominateur de la nuit.

Et dans la grande forêt de Streywen, en contrebas, les loups qui gardaient les feux des clans lokis se mirent à hurler.

À leur concert sauvage, prolongé, se joignit en contre-mesure le rire suave et distingué de Morion, maître des Mystères et prince des Apparences.

ANNEXE

Genèse du monde des Plans
(extrait de la bibliothèque de Morion d'Eodh)

Le monde des Plans est né autrefois d'un noyau, le Plan d'existence Primaire, centre d'une cinquantaine d'autres Plans satellites, neutres ou conquis par les Puissances dominantes.

La sempiternelle guerre de pouvoir opposant l'empire de la Lumière au royaume des Ténèbres faisait rage. Après les Grandes Guerres qui avaient vu la mort de centaines de milliers de guerriers, sans qu'aucun des deux camps ne prenne l'avantage, la lutte entre les deux plus grandes Puissances – Ténèbres et Lumière – se fit plus feutrée. Elle n'en était pas moins acharnée.

L'enjeu était rien de moins que la suprématie du monde des Plans.

Car celui qui contrôlerait le Plan primaire – également appelé Territoires-Francs – obtiendrait la domination des Plans satellites. En effet, afin d'assurer son existence, chaque Plan extrayait sa subsistance de sa propre Pierre-de-Vie, accordée sur celle du Plan Primaire. Contrôler le flux de la Pierre-de-Vie originelle permettrait de contrôler toutes les autres.

Sur le Plan primaire, les Territoires-Francs, diverses

races à dominante humaine revendiquèrent l'indépendance du monde originel. Liée à la défense des Territoires-Francs par un pacte d'assistance, sept cités-états symbolisaient cette indépendance. Malgré leurs réguliers différends, elles étaient prêtes à se mobiliser et à se battre farouchement pour la conserver.

Ambre, Védyenne, Gar-Vallon, Tarbayne, Claire-Aube, Véronèse et Coruscante. Regroupées sous le nom d'Alliance, les sept cités acceptèrent l'établissement de la Lumière et des Ténèbres sur le monde primaire, sans se douter que les deux Puissances s'ingénieraient avec acharnement à conquérir leurs terres.

Cependant, dans l'ombre, une troisième Puissance œuvrait pour ses propres intérêts. Protégé par le manteau épais du mystère, le Chaos observe, juge et agit selon sa logique propre, s'opposant tantôt aux desseins de la Lumière, tantôt à ceux des Ténèbres...

Retrouvez l'univers du cycle de
L'AGENT DES OMBRES sur le site
www.angeduchaos.com

Imprimé en France par CPI
en novembre 2019
N° d'impression : 3036500

POCKET – 12, avenue d'Italie – 75627 Paris Cedex 13

Dépôt légal : juin 2008
ISSN : 2497-7284
Suite du premier tirage : novembre 2019
S30909/01